Amkoullel, l'enfant peul

DU MÊME AUTEUR AUX ÉDITIONS J'AI LU

Oui mon commandant !, n° 5178

AMADOU HAMPÂTÉ BÂ

Amkoullel, l'enfant peul

Mémoires

RÉCIT

Préface de Théodore Monod

Avant-propos de l'auteur

PRÉFACE

J'ai été naturellement très ému d'apprendre qu'Amkoullel avait souhaité que la préface à ce volume soit rédigée par le vieil ami qu'il appelait "son Fleuve silencieux".

C'est en effet vers 1941-1942 que nous avions fait connaissance et qu'était née entre nous la profonde amitié qui nous unissait, dans plusieurs domaines d'ailleurs : notre participation commune aux recherches concernant le passé de l'Afrique de l'Ouest et, plus encore peut-être, la certitude que nos convictions religieuses, loin de nous séparer, convergeaient dans une même direction de la façon la plus évidente et que nous gravissions l'un et l'autre, par des sentiers en apparence différents, la montagne unique au sommet de laquelle l'attend, au-dessus des nuages, la lumière surnaturelle qui doit éclairer tout homme.

L'enseignement de Tierno Bokar avait beaucoup contribué à ouvrir très largement le cœur et la pensée d'Amkoullel sur tous les aspects de la vie spirituelle authentique. Celle-ci, où qu'elle se manifestât, était donc toujours accueillie par lui avec joie et reconnaissance.

Nous avions fait un jour un pèlerinage à la maison et sur la tombe de Tierno Bokar, à Bandiagara. Nous avions souhaité, lui et moi, faire connaître à ses amis un des plus beaux textes de la littérature religieuse, célèbre sous le nom d'*Hymne à la Charité* et inséré par l'apôtre Paul dans l'une de ses lettres.

Nous nous rendîmes ensemble à la mosquée de Bandiagara où mon compagnon traduisit en peul à l'intention de ses amis ce passage si connu, et qui se termine ainsi : "*Maintenant donc, ces trois choses demeurent : la foi, l'espérance et l'amour. Mais la plus grande des trois, c'est l'amour."* Les auditeurs trouvèrent ce texte très beau et m'en demandèrent l'origine. Sans entrer dans trop de détails, je pris la liberté de me contenter de la réponse suivante: "L'auteur est un soufi d'entre les Banou Israël."

On voit ici, à travers le récit qui précède, l'étonnante largeur d'esprit de mon ami.

Je dois ajouter d'ailleurs qu'Amkoullel, dans la vie courante, loin de se maintenir en permanence sur les plus hauts sommets de la pensée ou de la foi, savait être à bien des égards un homme comme les autres, sachant rire, plein d'humour à l'occasion, voire de malice, et qu'il possédait un talent particulier pour le récit et par conséquent le conte: nombre de ses écrits sont en fait des histoires, qu'il s'agisse de textes symboliques ou, plus simplement, de récits plaisants, comme par exemple celui qui a pour titre un peu surprenant *Le coccyx calamiteux*.

Le thème "Souvenirs de jeunesse" appartient à un genre littéraire bien connu, mais périlleux, puisque l'on voit s'y rencontrer côte à côte les plus hautes réussites avec les plus fortes pensées et les plus pauvres banalités. La bonne volonté du mémorialiste ne remplacera pas le génie, et il ne sera pas donné à n'importe qui d'avoir à évoquer, comme Chateaubriand, son enfance à Combourg.

En nous racontant sa jeunesse, en fait ses vingt premières années, Amadou Hampâté Bâ nous introduit dans un monde qui sera singulièrement instructif pour le lecteur d'aujourd'hui: celui de la savane ouest-africaine, avec les paisibles immensités d'une brousse dévorée par le soleil ou battue par les tornades de la saison des pluies, avec ses plateaux gréseux et l'énorme fleuve Niger qui reste la grande artère centrale de tout le pays.

Le centre du récit restera cependant la petite ville de Bandiagara, mais d'autres lieux seront tour à tour évoqués: Mopti, Sansanding, Ségou, Bougouni, Koulikoro, Kati, etc. Si, à Bandiagara, on assiste, au début du siècle, à l'installation en pays conquis de l'occupation militaire française, le pays demeure passionnément attaché aux grands souvenirs de son histoire et, bien entendu, aux deux principaux épisodes de celle-ci : le royaume peul de Cheikou Amadou dans le Macina, et la conquête du pays par les Toucouleurs d'El Hadj Omar.

Les passions restent vives et, dès son enfance, l'auteur se trouvera plongé dans les remous d'un passé dont il se fera d'ailleurs lui-même un jour l'historien.

Le royaume de Bandiagara est, évidemment, musulman ; cet islam, passablement rigoriste, régit tout ensemble les choses de la foi et celles de la vie sociale. Les garçons, par exemple, se voient contraints d'apprendre par cœur un Coran dont certains, faute de savoir l'arabe, ne connaîtront pas le sens.

On reste confondu de l'extrême précision du récit qui reproduit jusqu'à des conversations anciennes. Il est évident que l'auteur fait appel à la fois à des souvenirs personnels et à des renseignements recueillis auprès d'informateurs. Il existe ici un matériau historique parlé d'une extrême richesse, témoignant d'une véritable civilisation de l'oralité capable de conserver des récits souvent anciens et d'une surprenante précision.

Un enfant peul grandira dans une double fidélité : à un véritable code de l'honneur et à un total respect de la volonté maternelle. Le jeune Peul, nourri du récit des hauts faits de ses ancêtres, devra régler sa conduite d'après un code moral exigeant ; il y aura donc des choses qu'un Peul bien né refusera de faire.

Après l'honneur, voici la seconde partie du diptyque : la Mère. Un Peul peut désobéir à son père, jamais à sa mère. La règle est absolue. Amadou Hampâté Bâ en fera l'expérience lorsque Kadidja interdira son départ pour l'Ecole de Gorée, pépinière des meilleurs auxiliaires africains de l'administration coloniale. Cette mère était d'ailleurs d'un calibre exceptionnel, et cette noble, gracieuse et forte Kadidja réapparaîtra dans cent pages du récit.

Quittant sa mère à Koulikoro pour rejoindre son premier poste dans l'administration coloniale, Amkoullel voit Kadidja s'éloigner de la berge du fleuve sans se retourner. "Le vent faisait flotter autour d'elle les pans de son boubou et soulevait son léger voile de tête. On aurait dit une libellule prête à s'envoler."

Un troisième élément de la société peule, après l'honneur et le respect de la mère, réside dans la pratique de la générosité. On trouvera dans les récits d'Amkoullel de très nombreuses allusions au rôle du don dans les rapports sociaux : on voit en effet nombre de fois un donateur, en état de le faire, récompenser des services par un cadeau de plus ou moins d'importance : animaux, vêtements, objets divers et, parfois, numéraire. Cette ubiquité de la pratique du don fait partie de la coutume peule.

Vingt années d'une jeune vie africaine, cela comprend une foule de récits, d'anecdotes, de descriptions les plus variés. On découvre par exemple avec intérêt le fonctionnement de ces associations d'enfants comprenant jusqu'à une cinquantaine de jeunes garçons, appartenant d'ailleurs à toutes les classes sociales de la ville, des nobles jusqu'aux *rimaïbé*.

L'humour d'Amadou Hampâté Bâ est constamment présent et le pittoresque ne manque jamais : preuve en est le singulier récit d'une expédition enfantine destinée à déterminer si, comme le bruit en avait couru, les excréments des "Blancs-Blancs" étaient noirs.

L'horreur se trouve également représentée dans ce volume, par exemple à l'occasion d'une famine sévère dont l'auteur a conservé de tragiques souvenirs.

Il cherchera toujours, en bon musulman, à découvrir dans sa foi la justification des caprices du Destin. Voulant, en 1947, revoir son ami Ben Daoud qu'il avait connu riche et honoré, fils du roi Mademba de Sansanding, il le découvre pauvre, déchu de tous ses biens, vivant dans la misère et presque famélique, mais ayant conservé, face aux cruautés du sort, une parfaite sérénité et un courage moral qui fait toute l'admiration de l'auteur : "Ben Daoud Mademba Sy demeure pour moi l'un des hommes dont la rencontre, lors de mes vacances de 1919 d'abord, puis en 1947, a le plus profondément marqué ma vie."

Il serait injuste de ne pas dire un mot du style de l'auteur. Il est partout d'une qualité remarquable et fréquemment enrichi des images et des comparaisons les plus pittoresques. On sent ici évidemment les qualités d'un auteur rompu aux exigences du récit et du conte. Amadou Hampâté Bâ reste un merveilleux conteur.

Il n'est pas douteux que cet ouvrage servira, de la façon la plus heureuse, la mémoire de notre ami disparu.

Puissent ceux qui le découvriront, nombreux, à travers ce message d'outre-tombe, se sentir moralement enrichis et fortifiés par la découverte de celui qui fut à la fois un sage, un savant et un spirituel, et qui restera pour beaucoup le meilleur témoignage de cette parole de l'Ecriture : *"L'Esprit souffle où il veut..."*

THÉODORE MONOD

AVANT-PROPOS

La mémoire africaine

"Plusieurs amis lecteurs du manuscrit se sont étonnés que la mémoire d'un homme de plus de quatre-vingts ans puisse restituer tant de choses, et surtout avec une telle minutie dans le détail. C'est que la mémoire des gens de ma génération, et plus généralement des peuples de tradition orale qui ne pouvaient s'appuyer sur l'écrit, est d'une fidélité et d'une précision presque prodigieuses. Dès l'enfance, nous étions entraînés à observer, à regarder, à écouter, si bien que tout événement s'inscrivait dans notre mémoire comme dans une cire vierge. Tout y était : le décor, les personnages, les paroles, jusqu'à leurs costumes dans les moindres détails. Quand je décris le costume du premier commandant de cercle que j'ai vu de près dans mon enfance, par exemple, je n'ai pas besoin de me « souvenir », je le vois sur une sorte d'écran intérieur, et je n'ai plus qu'à décrire ce que je vois. Pour décrire une scène, je n'ai qu'à la revivre. Et si un récit m'a été rapporté par quelqu'un, ce n'est pas seulement le contenu du récit que ma mémoire a enregistré, mais toute la scène : l'attitude du narrateur, son costume, ses gestes, ses mimiques, les bruits ambiants, par exemple les sons de guitare dont jouait le griot Diêli Maadi tandis que Wangrin me racontait sa vie, et que j'entends encore...

"Lorsqu'on restitue un événement, le film enregistré se déroule du début jusqu'à la fin en totalité. C'est pourquoi il est très difficile à un Africain de ma génération de « résumer ». On raconte en totalité ou on ne raconte pas. On ne se lasse jamais d'entendre et de réentendre la même histoire ! La répétition, pour nous, n'est pas un défaut."

Chronologie

"La chronologie n'étant pas le premier souci des narrateurs africains, qu'ils soient traditionnels ou familiaux, je n'ai pas toujours pu dater exactement, à un ou deux ans près, les événements racontés, sauf lorsque des événements extérieurs connus me permettaient de les situer. Dans les récits africains où le passé est revécu comme une expérience présente, hors du temps en quelque sorte, il y a parfois un certain chaos qui gêne les esprits occidentaux, mais où nous nous retrouvons parfaitement. Nous y évoluons à l'aise, comme des poissons dans une mer où les molécules d'eau se mêlent pour former un tout vivant."

Zone de référence

"Quand on parle de « tradition africaine », il ne faut jamais généraliser. Il n'y a pas *une* Afrique, il n'y a pas *un* homme africain, il n'y a pas *une* tradition africaine valable pour toutes les régions et toutes les ethnies. Certes, il existe de grandes constantes (présence du sacré en toute chose, relation entre les mondes visible et invisible, entre les vivants et les morts, sens de la communauté, respect religieux de la mère, etc.), mais aussi de nombreuses différences : les dieux, les symboles sacrés, les interdits religieux, les coutumes sociales qui en découlent varient d'une région à l'autre, d'une ethnie à une autre, parfois de village à village.

"Les traditions dont je parle dans ce récit sont, en gros, celles de la savane africaine s'étendant d'est en ouest au sud du Sahara (ce que l'on appelait autrefois le Bafour), et plus particulièrement celles du Mali, dans les milieux poullo-toucouleur et bambara où j'ai vécu."

Rêves et prédictions

"Une autre chose qui gêne parfois les Occidentaux dans les récits africains est l'intervention fréquente de rêves prémonitoires, de prédictions et autres phénomènes de ce genre. Mais la vie africaine est tissée de ce genre d'événements qui, pour nous, font partie de la vie courante et ne nous étonnent nullement. Il n'était pas rare, jadis, de voir un homme arriver à pied d'un village éloigné uniquement pour faire part à quelqu'un d'annonces ou d'instructions qu'il avait reçues en rêve à son sujet; puis il s'en retournait tout naturellement, comme un facteur venu apporter une lettre à son destinataire, en toute simplicité. Ne pas mentionner ce genre de phénomènes au cours du récit n'aurait pas été honnête de ma part, puisqu'ils faisaient — et font encore sans doute, dans une certaine mesure — partie de nos réalités vécues."

(Propos d'Amadou Hampâté Bâ
recueillis en 1986 par Hélène Heckmann,
légataire littéraire de l'auteur.)

Le manuscrit d'Amadou Hampâté Bâ contenait de nombreux développements sur certains aspects de la culture ou de la sociologie africaines. En raison de l'importance de l'ouvrage, il a été décidé, en accord avec l'auteur, de privilégier le récit et de supprimer une grande partie de ces développements. Le lecteur pourra les retrouver dans des ouvrages de l'auteur plus spécialisés.

AMKOULLEL L'ENFANT PEUL

Transcription

Pour faciliter la lecture des mots africains, plutôt que d'appliquer les règles de transcription établies par les linguistes, on a préféré favoriser la phonétique (*ou* plutôt que *u*, *é* ou *è* plutôt que *e*...). On a également francisé et accordé les noms d'ethnies. En ce qui concerne certains noms propres, les différences d'orthographe selon les personnages s'expliquent par le fait que ces noms, dérivés de l'arabe, ont subi dans l'usage de nombreuses transformations phonétiques. Par exemple, le titre honorifique Cheikh (dont le *kh* correspond à la *jota* espagnole) deviendra, quand il est utilisé comme nom propre, Cheik, Cheikou, Chékou voire Sékou. Il en va de même pour le nom du prophète Mohammad qui devient Mohammed, voire Mamadou, et pour Ahmed qui devient Ahmadou ou Amadou selon les cas.

RACINES

Le double héritage

En Afrique traditionnelle, l'individu est inséparable de sa lignée, qui continue de vivre à travers lui et dont il n'est que le prolongement. C'est pourquoi, lorsqu'on veut honorer quelqu'un, on le salue en lançant plusieurs fois non pas son nom personnel (ce que l'on appellerait en Europe le prénom) mais le nom de son clan : "Bâ ! Bâ !" ou "Diallo ! Diallo !" ou "Cissé ! Cissé !" car ce n'est pas un individu isolé que l'on salue, mais, à travers lui, toute la lignée de ses ancêtres.

Aussi serait-il impensable, pour le vieil Africain que je suis, né à l'aube de ce siècle dans la ville de Bandiagara, au Mali, de débuter le récit de ma vie personnelle sans évoquer d'abord, ne serait-ce que pour les situer, mes deux lignées paternelle et maternelle, toutes deux peules, et qui furent l'une et l'autre intimement mêlées, quoique dans des camps opposés, aux événements historiques parfois tragiques qui marquèrent mon pays au cours du siècle dernier. Toute l'histoire de ma famille est en effet liée à celle du Macina (une région du Mali située dans ce qu'on appelle la "Boucle du Niger") et aux guerres qui le déchirèrent, particulièrement celles qui opposèrent les Peuls de l'Empire peul du Macina aux Toucouleurs de l'armée d'El Hadj Omar, le grand conquérant et chef religieux venu de l'ouest et dont l'empire, après avoir vaincu et absorbé l'Empire peul du Macina en 1862, s'étendit depuis l'est de la Guinée jusqu'à Tombouctou.

Chacune de mes deux lignées s'apparente, d'une manière directe ou indirecte, à l'un de ces deux grands partis antagonistes. C'est donc un double héritage, à la fois historique et affectif, que j'ai reçu à ma naissance, et bien des événements de ma vie en ont été marqués.

"Pas si vite!" s'écriera sans doute le lecteur non africain, peu familiarisé avec les grands noms de notre histoire. "Avant d'aller plus loin, qu'est-ce donc, d'abord, que les Peuls, et que les Toucouleurs?"

Commençons par mes ancêtres les Peuls. Si la question est facile à poser, il est peu aisé d'y répondre, car ce peuple pasteur nomade, qui a conduit ses troupeaux à travers toute l'Afrique de la savane au sud du Sahara depuis l'océan Atlantique jusqu'à l'océan Indien, et cela pendant des millénaires (comme en témoignent les gravures rupestres bovidiennes des grottes du Tassili découvertes par Henri Lhote [1]), constitue à proprement parler une énigme de l'histoire. Nul n'a encore pu percer le mystère de ses origines. Les légendes et les traditions orales des Peuls font presque toutes référence à une très antique origine orientale. Mais, selon les versions, cette origine est parfois arabe, yéménite ou palestinienne, parfois hébraïque, parfois plus lointaine encore, prenant sa source jusqu'en Inde. Nos traditions évoquent plusieurs grands courants migratoires venus "de l'est" à des périodes très anciennes, et dont certains, traversant l'Afrique d'est en ouest, seraient arrivés jusqu'à la région du Fouta Toro, au Sénégal — région d'où beaucoup plus tard, à une époque plus proche de nous, ils repartiront vers l'est en de nouveaux flux migratoires.

Quant aux savants et chercheurs européens, intrigués, peut-être, par l'apparence physique des Peuls, par leur teint relativement clair (qui peut foncer selon le degré de métissage), leur nez long et droit et leurs lèvres souvent assez fines, ils ont essayé, chacun selon sa discipline (histoire, linguistique, anthropologie, ethnologie), de trouver la solution de cette énigme. Chacun y est allé de son hypothèse, mettant parfois autant d'énergie à la défendre qu'à combattre celles des autres, mais aucun n'a apporté de réponse certaine. On s'accorde le plus souvent à donner aux Peuls, sans préciser davantage, une origine plus ou moins "orientale" avec un degré très varié de métissage entre un élément non nègre, sémitique ou hamitique, et les Noirs soudanais. Pour les historiens africains modernes, les Peuls seraient d'origine purement africaine.

Quoi qu'il en soit, et c'est là l'originalité profonde des Peuls, à travers le temps et l'espace, à travers les migrations, les métissages, les apports extérieurs et les inévitables adaptations aux milieux environnants, ils ont su rester eux-mêmes et préserver leur langue, leur fonds culturel très riche et, jusqu'à leur islamisation, leurs traditions religieuses et initiatiques propres, le tout lié à un sentiment aigu de leur identité et de leur noblesse. Sans doute ne savent-ils plus d'où ils viennent, mais ils savent qui ils sont. "*Le Peul se connaît lui-même*", disent les Bambaras.

Mon vieil ami Sado Diarra, chef du village de Yérémadio, près de Bamako, exprimait ainsi, avec malice et poésie, la pensée des Bambaras à l'égard des Peuls : "Les Peuls sont un surprenant mélange. Fleuve blanc aux pays des eaux noires, fleuve noir aux pays des eaux blanches, c'est un peuple énigmatique que de capricieux tourbillons ont amené du soleil levant et répandu de l'est à l'ouest presque partout."

Au gré de mille circonstances historiques plus ou moins connues, les Peuls furent en effet éparpillés comme des feux follets dans toutes les zones herbeuses de la savane africaine au sud du Sahara. "Partout présents, mais domiciliés nulle part", constamment à la recherche de nouveaux points d'eau et de riches pâturages, le jour ils poussaient devant eux leurs grands bœufs à bosse, aux cornes en forme de lyre ou de croissant de lune, et le soir ils se livraient à des joutes d'improvisation poétique. Tantôt opprimés, dispersés en diasporas ou fixés par force dans des zones de concentration, tantôt conquérants à leur tour et s'organisant en royaumes, ils parviendront, après leur islamisation, à fonder de grands empires : entre autres l'Empire du Sokoto (région du Nigeria) fondé au XVIIIe siècle par Ousmane dan Fodio, et l'Empire peul du Macina (région du Mali), fondé au début du XIXe siècle par Cheikou Amadou, au cœur du fertile delta intérieur du Niger.

Des siècles avant la fondation de ce dernier empire, des vagues successives de Peuls pasteurs, venant surtout du Fouta Toro et du Ferlo sénégalais, attirées par les vastes prairies herbeuses du Macina, étaient venues s'y fixer. Mes lointains aïeux paternels y arrivèrent vers le XVe siècle. Ils s'installèrent sur la rive droite du Bani (un affluent du Niger), entre Djenné et Mopti, dans un pays qui fut surnommé *Fakala*, c'est-à-dire "pour tous", car les Peuls y cohabitaient avec les diverses ethnies du lieu : Bambaras, Markas, Bozos, Somonos, Dogons, etc.

Quand, en 1818, Cheikou Amadou fonda dans le pays la *dîna*, ou Etat islamique, que les historiens ont appelée "l'Empire peul théocratique du Macina" (et dont j'ai raconté ailleurs l'histoire), la population de tout le delta du Niger était déjà à dominante peule. Mes ancêtres paternels, les Bâ et les Hamsalah, qui occupaient des fonctions de chefferie dans le Fakala, prêtèrent serment d'allégeance à Cheikou Amadou. Ils n'en continuaient pas moins de pratiquer l'élevage, car aucun Peul digne de ce nom, même sédentarisé, ne saurait vivre sans s'occuper plus ou moins d'un troupeau, non point tant pour des raisons économiques que par amour ancestral pour l'animal frère, presque sacré, qui fut son compagnon depuis l'aube des temps. "*Un Peul sans troupeau est un prince sans couronne*", dit l'adage.

La communauté de la *dîna*, créée sur le modèle de la première communauté musulmane de Médine, prospéra pendant vingt-huit ans sous la conduite éclairée de Cheikou Amadou. Celui-ci réussit à libérer les Peuls de la domination des souverains locaux, à les regrouper et à les sédentariser plus ou moins au sein d'un Etat puissant et indépendant, et, ce qui n'était pas une petite affaire, à réglementer les dates et les trajets de transhumance du bétail en concertation avec les populations agricoles locales. Après sa mort en 1845 et celle de son fils Amadou-Cheikou en 1853, la situation de la communauté se dégrada sous le règne de son petit-fils Amadou-Amadou, lequel mourut en 1862, au cours des événements qui accompagnèrent la prise de la capitale, Hamdallaye, par les armées toucouleures d'El Hadj Omar. L'Empire peul du Macina, où avait prospéré ma lignée paternelle, avait vécu.

Voilà qu'entrent maintenant en scène ces "Toucouleurs" dont le nom, par sa consonance même, étonne toujours un peu le lecteur profane. Une petite explication s'impose. Ce nom, qui n'a rien à voir avec une quelconque notion de couleur, dérive du mot arabe ou berbère *tekrour* qui désignait jadis tout le pays du Fouta Toro sénégalais. Les Maures (de langue arabe) appelaient les habitants de ce pays *tekarir* (sing. *tekrouri*). Selon Maurice Delafosse, ce nom, déformé par la prononciation wolof en *tokoror* ou *tokolor*, devint, dans une ultime déformation phonétique française, *toucouleur*.

Au cours d'un processus historique lointain non élucidé, les habitants de ce pays, quoique d'ethnies différentes (sans doute à dominante peule depuis leur arrivée massive dans le Fouta Toro, mais comptant aussi des Sérères, Wolofs, Soninkés, etc.), en vinrent tous à pratiquer la langue peule, laquelle devint pour eux un facteur d'unité linguistique, voire culturelle[2]. Le "peuple toucouleur" n'est donc pas une ethnie au sens exact du mot mais un ensemble d'ethnies soudées par l'usage de la même langue et, au fil du temps, plus ou moins mêlées par voie de mariages. Les Toucouleurs eux-mêmes se désignent par le nom de *halpoular:* "ceux qui parlent le *poular*" (c'est-à-dire le peul). On les appelle aussi *Foutanké:* "ceux du Fouta".

Quant à la pure tradition peule, notamment religieuse et initiatique, elle s'est perpétuée chez les seuls Peuls pasteurs de "haute brousse", c'est-à-dire vivant loin des villes et des villages.

Les deux peuples qui, en cette année 1862, se combattirent dans le Macina aux abords de Hamdallaye avaient donc bien des points communs: la religion, la langue, parfois l'ethnie, et même le terroir originel puisque les ancêtres des Peuls du Macina étaient venus, eux aussi, du Fouta Toro des siècles auparavant. Les "Peuls du Macina" et les "Toucouleurs" d'El Hadj Omar n'en constituaient pas moins deux entités politiques distinctes. Etant donné qu'il sera question d'eux tout au long du récit, je conserverai ces deux appellations, pour la commodité de compréhension du lecteur. Eux-mêmes, par la suite, se désigneront par les termes de "vieux Fouta" *(foutakindi)* pour les Peuls du Macina présents dans le pays depuis des siècles, et de "nouveaux Fouta" *(foutakeiri)* pour les Toucouleurs venus dans le pays avec El Hadj Omar.

Mon grand-père maternel Pâté Poullo

Au sein de l'armée toucouleure qui pénétra, victorieuse, dans Hamdallaye, se trouvait un Peul du Fouta Toro qui, jadis, avait tout quitté pour suivre El Hadj Omar. Il s'appelait Pâté Poullo, du clan Diallo, et c'était mon futur grand-père maternel. J'entendrai souvent conter son histoire.

Peul pasteur de haute brousse de la région du Dienguel (Sénégal), Pâté Poullo était un *silatigui* [3], c'est-à-dire un grand maître en initiation pastorale, sorte de prêtre du culte et, à ce titre, chef spirituel de toute sa tribu. Comme tous les *silatigui*, il était doué de facultés hors du commun : voyant, devin, guérisseur, il était habile à jauger les hommes et à saisir le langage muet des signes de la brousse. Bien que jeune, c'était un homme jouissant d'une situation éminente dans son milieu. Mais un jour, lors d'un voyage, il eut l'occasion de voir et d'entendre El Hadj Omar, grand maître de la confrérie islamique *Tidjaniya* [4], qui effectuait alors une tournée dans le Fouta Toro.

Dès son retour au pays, Pâté Poullo convoqua ses frères, ses principaux parents et les représentants de la tribu et leur confia son intention de tout abandonner pour suivre El Hadj Omar. "J'ai d'abord voulu vous en demander la permission, leur dit-il. Si vous acceptez, je rachèterai mon départ en vous laissant tout mon troupeau. Je partirai les mains vides, sauf mes cheveux qui sont sur ma tête et les vêtements que je porte. Quant à mon bâton de *silatigui*, avant de partir je le transmettrai rituellement à celui qui est le plus qualifié pour en hériter."

La surprise de ses parents fut grande, mais finalement tous lui donnèrent leur accord : "Suis ton chemin et va avec la paix, rien que la paix !" Et c'est ainsi que mon grand-père, abandonnant richesses, troupeaux et pouvoir, muni d'un simple bâton de berger, prit la route pour rejoindre El Hadj Omar.

Lorsqu'il le retrouva, dans une ville dont j'ai oublié le nom, il se présenta à lui : "Cheikh Omar, j'ai entendu ton appel et suis venu te rejoindre. Je m'appelle Pâté Poullo Diallo et suis un « Peul rouge », un Peul pasteur de la haute brousse. Pour me libérer, j'ai laissé à mes frères tout mon troupeau. J'étais riche autant que peut l'être un Peul. Ce n'est donc pas pour acquérir des richesses que je suis venu vers toi, mais uniquement pour répondre à l'appel de Dieu, car un Peul ne laisse pas son troupeau pour aller chercher autre chose.

"Je ne suis pas venu non plus auprès de toi pour acquérir un savoir car en ce monde tu ne peux rien m'apporter que je ne sache déjà. Je suis un *silatigui*, un initié peul. Je connais le visible et l'invisible. J'ai, comme on dit, « l'oreille de la brousse » : j'entends le langage des oiseaux, je lis les traces des petits animaux sur le sol et les taches lumineuses que le soleil projette à travers les feuillages ; je sais interpréter les bruissements des quatre grands vents et des quatre vents secondaires ainsi que la marche des nuages à travers l'espace, car pour moi tout est signe et langage. Ce savoir qui est en moi, je ne peux l'abandonner, mais peut-être te sera-t-il utile ? Quand tu seras en route avec tes compagnons, je pourrai « répondre de la brousse » pour toi et te guider parmi ses pièges.

"C'est te dire que je ne suis pas venu à toi pour les choses de ce monde. Je te prie de me recevoir dans l'islam et je te suivrai partout où tu iras, mais à une condition : le jour où Dieu fera triompher ta cause et où tu disposeras du pouvoir et de grandes richesses, je te demande de ne jamais me nommer à aucun poste de commandement, ni chef d'armée, ni chef de province, ni chef de village, ni même chef de quartier. Car à un Peul qui a abandonné ses troupeaux, on ne peut rien donner qui vaille davantage.

"Si je te suis, c'est uniquement pour que tu me guides vers la connaissance du Dieu Un."

Très ému, El Hadj Omar accepta les conditions de mon grand-père et fit procéder à la cérémonie de conversion. Et jamais en effet, tout au long de sa vie, mon grand-père n'accepta ni honneurs ni fonctions de commandement. Entre les deux hommes se noua une alliance purement spirituelle, qui se doubla bientôt d'une profonde amitié. Pour lui témoigner sa confiance, El Hadj Omar affecta Pâté Poullo à la garde et à l'entretien de son petit troupeau personnel hérité de sa mère peule, troupeau qui le suivait partout et dont il tirait, avec le fruit de ses leçons d'école coranique qu'il n'abandonna jamais, la nourriture et l'entretien de sa propre famille.

A partir de ce jour, enrôlé sous la bannière d'El Hadj Omar, Pâté Poullo le suivit dans tout son périple vers l'est. Et c'est ainsi qu'un jour de l'an 1862 ils pénétrèrent en vainqueurs à Hamdallaye, la capitale de l'Empire peul du Macina fondé quarante-quatre ans plus tôt par Cheikou Amadou. El Hadj Omar y restera deux ans. Au cours des neuf derniers mois, tous ses ennemis (Peuls, Kountas de Tombouctou et autres) se coalisèrent pour l'assiéger. Leurs armées, qui campaient autour du solide mur d'enceinte qu'il avait fait édifier pour protéger la ville, ne laissaient rien passer. Le blocus fut implacable, la famine atroce. Les Toucouleurs en furent parfois réduits aux pires extrémités.

C'est au cours de cette période dramatique que Pâté Poullo, grâce à quelques gouttes de lait, se lia d'amitié avec un neveu d'El Hadj Omar, Tidjani Tall (fils d'Amadou Seydou Tall, le frère aîné d'El Hadj Omar), dont nul ne soupçonnait encore qu'il deviendrait plus tard le nouveau souverain du royaume toucouleur du Macina, qu'il fonderait la ville de Bandiagara où je suis né et qu'il jouerait un rôle capital dans l'histoire de ma famille, tant paternelle que maternelle — influant indirectement sur ma propre destinée.

Un jour, pendant le siège, une vache laitière, trompant la vigilance des soldats ennemis, parvint à approcher de l'une des portes du mur d'enceinte. On la fit aussitôt entrer dans la ville où elle fut tout naturellement confiée aux bons soins de Pâté Poullo. Chaque nuit, celui-ci sortait de la ville sans se faire prendre et allait chercher de l'herbe dont il nourrissait la vache. Et le matin, après avoir trait la bonne bête, il apportait une grande calebasse de lait à El Hadj Omar, qui partageait la précieuse boisson entre les membres de sa famille, lui-même et Pâté Poullo. Mais mon grand-père avait pris l'habitude de porter chaque fois, caché dans une petite outre, un supplément de lait à Tidjani dont il avait, grâce à ses facultés étranges, lu la destinée sur les traits de son visage. "Voici le reste de lait de ton père [5] El Hadj Omar, lui disait-il. Bois-le, tu hériteras de lui." Et Tidjani buvait. C'est ainsi que naquit entre eux un lien solide, fondé sur l'affection et la reconnaissance, et qui, par la suite, ne se démentit jamais.

Lorsque, en 1864, la situation devint insoutenable, El Hadj Omar décida d'envoyer au-dehors son neveu Tidjani pour chercher du renfort. Il lui recommanda de se rendre à Doukombo, en pays dogon, auprès de son ami le notable Ellé Kossodio, afin de demander à ce dernier de l'aider à recruter une armée de secours. Il lui remit une grande quantité d'or pour faciliter son entreprise et désigna trois soldats toucouleurs pour l'accompagner. Puis il appela mon grand-père: "Pâté Poullo, pars avec Tidjani. Tu lui seras plus utile qu'à moi. Tu m'as promis, jadis, de «répondre de la brousse» pour moi. Aujourd'hui, je désire que tu «répondes de la brousse» pour Tidjani. Sors avec lui et sois son guide, son éclaireur. Assure-toi que la route est sans danger, puis reviens lui dire ce qu'il doit faire."

El Hadj Omar prit alors les mains de Tidjani, les mit dans celles de Pâté Poullo et lui dit: "Considère Pâté Poullo comme ton père, au même titre que moi. Il sera pour toi et tes compagnons l'œil et l'oreille de la brousse. Tout ce qu'il te dira de faire, accepte-le. S'il vous dit de camper, vous camperez. S'il vous dit de décamper, vous décamperez. Tant que vous serez dans la brousse, suivez strictement ses conseils; mais dès que vous serez dans une cité, ce n'est plus son domaine, l'initiative te reviendra. Je vous confie chacun l'un à l'autre, et tous les deux à Allâh, qui ne trahit jamais."

A la faveur d'une nuit profonde, le petit groupe, guidé

par Pâté Poullo, réussit à sortir de Hamdallaye et à franchir les lignes ennemies sans se faire repérer. Bientôt ils parvinrent sans encombre à Doukombo, chez Ellé Kossodio. Celui-ci commença par conduire Tidjani chez le grand chasseur dogon Dommo, installé sept kilomètres plus loin au cœur d'une grande plaine en forme de cuvette, en un lieu appelé *Bannya'ara*, "la grande écuelle", car les éléphants avaient coutume de venir s'y désaltérer. C'est en ce lieu que Tidjani fondera plus tard la capitale de son royaume qui sera appelée par les Toucouleurs *Bannyagara* et retranscrite un jour dans un registre par un fonctionnaire français sous la forme de *Bandiagara*, nom qui lui restera.

C'est à cette occasion, je pense, que se situe l'anecdote à laquelle fut mêlé mon grand-père, et qui joua un rôle dans le choix futur de ce lieu par Tidjani.

Selon son habitude, Pâté Poullo était parti explorer la brousse aux alentours. Quand il revint, il trouva Tidjani en train de se reposer sous l'ombre d'un grand balanza au feuillage touffu, alors qu'un peu plus loin se trouvait un petit balanza dont le maigre feuillage laissait largement passer le soleil. Poussé par son inspiration, Pâté Poullo s'écria : "Comment, Tidjani ! Ton père El Hadj Omar est à l'ombre (prisonnier, privé de moyens d'action) et toi aussi tu es assis à l'ombre ? Qui va donc se mettre au soleil pour vous deux ? Lève-toi et va t'asseoir sur la pierre qui est au pied du petit balanza que tu vois là. Ce n'est pas pour toi le moment de te mettre à l'ombre, mais au soleil." (En peul "se mettre à l'ombre" signifie que l'on a fini de travailler et que l'on prend du repos ; "être au soleil", c'est être à l'œuvre.)

Tidjani, qui suivait toujours à la lettre les conseils de Pâté Poullo dès qu'il s'agissait des mystères de la brousse, se leva et ramassa sa selle et son harnachement. Les Toucouleurs qui l'accompagnaient s'en offusquèrent : "Vraiment, Tidjani ! Pâté Poullo dispose de toi comme si tu étais son enfant : Lève-toi... assieds-toi par-ci... assieds-toi par-là..." Sans dire un mot, Tidjani alla s'asseoir sur la pierre. Pâté Poullo, qui avait suivi toute la scène, lui déclara : "Tidjani, fils d'Amadou Seydou Tall ! Toi qui as accepté d'aller t'asseoir sur cette pierre, j'ai une chose à te dire : Parole de Peul du Dienguel, un jour, tu fonderas ici une capitale dont toute la Boucle du Niger entendra parler et dont nul, sinon la mort naturelle, ne pourra te déloger. Ce jour-là, je te demanderai de me donner le terrain sur lequel se trouve cette pierre afin que j'en fasse ma concession et y installe ma demeure."

Quatre ans plus tard, Tidjani installera et développera en ce lieu la capitale de son royaume où il régnera sans partage pendant vingt ans, jusqu'à sa mort. La pierre sur laquelle il s'était assis, bien connue à Bandiagara, se trouve toujours dans la cour de la concession que j'ai héritée de ma mère, qui l'avait elle-même héritée de son père Pâté Poullo.

Mon grand-père expliqua plus tard que si Tidjani était resté ce jour-là à l'ombre du grand balanza, et si la prière de *asr* (moment de l'après-midi où le soleil amorce son déclin) l'y avait trouvé, jamais il ne serait devenu chef ni n'aurait fondé son royaume à partir de cet endroit. Certes, ce n'est pas là une logique très "cartésienne", mais pour nos anciens, particulièrement pour les "hommes de connaissance" (*silatigui* chez les Peuls, *doma* chez les Bambaras), la logique s'appuyait sur une autre vision du monde, où l'homme était relié d'une façon subtile et vivante à tout ce qui l'environnait. Pour eux, la configuration des choses à certains moments clés de l'existence revêtait une signification précise qu'ils savaient déchiffrer. "*Sois à l'écoute*, disait-on dans la vieille Afrique, *tout parle, tout est parole, tout cherche à nous communiquer une connaissance...*"

Aidé par Ellé Kossodio et ses amis, Tidjani parvint à lever dans la région une armée de cent mille hommes. Entre-temps, il apprit que Hamdallaye avait été complètement détruite par un incendie et qu'El Hadj Omar, poussé par ses hommes, avait fait une sortie et s'était taillé un chemin jusqu'à Déguembéré, en pays dogon. Avec ses fils et ses derniers compagnons, il s'était réfugié dans une grotte à flanc de montagne et s'y trouvait encerclé par les armées peules et kountas de Tombouctou.

Tidjani força la marche pour aller dégager son oncle, mais lorsqu'il arriva à Déguembéré, il était trop tard. Depuis quelques heures El Hadj Omar avait trouvé la mort. Un baril de poudre ayant sauté dans la grotte pour des raisons non élucidées, il avait péri avec les siens dans l'explosion.

Fou de colère et de chagrin, Tidjani, à la tête de ses hommes, fonça sur les armées peules et kountas et les repoussa au loin. Poursuivant les fugitifs, il se livra dans tout le pays à une répression féroce. Après la grande bataille dite de Sebara, où les Peuls du Fakala furent vaincus, il donna ordre d'exécuter tous les membres mâles de tous âges des grandes familles de l'ancien Empire peul, essentiellement les familles apparentées au fondateur de l'Empire Cheikou Amadou et les familles Bâ et Hamsalah. A Sofara, dans ma seule famille paternelle, quarante personnes furent exécutées le même jour; toutes étaient mes grands-pères, mes grands-oncles ou mes oncles paternels. Seuls en réchappèrent deux jeunes garçons: Hampâté Bâ, mon futur père, qui se trouvait éloigné du pays à ce moment-là, et un jeune cousin dont j'ignore ce qu'il est devenu.

Après s'être fixé dans différentes villes de la région, finalement Tidjani décida d'installer la capitale de son royaume à Bandiagara, dont le site était bien protégé. De là, il put mener une série d'opérations victorieuses contre ses ennemis. Il devint le maître du pays, non sans devoir guerroyer longtemps encore contre des îlots de résistance peule épars dans le pays et soutenus par les Kountas de Tombouctou. Pâté Poullo, qui gérait pour lui le cheptel royal, était toujours à ses côtés. Laissons-le quelque temps pour rejoindre ce jeune garçon réchappé par miracle du massacre et qui devait devenir mon père.

Mon père Hampâté : l'agneau dans la tanière du lion

Je n'ai gardé aucun souvenir de mon père, car malheureusement je l'ai perdu alors que je ne comptais guère que trois ans de séjour en ce monde houleux où, tel un tesson de calebasse emporté par le fleuve, je flotterais plus tard au gré des événements, politiques ou religieux, suscités par la présence coloniale.

Un jour, âgé de quatre ou cinq ans, j'étais en train de jouer auprès de Niélé Dembélé, l'excellente femme qui fut ma "servante-mère[6]" depuis ma naissance et qui avait passé toute sa vie auprès de mon père, quand tout à coup je me tournai vers elle :

"Niélé, lui demandai-je, comment était mon père ?"

Surprise, elle resta un moment sans voix. Puis elle s'écria :

"Ton père ! Mon bon maître !" Et à mon grand étonnement, elle fondit en larmes, m'attira contre elle et me pressa fortement contre sa poitrine.

"Ai-je dit quelque chose de mal ? demandai-je. Ne doit-on pas parler de mon père ?

— Non, non, tu n'as rien dit de mal, répondit Niélé. Tu m'as simplement émue en ravivant dans mon esprit le souvenir de celui qui m'a sauvé la vie, lorsque j'étais enfant, en m'arrachant des mains d'une maîtresse méchante et capricieuse qui me battait constamment et me nourrissait à peine. Hampâté n'a pas seulement été ton père ; par sa bonté, son affection, il était aussi le mien.

"Tu veux savoir comment il était ? Eh bien, il était de taille moyenne, bien proportionné ; ce n'était pas un sac à viande aux joues en forme de pouf. Silencieux comme une caverne de haute brousse, il ne parlait presque jamais, sauf pour dire l'essentiel. Ses lèvres fines de Peul découvraient légèrement ses dents blanches dans un demi-sourire qui illuminait constamment son visage. Mais attention ! S'il regardait quelqu'un fixement, ses yeux de lion mâle pouvaient le faire pisser de terreur !

"Puisque tu m'as questionnée aujourd'hui sur ton père, c'est que le moment est venu pour toi de connaître son histoire..."

Je m'assis à côté d'elle, et c'est alors qu'elle me raconta pour la première fois, du début jusqu'à la fin, l'histoire incroyable de Hampâté, qui se racontait alors comme un roman dans notre famille et dans bien des foyers de Bandiagara. J'en avais déjà entendu des bribes, mais cette fois-ci on me la racontait pour moi tout seul, comme à une grande personne. Je n'ai certes pas tout retenu ce jour-là, mais je l'entendrai bien des fois par la suite — ce qui me permet d'introduire dans le récit de Niélé quelques précisions, notamment historiques, qui n'y figuraient sans doute pas au départ.

Niélé commença par me raconter en quelles circonstances j'avais perdu à Sofara, en une seule matinée, "quarante grands-pères", et comment Hampâté, qui n'était encore qu'un garçonnet d'une douzaine d'années, en avait miraculeusement réchappé. Déjà orphelin de père et de mère, en cette triste journée il avait perdu tous ses soutiens naturels : ses oncles qui lui tenaient lieu de parents, et tous ses cousins.

Après l'exécution, les notables peuls du Fakala avaient été autorisés à inhumer leurs morts. Quand ils procédèrent aux identifications, ils constatèrent que le corps du jeune Hampâté ne se trouvait pas parmi les victimes de Sofara. S'étant livrés à des recherches discrètes à travers le pays, ils apprirent que le garçon se trouvait dans le Kounari où il risquait d'être découvert un jour ou l'autre, car les armées et les gouverneurs de Tidjani étaient partout.

Une fois la tourmente un peu apaisée, ils se concertèrent. Il fallait coûte que coûte sauver le jeune Hampâté, seul rescapé mâle d'une famille décimée, et trouver un moyen de le soustraire au sort qui le menaçait. L'arbre des Hamsalah ne devait point périr. Cheikou Amadou lui-même, le vénéré fondateur de l'Empire peul du Macina, n'avait-il pas dit un jour : "Les Hamsalah du Fakala sont de « l'or humain ». Si cela était possible, je les sèmerais comme des plantes afin que l'on en ait toujours parmi nous."

Sur le conseil de deux Peuls qui avaient rallié le roi Tidjani à Bandiagara, les notables décidèrent d'aller cacher Hampâté dans la capitale même où vivait le roi. On le rechercherait partout, pensaient-ils, sauf à l'ombre du monarque qui avait condamné toute sa famille. Qui pourrait croire qu'un agneau viendrait se réfugier dans la tanière du lion ? Hassane Bocoum, un *Diawando* [7] du

Fakala, fut chargé de se rendre sur place pour récupérer Hampâté et l'emmener secrètement à Bandiagara chez un logeur de confiance. Or, lors de son séjour dans le pays, Hampâté s'était lié d'une vive amitié avec un garçon peul de son âge, Balewel Diko, un descendant du fameux Gueladio, l'ancien roi peredio du Kounari. Ce jeune garçon s'était tellement attaché à Hampâté qu'il refusa catégoriquement de se séparer de lui, quoi qu'il puisse en résulter. Il demanda l'autorisation à son père de faire partie de l'expédition qui devait emmener Hampâté. Nos deux familles étant liées, son père accepta.

A Bandiagara vivait alors un vieux boucher nommé Allamodio. Il appartenait à la classe des *rimaïbé* (sing. *dîmadjo*), c'est-à-dire des "captifs de case[8]", ou serviteurs liés à la famille de génération en génération. En tant qu'ancien *dîmadjo* des Hamsalah, il était tout dévoué à leur famille. Or ce vieux boucher, réfugié à Bandiagara, était si bien entré dans les bonnes grâces du roi Tidjani que celui-ci l'avait affranchi et lui avait confié la charge de fournir en viande tous les Toucouleurs. Mon grand-père Pâté Poullo, qui était devenu le gestionnaire des troupeaux de Tidjani, avait reçu pour instruction de mettre chaque jour à la disposition d'Allamodio autant d'animaux qu'il en fallait pour couvrir les besoins des habitants. Durant tout le règne de Tidjani, en effet, aucun Toucouleur, aucun Peul rallié ni aucun membre de l'entourage royal n'eut à payer quoi que ce soit pour sa subsistance. L'Etat leur fournissait viande et nourriture, et de grands repas gratuits étaient ouverts chaque jour aux pauvres.

Les abats des animaux revenaient à Allamodio qui tirait un bon profit de leur revente, mais il n'utilisait son argent que pour secourir les déshérités. Sa bonté était si proverbiale qu'elle lui avait valu son surnom d'Allamodio, mot qui, en peul, signifie littéralement : "Dieu est bon". Jamais homme n'avait mieux mérité son surnom ! Sa maison était devenue le refuge de tous les malheureux, orphelins de guerre ou victimes du sort, qui, arrivant à Bandiagara, ne savaient où aller ni comment vivre. Une bonne trentaine de garçonnets et une vingtaine d'adultes sans ressources vivaient ainsi dans sa vaste concession.

Le roi Tidjani, qui l'estimait beaucoup, avait déclaré sa demeure inviolable. Quelques courtisans jaloux étaient venus lui dire un jour : "Tidjani, ton chef boucher héberge sans contrôle quiconque lui demande l'hospitalité." Tidjani avait répondu : "Si un homme qui est mon ennemi entre chez Allamodio, même s'il ne devient pas mon ami, il cesse d'être mon ennemi." Nul n'était donc mieux indiqué qu'Allamodio pour accueillir et camoufler chez lui le descendant des Hamsalah du Fakala, famille à laquelle il était resté viscéralement attaché. Hassane Bocoum lui confia Hampâté "au nom de tout le Fakala", lui recommandant vivement de ne jamais révéler sa véritable identité, car ce serait le plus sûr moyen de l'envoyer au cimetière. Hampâté et son petit camarade Balewel Diko reçurent la même consigne de discrétion et de prudence.

Les deux amis s'installèrent donc chez Allamodio, qui leur apprit le métier de garçon boucher. Pour des fils de grandes familles, un tel métier, un peu méprisé, n'était pas le mieux indiqué, mais Hampâté et Balewel surent surmonter ce préjugé. Par reconnaissance envers leur bienfaiteur, qui courait lui-même de gros risques à les héberger sans avoir déclaré leur présence, ils se mirent ardemment au travail, uniquement désireux d'assister au mieux leur nouveau "père", qui n'était plus tout jeune.

Hampâté — contrairement à moi ! — pouvait rester toute la journée sans parler. "Bonjour", "au revoir", "oui", "non", "ne fais pas cela", "pardon", "merci" constituaient l'essentiel de ses paroles. Sa conduite sérieuse et sa discrétion, de même que le courage et la fidélité de Balewel, touchèrent le vieux boucher. Bientôt, il leur accorda toute sa confiance et s'habitua à se reposer sur eux. Il les appelait affectueusement "mes mains et mes pieds".

Un beau jour, il fit de Hampâté son trésorier. Il lui confia les clés de son magasin de vivres et de cauris [9] et le chargea d'effectuer en ville pour son compte des paiements et des encaissements.

Les années passèrent. Hampâté et Balewel vivaient en

paix, dans l'anonymat le plus complet, apparemment oubliés du pouvoir royal. Rien ne laissait alors supposer qu'il pourrait un jour en être autrement.

Pendant ce temps, Bandiagara n'avait cessé de se développer. Elle était devenue la capitale renommée et florissante du royaume toucouleur du Macina, dirigé de main de maître par Tidjani (fils de) Amadou Seydou Tall (que nous appellerons désormais, pour simplifier, Tidjani Tall), tandis que la partie ouest de l'ancien empire toucouleur d'El Hadj Omar restait, elle, sous l'autorité du fils aîné d'El Hadj Omar : Ahmadou Cheikou, sultan de Ségou et commandeur des croyants.

Au fil des années, la colère et le ressentiment de Tidjani Tall contre les responsables de la mort de son oncle El Hadj Omar s'étaient apaisés. De nombreux Peuls du Fakala s'étaient d'ailleurs progressivement ralliés à lui. Un Peul nommé Tierno Haymoutou Bâ, qui avait été l'ami personnel et le chef d'armée d'El Hadj Omar, remplissait maintenant les fonctions de généralissime des armées et de chef du conseil des notables. Il s'occupait plus particulièrement des Peuls ralliés qui servaient sous ses ordres dans les troupes de Tidjani. Tierno Haymoutou Bâ, grand protecteur des Peuls réfugiés du Macina et du Fakala, sut jouer auprès du roi un rôle modérateur et sa présence à Bandiagara suscita sans nul doute nombre de ralliements.

Grâce, peut-être, à cette heureuse influence, grâce aussi aux conseils de nombreux autres marabouts de son entourage, Tidjani Tall avait compris que la terreur n'as ied pas l'autorité sur une base solide et que le meilleur moyen d'assurer la paix dans le pays reposait plutôt sur le pardon et le respect de la vie des autres, de leurs biens et de leurs coutumes.

En homme hautement intelligent et en chef d'Etat avise, il décida de mettre en œuvre une politique de réparation et de réconciliation entre Peuls du Macina et Toucouleurs résidant dans son Etat. Pour éviter que les conflits ne dégénèrent et ne se perpétuent au fil des temps, il entreprit de réaliser à travers le royaume, par voie de mariages, une véritable fusion entre les deux communautés. Il promulgua une loi selon laquelle toute femme peule ayant perdu son mari à la guerre devrait se remarier avec un Toucouleur, tandis que toute femme toucouleure ayant perdu son mari à la guerre devrait se remarier avec un Peul du Macina — sauf bien sûr dans les cas de parenté interdits par le Coran. Il décréta également qu'aucun prisonnier de guerre noble [10] de naissance, c'est-à-dire libre, ne serait réduit en captivité. Ces lois eurent un effet si heureux que le peuple, toujours prompt, en Afrique, à donner des surnoms, baptisa Tidjani *Hela hemmba,* "le casseur-rebouteux", autrement dit: "Celui qui casse et qui répare".

Quelques mois après la promulgation de cette loi, l'armée de Tidjani, au cours de l'une de ses expéditions contre les îlots de résistance peule, prit la ville de Tenengou et en ramena des prisonniers. Parmi ceux-ci figurait une très grande dame peule du Macina, Anta N'Diobdi Sow, arrière-petite-fille des Hamsalah et appartenant à la famille de Sammodi, le fondateur de la ville de Diafarabé. C'était une tante maternelle de Hampâté. Son mari ayant été tué au cours des combats, conformément à la loi nouvelle on lui promit la liberté à condition qu'elle accepte de se remarier avec un Toucouleur.

Anta N'Diobdi n'était pas seulement de noble lignage, elle était aussi extrêmement belle et d'une forte personnalité. Les propositions de mariage affluèrent. Nombreux furent les prétendants parmi les chefs de guerre, chefs de province, grands marabouts ou personnages influents de l'entourage de Tidjani. Chaque fois, Anta N'Diobdi répondait avec hauteur: "Je ne me marierai jamais avec un homme dont les mains ont été noircies et empuanties par de la poudre à fusil, et qui de surcroît est un poltron. Seul un poltron peut accepter de se battre avec un fusil. Se cacher derrière un arbre et tuer à distance, ce n'est pas se battre! La bravoure, c'est le combat à la lance ou au sabre, les yeux dans les yeux, poitrine contre poitrine! Je n'accepterai pour époux qu'un homme qui ne s'est jamais servi d'un fusil. D'ailleurs dans l'initiation féminine peule, je suis « Reine de lait », et le lait et la poudre ne vont pas ensemble. La poudre salirait mon lait... »

Les candidats repoussés se considérèrent comme insultés et s'en plaignirent amèrement à Tidjani. Celui-ci, sa curiosité piquée au vif, tint à voir de ses yeux cette femme intraitable et à entendre de ses oreilles les paroles qu'on lui prêtait. Il la fit venir auprès de lui.

“A ce que je crois comprendre, lui dit-il, tu ne désires épouser aucun de mes braves compagnons parce qu'ils se seraient salis avec de la poudre à fusil ? Ne sais-tu pas que si tout le monde prend de la poudre de mil pour se nourrir, seuls les braves prisent par leurs narines la poudre noire du fusil pour se couvrir de gloire ?”

Anta N'Diobdi sourit et baissa pudiquement la tête.

“Nous sommes en train de tomber d'accord, n'est-ce pas, ma sœur ?

— Vénérable roi, jamais nous n'avons été aussi opposés que sur ce point particulier. Il va sans dire que tu peux m'imposer ton point de vue, et même ta volonté, mais tu ne me convaincras jamais qu'un homme qui se bat avec un fusil est aussi brave que celui qui attaque son ennemi au sabre ou à la lance.”

C'était là de sa part une grande témérité, car les Toucouleurs de l'entourage de Tidjani se battaient tous avec des fusils. Bien qu'ayant parfaitement compris l'allusion méprisante de la femme peule, Tidjani ne s'en offusqua pas. Il lui trouva une excuse dans la souffrance que devaient lui causer la perte de son mari et l'humiliation des siens.

“Puisque tu as horreur des renifleurs de poudre noire, lui dit-il en souriant, j'ai aussi parmi mes braves des Peuls « oreilles rouges [11] » comme toi, nés du lait et du beurre, et qui n'ont jamais voulu lutter à mes côtés qu'à l'arme blanche. Parmi eux, il en est un que je chéris tout particulièrement : c'est un grand *silatigui* du pays du Dienguel (Sénégal) qui jadis abandonna ses troupeaux, son pouvoir et tous ses biens pour suivre El Hadj Omar à la seule condition que celui-ci lui fasse réaliser l'union avec Dieu. Je le considère comme un père. Il est du clan Diallo et se nomme Pâté Poullo. Ma sœur, accepte de le rencontrer, et il ira te rendre une visite. S'il pouvait te plaire, j'en serais très heureux."

Comme la pudeur peule l'exigeait, Anta N'Diobdi garda les yeux baissés et rentra chez elle sans répondre. Quelques jours plus tard, elle reçut la visite de Pâté Poullo. C'était un homme au teint clair, de haute taille, solide et bien fait de sa personne, et qui ne s'était jamais battu qu'à la lance et au sabre. Il lui plut. "Au moins, se dit-elle, celui-là ne risque pas de souiller mon lait avec de la poudre à fusil!" Le *silatigui* peul ne pouvait qu'être apprécié par la Reine de lait. On célébra leur mariage. De leur union devaient naître six enfants, dont ma mère Kadidja.

A cette époque, grâce à la protection de Tierno Haymoutou Bâ, de très nombreux Peuls du Fakala avaient fini par rejoindre Bandiagara. La plupart d'entre eux fréquentaient régulièrement la maison d'Anta N'Diobdi. Celle-ci, qui résidait auparavant dans le Tenengou, ignorait tout du sauvetage de Hampâté et croyait qu'il avait été tué avec tous les siens. Un jour, une griote [12] du Fakala réfugiée à Bandiagara vint lui rendre visite. Au cours de la conversation, elle lui déclara :

"Ton neveu Hampâté est à Bandiagara.

— Hampâté ? Ce n'est pas possible, il est mort.

— Non, il est vivant. Si tu ne me crois pas, renseigne-toi auprès de Mamadou Tané, l'homme de confiance de tous les réfugiés du Fakala."

Anta N'Diobdi fit appeler ce dernier.

"Ce qu'on m'a dit est-il vrai ? lui demanda-t-elle.

— Oui, Hampâté est bien vivant." Et il lui conta dans quelles conditions l'enfant avait échappé au massacre et comment il avait été emmené à Bandiagara. "Nous avions reçu l'ordre, ajouta-t-il, de le camoufler chez Allamodio et de veiller à ce qu'il vive dans le plus strict anonymat. Et jusqu'ici, c'est ce que nous avons fait."

Bouleversée par cette nouvelle, Anta N'Diobdi envoya immédiatement quelqu'un chercher son neveu. Quand elle le vit franchir la porte de la maison, elle en pleura de joie. Elle voulait tout savoir de ce qu'il avait vécu. A sa demande, Hampâté lui raconta son histoire.

Anta N'Diobdi rendit grâce à Dieu d'avoir permis que soit épargné au moins un rejeton mâle de sa famille, puis, tout naturellement, elle demanda à son neveu de venir vivre chez elle. A sa stupéfaction, le jeune homme refusa. "Mère, dit-il, pardonne-moi, mais je dois rester avec Allamodio. Ce vieux boucher est devenu mon père et ma place est auprès de lui. Je ne puis l'abandonner." Bien contre son gré, Anta N'Diobdi ne put que le laisser partir.

L'immense joie qu'elle avait éprouvée se trouvait ruinée d'un coup par une chose qu'elle ne pouvait souffrir, et qui peu à peu la mina : que son neveu, seul rejeton rescapé de la famule Hamsalah, vive ravalé au rang d'un misérable garçon boucher, et anonyme de surcroît. Le soir venu, elle ne souffla mot à son mari de l'événement ; mais à partir de ce jour, la tristesse s'empara d'elle avec une telle force qu'elle ne pouvait plus ni manger ni boire ; elle ne riait plus ; elle passait ses nuits à pleurer et à se lamenter, chantonnant des complaintes sur le triste sort de sa famille.

Pâté Poullo s'aperçut très vite de ce changement et s'en inquiéta. Il crut d'abord à une crise passagère, mais voyant les semaines passer, il décida de rompre le silence. "Anta, dit-il, depuis quelque temps tu as changé. Tu n'es plus la même. Tu sembles regretter notre union. Pourtant j'appartiens à une lignée aussi pure que la tienne. Le roi m'honore de son amitié et de sa confiance. Je ne suis pas n'importe qui à Bandiagara. Sur le plan matériel, je suis bien nanti ; tu as mille bovins à ta disposition et je gère vingt mille têtes du cheptel royal. Eh bien, toute ma fortune est à ta discrétion. Fais-en ce qui te plaira. Sois heureuse, rends-moi heureux et épargne-moi d'entendre mes rivaux gouailler méchamment : « Nous savions bien qu'Anta N'Diobdi ne serait pas heureuse avec Pâté Poullo ! » Et si par malheur ma tendresse et ma fortune n'étaient pas capables de te rendre heureuse et qu'il te faille coûte que coûte reprendre la main que tu m'as si généreusement donnée, alors dis-le. Il se peut que je puisse survivre à ce malheur et à cette honte.

Même si mon cœur est désespéré, c'est d'une bouche souriante que je te dirai : « Demande-moi le divorce si tu veux », et si tu me le demandes, j'accepterai de te laisser partir ; mais jamais, jusqu'au plus grand jamais des jamais, ma propre bouche ne s'ouvrira d'elle-même pour dire : « Je te divorce[13]. » Pourtant, sache-le, si un jour tu dois partir, ce jour-là marquera pour moi l'entrée dans une obscurité d'outre-tombe, ce sera pour moi le début d'une nuit sans fin."

Ne recevant aucune réponse, Pâté Poullo se leva, se saisit de sa lance et sortit de la maison comme un somnambule. Anta N'Diobdi resta effondrée, sans bouger. Quand Pâté Poullo revint, fort tard dans la soirée, il trouva sa femme vautrée là où il l'avait laissée en sortant. Il s'approcha d'elle. Il lui prit doucement la tête entre ses mains et l'appuya contre sa poitrine. La jeune femme avait les yeux aussi rouges que la fleur du kapokier. Son visage était tout enflé tant elle avait pleuré. Bouleversé, Pâté Poullo lui dit :

"Anta, même si je n'étais point ton mari, en tant que *bi dîmo*, Peul noble et bien né, j'ai droit à ta confiance et je dois t'aider à supporter ta peine. Je t'en supplie, parle-moi !"

Anta N'Diobdi, qui avait défait sa longue chevelure de Peule, redressa enfin la tête. Elle écarta les mèches qui lui cachaient à moitié le visage, et d'une voix affaiblie elle libéra son cœur :

"Oui, c'est vrai, dit-elle, je suis écrasée par le poids d'une peine, mais tu n'y es pour rien. Ne crois surtout pas que je sois malheureuse auprès de toi, bien au contraire ! Notre rencontre fut une rencontre heureuse. Mais ce qui me ronge depuis un mois, ce qui rend mes nuits blanches, mes journées écrasantes, mes aliments fades et mes boissons insipides, c'est une affaire qui concerne l'honneur de ma famille, une affaire aussi délicate que grave.

— Quelle est donc cette affaire, Anta ?

— Tu sais que ma famille du Fakala fait partie des familles du Macina dont les mâles, grands et petits, furent condamnés à mort par le roi Tidjani Tall, et que quarante des miens furent exécutés en un jour à Sofara.

— Hélas, oui, je le sais ! s'écria Pâté Poullo. Malheureusement les lois de la guerre s'apparentent plus à des réflexes de bêtes féroces qu'à des comportements d'hommes normaux.

— Eh bien, parmi les corps des hommes de ma famille, on avait alors constaté que deux garçons manquaient. Or, je viens de retrouver dans notre quartier même, ici, à Bandiagara, l'un des garçons rescapés. C'est mon propre neveu Hampâté, fils de ma défunte sœur. Il vit camouflé chez Allamodio, le chef boucher du roi, et dans un anonymat total. Nul ne sait qui il est. Ce qui me met au désespoir, c'est de voir un descendant des Hamsalah, un espoir de mon pays et de ma famille, vivre sans nom, dans la promiscuité avilissante d'une boucherie. Depuis presque un mois, je lutte pour me faire à cette idée, mais je n'y parviens pas. J'hésitais à t'en parler, car je ne voulais pas qu'un malentendu ou un sujet de mésentente s'installe entre le roi Tidjani et toi, mais puisque tu tiens à connaître ma peine, je te dirai tout. La vérité, c'est que je ne peux plus supporter cette situation. Alors voici ce que j'ai décidé : quoi qu'il puisse en résulter, je te demande d'emmener mon neveu Hampâté chez le roi Tidjani et de lui révéler sa vraie identité, afin que tout le monde sache qui il est. Tu prieras le roi, de ta part ou de la mienne, comme tu voudras, d'accorder la vie sauve à mon neveu. S'il refuse, tu lui demanderas de faire exécuter Hampâté immédiatement afin que son âme aille rejoindre sans attendre celles de ses pères qui l'ont précédé dans l'autre monde, où peut-être il ne sera pas plus mal qu'ici. »

Pâté Poullo regarda sa femme fixement ; son visage sembla se figer ; il se mit à suer à grosses gouttes.

« Sais-tu à quoi tu exposes ton neveu ? lui dit-il.

— Oui, je le sais. J'ai délibérément choisi pour lui la mort plutôt que l'anonymat qui est une autre façon de mourir. Je préfère le voir mort et enterré sous son vrai nom plutôt que rester en vie sans identité. Je voudrais encore que tu dises à Tidjani ceci : s'il fait exécuter mon neveu, je comprendrai son acte, et même je ne le condamnerai pas. C'est la loi de la guerre. Si moi-même, par un retournement du sort, je devenais son vainqueur, je n'hésiterais pas à lui faire couper le cou. Mais je lui demande la faveur d'épargner à la dépouille de mon neveu la « traîne humiliante » des condamnés [14] afin que je puisse le faire inhumer honorablement."

Pâté Poullo fit tout pour essayer d'infléchir la détermination de sa femme et la faire renoncer à une entreprise aussi dangereuse, mais ce fut peine perdue. Il convoqua alors Hampâté chez lui, le mit au courant de la décision prise par sa tante et lui demanda ce qu'il en pensait.

Hampâté, qui était alors âgé de dix-sept ou dix-huit ans, répondit :

"Ma mère Anta N'Diobdi étant le seul parent qui me reste, elle a sur moi tous les droits, y compris le droit de vie ou de mort, et il n'est pas question que je refuse le sort qu'elle a choisi pour moi. Je lui dois respect et obéissance. Ici, à Bandiagara, c'est elle qui veille sur l'honneur de ma famille. Si elle estime que je dois mourir pour sauver cet honneur, eh bien, que je meure !

— Par le chapelet de Cheikh El Hadj Omar ! s'écria Pâté Poullo. Si Tidjani savait à quels ennemis il a affaire, il se tiendrait sur ses gardes mille fois plus qu'il ne le fait !

— Nous ne sommes pas des ennemis personnels de Tidjani Tall, intervint Anta N'Diobdi, mais nous défendons notre pays et notre honneur. On peut vaincre physiquement son ennemi et le réduire en esclavage, mais on ne pourra jamais domestiquer son âme et son esprit au point de l'empêcher de penser."

Devant une telle détermination, Pâté Poullo n'avait plus d'autre choix que de conduire Hampâté chez le roi et d'implorer sa clémence. Il choisit pour cela un vendredi, jour saint de l'islam où Tidjani avait coutume de dispenser beaucoup de bienfaits et d'accorder des grâces. Le vendredi suivant, après avoir assisté à la grande prière commune à la mosquée, Pâté Poullo et Hampâté, suivis de Balewel qui avait décidé de partager en tout le sort de Hampâté, se dirigèrent vers le palais. Pâté Poullo figurait au nombre très restreint des notables qui pouvaient, à toute heure de la journée ou de la nuit, pénétrer dans le palais royal ; il lui suffisait de donner aux gardes le mot de passe du moment. Grâce à ce sésame, les trois compagnons franchirent sans encombre trois vestibules bien gardés, puis allèrent attendre au pied de l'escalier qui donnait accès aux appartements privés du roi, au premier étage.

Un peu plus tard, Tidjani revint de la mosquée où il s'était attardé. Dès qu'il aperçut Pâté Poullo, son visage s'éclaira d'un grand sourire :

"Ah, voilà mon père Pâté ! Puisse ce vendredi être un jour porte-bonheur pour nous tous !

— Que Dieu t'entende, ô Tidjani, fils d'Amadou, fils de Seydou Tall !" répliqua Pâté Poullo.

Tidjani avait coulé un regard rapide et inquisiteur vers Hampâté et Balewel.

"Qu'est-ce qui t'amène chez moi, père Pâté ? demanda-t-il. Je parie que tu viens me présenter ces deux beaux jeunes gens."

Et il se dirigea vers l'escalier.

"Oui, je viens te les présenter et plaider la cause de l'un d'eux, celui qui se nomme Hampâté. Son compagnon s'appelle Balewel Diko et a décidé de partager le sort de Hampâté, quoi qu'il puisse lui arriver."

Tidjani commença à monter l'escalier, entraînant Pâté Poullo dont il tenait la main dans la sienne. "Quelle faute ce jeune homme a-t-il commise ?" demanda-t-il. "Je te le dirai quand nous serons dans la salle d'audience", répondit Pâté Poullo. Et il fit signe aux deux jeunes gens de l'attendre.

Quand ils arrivèrent dans la grande salle, Tidjani s'absenta un moment pour se débarrasser de ses vêtements. Il revint peu après vêtu d'un simple *tourti* (ample sous-boubou) et d'une culotte bouffante, et s'installa confortablement. Recevoir dans cette tenue était une grande preuve d'intimité et de confiance à l'égard de Pâté Poullo.

"Eh bien, fit-il, quel crime a donc commis ton protégé ?

— Il s'agit d'un crime dans lequel il n'est pour rien. Son crime est d'être né dans la famille des Bâ et des Hamsalah du Fakala. A ce titre, il est frappé par la condamnation à mort qui fut décrétée contre tous les membres mâles de sa famille. Or, il est devenu mon neveu par alliance puisque j'ai épousé sa tante Anta N'Diobdi.

— Ah! c'est le neveu de cette femme peule dont j'ai tant admiré la beauté et la fierté!

— Oui, et c'est elle qui m'a obligé à venir te le présenter, quelles qu'en puissent être les conséquences."

Pâté Poullo rapporta alors fidèlement au roi les propos de sa femme.

"Je viens donc, *Fama* (roi), te demander la vie sauve pour Hampâté, qui est désormais mon enfant au même titre que mon premier-né."

Tidjani garda le silence un bon moment, puis il dit:

"Père Pâté! C'est la deuxième fois que je me heurte à Anta N'Diobdi, cette âme mâle logée dans un corps de femme. Tu lui diras que je l'adopte moi-même comme une tante, d'abord parce qu'elle est ton épouse, et aussi parce que j'aime ceux qui ont le sens et le culte de l'honneur. Quant à Hampâté, je le considère comme une tentation que Dieu a placée sur mon chemin pour voir jusqu'où pouvait aller ma vengeance. Si les centaines d'ennemis exécutés à Sofara, Fatoma et Konna n'ont pas vengé la mort de mon père El Hadj Omar, ce n'est certes pas la mort supplémentaire de ce jeune homme qui la vengera! Mon cher père Pâté, sois rassuré. J'accepte ta demande et fais publiquement à Hampâté grâce de sa vie. Mais, ajouta-t-il en souriant, je dois te révéler une chose: dix jours après l'arrivée de Hampâté à Bandiagara, j'étais déjà informé de sa présence. Je serais un bien piètre chef si j'ignorais ce qui se passe dans mon royaume, à plus forte raison dans ma ville. Je n'ai pas voulu inquiéter Hampâté, car je me suis dit que c'était Dieu lui-même qui me le confiait. Il paraissait insensé, en effet, de venir cacher un condamné dans le giron même de celui qui avait prononcé la sentence.

"Maintenant que Hampâté, qui était mon hôte involontaire, est devenu mon cousin — puisqu'il est ton neveu — je vais lui faire une donation: je lui donne de quoi doter et épouser une femme, une concession spacieuse, un cheval harnaché, un fusil, sept lances, une pertuisane, un sabre, une pièce d'étoffe de guinée bleue de soixante coudées, une pièce de cretonne blanche, un turban haoussa lustré, une paire de bottes brodées, deux paires de babouches de Djenné et dix vaches laitières. Enfin, je voudrais qu'il s'enrôle dans les troupes peules de mon armée commandées par Tierno Haymoutou Bâ. Ainsi, il ne sera plus un garçon boucher anonyme."

Pâté Poullo était heureux comme un Peul dont la vache vient de mettre au monde une génisse! Ne pouvant se jeter au cou du roi, il s'inclina profondément devant lui pour le remercier. Le roi le releva:

"Je t'en prie, père Pâté, pas un tel geste entre nous!"

Hampâté et Balewel, qui étaient restés au bas de l'escalier, furent invités à monter. Pâté Poullo informa Hampâté de la grâce accordée par le roi et des riches cadeaux dont il le comblait. Puis il lui fit connaître le désir du roi de le voir s'enrôler dans son armée sous les ordres de Tierno Haymoutou Bâ. Hampâté, les yeux baissés, garda un instant le silence; puis il dit:

"Je remercie Dieu et le roi Tidjani Amadou Seydou Tall de m'avoir fait grâce de ma vie. Je suis très honoré par le geste généreux du roi et je l'en remercie du plus profond de mon cœur; mais pour ce qui est de mon enrôlement, qu'il me permette de lui dire qu'il est trois choses que je me refuse à tout jamais à faire: premièrement, prendre les armes contre les gens de mon pays, c'est-à-dire contre les Peuls du Macina; deuxièmement, prendre les armes contre le roi Tidjani lui-même, qui, au lieu de m'égorger, m'ouvre ses bras magnanimes et me comble de biens; troisièmement, abandonner le vieux boucher Allamodio qui fut pour moi un vrai père. Je me suis promis de rester auprès de lui pour le servir jusqu'à ma mort ou jusqu'à la sienne."

A ces paroles, un pesant silence s'installa, qui sembla durer des siècles. Pâté Poullo craignait le pire. Mais le roi Tidjani, loin de se fâcher, s'exclama:

"*Wallaye!* Par Dieu! Le sang noble a parlé! Jeune homme loyal, tu mérites le respect et l'admiration de tout le monde, y compris de la part du roi." Et, tendant la main vers Hampâté et Balewel, il leur dit: "Allez et vivez à Bandiagara en musulmans libres, jouissant de tous les droits dus aux citoyens toucouleurs de notre ville!"

Le roi ne laissa pas Balewel les mains vides. Il lui

donna un cheval, un fusil, une pertuisane, sept lances et trois vêtements de prix.

Accompagné des deux jeunes gens, Pâté Poullo reprit le chemin de sa maison. Epanoui et fier comme un vainqueur revenant d'une bataille, il apprit à sa femme la bonne nouvelle. La joie d'Anta N'Diobdi fut à son comble, mais quand son mari lui rapporta les paroles de Hampâté déclarant au roi les trois choses qu'il ne ferait jamais, elle faillit en perdre la respiration ! L'idée que son neveu allait continuer à faire le garçon boucher chez Allamodio la suffoqua. Elle mit du temps à se ressaisir, mais finalement elle réfléchit et dit :

"Certes, il est plus honteux d'être ingrat que d'être garçon boucher."

Elle se tourna vers Hampâté :

"Va, lui dit-elle, retourne chez Allamodio, sers-le, je l'accepte. Mon âme en pleurera chaque jour de dépit, mais ma raison séchera les larmes que l'orgueil familial me fera verser. Quand c'est l'honneur qui fait accepter un sacrifice, celui-ci devient sublime. Tu choisis de vivre dans une obscurité opaque alors qu'un soleil grand et radieux s'offre à répandre sa lumière sur toi. Puisse le Seigneur tenir compte de ta conduite et faire sortir de toi des fils qui rehausseront ton nom !"

(Ici se terminait le récit de Niélé. La suite est reconstituée d'après les récits transmis dans la famille par les principaux acteurs ou témoins de cette histoire, particulièrement Balewel Diko.)

Toujours flanqué de son fidèle compagnon, Hampâté continua donc de vivre auprès du vieux boucher Allamodio. Peu après sa réhabilitation, il fonda à Bandiagara la première association (*waaldé*, en peul) de jeunes gens peuls originaires du Macina, mais par la suite, grâce aux encouragements du roi qui avait vu d'un fort bon œil cette initiative, sa *waaldé* s'élargit à des garçons de diverses origines. Cette association jouera d'ailleurs, beaucoup plus tard, un rôle important dans la politique poullo-toucouleure de Bandiagara, dans la mesure où elle favorisera les bonnes relations préconisées par le roi entre Toucouleurs et Peuls du Macina.

Les années passèrent. Allamodio, qui avait bien vieilli, s'appuyait de plus en plus sur les deux jeunes gens pour mener ses affaires. Hampâté ne s'occupait plus seulement de la trésorerie, il achetait aussi dans le pays, pour Allamodio et pour lui-même, des animaux dont la viande était ensuite revendue à leur bénéfice commun.

Dès que les Peuls du Fakala, qui étaient pour la plupart éleveurs, apprirent que l'héritier des Hamsalah était hors de danger, ils commencèrent, pour l'aider, à lui envoyer des animaux de boucherie. Au fil des années, Hampâté devint un intermédiaire sûr entre les éleveurs d'une partie des pays de la Boucle du Niger et les marchands de bétail de Bandiagara. Il tira de ces diverses activités un revenu confortable qu'il utilisait en grande partie pour racheter des captifs malheureux, surtout des enfants, en vue de les libérer ou d'améliorer leur sort. Il agissait ainsi à la fois par bonté naturelle et par devoir religieux, pour se conformer à l'injonction et à l'exemple du prophète Mohammad lui-même.

Au cours de sa vie, Hampâté racheta quinze captifs. Il en affranchit six, les neuf autres s'étant toujours refusés à le quitter. Il les traitait plutôt comme ses enfants adoptifs que comme des serviteurs. Parmi eux, il en était deux qu'il avait sauvés de maîtres cruels et qu'il chérissait tout particulièrement: Beydari et Niélé Dembélé. Cette dernière, une enfant mianka de la région de San (Mali), deviendra plus tard, pour mon grand frère Hammadoun et pour moi-même, la plus attentionnée et la plus tendre des "servantes-mères", tandis que Beydari, homme de confiance de mon père, sera désigné par lui sur son lit de mort comme seul héritier et chef de toute la famille!

Beydari avait été capturé vers l'âge de onze ou douze ans à la prise de Bousse (localité du cercle de Tougan, dans l'actuel Burkina-Faso). L'esclavage n'ayant pas encore été aboli, à cette époque, dans les colonies françaises, l'enfant fut donné en cadeau à un sous-officier indigène de l'armée française qui l'amena à Bandiagara et le vendit à un griot des Tall, nommé Amfarba. Celui-ci l'affecta aux travaux domestiques de ses femmes.

Le moins que l'on puisse dire est que le pauvre garçon n'était pas tombé dans un milieu charitable. De l'appel à la prière de l'aube jusqu'à une heure tardive de la soirée, parfois même jusqu'à minuit, il travaillait sans relâche, accomplissant des travaux supérieurs à ses forces. Il se nourrissait des restes des plats et de ce qu'il pouvait gratter dans le fond des marmites. Après deux ans de cette vie de faim et de fatigue, marchant presque nu et couchant à même la terre (et à la saison sèche, les nuits sont extrêmement froides dans cette région), le malheureux n'avait plus que la peau sur les os. En marchant dans une eau stagnante, il avait attrapé le "ver de Guinée", un parasite dont les larves s'accumulent dans le bas des jambes où elles attendent, pour s'échapper, un nouveau contact avec l'eau. Ses pieds et ses chevilles avaient démesurément gonflé. Malgré son état, l'une des femmes d'Amfarba l'envoya un matin faire des achats au marché, à un kilomètre de là, sous un soleil de plomb. Les jambes gonflées et douloureuses, le garçon ne pouvait faire vingt pas sans chercher quelque rare coin d'ombre où rafraîchir ses pieds nus brûlés par la terre surchauffée. Ne le voyant point revenir à temps, la femme d'Amfarba alla se plaindre à son mari. Elle accusa le garçon de n'être qu'un paresseux, un désobéissant qui s'amusait sans doute à traîner en route. La colère s'empara d'Amfarba. Saisissant son fouet en peau d'hippopotame, il se précipita au-devant du jeune garçon, qu'il croisa peu après. Son panier chargé sur la tête, Beydari avançait lentement, ruisselant de sueur, gémissant à chaque pas.

"Espèce de tire-au-flanc, paresseux, désobéissant ! vociféra Amfarba. Tiens, attrape ça pour te dégourdir un peu !" Et il se mit à fouetter à tour de bras le pauvre garçon qui, dans son effort pour courir, fit crever les enflures de ses jambes avant leur terme. Malgré le sang qui giclait des pieds de l'enfant, Amfarba continua de le cingler.

C'est alors que Hampâté, qui revenait de la mosquée,

apparut providentiellement au détour du chemin. Le garçon se précipita vers lui :

"Ô papa, cria-t-il, sauve-moi, sauve-moi ! Il va me tuer ! Il va me tuer." Et il se jeta dans les bras de Hampâté juste au moment où Amfarba allait lui assener un coup qui l'aurait certainement assommé.

Hampâté attrapa au vol la main d'Amfarba.

"Espèce de brute ! s'exclama-t-il avec indignation. N'as-tu pas un cœur ? Traiterais-tu ton fils ou ton parent de la sorte ? Ce gamin souffre comme toi. C'est un être humain, il a un père et une mère quelque part dans ce monde."

Amfarba répliqua avec rage :

"Eh bien, si tu as tant pitié de lui, rachète-le donc !"

Hampâté le prit au mot :

"D'accord ! Dis ton prix.

— Cent mille cauris", répondit Amfarba.

Retirant de son doigt sa bague de cornaline, Hampâté la tendit à Amfarba :

"Porte cette bague à Ousmane Djennonké et dis-lui de te donner de ma part cent mille cauris. Il se chargera de me rapporter ma bague."

Puis il ramassa le panier contenant les produits achetés par l'enfant et le tendit à Amfarba :

"À toi de porter ça à ta femme, lui dit-il. Ce garçon n'est plus ton captif !"

Hampâté emmena le garçon chez lui. Dès qu'ils arrivèrent à la maison, il le baptisa Beydari, nom qui signifie "augmentation" ou "bénéfice", avec le sens de "bénédiction". Puis il le soigna. Quand l'enfant fut guéri, il l'habilla correctement. Beydari s'attendait à ce qu'on lui ordonne de faire certains travaux, mais à son grand étonnement mon père lui dit simplement : "Va jouer, va rejoindre les jeunes garçons de ton âge." A la vérité, Beydari ne suivit pas toujours à la lettre cette recommandation, car il aimait plus que tout rester aux côtés de mon père. Il le suivait partout et n'allait jouer avec ses camarades que lorsque le travail de mon père était fini. C'est en ce temps-là qu'il se lia d'amitié avec un garçon de la famille royale, le jeune prince Koreïchi Tall, et qu'il adhéra à son association de jeunes. Pour citer un exemple du comportement de mon père, avant d'acheter des vêtements neufs à Beydari comme il est d'usage de le faire à la veille des grandes fêtes musulmanes, il se renseignait d'abord pour savoir quelle serait la tenue du jeune prince. Quand il le savait, il achetait la même à Beydari.

Le vieil Allamodio, voyant que Hampâté traitait Beydari comme un fils, décida de le considérer lui-même comme son petit-fils. Et c'est ainsi que Beydari apprit le métier de boucher, qu'il exerça toute sa vie [15].

Entre-temps, le roi Tidjani Tall s'était éteint. Son pouvoir, qui avait pris naissance en 1864, s'était maintenu dans tout le Macina jusqu'à sa mort, en 1888. Au début de son règne, il avait procédé, on le sait, à des exécutions massives ; il avait déplacé des villages et des populations, installé toute une administration locale ; il eut à guerroyer longtemps contre des îlots de résistance. Mais à la longue, les choses s'étaient relativement calmées, et finalement cet homme, que l'on avait baptisé "le casseur-rebouteux", fut peut-être l'un des chefs les plus valables qui aient régné dans la Boucle du Niger. Autant il avait été implacable dans la conquête, autant, grâce à son sens aigu de la politique locale, il se montra un chef avisé dans la gestion de son royaume. Un adage a encore cours au Macina : "Lorsque Tidjani est arrivé, le peuple s'est écrié : « *Wororoy en boni, Tidjani wari !* » (Oh ! nous sommes fichus, Tidjani est venu.) Mais à ses funérailles, c'est le même peuple qui pleura en disant : « *Wororoy en boni, Tidjani mayi !* » (Nous sommes fichus, Tidjani est mort !)"

Hampâté n'était plus un tout jeune homme lorsqu'il épousa en premières noces l'une de ses cousines, Baya. Leur union demeura stérile. C'était là une situation fâcheuse, car tout le Fakala et le Pêmaye attendaient des enfants de Hampâté pour reverdir l'arbre des Hamsalah. Les notables peuls du Fakala réfugiés à Bandiagara entreprirent de consulter marabouts, devins et voyants de toutes origines pour savoir si leurs espoirs seraient exaucés. Les oracles furent unanimes : Baya ne porterait aucun fruit de Hampâté, leurs "génies" procréateurs respectifs étant incompatibles. Ces prédictions malheureuses influèrent sur l'humeur de Baya. Elle devint acariâtre, presque invivable. Elle ne pouvait plus souffrir personne autour d'elle ; à peine pouvait-elle supporter son ombre. A la fin, elle alla trop loin.

Un soir où Hampâté était absent, Balewel Diko, l'ami de toujours, se présenta chez Baya, accompagné de quelques camarades de leur association. Il demanda à dîner. Baya ne pouvait refuser, car c'était une coutume des membres de leur association que d'aller chaque soir dîner successivement les uns chez les autres. Les épouses y étaient accoutumées, et de toute façon, dans les grandes familles africaines, il y avait toujours assez de nourriture pour accueillir des invités de dernière heure ou des étrangers de passage. Baya fit donc apporter un repas, mais en ne cessant de maugréer : "Ah ! comme il est fâcheux d'être l'épouse d'un vagabond qui oublie de rentrer chez lui aux heures des repas ! Je ne suis ni une esclave ni une femme de basse extraction pour qu'un mari malappris me traite d'une telle façon. Vraiment, j'en ai assez de ce Hampâté !" Et, soit intentionnellement, soit par réflexe involontaire, elle proféra une grossièreté à l'égard de la défunte mère de Hampâté. A une époque où l'injure envers la mère était la plus grave des offenses et se réglait souvent à coups de lance ou de couteau, c'était là de sa part un grand écart de langage, et d'autant plus choquant qu'il était proféré en présence des camarades de son mari. A la vérité, c'était un affront impardonnable.

Balewel, pour qui Hampâté et lui-même ne faisaient qu'un et qui se considérait comme son alter ego, s'indigna :

"Comment, Baya ! Tu oses insulter la mère de Hampâté en ma présence ? J'aurais préféré entendre de ta bouche une injure adressée à ma propre mère plutôt qu'à celle de Hampâté. Ne t'avise pas de recommencer !

— Et si je recommençais, rétorqua-t-elle, le ciel tomberait-il sur la terre ? Les montagnes en vomiraient-elles le contenu de leur estomac de feu ?

— Ce ne sera rien de tout cela, répondit Balewel, mais la mort de ton mariage avec nous.

— Avec vous qui ? fit Baya, goguenarde.

— Avec nous, Hampâté et Balewel."

Ricanante, Baya réitéra son injure. Au comble de l'indignation, Balewel lui lança : "Va-t'en de cette demeure, je te divorce !" A cette parole, tous les amis de Hampâté se levèrent comme un seul homme. Ils quittèrent la maison sans terminer leur repas, geste extrêmement grave en Afrique où ne pas consommer la nourriture d'une femme est un signe de rejet et de rupture. Cela signifiait clairement : "Tous les amis de Hampâté t'ont divorcée."

Baya entra dans une furie sans nom. Elle se précipita dans sa chambre, rassembla hâtivement tous ses vêtements et ustensiles domestiques en de gros paquets et les fit porter sous le hangar qui abritait l'entrée de la maison. Elle-même y étala une petite natte, y prit place et attendit le retour de son mari. Lorsque Hampâté, qui ignorait tout de l'incident, rentra chez lui, il trouva sa femme assise toute droite sous le hangar à côté de ses bagages, semblant attendre on ne savait quoi. Hampâté, on l'a vu, n'était ni démonstratif ni loquace. Sans se départir de son calme habituel (ses amis disaient qu'il était calme et limpide comme de l'huile d'arachide), il commença par saluer sa femme, puis il demanda :

"Pourquoi ces paquets ? Que se passe-t-il ?

— Il se passe que ton petit dieu d'ami Balewel Diko m'a divorcée en ton nom et pour ton compte. Aussi j'ai fait mes bagages, et j'attends de ta part que tu me confirmes cette décision.

— Si mon petit dieu d'ami Balewel Diko t'a divorcée, répliqua tranquillement Hampâté, alors tu es bien divorcée." Et sans un mot de plus, il rentra dans la maison.

Atterrée, Baya fondit en larmes. Elle demanda qu'on transporte ses bagages chez ses parents, ce qui fut fait dans la nuit même par les soins des serviteurs de Hampâté. Le lendemain, quand la nouvelle se propagea dans la ville, personne ne donna tort à Balewel et à Hampâté. Voilà qui est sans doute bien difficile à concevoir pour une mentalité moderne. Comment admettre qu'un ami puisse de son propre chef "divorcer" la femme de son ami et que ce dernier accepte la chose sans discuter? C'est que, jadis, le véritable ami n'était pas "un autre", il était nous-même, et sa parole était notre parole. L'amitié vraie primait la parenté, sauf en matière successorale. C'est pourquoi la tradition recommandait d'avoir beaucoup de camarades, mais pas trop de "vrais" amis. Les parents avaient d'ailleurs le même privilège. Le frère, le père ou la mère pouvaient "divorcer" un homme en son absence, et en général l'intéressé s'inclinait. On ne peut pas dire que c'était une coutume, car le fait n'était pas extrêmement fréquent, mais s'il survenait on l'acceptait car une telle décision n'était généralement pas prise à la légère — dans le cas contraire la communauté, familiale ou villageoise, s'y serait opposée.

KADIDJA, MA MÈRE

Si j'avais respecté les règles de bienséance africaine, c'est de ma mère que j'aurais dû parler en premier en commençant cet ouvrage, ne serait-ce que pour respecter l'adage malien qui dit : "*Tout ce que nous sommes et tout ce que nous avons, nous le devons une fois seulement à notre père, mais deux fois à notre mère.*" L'homme, dit-on chez nous, n'est qu'un semeur distrait, alors que la mère est considérée comme l'atelier divin où le créateur travaille directement, sans intermédiaire, pour former et mener à maturité une vie nouvelle. C'est pourquoi, en Afrique, la mère est respectée presque à l'égal d'une divinité. Que ma mère me pardonne donc de ne pas avoir commencé ce récit par elle en dépit de tout ce que je lui dois, mais l'enchaînement chronologique a ses lois. Du moins occupera-t-elle, à partir de cette page et jusqu'à la dernière, une place essentielle dans cet ouvrage.

Hampâté avait tellement souffert avec sa première femme qu'il ne se décidait pas à se remarier, en dépit des pressions exercées sur lui par son entourage. La société africaine d'alors n'avait en effet aucun respect pour l'état de célibat où elle voyait une preuve d'immaturité ou d'égoïsme. Les célibataires n'avaient pas "droit" à la parole dans les assemblées des anciens, on ne pouvait que la leur "prêter" ; et on ne leur confiait aucun poste de commandement, même pas celui de chef de quartier.

On proposa de nombreux partis à Hampâté, mais il les refusait tous. Le temps passait. Aussi Anta N'Diobdi lui proposa-t-elle finalement d'épouser sa propre fille,

Kadidja. Il accepta, mais, sa cousine n'ayant pas encore atteint l'âge du mariage, il leur fallait attendre un peu.

Le grand souci de Hampâté était d'avoir des enfants. Un marabout de Bandiagara réputé pour ses dons de divination, Wourma Amadou, lui dit un jour : "Je ne vois pas beaucoup d'enfants dans ton destin, mais je te vois beaucoup de petits-fils et d'arrière-petits-fils. Voici mon conseil : adopte d'abord une petite captive ; cette adoption ouvrira pour toi la porte de la paternité."

C'est à ce moment-là que Hampâté recueillit Niapandogoro, une jeune femme captive qui allaitait une fillette de deux mois. Il adopta la petite fille et lui donna le nom de Baya. A compter de ce jour, Niapandogoro eut pour seule et unique tâche d'allaiter son enfant et de veiller sur elle. Quant aux soins qui devaient être donnés à la fillette, Hampâté s'en chargeait lui-même : il lui faisait sa toilette, la promenait, l'emmenait au marché, la faisait même dormir la nuit auprès de lui comme le font les mamans africaines. Il était à la fois son père et sa mère.

Plus tard, l'enfant sera appelée "Nassouni", et nous la retrouverons maintes fois sous ce nom au cours de ce récit car, même mariée, elle ne quittera jamais ma mère Kadidja, puis ma propre épouse Baya. Nassouni mourra en 1983 à Bamako, au sein de ma famille.

Le rêve de Kadidja

C'est à peu près à cette époque que la petite Kadidja fit un rêve qui la marqua profondément en raison des prédictions auxquelles il donna lieu et qui se vérifièrent l'une après l'autre tout au long de sa vie. Dans ce rêve, elle voyait le saint Prophète pénétrer dans la cour de la maison familiale. Il lui disait d'aller chercher ses frères et sœurs et de venir partager avec lui un grand plat préparé par sa mère. Ils s'assirent tous autour du plat et mangèrent jusqu'à ce qu'il ne reste plus rien. Alors le Prophète, gardant auprès de lui les frères et sœurs de Kadidja, leva les yeux sur elle et lui donna l'ordre de sortir. Lorsqu'elle s'éveilla le lendemain matin, elle se sentit envahie d'un sourd dégoût d'elle-même et tomba dans une humeur silencieuse et maussade. Son père n'y attacha pas d'importance, mais sa mère s'en inquiéta :

"Qu'as-tu, ma petite Kadidja ?"

Kadidja lui raconta son rêve, puis ajouta tristement :

"Si le Prophète de Dieu a gardé à ses côtés mes frères et sœurs et m'a renvoyée moi toute seule, c'est qu'il m'a trouvée indigne de rester avec lui. Toute ma vie je ne serai donc qu'une guignarde, une tête malchanceuse et raboteuse qui ne mérite pas la compagnie de l'Envoyé de Dieu."

Et elle fondit en larmes, sanglotant dans les bras de sa mère. Celle-ci, bouleversée par la peine de sa fille, ne prit pas son rêve à la légère.

"Rassure-toi, lui dit-elle, ton oncle Eliyassa Hafiz Diaba est un grand marabout qui connaît la science de l'interprétation des songes. Il doit venir me voir aujourd'hui, après la grande prière du vendredi. Lui saura trouver la vraie signification de ton rêve."

Quand l'oncle arriva, Anta N'Diobdi lui raconta le rêve de sa fille. Il interrogea Kadidja sur tout ce qu'elle avait fait dans la journée et la soirée afin de s'assurer que rien de tout cela n'avait conditionné son rêve. Il lui ordonna alors d'acheter du coton non filé, de l'égrener et de le filer elle-même, puis d'aller vendre ses écheveaux au marché. Avec le produit de la vente, elle devait acheter une belle natte neuve et mettre de côté le reste de l'argent.

Quand tout fut prêt, l'oncle revint. Il trempa une plume de roseau dans une encre spéciale et couvrit la natte de formules coraniques, de lettres et de signes selon un agencement spécial. Il conseilla alors à Kadidja de manger très légèrement le soir et de prendre un bain préparé rituellement avant d'aller se coucher sur la natte, dans la case même où, en rêve, elle avait pris un repas avec le Prophète et ses frères et sœurs.

Kadidja fit tout ce que l'oncle avait dit. Le lendemain, l'oncle prit la natte, examina minutieusement ce qui restait des signes qu'il y avait tracés, puis la fit nettoyer pour en faire disparaître les traces d'encre.

"Va immédiatement en faire don à un pauvre, dit-il à Kadidja, distribue tout l'argent qui te reste, et reviens. Je t'attends."

Quand elle revint, il fit alors les prédictions suivantes, fondées sur les différents éléments du rêve comme sur les signes observés par lui sur la natte :

"Ma nièce Kadidja survivra à tous ses parents. Elle héritera de tous ses frères et sœurs, car elle sera la dernière à mourir après une très longue vie. Aucun de ses frères et sœurs n'aura d'enfants. Elle se mariera deux fois. De son premier mariage, elle aura trois enfants. Ils vivront difficilement, mais si un seul survit il sera suffisant. Il sera un grand soutien pour elle. Son deuxième mariage la ruinera. Elle donnera six enfants à son deuxième mari, mais ces enfants seront plutôt une charge pour elle. Kadidja connaîtra de grandes difficultés au cours de sa vie. Mais elle triomphera de tous ses ennemis, hommes ou femmes, et elle surmontera tous les événements pénibles qui jalonneront son existence."

Cette prédiction, étonnante dans sa précision, se réalisera au fil du temps dans les moindres détails.

Kadidja, adorée de ses parents, grandissait en véritable "fille à papa". Non seulement son père Pâté Poullo était l'intendant du cheptel royal, mais en outre il avait reçu du roi Tidjani, en souvenir de la "goutte de lait de Hamdallaye", une dotation permanente de mille têtes de bétail remplaçables en cas de perte, et ce quelle qu'en soit la raison. C'est donc peu de dire que la famille vivait dans l'aisance.

Pâté Poullo avait donné à Kadidja une éducation presque masculine, sans pour autant lui enlever sa féminité. Belle, joyeuse, pleine de vie, volontaire — et même, il faut le dire, quelque peu entêtée — elle promettait d'être une femme de tête à laquelle il serait difficile de résister.

Elle avait créé une *waaldé* (association) de jeunes filles de son âge dont elle était le chef et qui regroupait tout ce que Bandiagara comptait de belles et nobles filles. C'est alors qu'on lui donna son premier surnom : *Djandji*, la "joyeusement achalandée" ; plus tard, on l'appellera *Poullo*, "femme peule" dans le sens de "femme noble" nom qui deviendra chez les Bambaras *flamousso*.

On l'appellera aussi, en raison de sa force de caractère peu commune, *Debbo diom timba*, "la femme à pantalon". Son premier fils Hammadoun l'appellera *Dadda* (sans doute déformation de Kadia, diminutif de Kadidja), nom qui lui restera dans la famille et qui sera adopté par tous les enfants de Bandiagara.

A douze ans, elle avait déjà été demandée en mariage par presque toutes les grandes familles toucouleures de Bandiagara. Sa mère avait refusé au moins douze offres officielles. Tous les grands du royaume qui, jadis, avaient voulu épouser Anta N'Diobdi souhaitaient obtenir la main de Kadidja pour leurs fils. Quand ils apprirent qu'Anta N'Diobdi avait décidé de donner sa fille à son neveu Hampâté, ce Peul du Fakala qui continuait de vivre auprès d'un boucher, ils prirent très mal la chose. Pour eux, Hampâté était non seulement un étranger, mais un ennemi. Ils s'opposèrent violemment à ce projet de mariage et cherchèrent à l'empêcher par tous les moyens.

Tout cela n'était pas fait pour donner la paix au pauvre Hampâté, qui devint la cible des candidats jaloux. Ceux-ci ne manquaient pas une occasion de le provoquer. Mais Hampâté n'était pas un fétu de paille que l'on pouvait briser entre le pouce et l'index, et il avait derrière lui les quarante membres de son association, prêts à mourir pour lui et qui rossaient d'importance tous ceux qui se risquaient à prononcer la moindre parole malveillante à son égard.

Anta N'Diobdi non plus n'était pas femme à se laisser impressionner. Forte de la confiance de son mari et du soutien de l'épouse préférée du roi, elle s'obstina contre vents et marées. Finalement, quand Kadidja eut atteint l'âge qui convenait, le mariage eut lieu.

Kadidja et Hampâté, un mariage difficile

Fous de rage, les grands du royaume qui avaient été éconduits se jurèrent de tout mettre en œuvre afin que l'union Kadidja-Hampâté demeure stérile et ne soit pas heureuse. En dépit de l'interdiction coranique, ils mobilisèrent marabouts, noueurs de cordes, jeteurs de sorts et sorciers en tous genres pour frapper le mariage de stérilité. Malgré cette coalition, Kadidja mit au monde trois enfants : une fille nommée Gabdo et deux garçons, mon frère aîné Hammadoun et votre serviteur. La vérité oblige à dire cependant que Gabdo, la première-née, ne vécut que six mois, et que mon frère aîné Hammadoun, un garçon qui avait reçu en partage tous les dons de l'esprit, du cœur et du corps, connut une mort tragique vers l'âge de quinze ans. Finalement, comme l'avait annoncé l'oncle Eliyassa, je devais être le seul survivant de l'union de Kadidja et de Hampâté.

Si l'on en croit ce qui est porté sur mes actes d'état civil, je suis né à Bandiagara "vers 1901" ; mais les recoupements que j'ai effectués par la suite m'inclinent à penser que ma naissance se situe plutôt aux alentours de décembre 1899 et de janvier ou février 1900 (puisqu'elle eut lieu au plus vif de la saison froide), plus vraisemblablement au début de l'année 1900 puisque, paraît-il, je suis né l'année où le roi Aguibou Tall a effectué son voyage en France, lequel eut lieu en 1900. Tout laisse donc à penser que j'occupe une bonne place dans le peloton des "fils aînés du siècle".

Au moment de ma naissance, ma grand-mère Anta N'Diobdi se trouvait à Taykiri (une localité proche de Mopti et distante de Bandiagara d'environ soixante-dix kilomètres) où elle avait suivi ses troupeaux en transhumance. Dès que la période de retraite de quarante jours pendant laquelle la nouvelle accouchée ne doit pas sortir de chez elle fut terminée, Kadidja tint à rejoindre sa mère pour lui présenter son bébé selon la coutume et se reposer un peu auprès d'elle.

J'étais encore trop petit pour qu'on puisse me porter dans le dos à la manière des femmes africaines. Ma mère se procura une grande calebasse, la bourra de linges et d'étoffes douces et chaudes et m'y coucha comme dans un berceau. Ma "servante-mère" Niélé posa la calebasse sur sa tête et nous prîmes la route. C'est ainsi que, comptant tout juste quarante et un jours de présence en ce monde, je commençai à voyager. Et depuis, je n'ai jamais cessé, tout au moins jusqu'à ce que la fatigue et le grand âge m'obligent enfin, vers 1982, à rester tranquille.

Lors de notre déplacement, la température baissa si fort, paraît-il, que je faillis mourir. Kadidja resta chez sa mère pendant deux ou trois mois, puis elle me ramena à Bandiagara.

La naissance des trois enfants et la mort de la petite Gabdo n'avaient pas apaisé la haine des ennemis du couple Hampâté-Kadidja, elles semblaient même l'avoir attisée. La "guerre des sortilèges" continuait. Chaque jour, on découvrait dans la maison des cordes nouées ou des talismans maléfiques que des gens, on ne sait par quel moyen, réussissaient à y introduire. Il y en avait partout : dans la cour, dans la chambre, dans les toilettes, dans la cuisine, et même dans le canari à eau où l'on trouva parfois des grenouilles attachées. Bien souvent, le matin, Pâté Poullo venait dire à Kadidja : "Fais attention, aujourd'hui il y a quelque chose." Et cela ne manquait jamais.

Fut-ce, à la longue, l'effet des sortilèges, la lourde ambiance d'hostilité qui pesait sur le ménage, ou tout simplement la conséquence d'une grande différence d'âge et de tempérament : Kadidja, jeune, vivante, enjouée, aimant une vie sociale animée, et Hampâté, beaucoup plus âgé, sérieux, ne parlant presque jamais ? Toujours est-il qu'un beau jour Kadidja fut prise d'une sorte de répulsion envers son mari. Elle ne pouvait plus le supporter. Elle fuyait le domicile conjugal comme la peste et retournait sans cesse chez ses parents. Chose curieuse, d'ailleurs, il suffisait qu'elle soit éloignée de Hampâté pour ne parler que de lui et de ses qualités, mais dès qu'elle se retrouvait en sa présence elle éprouvait une violente envie de le fuir.

Chaque fois, la mort dans l'âme, son père et sa mère la ramenaient chez Hampâté. Ils tenaient à honorer envers lui leur parole, et ils ne voulaient pas non plus perdre la face et devenir la risée de ceux à qui ils avaient refusé la main de leur fille. Mais Kadidja n'avait qu'une idée en tête : quitter Hampâté, et cela quelles qu'en puissent être les conséquences pour elle-même et pour la réputation de sa famille.

Lorsque ses parents la ramenaient à la maison, elle était si abattue et si malheureuse que peu à peu elle en perdit l'appétit et le goût de vivre. Elle qui était si joyeuse et si affable devint morose, irritable. Tout l'agaçait. C'est alors que Hampâté, dans l'intérêt de la vie même de Kadidja, décida de lui rendre sa liberté.

Il convoqua un conseil de famille. Quand tous furent réunis, il déclara à ses beaux-parents : "Je sais, et vous savez aussi, que Kadidja ne hait point ma personne, mais qu'elle agit sous l'empire d'un envoûtement puissant que ni vous, ni Eliyassa Hafiz Diaba, ni moi-même ne parvenons à dénouer. Si vous continuez de vouloir imposer ma présence à Kadidja, je crains qu'elle ne tombe gravement malade, ou même qu'elle ne commette une bêtise irréparable. Or, je préfère la voir vivante et heureuse dans un autre foyer que malade et malheureuse sous mon toit. Permettez donc que, sans rancune, je lui rende sa liberté, afin de sauvegarder nos liens de famille qui doivent rester intacts et solides, envers et contre tout."

C'est ainsi que Hampâté, par affection pour Kadidja, divorça amiablement d'avec elle, tout en lui restant attaché par des liens indéfectibles car non seulement elle était sa cousine, fille de sa seule proche parente de Bandiagara, mais elle lui avait donné ses deux garçons, le bonheur de sa vie.

Cette séparation, qui eut lieu à notre retour à Bandiagara, coïncida avec une période de grand deuil pour Kadidja, car elle perdit alors et son père et son frère aîné Amadou Pâté.

Comme il le faisait fréquemment, Pâté Poullo était parti dans la brousse, à l'est de Bandiagara, avec des troupeaux. Il ne pouvait rester longtemps en ville sans aller se replonger régulièrement dans le monde qui était le sien : celui de la nature où tout, pour lui, était vivant, parlant et signifiant. C'est là qu'il s'éteignit, emportant avec lui ses secrets et la plupart de ses connaissances traditionnelles. Il en avait tout de même enseigné un certain nombre à ma mère qui, elle aussi, comme sa mère Anta N'Diobdi, était "Reine de lait".

Mon père Hampâté décéda un peu moins de trois ans après sa séparation d'avec Kadidja. Celle-ci s'étant remariée entre-temps, il avait exigé que je reste auprès de lui. J'avais donc à peu près trois ans lorsqu'il mourut, et mon frère Hammadoun cinq ans.

Comme je l'ai dit précédemment, sur son lit de mort mon père désigna pour seul héritier de tous ses biens et chef de la famille non l'un de ses enfants — nous étions d'ailleurs trop jeunes pour cela — mais Beydari. Jamais confiance ne fut mieux placée! Beydari fut pour nous, en toutes circonstances, un tuteur dévoué, un grand frère affectueux et un gérant scrupuleux des biens de la famille, laquelle se composait, outre mon frère et moi-même, de Beydari et des huit autres "captifs" *(rimaïbé)* dont nous avions hérité et qui ne voulurent jamais nous abandonner. Parmi eux il y avait Abidi Hampâté (ils portaient tous le nom de mon père), notre chère Niélé et la jeune Nassouni, que mon père avait élevée comme sa propre fille.

Beydari et ses compagnons avaient reçu pour mission de nous élever, de nous éduquer et de nous défendre, et ils l'ont fait, Dieu en est témoin! Hammadoun et moi avons certainement été les "petits maîtres" les plus heureux de tout Bandiagara! Le fidèle ami Balewel Diko ne nous abandonna pas non plus. C'est en grande partie grâce à ses récits, s'ajoutant à ceux de Niélé et de Beydari, puis à ceux de ma mère, que je pus reconstituer toute cette histoire.

A partir du moment où je fus en âge de comprendre, Niélé ne se lassait pas de me parler de mon père, et les larmes lui venaient aux yeux quand elle évoquait son immense bonté, cachée derrière son aspect taciturne. Sa maison, disait-elle, était ouverte à tous, et à tout moment. Il savait écouter, ne contredisait jamais, mais son regard particulièrement perçant gênait parfois ses interlocuteurs, au point que certains préféraient s'adresser à lui en passant par un intermédiaire, comme la coutume le permettait. Heureusement, son sourire venait atténuer les effets troublants de son regard. Ses colères pouvaient être terribles, mais elles ne se manifestaient que pour des causes graves, par exemple une injustice flagrante qu'un fort faisait subir à un faible. Toute sa vie, il donna de l'argent plus qu'il n'en prêta car il n'aimait pas réclamer le paiement d'une dette. Il avait recommandé à ses "captifs" — il serait plus juste de dire ses enfants — de nous enseigner la piété, la probité, la bonté envers les pauvres et les infirmes et le respect envers les personnes âgées. Quant à notre éducation religieuse, il avait exigé qu'elle fût confiée à Tierno Bokar, l'ami intime de la famille, dont j'aurai à reparler.

Tel fut mon père Hampâté, qui aurait dû mourir et qui pourtant vécut, qui refusa les honneurs offerts par un roi pour continuer de servir un vieux boucher, et qui préféra libérer une femme aimée plutôt que de la voir malheureuse auprès de lui. Que Dieu t'accueille en sa miséricorde, Hampâté, mon père, et que la terre te soit légère !

Kadidja et Tidjani

A peine ma mère avait-elle recouvré sa liberté que tous les anciens soupirants évincés — pour la plupart des Toucouleurs du clan Tall, c'est-à-dire du clan d'El Hadj Omar et de son fils Aguibou Tall, alors roi de Bandiagara — étaient revenus à la charge pour demander sa main. C'est alors que Tidjani Amadou Ali Thiam, qui, lui, n'avait jamais figuré parmi les prétendants évincés, brigua la main de Kadidja et fut choisi par elle.

Les Thiam sont un autre clan toucouleur traditionnellement rival du clan Tall, ce qui n'était pas fait pour arranger les choses. Tidjani Amadou Ali Thiam était, comme son nom l'indique, le fils d'Amadou Ali Thiam, alors chef de la plus grande et plus riche province du royaume toucouleur, la province de Louta (dans l'actuel Burkina-Faso). C'était donc un prince, héritier présomptif d'un turban de chef. Ce n'est pas pour cette raison que Kadidja le choisit, mais parce qu'elle le connaissait déjà fort bien, et depuis longtemps. Tidjani (que désormais pour simplifier j'appellerai "Tidjani Thiam") était en effet l'ami inséparable de Bokari Pâté, le grand frère de Kadidja, et de Tierno Bokar Salif Tall, un jeune homme de famille maraboutique tout entier tourné vers la vie religieuse, et qui deviendra plus tard mon maître spirituel.

Lorsque Tierno Bokar, qui était lui-même un petit-neveu d'El Hadj Omar (nous dirions en Afrique un "petit-fils"), était arrivé à Bandiagara avec sa mère en 1891, fuyant l'avance de l'armée française, il avait été "adopté" (au sens africain du mot) par le père de Tidjani Thiam qui le considérait comme son propre fils. C'est à cette époque que naquit entre Tierno Bokar, le jeune Tidjani Thiam et Bokari Pâté, frère de Kadidja, une amitié si étroite que, dans tout Bandiagara, on ne les appelait plus que les "trois inséparables".

Tierno Bokar s'était pris d'amitié pour ma mère Kadidja qu'il appelait "petite sœur", et vraiment toute sa vie ma mère joua auprès de ce saint homme le rôle d'une petite sœur, mais d'une petite sœur un peu spéciale car, toujours franche et directe, elle se permettait de lui parler avec une liberté que personne d'autre ne se serait permise à Bandiagara. Elle lui posait les questions les plus nettes et les plus directes — ce que l'on fait très rarement en Afrique — et cela avec l'autorisation de Tierno Bokar lui-même.

Je suis né, pour ainsi dire, entre ses mains. Il venait voir mes parents presque chaque jour. Dès qu'il arrivait, il me réclamait. Quand il priait, il me plaçait sur ses genoux. Quand il faisait un petit somme, il m'installait contre sa poitrine. Et quand il se promenait dans la cour, à ma plus grande joie il me juchait sur ses épaules, chantant pour moi des poèmes religieux, particulièrement le poème d'El Hadj Omar intitulé *La Barque des bienheureux*. Ma mère me raconta plus tard qu'il aimait m'amuser et me faire rire. Avec les autres j'étais, paraît-il, un enfant plutôt absent; ceux qui me prenaient dans leurs bras ne pouvaient rencontrer mon regard. Mais quand Tierno me prenait, je ne cessais de contempler son visage en éclatant de rire.

Ami intime de mon oncle Bokari Pâté et de ma mère, puis de mon père Hampâté, il était, selon la tradition africaine, leur frère, donc mon oncle. Mais il devait être bien plus que cela tout au long de ma vie : il allait être mon père spirituel, celui qui modèlerait mon esprit et mon âme et à qui je dois d'être tout ce que je suis [16].

En choisissant Tidjani Thiam pour second mari, ma mère savait donc à qui elle avait affaire et ne sortait pas du cercle d'amis qui lui était cher. Tidjani Thiam, de son côté, aimait beaucoup Kadidja dont il admirait les qualités. C'est cet amour mutuel qui devait les amener à réussir leur mariage et à le maintenir contre vents et marées, en dépit de la succession d'événements tragiques qu'ils devraient affronter.

A peine la décision de Kadidja fut-elle çonnue que l'orage éclata. Les Tall, repoussés pour la deuxième fois, étaient furieux d'avoir été écartés au profit d'un Thiam, car depuis des générations ces deux grandes familles toucouleures étaient plus ou moins rivales, voire hostiles. Quelle que fût la situation d'un Tall, un Thiam n'avait aucune considération pour lui ; et il suffisait que l'un fasse quelque chose pour que l'autre essaie d'en faire autant ou de le surpasser. A la guerre, jamais un Tall ni un Thiam n'aurait pris la fuite si un membre du clan rival était présent. Chacun préférait mille fois se faire tuer plutôt que se rabaisser devant l'autre. Des incidents très graves, qui opposèrent les Thiam au roi Aguibou Tall à propos de la chefferie de Louta, tendirent à l'extrême les relations entre les deux clans. Dans ce climat, le choix de Kadidja fut ressenti comme une véritable provocation.

C'est alors que le père de Tidjani, qui n'était chef de la province de Louta que depuis deux ans, décéda subitement. Tidjani, en tant que fils aîné d'Amadou Ali Thiam, hérita du "turban" de Louta — non sans quelques difficultés de la part du roi Aguibou — et quitta Bandiagara pour sa nouvelle résidence, accompagné d'une suite brillante et de ses deux épouses : sa cousine et première épouse Kadiatou Bokari Moussa, petite-fille du roi de Konna et fille d'un chef d'armée, et Diaraw Aguibou, fille du roi Aguibou Tall. Le mariage avec Kadidja n'étant pas encore conclu, celle-ci resta à Bandiagara.

En vertu d'une attitude malheureusement trop courante en Afrique et qui veut qu'aucune mort ni aucune maladie ne soit "naturelle" mais toujours imputable à quelqu'un, un tollé général s'éleva contre ma mère. Les épouses de Tidjani, ainsi que la plupart des membres — surtout féminins — de sa famille attribuèrent la mort subite d'Amadou Ali Thiam à la malchance apportée par Kadidja. "Comment! clamait-on à qui voulait l'entendre. A peine Tidjani a-t-il demandé la main de Kadidja Pâté, et voilà que son père meurt! Qu'adviendra-t-il de la famille quand Kadidja Pâté y mettra le pied?"

Tidjani, qui aimait profondément ma mère, fit la sourde oreille. De Louta, il continua les démarches entre les deux familles en vue de conclure le mariage. Elles durèrent plus d'un an. Quand enfin le mariage fut célébré, Tidjani se trouvait à Louta et ma mère à Bandiagara, ce qui n'était pas un inconvénient puisque, selon la coutume, les époux n'avaient pas besoin d'être présents à la cérémonie. Il suffisait que les cadeaux rituels, particulièrement la dot et les noix de cola, soient échangés en présence des témoins et des notables religieux et que ceux-ci récitent les versets appropriés du Coran pour que le mariage soit, comme on dit, "noué" ou "attaché" — c'était d'ailleurs ce qui permettait parfois à certains parents de "nouer" un mariage en l'absence de leur enfant...

Dès que le mariage fut conclu, le premier acte de Tidjani, à qui ses épouses n'avaient pas donné de fils, fut de m'adopter officiellement. Il me fit porter, sur la fiche administrative de renseignements le concernant, comme son "premier fils", et donc successeur éventuel. Cet acte, qu'on ne lui pardonnera jamais dans sa famille, lui valut la réprobation générale des Toucouleurs, aussi bien Tall que Thiam, qui comprenaient mal qu'un des leurs ait choisi un Peul, descendant des Bâ et des Hamsalah du Fakala de surcroît, pour lui succéder. Quant aux femmes, elles déclarèrent une guerre à mort à ma mère, responsable, selon elles, de mon intrusion dans des prérogatives qui ne devaient être réservées qu'aux seuls conquérants toucouleurs.

Mon père Hampâté (cela se passait peu avant sa mort) avait fort mal réagi en apprenant que Tidjani Thiam m'avait adopté officiellement alors que lui-même était encore vivant. Comme ses droits naturels le lui permettaient, il interdit que je sois emmené à Louta. En dépit de l'opposition de mon père et de l'hostilité des Toucouleurs, mon nom resta sur la fiche de Tidjani Thiam, car pour les autorités coloniales françaises la volonté d'un chef de province (donc "chef de canton" à leurs yeux) faisait loi. Bien que relevant de la tutelle de ma seule famille paternelle, je restai donc officiellement "premier fils" de Tidjani Thiam et dauphin présomptif du "turban" de Louta.

Sur ces entrefaites, ma grand-mère Anta N'Diobdi, qui était retournée à Taykiri, près de Mopti, tomba gravement malade et mourut. Ma mère, accompagnée de ses deux frères Bokari Pâté et Hammadoun Pâté, se rendit à Taykiri pour régler les problèmes de succession. Niélé l'accompagna pour s'occuper de moi. Pour la deuxième fois de mon existence, j'accomplis donc le trajet Bandiagara-Taykiri, non plus, cette fois, juché sur la tête de Niélé dans une grande calebasse, mais plus classiquement accroché à son dos.

Kadidja trouva toutes les affaires de sa mère en ordre, car celle-ci avait eu le temps de faire établir son testament auprès d'un marabout éminent de la ville. Ma mère m'en rapporta plus tard les termes :

"Que mes enfants sachent que j'ai partagé moi-même les biens que je laisse, afin qu'ils ne se disputent pas et ne se séparent pas à cause de mon héritage. Je demande à mes garçons de se tenir autour de leur sœur Kadidja et de lui servir d'abri contre les intempéries. Ma petite captive Batoma n'a ni père ni mère autres que moi. En me perdant, elle perd tout. Mon âme et mon esprit maudiront celui des miens qui fera souffrir ma petite Batoma. Elle portera désormais mon nom de famille, Sow, et je ne dormirai ni tranquille ni heureuse dans ma tombe si quiconque la fait souffrir. Je lègue à ma fille Kadidja dix mille pièces de cinq francs, pour lui permettre de s'installer chez son mari et de faire bonne figure face à ses deux coépouses toutes deux princesses."

En plus de cette fortune, ma mère hérita de deux cent trente-huit têtes de bétail sur les sept cents laissées par sa mère, plus un coffret de bijoux d'or et d'argent. Riche, elle l'était donc, et se trouvait libérée de tout souci matériel, mais moralement elle était submergée par les malheurs qui, depuis quelque temps, s'abattaient sur elle avec une régularité d'horloge : à peine divorcée d'avec un mari-cousin qu'elle aimait mais dont, paradoxalement, elle ne pouvait plus supporter la présence, elle avait perdu son père, puis son frère aîné Amadou Pâté ; à peine demandée en mariage par Tidjani Thiam dont tous les parents devenaient d'emblée ses ennemis jurés, ce dernier perdait son père ; à peine le mariage était-il conclu qu'elle-même perdait sa mère Anta N'Diobdi.

C'était beaucoup pour une seule femme. Mais le pire était encore à venir...

La révolte de Toïni

Tandis que ma mère se préparait pour rejoindre son mari à Louta, une révolte éclata à Toïni, une ville de la province dépendant de l'autorité de Tidjani Thiam. Les suites de cette révolte allaient être si dramatiques qu'elles devaient entraîner pour Tidjani la déportation et la prison, et pour ma mère et moi des années d'exil et d'épreuves loin de Bandiagara.

"Tu avais trois ans, me raconta ma mère, quand je devins la troisième épouse de Tidjani Thiam. Je m'apprêtais à rejoindre mon mari quand un matin, vers dix heures, un courrier, telle une tourterelle de malheur, vint remettre au roi Aguibou Tall une lettre de Tidjani destinée au commandant de cercle et l'informa qu'une émeute avait éclaté à Toïni, dans la province de Louta..."

Avant de poursuivre, un bref rappel historique s'impose si l'on veut bien comprendre l'enchaînement des événements qui aboutiront à la condamnation extrêmement sévère qui frappa Tidjani Thiam. Celui-ci fut en effet la victime indirecte d'événements prenant leur source bien avant sa naissance et liés à l'animosité héréditaire qui opposait les clans Tall et Thiam, au point que l'on disait d'eux : "Ils ne peuvent ni vivre les uns sans les autres, ni vivre ensemble sans se bagarrer."

Lorsque, après la mort d'El Hadj Omar survenue en 1864, son neveu Tidjani Tall organisa le royaume toucouleur du Macina, il partagea, à quelques exceptions près, le commandement du pays entre les trois principales familles toucouleures : les Tall, les Thiam et les Ouane. La chefferie de la province de Louta échut à Ousmane Oumarou Thiam, oncle de Tidjani Thiam.

Le roi Tidjani Tall mourut vers 1887-1888. En 1893, les troupes françaises, commandées par le colonel Archinard, s'emparèrent de Bandiagara où régnait alors depuis deux ans Ahmadou Cheikou, fils aîné d'El Hadj Omar, qui était venu s'y réfugier après la prise de Ségou par les Français. Ahmadou Cheikou devait se livrer par la suite à des combats désespérés dans la région mais, inférieur en forces et en armes, il dut se replier peu à peu jusque dans la région de Sokoto (nord de l'actuel Burkina), où il mourut vers 1897. Du vaste empire fondé par El Hadj Omar, il ne restait plus à l'est que le royaume toucouleur du Macina fondé par Tidjani Tall, et qui n'avait plus de chef.

Fin politique, le colonel Archinard ne voulut pas supprimer immédiatement le pouvoir toucouleur dont les structures administratives et hiérarchiques pouvaient, au moins provisoirement, lui être utiles. Il mit en œuvre un compromis habile en proposant au gouvernement de la République française de "nommer" roi de Bandiagara un autre fils d'El Hadj Omar : Aguibou Tall, ancien roi de Dinguiraye (Fouta Djalon), qui s'était rallié à lui quelque temps auparavant et qui était arrivé à Bandiagara à ses côtés. Cette proposition fut acceptée par Paris, et c'est ainsi qu'Aguibou Tall devint roi de Bandiagara en vertu d'un décret du président de la République française, qui avait elle-même coupé le cou à son dernier roi !

On a beaucoup critiqué Aguibou Tall pour son ralliement, mais l'honnêteté oblige à dire que grâce à lui bien des vies humaines furent sauvées à une époque où, de toute façon, il n'y avait plus aucun espoir pour les Toucouleurs face à la supériorité de l'armée française. Grâce à Aguibou Tall un grand nombre de Toucouleurs qui avaient été faits prisonniers lors des prises de Ségou, Nioro, Djenné, Bandiagara et Douentza furent libérés. Les chefs de famille qui voulaient retourner au Fouta Toro (Sénégal) ou au Fouta Djalon (Guinée) furent rapatriés sous la protection de l'armée. Il est hors de doute que sans la médiation d'Aguibou Tall les Toucouleurs auraient connu un sort beaucoup plus pénible.

Avant de se lancer à la poursuite d'Ahmadou Cheikou, Archinard flanqua le nouveau roi de Bandiagara d'un résident français et laissa un bataillon sur place.

Eminemment intelligent et cultivé, le nouveau roi possédait d'indéniables qualités, mais, malheureusement, il était habité par une rancune tenace à l'égard des Thiam auxquels il n'avait jamais pardonné la lointaine destruction à Halwar, dans le Fouta Toro, d'une petite mosquée construite dans sa cour par le grand-père d'El Hadj Omar. Il voyait donc d'un assez mauvais œil les Thiam, par ailleurs toujours quelque peu goguenards et insolents, régner à la tête de la province la plus riche du pays et il se saisit du premier prétexte pour tenter de les abattre.

Un poème assez irrespectueux à son endroit ayant circulé à un certain moment, il en attribua la paternité à son neveu Ousmane Oumarou Thiam, chef de la province de Louta qui avait été mis en place par le roi Tidjani Tall lui-même. Ousmane était le fils d'une sœur d'Aguibou. Par respect pour son oncle maternel, et pour se plier aux prières de sa mère qui espérait peut-être une grâce, il ne fit rien pour se défendre ni pour se protéger. Hélas, après une flagellation honteuse sur la place publique, il fut exécuté. La réaction des Thiam fut telle qu'on craignit une émeute. Le roi Aguibou Tall ne réussit à éviter le pire qu'en nommant à la tête de la province de Louta un autre Thiam, Amadou Ali Thiam, cousin d'Ousmane et père de Tidjani, le futur époux de Kadidja. Cela se passait vers 1900.

Amadou Ali Thiam n'était pas homme à se laisser impressionner par un Tall, fût-il roi, et ses paroles au cours de la cérémonie d'investiture n'avaient rien fait pour apaiser la situation. Un peu plus tard, une course de chevaux malencontreuse où les deux coursiers d'Amadou Ali Thiam l'emportèrent insolemment sur le cheval favori du roi vint encore envenimer les choses. L'orage menaçait, mais il n'eut pas le temps d'éclater : Amadou Ali Thiam décédait deux ans seulement après son investiture.

Tidjani Thiam, fils aîné du chef défunt, héritait du turban de Louta ; mais encore fallait-il qu'il soit nommé officiellement par le roi au cours de la traditionnelle cérémonie d'investiture. Aguibou Tall ajourna si longtemps la cérémonie que d'aucuns pensèrent même qu'il voulait reprendre la chefferie pour son propre compte. Finalement, poussé à agir par les autorités françaises qui craignaient des troubles, il se résigna à nommer Tidjani Thiam chef de la province. En signe d'apaisement, il lui donna même, pour l'honorer, l'une de ses filles en mariage, la princesse Diaraw Aguibou Tall (Diaraw [fille de] Aguibou du clan Tall). De tels gestes étaient fréquents à l'époque et s'y opposer eût été une offense impardonnable. Au moment où se déroulaient ces événements, les démarches en vue de conclure le mariage avec ma mère étaient en cours.

Tidjani Thiam se transféra à Louta avec une cour particulièrement brillante. Il avait pour coadjuteur principal son jeune frère Badara (Amadou Ali) Thiam, le plus populaire des jeunes gens du royaume, dont les griotes chantaient partout les louanges. Les autres frères de Tidjani le suivirent également pour l'assister. Presque tous les camarades de son association d'âge le rejoignirent à Louta où il les combla de largesses. Tierno Bokar et Bokari Pâté, les amis de toujours, l'accompagnèrent également, mais, rappelés par leurs obligations à Bandiagara, ils ne s'attardèrent pas.

Malheureusement pour lui, Tidjani n'avait pas auprès de lui à Louta de conseiller valable pour l'inciter à la modération dans les moments difficiles ou lui suggérer une attitude diplomatique. Seul demeurait à ses côtés un marabout nommé Tierno Kounta Cissé qui avait été nommé cadi (juge) par Amadou Ali Thiam, mais qui n'était pas très cultivé et ne connaissait pas grand-chose d'autre que le texte coranique. Son influence sur Tidjani, lors des moments difficiles, ne fut pas toujours des plus heureuses, et il partagera d'ailleurs plus tard le malheur et l'exil de son protégé.

Tidjani Thiam lui-même avait été mal préparé par son éducation pour assumer d'aussi délicates fonctions que celles de chef de province, sorte de tampon entre les populations, le roi et les autorités coloniales. Son père Amadou Ali Thiam, conformément à une coutume des seigneurs toucouleurs, l'avait élevé à la dure, le faisant vivre et travailler avec les captifs, les palefreniers et les paysans pour bien lui faire connaître ce qu'était la vie de ses futurs sujets et le préparer à d'éventuels jours d'épreuve : "Je te fais vivre ainsi, disait-il, en prévision de demain." Toujours est-il que Tidjani, qui avait très peu fréquenté les seigneurs et les gens de cour, connaissait davantage les durs travaux des champs et l'entretien des chevaux — c'était un cavalier exceptionnel — que le cérémonial et le savoir-vivre des cours princières.

Comme tout bon paysan, il était resté ingénu et assez entêté. Il attachait à sa parole une valeur religieuse, pour ne pas dire superstitieuse. Pour lui, mentir ou se dédire était non seulement une marque de couardise indigne mais un péché grave contre la loi divine.

C'est dire s'il était peu armé pour faire face aux roueries politiques de ses ennemis ! Pour couronner le tout, il n'avait aucun sens de l'argent ; il le considérait comme une vulgaire balayure et le jetait à tous vents. Ces différents traits de caractère devaient, le moment venu, lui porter un grand préjudice.

Un beau jour de l'année 1902, Aguibou Tall, qui avait été nommé roi par la grâce de la République française, fut purement et simplement déposé par un nouveau décret du président de cette même république. La France estimait le temps venu de prendre directement en charge l'administration du pays à travers son propre représentant : un administrateur des colonies nommé "commandant de cercle" par le gouverneur du territoire, lequel résidait alors à Kayes (Mali).

Aguibou Tall n'était plus roi en titre, mais il demeurait

le chef traditionnel des Toucouleurs qui l'appelaient toujours *Fama* (roi), et la consigne officielle était de le ménager. Le commandant de cercle avait reçu ordre de le consulter et de tenir compte de ses avis dans la politique générale du pays. La République française avait politiquement égorgé le *Fama*, mais elle n'avait pas osé, comme à son dernier roi, lui trancher la tête. Elle préférait le laisser agoniser lentement.

Dès que le roi Aguibou Tall fut destitué, sa cour se vida de tous ceux qui n'y venaient qu'alléchés par les dons et les honneurs qu'ils y recevaient. Nombre d'entre eux rejoignirent la cour de Tidjani Thiam à Louta. C'est le moment que choisirent des griots et des captifs quelque peu effrontés pour remettre en vedette le poème qui avait valu à Ousmane Oumarou Thiam d'être condamné à mort. Cette malheureuse conjoncture attisa cruellement l'amertume du *Fama* et jeta de l'huile sur le feu du différend Tall-Thiam. Les conséquences allaient en retomber lourdement sur Tidjani Thiam. La révolte de Toïni servirait de détonateur.

Chaque année, il appartenait aux chefs de province (devenus chefs de canton depuis la réforme administrative et la destitution du roi) de collecter, pour le compte de l'administration coloniale, l'impôt levé sur les populations. Il y allait de leur poste. Cet impôt était dit de "capitation", c'est-à-dire calculé en fonction du nombre de "têtes" à l'intérieur de chaque famille. C'était bien la forme la plus injuste d'imposition puisqu'une famille, qu'elle soit riche ou pauvre, était taxée uniquement en fonction du nombre de ses membres. On appelait d'ailleurs cet impôt "le prix de l'âme". Celui qui était incapable de s'en acquitter ne pouvait vivre en paix : ou bien il était jugé et emprisonné, ou bien, pour se procurer la somme nécessaire, il était obligé de vendre ou de mettre en gage ses biens s'il en avait, sinon ses propres enfants — coutume qui, hélas, se généralisa à l'époque.

Vers la fin de 1902 (ou dans le courant de l'année 1903...), alors que le mariage entre Tidjani et Kadidja venait enfin d'être "noué" par les deux familles et que ma mère se préparait pour rejoindre son mari, un grave incident éclata dans la province de Louta. L'impôt ne rentra pas en totalité. Le manque provenait d'une région peuplée par les Samos, lesquels, il faut le dire, avaient connu une très mauvaise année agricole. Ils refusèrent de payer l'impôt et entrèrent en rébellion ouverte. Tidjani Thiam en informa le commandant de cercle de Bandiagara qui était, à l'époque, le commandant Charles de la Bretèche. Ce dernier lui envoya une section de quinze tirailleurs indigènes avec ordre de faire rentrer l'impôt par tous les moyens : le gouverneur du territoire l'exigeait impérativement.

Tidjani se mit immédiatement en campagne, suivi des quinze tirailleurs indigènes, de son marabout et conseiller Tierno Kounta Cissé, de nombreux amis et courtisans ainsi que de son frère et coadjuteur Badara Thiam, lui-même éternellement accompagné de sa propre suite d'amis et de griots.

Le gros bourg samo de Toïni, qui s'était déjà souvent dressé contre l'autorité administrative, était le prototype du village insoumis. Tidjani Thiam y entra et s'y installa avec l'intention bien arrêtée de n'en partir qu'une fois le dernier franc de l'impôt payé. A l'époque, l'entretien matériel des collecteurs d'impôt (gîte et nourriture) était à la charge des habitants. C'était une charge très lourde. Pour y échapper, les villageois se concertèrent et décidèrent d'aller cacher leur bétail afin de ne plus fournir de viande à la petite troupe des Toucouleurs. Il ne restait au village de Toïni qu'un seul animal, un très beau bouc blanc arborant une barbe de patriarche et dont le cou s'ornait de nombreux colliers faits de dents de fauves et autres trophées de chasse. C'était le "bouc de case" — autant dire l'animal mascotte — de Tombo Tougouri le Redoutable, un jeune héros dont les exploits, tant à la chasse que sur les champs de bataille, étaient vantés, contés et chantés dans tous les villages environnants.

Un sort malheureux voulut que Badara Thiam, voyant passer devant sa porte ce superbe bouc bien dodu, le fît tuer pour nourrir ses amis. Quand Tombo Tougouri revint de chasse en sonnant de la trompe pour annoncer son retour, il fut surpris de ne pas voir accourir au-devant de lui son bouc bien-aimé. Il le chercha partout. Les villageois osaient à peine lui dire ce qui était arrivé. Enfin, l'un d'entre eux eut le courage de lui révéler la fin ignominieuse qu'avait connue son bouc. Tombo Tougouri ne prononça pas une parole. Il alla chercher son arc et ses trois carquois garnis de flèches à barbillons empoisonnés, se coiffa de son bonnet rituel taillé dans une peau de lion, revêtit sa tunique de combat ornée de trophées de chasse et, toujours sans mot dire, marcha droit sur le campement des Toucouleurs. Ces derniers, assis dans une cour sous un hangar auprès de Badara Thiam, étaient en train d'écouter de la musique. Tombo Tougouri s'approcha, jeta un coup d'œil dans la cour et vit la tête et la peau de son bouc jetées négligemment dans un coin. Pris de fureur, il fit irruption :

"Qui a ordonné de tuer mon bouc ?

— C'est moi, Badara Thiam. Et qu'as-tu à dire ?

— J'ai à te dire de te lever car ta mère a accouché d'un cadavre [17]. Tu ne vivras pas plus longtemps que mon bouc, ton âme accompagnera la sienne."

Et le jeune homme, armant rapidement son arc de trois flèches, se mit en position de tir. Comprenant le danger qu'il courait, Badara se précipita vers son cheval qui se tenait auprès de lui, le libéra de son entrave et lui mit le mors. Mais avant qu'il ait eu le temps de sauter en selle Tombo Tougouri l'interpella :

"Badara Thiam, si tu n'as pas peur, fais face !"

Une témérité parfois bien irréfléchie étant le défaut dominant des Toucouleurs et des Peuls, Badara Thiam, au lieu de se mettre à l'abri, se retourna et fonça sur Tombo Tougouri, n'ayant à la main d'autre arme que l'entrave de son cheval. A peine avait-il fait quelques pas que Tombo Tougouri lui décocha son triplet de flèches : la première l'atteignit à la poitrine, la deuxième dans le ventre et la troisième dans le bas-ventre. Sous la violence du coup, Badara chancela, mais il eut encore la force et le courage de casser les manches des flèches et, les fers plantés dans le corps, de sauter sur le dos de son cheval, un coursier célèbre nommé Nimsaali.

Pendant ce temps Tombo Tougouri avait réussi à toucher huit autres personnes dont trois moururent quelques instants après, mais à son tour il n'eut pas le temps de se garer: fonçant sur lui, Badara cabra son cheval et s'en servit pour l'envoyer rouler à quelques mètres. Immédiatement l'archer samo fut maîtrisé et ficelé comme un fagot de bois. Quant à Badara, épuisé par ce prodigieux effort, il s'écroula de son cheval et expira presque aussitôt.

Le drame s'était déroulé dans le quartier bas du village. Les Toucouleurs, épouvantés par les conséquences qui en résulteraient inéluctablement, se replièrent vers le quartier haut où se trouvait alors Tidjani Thiam, entouré de ses compagnons. Ils lui exposèrent les faits et lui annoncèrent la mort de quatre personnes, dont son frère Badara Thiam. A ce moment des cris de guerre samos retentirent de tous côtés, annonçant une attaque imminente. Les Samos, qui entendaient Tombo Tougouri chanter à pleine voix leur chant de guerre, s'étaient soulevés comme un seul homme pour le libérer et se ruaient vers le quartier où se tenaient Tidjani et ses hommes.

Le sergent qui commandait la section de tirailleurs s'apprêtait à stopper l'avalanche samo par un feu de salve, mais Tidjani s'y opposa. Il ordonna de laisser faire. Il monta sur la terrasse de façon à être bien vu des Samos qui connaissaient son habileté au tir; jamais une seule de ses balles n'avait manqué sa cible, et ils le savaient. Il commença à tirer afin de les empêcher d'approcher à portée de flèche, sinon il ne leur aurait pas fallu six heures pour nettoyer le camp toucouleur. Puis il ordonna d'opérer une retraite vers Louta où son palais fortifié offrirait un refuge sûr en attendant la suite des événements.

Entre Toïni et Louta, la distance était d'environ dix à douze kilomètres. Tidjani Thiam et six de ses captifs armés se chargèrent de couvrir la retraite. Les Samos n'osaient pas trop s'approcher, mais ils n'en lançaient pas moins des flèches contre le convoi. Tidjani réussit à mettre hors de combat tous ceux qui s'approchaient un peu trop, faisant plus de vingt blessés. Il ne voulait pas provoquer de tuerie avant de recevoir des instructions.

Une fois arrivé à Louta, il se réfugia avec sa troupe dans son palais dont il fit fermer les portes. Il y avait sur place assez de provisions pour tenir très longtemps. Les Samos de Toïni réussirent à soulever avec eux toute la région, à l'exception de deux quartiers de Louta et des groupements peuls du pays qui restèrent fidèles à Tidjani et l'aidèrent de leur mieux.

Tidjani écrivit immédiatement un compte rendu détaillé des événements et chargea un messager de le porter au roi Aguibou Tall à Bandiagara, avec prière de le transmettre d'urgence au commandant de cercle pour décision à prendre. Le compte rendu était rédigé en arabe, mais à l'époque chaque commandant de cercle avait auprès de lui un interprète de langue arabe. Naïvement, Tidjani remettait ainsi son sort entre les mains du roi, alors que depuis la réforme administrative, en tant que chef de canton, il relevait du seul commandant de cercle. S'il avait envoyé directement son message à ce dernier, rien ne serait arrivé. Il n'y pensa même pas, et personne auprès de lui ne le conseilla en ce sens.

Le messager mit deux jours et demi pour gagner Bandiagara. "Telle une tourterelle de malheur", pour reprendre les termes de ma mère, il y entra avant l'heure de midi du troisième jour. Il se rendit immédiatement chez Aguibou Tall auquel il remit le message en soulignant l'urgence qu'il y avait à le transmettre au commandant de cercle. "Chaque moment perdu est une avance vers la mort de Tidjani Thiam et des siens", ajouta-t-il.

Pourtant le roi ne transmit pas le rapport. Ce n'est que vers seize heures, lorsqu'il se rendit à la mosquée pour la prière de l'après-midi, qu'il annonça publiquement que Tidjani Thiam et ses hommes avaient été attaqués par des Samos rebelles et qu'il y avait quatre morts, dont Badara Thiam. La mosquée se vida immédiatement. La mort de Badara, l'enfant chéri de Bandiagara, était un grand deuil pour tous. Quelque temps après, des cris et des lamentations s'élevaient de presque toutes les concessions de la ville. Le commandant Charles de la Bretèche, alerté par cette clameur, envoya quelqu'un chez Aguibou Tall pour lui demander la cause de ces cris. De son côté le capitaine commandant militaire de la région faisait sonner l'alarme et mobilisait une compagnie pour parer à toute éventualité. On craignait encore beaucoup les soulèvements à cette époque, la montagne de Bandiagara n'étant pas encore entièrement soumise et les Toucouleurs étant réputés pour leurs traditions guerrières.

Accompagné de quelques notables, le roi Aguibou Tall se rendit au palais de la résidence et remit enfin au commandant de cercle le rapport de Tidjani Thiam. Il était près de dix-sept heures. Le commandant lui reprocha vertement d'avoir tant attendu pour lui transmettre la nouvelle et de l'avoir laissé apprendre d'une manière indirecte un événement aussi grave que le siège de Louta par des Samos révoltés. Aguibou Tall se fâcha. Il souligna, à juste titre d'ailleurs, qu'étant destitué de ses fonctions il n'était nullement tenu de communiquer quoi que ce soit aux autorités du cercle sur les événements politiques de la région.

Le commandant de la Bretèche, qui connaissait bien Tidjani et éprouvait même une certaine sympathie pour lui, comprit à quel point son inexpérience politique était grande, car rien ne l'obligeait à passer par Aguibou Tall. Mais il savait également que l'ancien roi devait être ménagé. Les instructions du gouverneur étaient formelles à ce sujet.

Il demanda à Aguibou Tall de mettre sur pied de guerre les cinquante goumiers toucouleurs de la ville et promit d'envoyer en supplément, en accord avec le capitaine commandant la garnison, deux sections de tirailleurs et un peloton de gardes de cercle, avec toutes les munitions nécessaires. Il donna ordre d'envoyer ces hommes à Louta pour protéger Tidjani et de dire à ce dernier de ne tenter aucune action en attendant son arrivée sur les lieux, muni des instructions du gouverneur qu'il allait solliciter immédiatement par voie télégraphique. (Inutile de dire que le contenu de ce genre d'entrevues, qui avaient toujours lieu en présence d'un ou plusieurs interprètes indigènes, ne restait jamais longtemps secret...)

Il était tard dans la soirée quand Aguibou Tall et le commandant de cercle se séparèrent, chacun avec son arrière-pensée en tête. Le lendemain, le roi Aguibou fit battre le tam-tam de guerre et tinter le cylindre métallique d'alarme. Bandiagara se réveilla en état de guerre. Les Toucouleurs étaient très montés dans cette affaire; pour eux un petit doigt de Badara valait mieux que cinquante Samos!

Malgré toute la diligence recommandée par Charles de la Bretèche, l'expédition ne quitta Bandiagara que fort tard dans l'après-midi. Le roi en avait confié la conduite à son deuxième fils, Tidjani Aguibou Tall (Tidjani [fils de] Aguibou Tall). Avant son départ, il lui avait communiqué un message verbal destiné à Tidjani Thiam et censé contenir les instructions du commandant. Tidjani Aguibou Tall quitta Bandiagara à la tête de ses hommes. En forçant la marche, le convoi arriva à Louta en deux jours. Son arrivée sema la panique dans les rangs des Samos qui déguerpirent de Louta et se retranchèrent dans plusieurs villages fortifiés de la région, bien décidés à se défendre farouchement.

Dès son arrivée, le fils d'Aguibou Tall prit à part Tidjani Thiam et lui transmit le message de son père, dont voici à peu près les termes, tels que Tidjani les rapporta par la suite au commandant, puis, plus tard, à ma mère et à ses proches:

"Tidjani Thiam, mon père Aguibou te fait dire qu'il a obtenu du commandant qu'on t'envoie tirailleurs, gardes, goumiers, armes et munitions. Il a fait son devoir. Maintenant à toi de faire le tien et de venger Badara et ses compagnons de telle manière que jamais plus un Samo n'osera toucher à un cheveu des Toucouleurs, et moins encore attenter à leur vie."

Pas un mot des consignes d'attente données par le commandant de cercle et que l'on ne connaîtra que plus tard! Tidjani Thiam, fort du message verbal transmis par le fils même d'Aguibou Tall, se crut autorisé à châtier sans attendre les assassins de son frère et à mater la rébellion. Laissant de côté les tirailleurs et les gardes de cercle, éléments des forces coloniales, il lança les seuls goumiers toucouleurs à la poursuite des fuyards à travers toute la région de Gondougou. Les gros villages essayèrent de résister, mais les goumiers déchaînés l'emportèrent. La répression fut terrible. Les principaux villages furent saccagés et les morts nombreux. Les survivants furent capturés et emmenés enchaînés à Louta.

Pendant que ce drame se déroulait dans la province, le commandant Charles de la Bretèche se dirigeait vers Louta, accompagné du roi Aguibou Tall et des hommes de leur suite. En cours de route, Aguibou demanda au commandant, par l'entremise de l'interprète Bâbilen Touré, quelles étaient les instructions données par le gouverneur.

"J'ai reçu ordre, répondit le commandant, de parlementer d'abord avec les Samos pour tenter de les ramener à la raison et de n'user de la force pour les réduire qu'en dernier recours, au cas où ils ne voudraient rien entendre."

Le roi sourit :

"Tels que je connais les Thiam, leur insubordination et leur fougue, dit-il, Tidjani Thiam n'attendra pas tant de protocole. Dès qu'il aura les goumiers, tous toucouleurs comme lui, il vengera son frère et ses compagnons et réduira les Samos, ou je ne connais plus les Thiam !

— Comment oserait-il aller à l'encontre des instructions que je lui ai données par votre entremise ! s'exclama Charles de la Bretèche.

— Mon commandant, les Thiam n'ont jamais pris les Tall assez au sérieux pour obéir à leurs ordres", répliqua Aguibou.

Charles de la Bretèche confia en aparté ses inquiétudes à son interprète Bâbilen Touré (grâce auquel ma famille devait apprendre plus tard le contenu de ces entretiens). "Pourvu, lui dit-il, que Tidjani n'ait pas donné tête baissée dans le piège que je soupçonne le vieux roi de lui avoir tendu !"

Lorsque le convoi arriva à Domoni, à dix kilomètres environ de Louta, le commandant décida d'y passer la nuit. En repartant le lendemain matin, ils pouvaient arriver à Louta à l'heure du déjeuner.

Aguibou se doutait-il que Charles de la Bretèche n'était point convaincu que Tidjani Thiam puisse entreprendre de son propre chef une action répressive ? Craignait-il que son fils, qu'il avait chargé du message verbal que nous connaissons, ne vendît la mèche par probité? Toujours est-il qu'après le dîner il envoya aussi discrètement que possible un cavalier rapide à Louta pour prier son fils de venir lui parler. Le jeune homme arriva à Domoni vers minuit. Le père et le fils se rencontrèrent. Nul ne sait ce que le père dit à son fils, mais la suite des événements nous en donnera une idée. Le jeune homme repartit dans la nuit et arriva à Louta avant le lever du jour. Il s'enferma dans sa chambre et n'en sortit qu'à l'arrivée du commandant de la Bretèche et de son escorte. Son expédition nocturne et sa rencontre avec son père n'étaient cependant pas passées inaperçues à Domoni, comme on l'apprit plus tard.

Depuis Domoni, le commandant avait eu vent de ce qui s'était passé dans la province, mais ce n'est qu'en arrivant à Louta, où il trouva sur la grand-place près d'un millier d'hommes et de femmes attachés les mains derrière le dos et jetés sans ménagement au soleil, qu'il eut la confirmation définitive de ce que jusque-là il se refusait à croire. Avant même de descendre de son cheval, il ordonna de détacher immédiatement les prisonniers, de les nourrir et de les soigner.

"Qui a ordonné cet horrible châtiment?" s'écria-t-il avec colère. Sans attendre la réponse, il se tourna vers son interprète: "Bâbilen! Va chercher Tidjani Thiam et dis-lui de venir me rejoindre immédiatement avec toi. Nous avons à parler en privé." Et il monta au premier étage du palais.

Quand le commandant se trouva en face de Tidjani, il l'apostropha sans ménagement:

"Qui t'a donné ordre de réprimer les révoltés avant mon arrivée?"

En entendant la traduction de cette question, Tidjani se sentit pétrifié sur place.

"Mon commandant, répondit-il, mon père Aguibou a chargé son fils de me dire qu'il avait obtenu de vous tirailleurs, gardes, goumiers et munitions afin que je puisse repousser et châtier les Samos assassins de mes compagnons. On ne m'a pas dit d'attendre votre arrivée."

Le commandant hocha la tête, puis se tourna vers l'interprète :

"Dis à Tidjani Thiam qu'il s'est fait bêtement posséder par un homme qui n'a jamais pardonné à un adversaire. Dis-lui que je n'ai jamais ordonné de tirer, et que, bien au contraire, j'ai ordonné d'attendre mon arrivée sans rien faire. Maintenant, il va devoir confirmer publiquement et en présence du roi lui-même ce qu'il vient de me déclarer ; sinon il est perdu, civilement et politiquement."

Tidjani, se fondant sur la notion de *n'dimaakou* (observation stricte des devoirs de noblesse, de justice et de morale qui était de rigueur chez les Peuls comme chez les Toucouleurs), était sûr de pouvoir compter sur le témoignage du fils du roi. Il rassura le commandant :

"Soyez tranquille, Tidjani Aguibou Tall est d'une grande élévation d'âme, il confirmera le message. Sa noblesse l'empêcherait de mentir publiquement."

Tidjani ignorait encore que le fils d'Aguibou s'était entretenu secrètement avec son père dans la nuit à Domoni et qu'il en était revenu avant l'aube, sans doute muni d'instructions formelles. En effet, s'il avait révélé publiquement la teneur exacte du message oral envoyé par le roi, ce dernier aurait pu être tenu pour responsable, ou coresponsable, des événements.

Le commandant, l'interprète et Tidjani Thiam redescendirent dans la cour du palais où se tenaient les palabres. Un bureau sommaire avait été dressé sous une grande tente. Le commandant s'y installa avec le roi Aguibou tandis que Tidjani Thiam, son cadi Tierno Kounta Cissé, l'interprète Bâbilen Touré et quelques notables peuls et samos du pays prenaient place sous la tente.

Le commandant prit la parole :

"Interprète ! Demande au chef de la province de Louta, Tidjani Thiam, qui lui a donné l'ordre de réprimer les insurgés, alors que les ordres que je lui avais fait transmettre par l'entremise du roi Aguibou Tall — qui est heureusement ici présent — étaient d'attendre mon arrivée avant de tenter quoi que ce soit.

— Mon commandant, répondit Tidjani Thiam, mon homonyme Tidjani Aguibou Tall, ici présent, m'a transmis un message verbal de notre père le roi Aguibou, où ce dernier disait ceci : « J'ai pu, quant à moi, obtenir du commandant de cercle des tirailleurs, gardes, goumiers, armes et munitions. Je t'envoie le tout, sous le commandement de ton cousin et homonyme Tidjani Aguibou Tall. J'ai fait mon devoir. A toi maintenant de faire le tien et de venger Badara et ses compagnons de telle manière que jamais plus un Samo n'osera toucher à un cheveu des Toucouleurs, encore moins attenter à leur vie. » Pour moi, ajouta Tidjani Thiam, j'avais le champ libre. C'est alors que j'ai repoussé et battu mes assiégeants."

Le commandant se tourna vers le roi Aguibou et lui demanda si ce que Tidjani Thiam venait d'avancer était exact.

"Jamais je n'ai chargé mon fils d'un tel message ! s'écria le roi. Tidjani Thiam falsifie la vérité. Je ne tolérerai pas qu'il essaie de me mêler à des histoires qui sont les siennes propres."

Le commandant fit venir le fils du roi et l'interrogea :

"Tidjani Aguibou Tall, ton père t'a-t-il confié un message verbal pour Tidjani Thiam et, si oui, quel était-il ?

— Mon commandant, répondit le jeune homme, mon père m'a chargé de dire à mon homonyme qu'il avait obtenu de vous des combattants, des armes et des munitions pour servir éventuellement à remettre de l'ordre dans le pays, mais qu'il fallait attendre votre arrivée à Louta avant d'agir."

En entendant ces paroles, Tidjani Thiam fut paralysé par la surprise et l'indignation. Retrouvant ses esprits il s'avança vers le jeune homme, un rictus de dédain aux lèvres, et lui dit :

"Je comprends que tu veuilles sauver la tête de ton père, mais jamais plus tu n'oseras me regarder en face ! Eh bien, puisque ni toi ni ton père ne voulez assumer la responsabilité de vos actes, une fois de plus le Thiam que je suis va racheter de la mort les Tall que vous êtes, et prouver qu'un Thiam peut mourir mais qu'il ne se parjure jamais."

Le roi Aguibou, hors de lui, voulut intervenir, mais le commandant, soucieux d'éviter l'irréparable, le calma.

Se tournant vers l'interprète Bâbilen Touré, Tidjani

Thiam prononça alors les paroles qui devaient sceller son destin :

"Interprète, dis au commandant de ne plus chercher en dehors de moi le responsable de la répression des Samos. J'ai agi de mon plein gré. J'avais à venger mon frère et mes hommes massacrés, l'occasion m'en fut offerte, j'en ai profité. Ceci est ma déclaration, unique et définitive."

Le commandant de cercle était maintenant fixé sur ce qui s'était réellement passé, mais, Tidjani Thiam refusant de se défendre, il ne pouvait se substituer à lui. Il fut obligé d'ordonner son arrestation ainsi que celle de son cadi et conseiller Tierno Kounta Cissé. Il fit arrêter également Tombo Tougouri, auteur de plusieurs meurtres et blessures et âme de la révolte, et plusieurs notables samos et toucouleurs.

Tous les biens de Tidjani Thiam (environ trois mille bovins, des moutons et des chèvres, deux cents chevaux parmi lesquels figuraient les deux célèbres coursiers Nimsaali et Kowel-Birgui qui avaient jadis gagné la fameuse course aux dépens du cheval d'Aguibou Tall, soixante serviteurs, plusieurs kilos d'or et d'argent et environ cinq millions de cauris) furent confisqués. Le palais fut évacué et confié à la garde d'un brigadier-chef et d'un groupe de gardes de cercle.

Le commandant organisa le convoi qui devait rejoindre Bandiagara, où l'affaire serait jugée. Tidjani fut autorisé à monter sur son cheval favori Kowel-Birgui. Ses deux épouses ainsi que ses serviteurs et courtisans faisaient partie du convoi.

A un moment du trajet, on ne sut quelle idée malencontreuse s'empara tout à coup de Tidjani. Alors qu'il cheminait non loin du commandant, comme pris d'une folie subite il précipita soudainement son cheval contre lui. Sous la violence du choc, le commandant s'écroula à terre avec sa monture. Heureusement, en bon officier de cavalerie habitué aux chutes de cheval, il avait pu dégager à temps ses pieds des étriers afin d'éviter que son cheval ne tombe sur lui. Il fut projeté à terre assez loin mais se releva indemne. Pour toute réaction il s'écria : "Pauvre Tidjani ! Pauvre Tidjani ! Il veut coûte que coûte que je le tue!" Depuis lors, tout au long de sa vie, Tidjani n'allait cesser de répéter cette expression "Pauvre Tidjani!" qui deviendrait chez lui une sorte de tic verbal.

Non seulement le commandant refusa de lui passer les menottes, mais il lui permit de monter à nouveau Kowel-Birgui et le garda auprès de lui jusqu'à la fin du voyage.

Dès leur arrivée à Bandiagara, Tidjani Thiam, son cadi Tierno Kounta Cissé et tous les autres prévenus furent incarcérés. Tidjani Thiam fut mis au secret absolu dans un lieu inconnu.

Les méchantes langues reprirent leurs attaques de plus belle contre ma mère, considérée comme la cause de tous les malheurs qui s'étaient abattus sur Tidjani et sa famille. "Tidjani n'a eu que ce qu'il mérite!" s'exclamaient les femmes toucouleures, Tall et Thiam en tête. Elles n'avaient jamais digéré que Tidjani ait épousé une femme peule, fût-elle fille de Pâté Poullo, et que par-dessus le marché il m'ait adopté et désigné comme son successeur. "A-t-on idée d'aller épouser une diablesse allaitant un démon et de s'attendre à du bonheur?"

Le "démon", c'était votre serviteur. Ma naissance n'avait-elle pas été suivie de près par le divorce de mes parents? On n'oubliait pas non plus que Tidjani avait perdu son père peu après qu'il eut demandé la main de Kadidja, et que la propre mère de Kadidja était décédée quelques jours après la conclusion du mariage. L'arrestation de Tidjani acheva de porter à son comble l'échauffement des esprits féminins.

Ma mère en fut très affectée, mais elle n'était pas — on l'aura déjà compris — femme à se laisser abattre. Faite d'acier trempé, elle était capable d'affronter n'importe quel danger ou de surmonter n'importe quel obstacle. Elle n'avait peur de rien. Jamais elle ne manqua de relever un défi d'où qu'il vienne, et quand elle entreprenait quelque chose elle allait jusqu'au bout, quoi qu'il en coûtât. Très pieuse, instruite en matière religieuse — elle savait par cœur une bonne partie du Coran — en revanche, elle n'était nullement superstitieuse et ne se gênait pas pour défier marabouts, charlatans et autres jeteurs de sorts. Sans être d'une nature agressive, une fois provoquée elle n'évitait ni la bagarre ni le procès. "Dieu m'a chaussée de fer, dira-t-elle plus tard, pour défendre mes parents et amis." Et Dieu sait que, telle une lionne mère, elle se battra pour les défendre envers et contre tous !

Les jours passaient, et personne ne savait ce qu'était devenu Tidjani Thiam. On n'était même pas sûr qu'il fût encore vivant. La nuit semblait l'avoir avalé. Pour les uns, les Blancs l'avaient précipité dans un puits ; pour d'autres, ils l'avaient fusillé la nuit même de son arrivée à Bandiagara. D'autres encore soutenaient que Tidjani avait été mis dans une caisse comme un fauve et déporté. Tout le monde était d'accord pour dire qu'on ne le verrait plus. Sa tombe demeurerait inconnue et personne ne pourrait aller y prier pour la quiétude de son âme...

Les épouses de Tidjani, éplorées, ne savaient si elles étaient veuves ou non. La propre mère de Tidjani, la vieille Yaye Diawarra, une ancienne guerrière amazone des troupes de Tidjani Tall, le premier roi de Bandiagara, pleura tant et si bien qu'elle en tarit ses larmes. Ses deux fils bien-aimés Badara et Tidjani, les seuls espoirs qui l'attachaient encore à la vie, lui avaient été cruellement arrachés, l'un percé par trois flèches à Toïni, l'autre enlevé par les Blancs et comme perdu entre ciel et terre.

Diaraw Aguibou n'osait plus regarder ses coépouses dans les yeux en raison de la conduite de son père le roi et de son demi-frère Tidjani Aguibou Tall. Pourtant personne dans la famille, ni femmes, ni servantes et moins encore les enfants, ne lui faisait sentir que les siens étaient la cause du malheur épouvantable qui s'était abattu sur eux tous. Chacun s'efforçait de la ménager. Diaraw n'en souffrait pas moins horriblement, d'autant que son père ne fit aucun geste pour la consoler ou adoucir son sort, en dépit du cruel dénuement dans lequel se trouvait la famille depuis que tous les biens de Tidjani avaient été confisqués.

Un jour, le grand conteur, historien et traditionaliste

Koullel, qui s'était tellement attaché à moi depuis mon enfance que l'on m'avait surnommé "Amkoullel" (c'est-à-dire "le petit Amadou de Koullel" ou "fils de Koullel"), vint à la maison. Il surprit Diaraw en train de chanter à son petit garçon, âgé de quelques mois, une berceuse en poésie improvisée, comme savaient le faire les femmes à cette époque, et où elle exprimait toute sa tristesse :

Dors mon enfant, dors, que je veille
et attende ton père, que ton grand-père arrêta.
Suis-je veuve ? Es-tu orphelin ?
Nul devin ne saurait nous le dire.
J'ai interrogé le soleil,
les étoiles sont restées muettes,
la lune ne fut pas plus éloquente.
Les obscurités me dirent :
"Nous avons avalé ton mari. Femme, pleure !"
L'aurore de la présence est lointaine,
le bien-aimé est absent.
Thiam, où es-tu ? C'est moi, Tall, qui le demande.

Koullel rapporta cette berceuse aux autres membres de la famille, tellement noyés dans la tristesse que le boire et le manger leur étaient devenus fades. Tout le monde l'apprit instantanément par cœur, y compris la vieille et austère Yaye Diawarra qui ne faisait plus qu'égrener son chapelet à longueur de journée. La chansonnette touchante n'était plus seulement destinée à endormir le petit prince, frustré de ses droits avant même d'avoir su qu'il en avait, elle devint un baume que les parents de Tidjani se versaient mutuellement dans le cœur. Telle une fumée qui se libère d'un corps en combustion, la chansonnette s'échappa hors de la maison, elle envahit les rues du quartier, des badauds la captèrent, des griots ménestrels l'adoptèrent, ils la mirent en musique et la répandirent à travers le pays. La grande griote et chanteuse Aïssata Boubou, inspirée par la berceuse de Diaraw, composa elle-même des élégies en souvenir de Badara Thiam, le héros de Toïni.

Le roi Aguibou comprit que l'honneur des Thiam sortait grandi d'un malheur qui aurait dû les anéantir moralement et matériellement. Il menaça Aïssata Boubou de flagellation publique si elle ne cessait de chanter des poèmes en l'honneur de Badara, mais cette menace ne fit qu'attiser l'ardeur poétique de la griote qui, pour toute réponse, composa un nouveau grand poème chanté dans lequel elle déclarait au roi :

Que je sois flagellée jusqu'au sang,
Que je sois mise aux fers et internée,
Cela ne me fera pas taire.
Père, pardonne-moi,
Mais rien ne me réduira au silence!

La quête de Kadidja

Le mystère demeurait sur le sort de Tidjani. La consigne de secret qui l'entourait était aussi impénétrable que le rempart qui, dit-on, ceinture notre monde et le sépare de l'au-delà. Rien ne transpirait.

Malgré son courage et les forces qu'elle puisait dans la prière, Yaye Diawarra, la mère de Tidjani, était à bout. Elle fit venir auprès d'elle Kadidja, qui était devenue sa belle-fille préférée :

"Kadidja, ma fille, lui dit-elle, je n'en peux plus! Je sens dans ma tête le « ver coquin » qui rend fous les animaux. L'angoisse trouble mon cerveau. Quand je pense à mon fils Tidjani, j'éprouve une sorte de vertige, les feuilles des arbres jaunissent ou rougissent devant mes yeux. Si je n'arrive point à savoir ce qu'est devenu mon fils, je sens que j'en deviendrai folle. Or je préfère mourir de mes propres mains plutôt que de perdre la raison et de devenir pour vous tous une charge qui s'ajouterait à tout ce que vous endurez déjà depuis l'arrestation de mon fils.

"Kadidja, voici pourquoi je t'ai fait venir. J'ai une entière confiance en toi. Je voudrais, au cas où je perdrais la raison avant de mourir, que tu sois la seule personne de toute la famille à t'occuper de moi. J'en donnerai la consigne formelle à Sambourou et à Yabara, les plus fidèles de nos captifs."

Et elle fondit en larmes.
Yaye Diawarra, lorsqu'elle était amazone, avait pris part à des dizaines de batailles, enjambé des cadavres sous une pluie de balles pour aller nourrir et soigner les blessés, et tout cela sans peur ni larmes, et voilà que cette femme exceptionnelle se mettait soudainement à pleurer et à gémir, la tête appuyée contre la poitrine de sa belle-fille! Kadidja en était bouleversée. A la manière des mamans africaines consolant leur bébé, elle essuya de la langue et des lèvres les larmes chaudes de sa belle-mère. Ce geste, né d'un réflexe heureux, calma la vieille femme.
"Ô Kadidja, lui dit-elle, tu viens de me donner la preuve de ce que je sentais d'instinct: la grandeur de ton âme et la pureté de ton amour pour mon fils Tidjani, car seul l'amour du fils peut pousser à boire les larmes de la mère."
Kadidja pleurait elle aussi, à la fois de pitié et de joie d'être enfin comprise.
"Ô mère Yaye, lui dit-elle, donne-moi ta parole que tu résisteras au «ver coquin» qui t'inspire des idées de mort! Promets-moi de vivre pour continuer de prier pour ton fils et pour nous bénir. Quant à moi, je te demande un délai de trente-trois jours. Avec l'aide de Dieu, je te promets que j'obtiendrai des nouvelles de mon mari. Et si pour cela il faut escalader les cieux, j'irai chercher au besoin l'échelle des prophètes pour le faire!"
Yaye Diawarra, en femme qui savait jauger les êtres, la crut sur parole.
"Ma fille, lui dit-elle, je te crois capable de gauler même les étoiles si tu t'y mettais... Mais sois prudente, les Blancs ne badinent pas avec leurs interdits. Ils font boire à leurs serviteurs des philtres d'une magie si puissante que les nôtres qui s'engagent à leur service en cessent d'être eux-mêmes! Ils oublient parenté, amitié, dignité, et n'ont plus qu'une idée en tête: demeurer fidèles aux Blancs et les servir envers et contre tout. Ils ont pris pour devise: «Je fais mon service! Je fais mon service! Je ne connais personne!»
— Merci de ton conseil, ma mère. Je serai prudente, mais les Blancs ne me font pas peur. Mon père Pâté

Poullo était un grand *silatigui* peul, doué de beaucoup de pouvoirs et de connaissances. Il m'a lavée [18] à ma naissance contre les philtres et le mauvais œil. Ne crains donc rien pour moi."

Pour mieux organiser son action et se libérer de la présence pesante et soupçonneuse de ses coépouses, Kadidja quitta la maison de son mari et retourna dans la concession de son père, dans le quartier de Deendé Bôdi. Elle réunit immédiatement un conseil de famille composé, d'un côté, de ses frères Bokari Pâté et Hammadoun Pâté, et, de l'autre, des trois principaux anciens serviteurs de mon père Hampâté représentant ma famille paternelle : Beydari Hampâté, Abidi Hampâté et Niélé. Se tournant vers ses frères, Kadidja prit la parole :

"Désormais, dit-elle, il n'y a plus pour moi de place nulle part, sinon auprès de vous. Dans la maison de mon mari, à part ma belle-mère, tout le monde me regarde du coin de l'œil. On n'ose pas m'accuser en face, mais on chuchote à voix basse : « C'est elle la dernière épousée, c'est donc elle la guignarde, la porteuse de malchance, cause du malheur qui nous accable. » Et on ne me pardonne pas le fait que Tidjani Thiam ait désigné officiellement mon fils Amadou comme son héritier principal."

Bokari Pâté, l'ami de jeunesse de Tidjani et de Tierno Bokar, répondit :

"Kadidja, tes coépouses rendent ton « étoile[19] » responsable de la perte du turban de Louta. La meilleure manière pour nous de répondre, c'est de procurer à Tidjani Thiam un turban que personne ne saurait lui ravir. Comment ? En mettant nos biens et nos personnes à sa disposition pour l'aider.

— Pour aider Tidjani, fit Kadidja, encore faudrait-il qu'on le retrouve, puis qu'on le libère.

— Avec la fortune que nous avons héritée de notre père, s'écria Bokari Pâté, nous pouvons, Dieu merci, triompher de n'importe quel obstacle !"

Beydari prit à son tour la parole :

"Mon maître et père Hampâté, vous le savez, m'a légué à sa mort toute sa fortune. Tout captif que je suis, c'est moi qui ai hérité de lui à la place de mes deux petits maîtres Hammadoun et Amadou. Je suis leur tuteur et leur protecteur, et je suis prêt à donner ma vie pour eux. Puisque Tidjani Thiam a adopté Amadou comme fils aîné et successeur, son malheur devient automatiquement celui de son fils adoptif; donc celui d'Hammadoun et le mien. Aussi, au nom de mes petits maîtres, je mets à la disposition de Kadidja toute la fortune dont j'ai hérité, afin qu'elle ait les moyens de laver l'injure faite par ses coépouses et d'entreprendre tout ce qui lui semblera utile pour retrouver son mari."

Kadidja n'avait jamais douté du soutien de ses frères, qui lui avaient déjà témoigné leur générosité au moment du partage de la succession d'Anta N'Diobdi, mais leur confiance et la noblesse de leur attitude, comme celle de Beydari, la touchèrent profondément. Sa détermination en fut renforcée. Elle avait maintenant à portée de main une fortune considérable, donc tous les moyens d'agir si l'on en croit l'adage: "*Quand la pauvreté dit à son sujet: «Enumère-moi tes besoins afin que je t'en prive lamentablement», la fortune chuchote à l'oreille de son maître: «Exprime tes désirs, je les exaucerai dans l'instant...»*"

Kadidja avait promis à sa belle-mère de lui apporter des nouvelles de son fils dans trente-trois jours. Or promettre à la mère de son mari, c'est comme promettre à une divinité. Kadidja se trouvait donc doublement engagée: et par le nombre choisi [20], et par le caractère vénérable de celle à qui elle avait fait sa promesse. Elle décida de partir immédiatement en campagne, non sans prendre toutefois quelques précautions traditionnelles pour se garantir contre les forces malignes d'où qu'elles puissent venir. "*Avant de mettre un scorpion dans sa bouche,* disent les Peuls, *il faut avoir bien disposé sa langue...*"

Dans un quartier de Bandiagara vivait une vieille femme marabout célèbre et respectée. Née à Hamdallaye (capitale de l'Empire peul du Macina) au temps du vénérable Cheikou Amadou, on l'avait surnommée Dewel Asi, c'est-à-dire "la petite femme qui a creusé" (sous-entendu: creusé la connaissance mystique). Elle enseignait les sciences islamiques traditionnelles: le Coran, bien sûr, mais aussi les *hadith* (paroles et actes du Prophète), la grammaire arabe, la logique, la jurisprudence selon les quatre grandes écoles juridiques islamiques, plus les traditions spirituelles *soufi*, et tout cela en tissant de très jolies nattes de paille habilement ornées de dessins symboliques. Jusqu'en 1910 ou 1911, date de sa mort, son école coranique fut l'une des plus florissantes de Bandiagara. Cette sainte femme était en outre une proche parente de Gabdo Hammadi Ali, une tante maternelle de Kadidja. Ma mère lui rendit visite.

"Je viens auprès de toi, lui dit-elle, afin que tu me bénisses et me conseilles. J'ai en effet décidé de soulever Sonngo, la grande montagne sacrée des Dogons, avec un brin de paille. Je reconnais ma folie, mais rien n'est impossible quand on a Dieu de son côté. Je suis venue te demander de mettre Dieu de mon côté.

— Soulever Sonngo avec un brin de paille? Quelle image! Quel est donc ton Sonngo, et quel est ton brin de paille?

— Mon Sonngo, c'est lever le mystère qui entoure le sort de mon mari Tidjani Thiam. Et mon brin de paille, c'est moi-même."

Dewel Asi se plongea dans une longue méditation. Quand elle en sortit, elle dit:

"Une femme qui veut sauver son mari ou son enfant est digne d'être aidée. Par moi-même je n'ai ni force ni puissance, je ne suis qu'un brin de paille comme toi, mais puisque tu le désires, je vais prier Dieu de daigner être de ton côté. Quant à toi, il te faut d'abord accomplir un sacrifice propitiatoire: va, de ce pas, habiller des pieds à la tête sept pauvres, sept veuves et sept orphelins, et libère un captif. Puis reviens me voir dans trois jours, ou dans sept jours, quand tu auras tout terminé."

Avant de se retirer, Kadidja tendit à la sainte femme, pour la remercier de sa bonté, un gros anneau d'or qu'elle avait apporté avec elle. Dewel Asi refusa de le prendre.

"Garde ce bijou, dit-elle, et mets-le dans un sachet que tu auras toujours auprès de toi. Plus tard, un jour de grand embarras viendra pour toi; tu constateras qu'il ne te reste rien des nombreux bijoux hérités de ta mère, sinon ce bracelet en or. Ce jour-là pense à moi, remercie

Dieu et utilise cet or de ma part pour te sortir de ta situation difficile."

Curieusement, quinze ans plus tard, un incendie détruira tout dans notre maison de Bamako, et il ne restera à ma mère pour toute fortune que cet unique bracelet en or.

De retour chez elle, Kadidja rendit compte aux membres de sa famille de son entrevue avec Dewel Asi. Elle procéda immédiatement à la vente des têtes de bétail nécessaires pour habiller de pied en cap vingt et une personnes et fit exécuter le travail par un tailleur et un cordonnier de la ville. Enfin, d'accord avec ses frères et avec l'intéressé lui-même, elle affranchit un captif de sa famille, Barkérou Pâté, non sans le doter généreusement pour obéir aux recommandations du Prophète : elle lui donna deux ensembles complets d'habillement, une somme d'argent importante pour l'époque, plus deux cent mille cauris et deux vaches laitières, ce qui devait lui permettre de commencer à se constituer un troupeau.

Ayant accompli tout cela en l'espace de sept jours, Kadidja retourna voir Dewel Asi. La sainte femme, qui avait abandonné toute autre occupation, avait passé la semaine entière à jeûner (selon le rite musulman, c'est-à-dire chaque jour de l'aube au coucher du soleil) et à prier pour Kadidja. Elle dessina sur une feuille de papier une sorte de talisman composé de formules coraniques et de noms de Dieu en arabe, puis le tendit à Kadidja : "Fais recouvrir ce papier de toile de soie, lui dit-elle, puis enferme-le dans une peau d'agneau cousue. Ce travail doit être effectué par un cordonnier réputé pour la pureté de ses mœurs. Avant de travailler, il devra accomplir les ablutions rituelles afin d'être dans l'état de propreté physique et religieuse requis. Le sachet ainsi préparé devra avoir la forme d'un triangle. Tu le porteras suspendu en bandoulière."

Kadidja confia ce travail à la plus vertueuse des cordonnières de Bandiagara, une femme si pieuse et si vénérée qu'on ne l'appelait plus par son propre nom, mais par le surnom révérencieux d'Inna Mamma Tamé : "Mère de Mamadou Tamé".

Armée de son talisman, habitée par la certitude que

les prières de la sainte femme avaient attiré sur elle le secours de Dieu, Kadidja était prête pour commencer son enquête. Elle était toujours chef de la plus grande association féminine de Bandiagara, celle-là même qu'elle avait fondée dans sa jeunesse. Cette association comptait parmi ses membres une jeune et très belle *dîmadjo* (c'est-à-dire appartenant à la classe des "captifs de case" ou serviteurs de famille), nommée Koorka Bâbilâli, et qui avait épousé un brigadier-chef de gardes de cercle, lui-même *dîmadjo* du Kounari. Kadidja fit venir Koorka chez elle.

"Ma sœur, lui dit-elle, je ne suis plus ni vivante ni morte. Je mange, je marche, je me couche par seule habitude mécanique. Tout est sombre pour moi, comme par un jour de tornade de poussière grise. Depuis que mon époux, Naaba (roi[21]), a été arrêté par les Blancs, aucun être, pas même une mouche ni une fourmi, pas même le moindre filet d'air, n'est venu m'apporter ne fût-ce que la trace d'une de ses nouvelles. Koorka, nous sommes des amies d'enfance, nous appartenons à la même association d'âge. Tu es maintenant l'épouse d'un brigadier-chef. Si mon mari est vivant et en prison quelque part, ton mari a les moyens de le savoir et toi tu peux être amenée à l'apprendre à ton tour. Il est certains moments où la bouche de l'époux est bien proche de l'oreille de l'épouse, des moments où la femme reprend le dessus et où l'homme le plus coriace s'adoucit et confie inconsciemment ses secrets à sa compagne.

— Kadidja! répondit Koorka. Nous avons grandi ensemble, nous sommes amies depuis la plus tendre enfance et tes parents m'avaient adoptée comme si j'étais leur *dîmadjo* née dans leur maison. Sois tranquille, tu peux compter sur moi ainsi que sur toutes les femmes de gardes qui font partie de notre waaldé. Il y en a une bonne dizaine qui vivent au camp des gardes. L'une de nous finira bien par apprendre quelque chose."

Koorka Bâbilâli retourna immédiatement au camp des gardes où elle provoqua une réunion avec ses camarades Morobari Bo et Maartou Nawna.

"Nous avons toutes, un jour ou l'autre, été les obligées de Kadidja Pâté, n'est-ce pas? leur dit-elle.

— Certes, Koorka ! Tu n'as dit que la vérité ! répondirent les deux femmes.

— Vous connaissez l'adage : « *A quoi servirait l'amitié qu'un homme a nouée avec un singe, si ce n'est pour que cet animal l'aide à décrocher son bâton le jour où celui-ci reste accroché dans les hautes branches ?* »

— Oui Koorka, c'est bien vrai ! reprirent-elles.

— Eh bien, mes amies, vous savez que Naaba, notre généreux Naaba, a été arrêté par les Blancs et mis on ne sait où. Mais nous, nous sommes les épouses de trois gradés, chefs de gardes de cercle, et il n'est pas possible que nos maris ne soient pas dans le secret du commandant. Entre commandant de cercle et gardes de cercle, il y a une affinité de nom qui favorise la confiance. C'est le commandant qui ordonne, mais ce sont les gardes qui arrêtent et surveillent les détenus. Mes sœurs, Kadidja compte sur nous pour apprendre la vérité. Au besoin, que chacune de nous agace son mari aux heures propices, mais il nous faut découvrir si Naaba est vivant ou mort. S'il est vivant, essayez de savoir où on le garde, et s'il est mort, où on l'a enterré."

Koorka fit ensuite venir sa camarade Kenyouma, dont le mari était le propre garde du corps du commandant.

"Kenyouma, lui dit-elle, nous sommes toutes deux amies d'enfance de Kadidja Pâté. En tant que chef de notre waaldé, elle s'est toujours montrée digne et généreuse et jamais elle n'a manqué de répondre à nos appels. Aujourd'hui, c'est elle qui a besoin de nous afin de découvrir où se trouve son mari. Soyons comme les souris du palais, c'est-à-dire des agents discrets qui peuvent entrer partout pour écouter sans être vus.

— Il faut mettre nos amies Moro Pennda et Kadiatou Komsère dans cette affaire, répondit Kenyouma. Elles parlent toutes les deux le français et elles ont épousé des Blancs par « mariage colonial[22] ». Or tu sais que les Blancs n'ont pas de secret entre eux, et ils se confient plus facilement à leurs femmes que ne le font les Noirs."

Ainsi fut fait. Le filet était jeté. Il n'y avait plus qu'à attendre qu'il se remplisse de nouvelles pour le haler vers Kadidja qui en ferait le tri pour son usage.

Kadiatou "Koomsère" était la femme du commissaire

— d'où son sobriquet. Son mari, qui la faisait souvent parler pour obtenir des renseignements par recoupements, s'amusait de la naïveté avec laquelle répondait la jeune femme. Il était loin de se douter que cette belle et candide créature allait lui tirer les vers du nez avec une adresse bien plus fine que la sienne...

Dès le lendemain de ce petit complot féminin, alors que le commissaire et sa compagne étaient tous deux à table, Kadiatou Komsère poussa un grand cri et alla s'affaler sur son lit. Comme sous l'effet d'une vive douleur, elle roulait sur elle-même en gémissant. Le commissaire, qui l'aimait à la folie, vint se pencher vers elle. Il s'affola :

"Qu'as-tu ? De quoi souffres-tu ?

— Aaaah ! criait la jeune femme en se tordant les mains, un mauvais esprit s'est emparé de mon corps ! Il l'habite totalement. Il me fera mourir si on n'arrive pas à le chasser de moi..."

Le commissaire fit venir immédiatement l'aide-médecin africain Kalando Beydari, chargé du dispensaire. Kalando était un guérisseur "à la manière des Blancs" — autant dire qu'il n'entendait rien aux maux que les mauvais esprits inoculent parfois aux fils d'Adam. Pendant plusieurs jours, Kadiatou délira. Elle se disait poursuivie par le spectre de Tidjani Thiam que les Blancs avaient égorgé puis emballé dans une caisse qu'ils avaient jetée dans l'un des gouffres de la falaise. Kalando Beydari était manifestement dépassé. Il conseilla de chercher un guérisseur indigène. Le cuisinier du commissaire — de mèche avec Kadiatou — déclara qu'il s'en chargeait. Il fit venir Mannawel, un *dîmadjo* de la famille de Tidjani qui avait été élevé chez Kadidja — et qui, est-il besoin de le préciser, n'avait jamais été guérisseur ni de près ni de loin... Celui-ci, après avoir prescrit à Kadiatou des bains et des fumigations à base de certaines plantes, recommanda au commissaire de ne lui parler qu'avec une extrême gentillesse, surtout au moment des crises, pour la calmer et la rassurer.

Vers minuit, Kadiatou, hagarde, se dressa dans son lit :

"Ooooh ! gémit-elle, commissaire ! Le spectre de Tidjani est là, il dit que son cadavre réclame une tombe.

— Calme-toi, Kadiatou, calme-toi! fit le commissaire de sa voix la plus douce. Tidjani Thiam n'est pas mort, il est en prison. Dans quelques mois, il passera devant le tribunal et il ne sera pas tué, tu verras! Les Blancs n'aiment pas tuer. Allez, rassure-toi, ce n'est qu'un mauvais cauchemar!"

Faisant mine d'être calmée par les paroles de son mari, Kadiatou se rallongea sur le lit avec toutes les apparences d'une personne qui vient d'être libérée d'une emprise écrasante. Le lendemain matin, pour ne pas éveiller les soupçons, elle resta couchée jusqu'à l'arrivée de Mannawel. Celui-ci lui administra cérémonieusement sa médication tandis qu'elle lui adressait un coup d'œil malicieux.

Enfin, Kadiatou se leva et prit son petit déjeuner, à la grande satisfaction de son mari. Très soulagé de voir sa femme se porter mieux, il appela son chien et sortit pour aller prendre son service. Il sifflait doucement, comme font les Blancs quand ils sont contents.

Dès qu'il eut franchi la porte, Kadiatou se tourna vers Mannawel:

"Va vite dire à Koorka Bâbilâli que Naaba est bien vivant. Il est enfermé dans une prison en attendant de passer devant le tribunal."

Mannawel se précipita chez Koorka Bâbilâli, puis tous deux se rendirent chez Kadidja pour lui annoncer la bonne nouvelle, obtenue grâce à l'adresse consommée de Kadiatou Komseer. Mais il restait encore à savoir dans quelle prison Tidjani était enfermé, car il y en avait deux: la prison civile et la prison militaire.

Pendant ce temps, le commissaire était arrivé chez le commandant Charles de la Bretèche pour lui faire son petit compte rendu quotidien habituel. Le commandant lui demanda des nouvelles de sa jeune compagne.

"Elle a été très souffrante, mais elle est en train de se remettre, répondit le commissaire. Figurez-vous que dans un cauchemar qui revient sans cesse, elle se croit poursuivie par le spectre de Tidjani Thiam dont le cadavre, dit-elle, réclame une tombe!

— Décidément, répliqua le commandant en riant, ce Tidjani Thiam et son frère Badara, comme tous les

Thiam d'ailleurs, jouissent d'une influence extraordinaire dans ce pays. Je ne voudrais pas être à la place du commandant qui aurait à annoncer la mort de Tidjani, si jamais il décédait en prison.

— Que va-t-on faire de lui ?

— J'attends l'ordre de le déférer devant le tribunal criminel. Personnellement, je ferai tout pour sauver sa tête, bien qu'il ait manqué de me tuer sur la route. Mais ce n'est pas un mauvais bougre. En cette affaire, il est plus à plaindre qu'à blâmer. Tidjani Thiam s'est malencontreusement heurté à un homme, Aguibou Tall, qui est comme le pic pointu d'une haute montagne. Celui qui s'y cogne y laisse sa vie, ou beaucoup de plumes..."

Le hasard voulut que cette conversation fût nettement perçue par Garba Tieman, garde du corps du commandant et mari de Kenyouma, l'autre camarade d'âge de Kadidja. Depuis deux semaines, le malheureux Garba ne pouvait plus tousser ni éternuer chez lui sans que sa femme lui fasse une scène.

"Tousser et éternuer, c'est tout ce que tu sais faire, ricanait-elle. Mais quand il s'agit de savoir où ton commandant a mis Tidjani Thiam, alors, là, aucun de tes organes ne fonctionne plus ! Je me suis trompée de mari. Je me demande s'il ne vaudrait pas mieux que je divorce et aille chercher un homme qui n'obéisse pas inconditionnellement aux Blancs simplement parce qu'ils lui ont donné une chéchia rouge et des bandes molletières bleues !"

A midi, Garba Tieman prit le chemin de sa maison ; tout heureux d'avoir surpris l'entretien des deux Blancs, il marchait en jouant de son instrument monocorde *jourou kelen* et chantait à pleine gorge l'air *djonngoloni*, un chant guerrier composé en l'honneur d'une forteresse militaire bambara qui avait résisté très longtemps au sultan de Ségou Ahmadou Cheikou, fils aîné d'El Hadj Omar. Quand il rentra chez lui, sa femme, comme l'exigeait la coutume, lui présenta de l'eau fraîche pour se mouiller la gorge et de l'eau tiède pour laver la sueur de son corps. Après sa toilette, Garba Tieman prit son repas. Pour mieux digérer, il alla s'allonger dans son hamac en fibres de baobab et là, arborant un air satisfait, il commença à se balancer tout en éructant exagé-

rément — ce qui n'est nullement considéré comme une incongruité en Afrique. Kenyouma s'approcha :
"Quelque chose me dit qu'aujourd'hui tu as croisé sur ton chemin Konyouman, le légendaire magicien de bon augure.
— Oui, j'ai croisé Konyouman, et ce divin guide m'a permis de connaître..." Il laissa sa phrase en suspens.
"T'a permis de connaître quoi ?
— De connaître ce qui est périlleux à rapporter, mais que pourtant on ne saurait taire...
— Parle ! Il s'agit de Naaba, n'est-ce pas ?"
Garba se pencha hors de son hamac. Il jeta un long regard dans la cour pour s'assurer que personne d'autre que sa femme ne pourrait entendre ses paroles. Tranquillisé, il hocha la tête lentement de bas en haut, signe qui, en Afrique, signifie "oui-oui". Kenyouma se fit câline :
"Je n'ai jamais douté que tu étais un étalon de grande valeur, lui dit-elle, mais un étalon qui a parfois besoin de quelques coups d'éperons pour se cabrer.
— Tidjani Thiam est vivant ! lâcha enfin Garba qui ne pouvait plus se contenir davantage. Mes oreilles l'ont entendu de la bouche du commandant, c'est donc une certitude. Il est en prison, et bientôt il sera jugé publiquement. Le commandant a dit qu'il le soutiendrait."
Dès que son mari eut quitté la maison, Kenyouma se précipita chez Koorka Bâbilâli pour lui communiquer ces informations. A son tour Koorka s'empara de son mari : elle le manœuvra si bien qu'avant peu elle finit par apprendre que Tidjani, après avoir subi les dix premiers jours de sa détention à la prison militaire, avait ensuite été transféré, par mesure de sécurité, à la prison civile, dans l'un des cachots les plus profonds de la deuxième cour. On craignait en effet que les Toucouleurs, surtout les Thiam, ne tentent une action pour le délivrer, comme le bruit en avait couru.

Vingt jours s'étaient écoulés depuis que Kadidja avait entrepris de retrouver son mari. Elle avait dépensé, en sacrifices et en cadeaux, le prix de quelques dizaines de taureaux, mais ce n'était pas une vaine dépense ; elle avait maintenant la certitude que son mari était vivant, et elle savait où il se trouvait : au fond de la deuxième cour de la prison civile, là où l'on gardait les prisonniers les plus redoutables.

Kadidja acheta un costume d'homme complet : culotte bouffante, bottes, grand boubou et sous-boubou, turban et sabre. Puis, revêtue de ces effets qui la rendaient méconnaissable, elle sortit au milieu de la nuit et se dirigea vers le quartier des Blancs, accompagnée du fidèle Beydari qui la suivait à distance pour la protéger contre tout danger éventuel. Il était minuit passé. Seuls quelques bruits perçaient de temps en temps le silence : pleurs d'un bébé réveillé par la faim, ululement d'un chat-huant — que l'on disait oiseau-sorcier friand du sang des nouveau-nés — aboiements de chiens propres à faire fuir voleurs et mauvais esprits...

A l'époque, c'était un véritable suicide que de s'aventurer ainsi dans le quartier des Blancs à une heure où les sentinelles avaient le droit de tirer à vue sur tout ce qui bougeait de façon insolite. Mais Dieu aidant, les yeux et les oreilles des gardiens et des chiens furent miraculeusement aveuglés et assourdis. Kadidja et Beydari traversèrent le quartier des Blancs en suivant l'artère principale qui menait droit au camp des gardes. A côté du camp se dressait la prison civile, juste en face d'un grand tamarinier. De jour comme de nuit, les surveillants de la prison avaient pris l'habitude de se reposer sous ses branches pour y attendre leur tour de faction. Lorsqu'ils arrivèrent à une vingtaine de mètres de l'arbre, Kadidja dit à Beydari :

"Va jusque sous le tamarinier. Réveille doucement l'homme qui est couché sur le grand *tara* (lit de rondins). Ce doit être le brigadier-chef. Dis-lui : « Kadidja Pâté te demande de venir lui parler derrière le grand mur de la prison, où elle t'attend. »"

Beydari eut beau avancer à pas de loup, il ne put parvenir jusqu'au brigadier-chef sans le réveiller. Rapide et bien entraîné, le sous-officier bondit sur lui et le saisit à bras-le-corps pour le maîtriser. Mais Beydari, qui mesurait un mètre quatre-vingts et pesait près de cent kilos, n'était pas, lui non plus, un novice en matière de lutte.

Tout en disant : "Je ne suis pas venu pour faire du mal", il desserra sans peine les bras qui l'encerclaient. "Je suis Beydari Hampâté, continua-t-il. Ma maîtresse Kadidja Pâté, que j'ai accompagnée, te demande d'aller lui parler derrière le grand mur de la prison."

Le brigadier-chef, qui s'appelait Bouraïma Soumaré, jouissait d'une solide réputation de férocité. Mais c'était un Toucouleur et sa femme appartenait, elle aussi, à l'association de Kadidja. Il lâcha Beydari. Les autres gardes, alertés par le bruit, s'étaient réveillés. Le brigadier-chef leur donna ordre de se tenir tranquilles et d'attendre son retour, puis il emboîta le pas à Beydari. Malgré son ordre, un garde, l'arme en position de tir, le suivit à distance.

Quand Bouraïma Soumaré arriva derrière le mur, il se trouva tout à coup face à un homme armé d'un sabre. Croyant que Beydari l'avait attiré dans un guet-apens, il voulut se retourner pour appeler à la rescousse, mais le timbre d'une voix féminine le figea sur place. La voix chantait en peul les paroles d'un chant qui avait été composé en son honneur par la célèbre griote Aïssata Boubou. Il reconnut la voix de Kadidja Pâté. Il en fut si ému que lui, l'homme réputé pour sa cruauté et son intransigeance, se transforma en un instant en un poète tendre et compatissant. La galanterie poullo-toucouleure de l'époque voulant que l'homme répondît par un poème improvisé quand une femme s'adressait à lui sous une forme poétique, Bouraïma Soumaré répondit sur-le-champ :

Djandji, sœur d'Amadou Pâté,*
Djandji, que t'arrive-t-il aujourd'hui
Pour tenter, par une obscurité profonde,
D'entrer dans une maison maudite
Que de méchants chiens noirs gardent nuit et jour ?
Djandji, que t'arrive-t-il, dis-le-moi !

Kadidja comprit que la bête féroce s'était muée en *koumbareewel*, l'oiseau-trompette qui chante et danse avec grâce.

* Surnom de Kadidja : "la joyeusement achalandée".

"Je suis venue te voir, dit-elle, au risque de ma vie et de celle de mon fidèle Beydari, pour te demander, au nom de la pitié, de me laisser voir mon mari. Je sais qu'il est vivant et qu'il est enfermé dans l'une des cellules de la deuxième cour.

— Ce que tu me demandes là, Kadidja, c'est tout comme si tu me demandais d'aller tirer sur les testicules du commandant !

— Bouraïma Soumaré ! fit Kadidja d'un ton décidé. Si j'allais cette nuit même tirer sur les glandes génitales du commandant et que j'en revienne vivante, me montrerais-tu mon mari ?"

Une telle détermination troubla le brigadier-chef. Sans lui laisser le temps de reprendre son souffle, Kadidja continua :

"Je sais que mon mari est derrière cette muraille. Je te jure, Bouraïma, que, si je ne peux le regarder cette nuit dans les yeux, je ne verrai pas, demain matin, se lever le disque jaune du soleil.

— Et que feras-tu si je refuse de te conduire à ton mari ?

— Une folie qui me coûtera la vie. Aïssata Boubou aura un nouveau thème d'improvisation à ajouter à son répertoire. Elle pourra chanter ma fin comme on chante celle d'Aminata Bîdane, l'héroïne de Sâ."

Bouraïma Soumaré, qui connaissait Kadidja et ne doutait pas qu'elle fût capable d'un malheureux coup de tête, considéra l'opprobre qui souillerait son nom si elle venait à périr par sa faute. Ce surveillant sans pitié, qui n'avait jamais eu à exercer sa férocité sur ses parents toucouleurs et moins encore sur ses concitoyens de Bandiagara, se trouvait devant son premier cas de conscience. D'un seul coup, il redevint un Toucouleur musulman, c'est-à-dire un homme prêt à sauver un parent au prix même de sa vie. Il se rappela un propos *(hadith)* du Prophète, cité par Cheikou Amadou et par El Hadj Omar dans des circonstances appropriées, et dans lequel le Prophète recommandait à chaque fidèle de ne point quitter ce bas monde sans avoir, au moins une fois dans sa vie, violé la Loi *(sharia)* au nom de la pitié. Bouraïma sentit son cœur s'attendrir :

“Ô Kadidja, dit-il, je sais à quoi je m'expose au cas où l'un de mes gardes me trahirait par méchanceté. Mais tant pis ! Je ne veux pas être moins brave qu'une femme. Viens, je vais te conduire auprès de ton mari. Et que Charles de la Bretèche, s'il l'apprend, fasse s'écrouler le plafond du ciel sur le plancher de la terre !

— Sois tranquille, lui dit Kadidja. La voûte du ciel demeurera à sa place, le commandant ne saura rien et tes gardes resteront muets. Donne-moi seulement leurs noms.”

Bouraïma indiqua à Kadidja les noms des dix hommes qui étaient de garde avec lui. Il alla prendre les clés de la prison, puis s'adressa à ses hommes :

“Kadidja Pâté est venue nous demander, au nom de Dieu et de la solidarité entre gens de Bandiagara, de la laisser communiquer avec son mari pour quelques minutes. J'ai accepté parce que nous n'avons pas le choix : ou bien il nous faut arrêter cette femme, ce que je répugne à faire, ou bien nous devons lui montrer son mari. Tous, nous sommes originaires de Bandiagara, et il n'est pas pensable que nous puissions arrêter Kadidja Pâté. Si nous le faisions, nous et nos femmes ne pèserions plus le poids d'une mouche dans l'estime de nos concitoyens. On nous désignerait du doigt, ou du coin de l'œil, comme des êtres abominables vendus aux Blancs.

— Brigadier-chef, s'écrièrent les gardes, nous sommes derrière toi ! Ce que tu feras, c'est nous qui l'aurons fait !”

Bouraïma et Kadidja se dirigèrent vers l'entrée de la prison. Bouraïma ouvrit la porte de l'entrée principale, qui donnait sur la première cour. Ils la traversèrent en silence. Puis il ouvrit une porte qui donnait sur la seconde cour. Il y pénétra, suivi de Kadidja, et se dirigea vers une porte épaisse située en contrebas. Il l'ouvrit. Elle donnait sur un couloir où se trouvait la porte même de la cellule, épaisse comme une phalange. Bouraïma l'ouvrit également. La cellule, étroite comme une tombe, était si obscure que l'on n'y distinguait rien. Bouraïma appela :

“Tidjani Thiam !... Tidjani Thiam !...

— Qui m'appelle ? Que me veut-on ?... fit la voix affaiblie de Tidjani.

— Je suis le brigadier-chef Bouraïma Soumaré. Sors, je t'apporte des nouvelles."

Kadidja se tenait sur le côté. Après quelques instants qui lui parurent interminables, la silhouette courbée de Tidjani apparut. Sale, couvert de sueur, il ne portait sur lui qu'un pantalon dont les jambes étaient remontées jusqu'aux cuisses en raison de la chaleur étouffante qui régnait dans le cachot. Le plafond était si bas qu'il ne lui permettait pas de se redresser totalement : il ne pouvait que se tenir assis, accroupi ou couché. Un petit soupirail, placé à l'extrémité d'un conduit, laissait filtrer un peu d'air mais aucune lumière ne passait. On lui permettait de sortir trente minutes chaque jour, mais seulement après dix heures du soir, de sorte qu'il ne voyait jamais la lumière vivifiante du soleil.

"Quelqu'un de ta famille demande à te parler, dit Bouraïma Soumaré.

— Ce ne peut être que Kadidja ! s'exclama Tidjani.

— Oui, Naaba !" s'écria Kadidja. Et sortant du recoin où elle se tenait, elle se jeta dans les bras sans force de son mari. "Comment savais-tu que c'était moi ?

— Ô Poullo [23] ! Je me suis toujours dit, du fond de ce cachot : « Si jamais quelqu'un réussit à venir me voir dans cette tombe, ce sera Kadidja. » Mon intuition ne m'a pas trompé, Dieu merci !"

Bouraïma, discret, s'éloigna.

"Naaba, dit Kadidja, ta mère se meurt d'angoisse. Chaque jour, elle verse des larmes à en emplir une calebasse. Ce qui coule de ses narines n'est plus un liquide visqueux, mais du sang rouge vif. Pour elle tu es mort dans des conditions horribles et cette idée la hante au point qu'elle pense mettre fin à ses jours. Je lui ai demandé de continuer à vivre et de me donner un délai de trente-trois jours pour découvrir ce que tu étais devenu. Il me reste encore quatre jours, et Dieu merci, je te vois fatigué et affaibli, certes, mais vivant. Maintenant, il faut me dire quelque chose et me donner un signe à l'intention de ta mère pour la convaincre que tu es bien de ce monde et que ce message vient bien de toi.

— Quand tu seras en face de ma mère, répondit Tidjani, dis-lui ceci : « Mère, j'ai vu Tidjani. » Puis, contrairement à l'usage, tu la fixeras dans les yeux. Elle en fera tout autant. Alors tu saisiras sa main droite et, tout en repliant successivement ses quatre doigts à partir de l'index, tu lui diras ceci : « Un, Tidjani te salue. Deux, il est vivant. Trois, il n'est pas malade. Quatre, loue Dieu et remercie-Le. » Elle saura que cela vient de moi. Puis tu sortiras ma bague que voici et, contrairement à l'usage peul, tu la lui enfileras au majeur. Enfin tu lui diras avec un sourire cette phrase, qui fait partie de la devise de Bandiagara : « *Biiribaara bantineeje.* » (Les légers nuages moutonnent au-dessus des fromagers géants.)"

Quand l'heure fut venue de se séparer, Kadidja dit à son mari :

"Maintenant que je connais le chemin de ta caverne, aucun fauve ne saurait plus m'empêcher d'y venir, et j'y reviendrai souvent, s'il plaît à Dieu !"

Elle remercia Bouraïma Soumaré, puis rejoignit Beydari qui l'attendait sous le tamarinier. Ils regagnèrent sans encombre le quartier de Deendé Bôdi juste avant que n'apparaissent les premières lueurs de l'aube. La voix du muezzin appelant à la première prière du jour s'éleva, trouant le silence qui étreignait encore la ville endormie.

Jamais les mots que chantait le muezzin n'avaient mieux revêtu leur vrai sens pour Kadidja qu'en ce matin-là : "*Allâhou akbar !... Allâhou akbar !...*" (Dieu est le plus grand ! Dieu est le plus grand [24] !) Pour Kadidja, oui, Dieu était vraiment le plus grand. Tout au long de cette nuit, elle s'était réellement sentie comme portée par une puissance qui, pour elle, avait tout facilité et ouvert toutes les portes. Mais, elle le comprenait aussi, cette puissance et cette grandeur échappaient à toute description et à toute définition. C'était comme une présence totale, souveraine, qui enveloppait et portait toute chose.

Elle n'éprouvait nul besoin de récupérer ses forces. Rassasiée de sommeil sans avoir dormi, détendue sans s'être reposée, elle attendait avec impatience l'apparition des premiers rayons du soleil levant. Elle voulait profiter de ce moment particulièrement heureux et calme pour aller déverser sur le cœur de sa belle-mère le plus doux des baumes.

Quand enfin l'astre bienfaisant s'éleva au-dessus de l'horizon, répandant sur le monde la lumière et la vie, Kadidja se rendit dans la concession de son époux. La vieille Yaye Diawarra se tenait dans la cour, sous le hangar en tiges de mil qui abritait le devant de sa case. Assise sur une peau de mouton à laine, drapée de vêtements blancs, le visage tourné vers l'est dans la direction de La Mecque, elle égrenait son chapelet. Les premiers poulets réveillés cherchaient du bec, autour des mortiers, des graines de mil perdues dans la poussière. L'arrivée de Kadidja troubla la volaille. Le gros coq, chef de la basse-cour, jeta des cris d'alarme en battant fortement des ailes. Tout son petit monde se précipita sur le perchoir du poulailler et s'y jucha en attendant de connaître la nature du danger signalé. Ce remue-ménage volatile tira Yaye Diawarra de son recueillement. Tournant la tête pour voir ce qui se passait elle découvrit Kadidja, tout habillée de blanc, debout devant l'entrée du hangar. Son émotion fut si forte qu'un instant elle en resta paralysée. Mais elle réussit à se dominer et à prononcer la formule rituelle de bienvenue :

"*Bissimillâhi* Kadidja ! Bienvenue au nom de Dieu [25] ! As-tu passé la nuit en paix ? Viens t'asseoir auprès de moi ma fille.

— Bon matin, mère. Oui, Dieu voulant, j'ai passé la nuit en paix. Et je viens te rendre compte du résultat des recherches que j'ai menées pour savoir où les Blancs avaient caché ton fils, mon époux."

La vieille femme laissa retomber sa tête sur sa poitrine.

"Quelle que soit la nouvelle que tu m'apportes, dit-elle, sache, ô Kadidja, que je n'oublierai jamais ton dévouement et ton amour pour mon fils et pour moi. Quand je t'ai vue sortir de cette maison, décidée à tout pour retrouver ton mari, ton courage mâle m'a dopée. J'ai retrouvé les forces qui jadis, au cours des batailles, me permettaient d'affronter les plus grands dangers avec une insouciance qui me venait de je ne sais quel ciel. C'est pour te dire que maintenant je suis prête à accepter le sort que Dieu aura voulu pour mon fils et pour moi."

Et elle se tut.

"Mère, dit Kadidja, j'ai vu Tidjani..."

Yaye Diawarra redressa sa tête couronnée de cheveux blancs épais comme du coton cardé. Kadidja en profita pour la fixer droit dans les yeux. Puis elle saisit sa main droite et replia chacun de ses doigts en prononçant la formule que lui avait indiquée Tidjani : "Un, Tidjani te salue. Deux, il est vivant. Trois, il n'est pas malade. Quatre, loue Dieu et remercie-Le."

Yaye, dont les mains tremblaient, put néanmoins maîtriser sa langue, car elle voyait que Kadidja n'avait pas fini. Celle-ci avait commencé à défaire un nœud à l'extrémité de son grand boubou. Elle en sortit la bague de Tidjani, la passa au troisième doigt de la vieille femme, puis prononça les mots : "*Biiribaara bantineeje.*" Poussant un cri, Yaye Diawarra se jeta dans les bras de sa belle-fille. Et là, elle pleura de joie autant que, un mois auparavant, elle avait pleuré de chagrin.

Après un moment, par prudence, les deux femmes se reprirent, car il importait que les autres membres de la famille ignorent tout de cette nouvelle, de peur que, par excès de joie, ils n'aillent trahir Kadidja et ceux qui l'avaient aidée.

Le cœur en fête, Kadidja rentra chez elle. Elle prit son petit déjeuner avec un appétit qui étonna Batoma, l'ancienne "captive-fille" d'Anta N'Diobdi, qui vivait maintenant auprès d'elle. Dans les jours qui suivirent, Kadidja s'arrangea pour donner discrètement aux femmes des gardes qui étaient de faction avec Bouraïma Soumaré des bijoux en or, des boules d'ambre et des coraux de grand prix. Elle réussit également à bien disposer en sa faveur les cinquante gardes de cercle qui composaient le peloton de police de Bandiagara. Désormais, les portes de la prison lui étaient ouvertes chaque nuit, depuis la sonnerie du clairon de vingt et une heures jusqu'au premier appel du muezzin pour la prière de l'aube.

Non seulement Kadidja visitait son mari chaque nuit, mais elle amenait avec elle Ali Diêli, le griot guitariste en titre de Tidjani. Il va sans dire que les gardes avaient pris sur eux de transférer Tidjani dans une cellule plus vaste et plus confortable — pour autant que le confort puisse exister en prison. Tidjani ne réintégrait sa cellule-tombeau qu'en cas de visite du commandant de cercle, de son adjoint ou du fonctionnaire colonial qui gérait la prison.

Le procès

Un matin, on entendit résonner, dans les rues de Bandiagara, le petit tam-tam d'aisselle de Diêli Bâba, le griot "crieur public". Tout en frappant son instrument, il criait en peul, en bambara et en dogon : "Ohé, habitants de Bandiagara ! Hommes, femmes, enfants, nobles, castés et captifs ! Le commandant vous salue par ma bouche. Je ne suis qu'un annonceur, un crieur public ; force est donc pour moi de dire ce qu'on m'a chargé de proclamer. Ohé, gens de Bandiagara ! Que personne ne m'en tienne rigueur, mais le commandant m'a chargé de vous annoncer que dans sept jours, aujourd'hui exclu, une audience du grand tribunal se tiendra dans la grande salle des palabres pour juger Tidjani Thiam, le cadi Tierno Kounta Cissé, le Samo Tombo Tougouri et d'autres inculpés dont les noms ne méritent pas d'être mentionnés, je ne les mentionnerai donc pas.

"Le commandant m'a chargé de vous dire que l'audience sera publique. Tout le monde pourra y assister. Toutefois, le commandant met en garde ceux qui seraient tentés de profiter de l'occasion pour délivrer Tidjani Thiam par la force. A ceux-là il annonce, toujours par ma bouche, que cent vingt tirailleurs et trois officiers « blancs-blancs » seront prêts à les recevoir à coups de fusil, des fusils qui ne se chargent pas par la bouche de leur canon mais par leur cul, des fusils sans vergogne qui pètent de la poudre et vomissent des balles en cuivre rouge et qui ne ratent jamais leur cible. A bon entendeur, salut !..."

Cette annonce, répétée dans tous les quartiers durant trois jours, amena à Bandiagara une foule considérable de gens des environs.

Kadidja Pâté et les deux frères de Tidjani Thiam multiplièrent les démarches auprès des marabouts et des notables de Bandiagara. De son côté, le roi Aguibou Tall déclara au commandant qu'il s'opposait à ce que son fils Tidjani Aguibou Tall fût cité au tribunal comme témoin à charge. Charles de la Bretèche, qui avait reçu des instructions formelles du gouverneur lui enjoignant de ménager l'ancien roi et même de fermer les yeux sur certains de ses agissements qui pourraient être répréhensibles du point de vue de la loi, se trouvait ainsi démuni de l'argument capital qui lui aurait permis, en poussant Tidjani Aguibou Tall dans ses derniers retranchements, de situer les responsabilités dans l'affaire de Louta. Le roi expédia d'ailleurs son fils très loin de Bandiagara, mettant ainsi le commandant devant le fait accompli : le jour de l'audience, le fils du roi ne se trouvant ni à Bandiagara ni dans les environs ne pourrait être entendu...

Enfin, ce fut le jour du procès. Selon l'usage colonial, le tribunal, en tant que tribunal du deuxième degré, était présidé par le commandant lui-même — le tribunal du premier degré étant présidé par l'adjoint du commandant. Il était assisté de plusieurs assesseurs indigènes, tous originaires de Bandiagara, et de son interprète Bâbilen Touré qui répétait à haute voix toutes les paroles prononcées de part et d'autre.

Tidjani Thiam et ses codétenus comparurent enchaînés à l'audience. On appela Tidjani Thiam à la barre. Selon la formule consacrée, le commandant, en tant que président du tribunal, lui demanda, par le truchement de l'interprète :

"Quels sont tes nom, prénom, profession et domicile ?"

Abdallah, un ami de Tidjani qui assistait à l'audience, ne put contenir son indignation. Il s'exclama en peul d'une voix forte : "Vraiment, il est étonnant de voir comment Dieu, qui a tant donné aux Blancs en fait de science pour la fabrication de machines ou autres objets matériels, a par ailleurs affecté leur esprit d'une certaine imbécillité ! N'est-ce pas une preuve de bêtise de la part du commandant que de demander à Tidjani Thiam ses nom, prénom, profession et domicile ? Qui ne connaît le fils d'Amadou Ali Thiam dans ce pays ?"

A son tour Tidjani, offensé par la question, s'écria :
"Le commandant m'a-t-il tellement oublié qu'il ne se rappelle même plus mon nom et mon titre ?... Eh bien, je suis Tidjani, fils d'Amadou Ali Thiam, chef de la province de Louta, arrêté pour avoir vengé son frère et ses hommes assassinés à Toïni alors qu'ils prélevaient l'impôt pour le compte de la France."

Sans paraître attacher d'importance à la déclaration de Tidjani, qui avait été traduite par l'interprète, le commandant, imperturbable, continua :

"Accusé ! Lève la main droite et jure de dire la vérité, toute la vérité, rien que la vérité !"

Là, c'en était trop ! Comme piqué par un dard, Tidjani se dressa et secoua furieusement ses chaînes. Il tenta de lever sa main pour pointer son index vers le commandant afin de souligner ce qu'il allait dire, mais ne pouvant y parvenir, il se pencha par-dessus la barre et cria d'une voix tremblante d'indignation :

"Comment peut-on supposer à l'avance que je ne dirai pas la vérité, alors que je n'ai même pas encore ouvert la bouche pour exposer les faits ? La vérité, je ne la pratique pas pour plaire à un homme, fût-il roi ou *toubab* [26] (européen). Je la pratique parce que Allâh, par la bouche de son envoyé Mohammad, a commandé de toujours dire la vérité. Mais puisqu'on insinue que je pourrais ne pas la dire, et qu'on veut me faire jurer pour être sûr que je ne mentirai pas, je refuse de jurer. Et à partir de maintenant, personne n'entendra plus de ma bouche ni mensonge ni vérité. Que l'on fasse de moi ce que l'on voudra. Je ne parlerai plus."

Ayant dit, il se rassit et se figea comme une boule de karité solidifiée. Jusqu'à la fin de son procès, il n'ouvrit plus la bouche, refusant de répondre à toutes les questions. Son frère Abdoul Thiam demanda au tribunal l'autorisation de répondre à la place de son aîné.

Le procès dura quinze jours. L'absence du fils du roi Aguibou Tall intrigua tout le monde, particulièrement les tirailleurs, les gardes de cercle et surtout les goumiers toucouleurs de Bandiagara que le jeune homme avait conduits jusqu'à Louta et qui avaient pu mener librement leur action répressive avant l'arrivée du commandant sans qu'il tente même de les en empêcher, comme il aurait dû normalement le faire s'il avait été porteur d'instructions contraires. Malheureusement l'absence de ce témoin essentiel, jointe aux aveux publics que Tidjani avait faits à Louta et à son refus de se défendre, enleva au commandant Charles de la Bretèche tout moyen de venir en aide à son protégé en faisant la lumière sur les événements. Il ne restait que les faits qui furent jugés sans nuance. Du moins parvint-il à sauver la tête de Tidjani en parlant seulement d'"exactions" et de "rapts de personnes".

Tidjani Thiam et Tierno Kounta Cissé furent condamnés chacun à trois années de prison, dont une de réclusion totale (c'est-à-dire au cachot, sans visites et sans sorties) ainsi qu'à une interdiction de séjour dont la durée fut alors tenue secrète. Nous ne devions la connaître que beaucoup plus tard, ainsi que les raisons politiques qui la motivaient.

Tombo Tougouri, accusé de meurtre, fut condamné à une très longue détention.

Tous les biens de Tidjani qui avaient été confisqués — richesses, animaux, cheptel — furent vendus aux enchères. Seule fut épargnée la concession qu'il avait héritée de ses parents à Bandiagara et où sa mère, ses épouses et ses proches purent continuer à vivre.

Le roi Aguibou Tall racheta tout le bétail de Tidjani et se préparait à acheter également tout le lot de chevaux, dans l'espoir d'acquérir parmi eux les célèbres coursiers Nimsaali et Kowel-Birgui qu'il convoitait depuis si longtemps. Le commandant Charles de la Bretèche, très instruit de la psychologie toucouleure, savait que le roi ferait tout pour posséder les deux étalons dont la victoire avait jadis envenimé le différend Tall-Thiam, et que, s'il y parvenait, il se flatterait d'avoir eu le dernier mot en cette affaire, ce qui pouvait déclencher une violente réaction de la part des Thiam. Dans le souci d'éviter une recrudescence du conflit, le commandant, sans prévenir le roi, fit acheter les deux chevaux par le capitaine de l'escadron de spahis. Puis il les fit envoyer discrètement sur Koulikoro où était fixé l'escadron.

Quand l'ensemble des chevaux fut amené pour la

vente aux enchères, le roi Aguibou constata l'absence des deux coursiers. Ne pouvant se contenir, il demanda au commandant où ils se trouvaient. Ce dernier l'informa qu'on les avait envoyés à Koulikoro pour le capitaine des spahis. Pour toute réponse, Aguibou cita le proverbe : "*Le tam-tam a raison de la guitare...*" — ou, en d'autres termes : "La raison du plus fort prime toujours celle des plus faibles..."

L'EXIL

Un matin, le commandant fit venir Tidjani dans son bureau.

"En raison des rumeurs qui courent dans le pays, lui dit-il, l'administration, pour éviter tout risque de désordre, se trouve obligée de t'éloigner dès maintenant de Bandiagara. Tu vas être transféré à Bougouni."

Ce transfert avait également un autre motif. Tidjani et Tierno Kounta Cissé avaient été condamnés à une première année de réclusion totale. Or la prison de Bougouni, située en plein pays bambara, était la seule équipée pour recevoir des réclusionnaires ; c'était alors le bagne du "Haut-Sénégal-et-Niger". C'est pourquoi on les y envoyait, et sans doute aussi pour les éloigner d'une région à dominante peule et toucouleure.

Tidjani répondit :

"Puisque j'ai quitté Louta et ma demeure de Bandiagara, peu m'importe où l'on m'enverra désormais."

Kadidja, informée du prochain transfert de son mari, alla trouver l'interprète Bâbilen Touré. Elle lui demanda d'intervenir en sa faveur auprès du commandant afin qu'il l'autorise à accompagner son époux. Que ne pouvait alors un interprète colonial, pourvu que le solliciteur sache étayer sa requête par la "chose nocturne", le cadeau discret que l'on échange à la nuit tombée, à l'abri des regards !... Mais Kadidja disposait de suffisamment de fortune pour acheter tous ceux dont le concours lui était nécessaire, et elle n'hésitait jamais à y mettre le prix. Bâbilen lui conseilla de demander audience au commandant et de se rendre à son bureau avec une tête et un visage composés pour la circonstance.

Charles de la Bretèche avait déjà, et cela bien avant l'éclatement de la révolte de Louta, entendu parler de cette femme peule peu ordinaire ; il ne mit donc aucune difficulté à la recevoir. Il faut dire aussi que Bâbilen avait, comme on dit, "utilisé sa bonne bouche" en faveur de Kadidja.

Par le truchement de l'interprète, Kadidja demanda au commandant la permission d'accompagner son mari à Bougouni. "S'il venait à mourir en chemin, expliqua-t-elle, quelqu'un de sa famille doit être présent pour lui rendre les devoirs religieux traditionnels. Sinon son âme ne cessera de se lamenter et d'errer en ce bas monde où elle pourrait même devenir néfaste pour les vivants."

Le commandant regarda Kadidja avec commisération. Il réfléchit un moment, mordillant pensivement le bout de son crayon, puis il lui dit :

"Je n'ai pas le pouvoir d'autoriser qui que ce soit à accompagner Tidjani Thiam car, comme tu le sais, il a été condamné à la réclusion totale ainsi que son cadi Tierno Kounta Cissé. Aucune visite, aucun accompagnement n'est donc permis. D'ailleurs, si l'on s'en était tenu aux faits de l'accusation, tous deux auraient dû être condamnés à mort ou à la réclusion perpétuelle ; mais j'ai tenu compte, dans le jugement, de certaines circonstances que j'ai découvertes et qui m'ont même fait oublier que Tidjani, dans une sorte d'accès de désespoir, a manqué me tuer moi-même sur la route, comme s'il voulait m'empêcher de lui venir en aide. Je ne peux donc t'autoriser à l'accompagner. En revanche je ne puis empêcher personne de se rendre de Bandiagara à Bougouni. La route est libre. Il suffit de demander le laissez-passer réglementaire."

Kadidja ne se le fit pas répéter deux fois. Elle remercia le commandant de sa bonté, puis lui demanda de bien vouloir lui accorder un laissez-passer pour Bougouni ainsi qu'à sa servante Batoma Sow. Le commandant lui fit aussitôt délivrer ce document, avec mention : "Voyage avec sa servante Batoma Sow."

Munie de son précieux papier, véritable gri-gri capable de faire disparaître bien des obstacles, Kadidja revint à la maison. Elle procéda discrètement à la vente de plus de quarante têtes de bétail, puis acheta tout ce qui était nécessaire pour un très long voyage. Bougouni se trouvait en effet à plus de sept cents kilomètres de Bandiagara, au sud de Bamako, en plein pays bambara.

Elle tenta de m'emmener avec elle, mais Beydari, chef de ma famille paternelle, s'y opposa fermement en raison de mon âge et des incertitudes du voyage.

La longue marche de Tidjani

L'administration prit grand soin d'entourer de secret le départ de Tidjani Thiam et de ses compagnons d'infortune. On craignait toujours quelque mouvement désespéré de la part des Thiam qui ne pouvaient supporter que leur ami subisse une peine infamante à la place des vrais coupables. Mais quelle mesure pouvait rester secrète quand les chefs de gardes qui devaient organiser le départ avaient pour épouses les fines mouches que vous savez ? Un jour, Koorka Bâbilâli surprit son époux en train de donner au brigadier-chef Bouraïma Soumaré les dernières instructions relatives au voyage. Le brigadier devait assurer le commandement du convoi jusqu'à Ségou, ville où aurait lieu une relève des gardes. Koorka en informa immédiatement ma mère. Le soir même, celle-ci demanda à Bouraïma Soumaré si elle pourrait faire officieusement partie du convoi. Bouraïma accepta mais, par prudence, lui fixa un lieu de rendez-vous à une trentaine de kilomètres de Bandiagara.

Le jour venu, au premier chant du coq, alors que toute la ville était encore endormie, les détenus furent extraits de leur prison. Tidjani et Tierno Kounta étaient liés par une même chaîne. Tombo Tougouri, lui, avait les mains attachées derrière le dos ; on lui passa autour du cou une corde solide que l'on fixa au pommeau de la selle d'un garde à cheval. Quelques prisonniers samos suivaient. Le convoi s'ébranla aussi silencieusement que possible et prit la route de Ségou.

Au lieu de rencontre prévu, ma mère, accompagnée de Batoma, se joignit au convoi qu'elle suivit à petite distance. Elle avait avec elle trois bœufs porteurs chargés de vivres et de friandises qu'elle comptait renouveler au cours du voyage.

Le brigadier-chef Bouraïma Soumaré avait reçu pour consigne, par mesure de sécurité, d'éviter les grandes routes fréquentées. Le convoi s'enfonça dans une brousse vierge parsemée de buissons d'épineux et de piquants drus de toutes espèces. La végétation était si dense que l'on ne pouvait progresser qu'en taillant au coupe-coupe les lianes et les hautes herbes qui barraient le chemin. Parfois même on était obligé d'allumer des feux de brousse pour se frayer un passage, et il fallait attendre le lendemain pour pouvoir continuer la route.

A la merci des intempéries et des fauves, lesquels pullulaient à l'époque entre Bandiagara et Ségou, les hommes avançaient péniblement, à raison de vingt-cinq kilomètres par jour dans le meilleur des cas. Ils profitaient parfois de ce qui restait des sentiers frayés jadis par l'armée d'El Hadj Omar ou par celle du colonel Archinard lorsqu'il poursuivait à travers le pays Ahmadou Cheikou, le fils aîné d'El Hadj Omar.

Après avoir contourné Djenné, le convoi se dirigea sur Saro, un gros bourg peuplé de Bambaras où se tenait ce jour-là un grand marché hebdomadaire. Bouraïma Soumaré décida de s'y arrêter pour renouveler les provisions de ses hommes.

Tidjani Thiam et Tierno Kounta, qui avaient donné leur parole de ne pas chercher à s'évader, avaient été déliés dès Djenné, ce qui avait permis à Tidjani, doué d'une force peu commune et habitué aux durs travaux depuis son enfance, d'ouvrir le chemin à larges coups de coupe-coupe, à la plus grande satisfaction des gardes et de ses compagnons de voyage. Tombo Tougouri, lui, avait refusé de promettre qu'il ne se sauverait pas. On lui laissa donc les mains attachées derrière le dos.

Lorsqu'ils arrivèrent au marché, Bouraïma Soumaré et les gardes s'égaillèrent parmi les étals pour se ravitailler en vivres et renouveler leurs provisions de noix de cola, tabac et autres petits articles de plaisir. Ils avaient laissé Tombo Tougouri assis à l'ombre d'un fromager en compagnie d'un seul garde, mais celui-ci, sous l'effet conjugué de la chaleur et de la fatigue, ne tarda pas à s'assoupir. Bientôt sa tête s'affaissa sur sa poitrine.

Une jeune femme de race samo était venue au marché

pour vendre des denrées. Comme elle passait devant le fromager, elle vit le garde endormi et Tombo Tougouri qu'elle identifia comme un chasseur samo grâce à ses balafres rituelles. Elle s'approcha de lui. Ils échangèrent un regard d'intelligence. Sans doute comprit-elle que le prisonnier souhaitait avoir les mains libres, car elle s'éclipsa et revint presque aussitôt munie d'un couteau. Se glissant derrière Tombo Tougouri, elle coupa adroitement les cordes qui lui enserraient les mains, n'en laissant qu'une seule que le prisonnier pouvait défaire aisément. Non loin de là, Tierno Kounta avait observé le manège de la femme et compris ce qui se passait. Il en avertit Tidjani. "Fais comme si tu n'avais rien vu, conseilla ce dernier. Ne disons rien pour l'instant. Attendons."

A leur retour, les gardes ne s'aperçurent de rien. Bouraïma Soumaré décida que la petite troupe dormirait sur place et que l'on repartirait le lendemain à l'aurore. A la nuit tombée, après qu'un palefrenier lui eut fait prendre son repas bouchée par bouchée, Tombo Tougouri s'allongea et ferma les yeux. Le garde de cercle Tiessaraman Coulibaly posa son fusil chargé contre un petit muret (en mission, les armes étaient toujours chargées) puis, comme tous ses collègues, s'allongea sur le sol. Il s'endormit aussitôt profondément.

A une heure avancée de la nuit, Tombo Tougouri se débarrassa doucement de ses cordes. Puis, rampant lentement sur le dos de manière à n'être pas surpris dans une position inhabituelle, il se dirigea vers le fusil du garde. Tidjani, qui ne dormait pas, l'observait. Quand Tombo Tougouri fut assez près de l'arme chargée, il bondit pour s'en saisir, mais un violent coup de pied dans le flanc le stoppa en plein élan. Avant qu'il ait pu reprendre ses sens, Tidjani s'était emparé de l'arme et la pointait sur lui. Sous l'effet de la douleur, Tombo Tougouri se trémoussait sur le sol. "Si tu bouges, je fais de toi un cadavre", lui dit Tidjani. Le Samo savait bien que celui dont il avait assassiné le frère pour un bouc était capable de l'expédier dans l'autre monde sans protocole. Il se mit à trembler de tous ses membres, mais seuls ses nerfs l'avaient trahi; son cœur, la suite le prouva, n'éprouvait aucune peur.

Bouraïma Soumaré et ses compagnons s'étaient réveillés en sursaut. Ils n'eurent aucune peine à maîtriser Tombo Tougouri, qui avait pourtant retrouvé toute son énergie. On aurait dit un sanglier furieux réduit à l'impuissance par une meute. Bouraïma Soumaré lui demanda ce qu'il comptait faire avec le fusil. Il ricana: "D'abord, tuer Tidjani Thiam et son cadi, puis supprimer tous ceux d'entre vous qui auraient tenté de m'arrêter." Il est hors de doute que, sans l'intervention de Tidjani, il aurait fait un carnage.

Bouraïma Soumaré comprit qu'il avait affaire à un irréductible dont le corps tremblait beaucoup plus de colère que de peur. Pour éviter tout nouvel incident, il le chargea cette fois-ci de chaînes de fer, ce qui ralentit encore la marche du convoi.

Lorsqu'ils arrivèrent à Ségou, le brigadier-chef rendit compte aux autorités de la tentative de Tombo Tougouri, et souligna le courage dont avait fait preuve Tidjani Thiam.

Tombo Tougouri fut maintenu en détention à Ségou, où il purgea une longue peine au prix de mille aventures pénibles. Mais il devait survivre et retourner finalement dans son village de Toïni. Lorsque j'y passai en 1932, il y vivait encore. Les autres prisonniers samos restèrent également à Ségou.

La population du pays étant à dominante bambara, les autorités estimèrent que Tidjani Thiam et Tierno Kounta Cissé cessaient d'être dangereux et que l'on pouvait désormais prendre le risque de les acheminer sur Bamako par le fleuve. On les embarqua sur une pirogue-prison avec une escorte de trois gardes. Kadidja et Batoma, qui jusque-là avaient suivi le convoi à distance, prirent place dans une autre pirogue.

A Koulikoro, dernière étape fluviale avant Bamako, les prisonniers quittèrent le fleuve et furent acheminés par chemin de fer jusqu'à Bamako, où ils furent remis entre les mains du commandant. Sous la garde d'une nouvelle escorte, ils reprirent la route et firent à pied les cent soixante kilomètres qui les séparaient encore de Bougouni, point terminal de leur long et éprouvant voyage.

Le "village de Kadidja"

A Bougouni, les instructions de réclusion absolue qui avaient précédé les deux prisonniers avaient été interprétées d'une façon extrêmement sévère par le commandant en place. Un cachot étroit, hérissé de pointes, pratiqué dans une sorte de cave profonde, humide et privée de lumière, attendait les deux malheureux. Ils y furent descendus dès leur arrivée. Un tronc de jeune caïcédrat traversait la cellule de part en part, fixé de chaque côté dans le mur. Tidjani et Tierno Kounta furent placés aux deux extrémités du tronc. On engagea leurs pieds dans des anneaux de fer dont les très courtes chaînes étaient clouées au bois de l'arbre.

C'est dans ce trou noir, immonde, insalubre, où l'on ne voyait jamais ni être humain ni lumière, que Tidjani et Tierno Kounta allaient vivre désormais comme dans une porcherie. On leur descendait leur nourriture au moyen d'un seau muni d'une longue corde, un autre seau servant à vidanger les lieux.

Kadidja avait sollicité une audience auprès du commandant de cercle, mais celui-ci n'avait pas daigné la recevoir. Elle eut la chance de trouver en ville un proche parent peul, Galo Bâ. Originaire du Fouta Toro (Sénégal), celui-ci avait autrefois suivi la colonne française pourchassant Samory, puis avait fini par se fixer à Bougouni où il avait fondé une famille. Kadidja trouva également un cousin éloigné de Tidjani, nommé Mamadou Thiam, qui gérait dans la ville un petit comptoir commercial.

L'un de ces deux parents, je ne sais plus lequel, la mit en rapport avec le chef de canton de Bougouni, Tiémokodian, qui était le plus grand chef bambara traditionnel du pays. Celui-ci, touché par les malheurs de ma mère, lui donna l'hospitalité dans sa propre maison. En quelques mois, elle avait conquis les femmes et les enfants de

Tiémokodian, puis Tiémokodian lui-même. Elle tressait les cheveux des épouses du chef en d'artistiques coiffures "à la peule", leur enseignait des recettes nouvelles... C'est ainsi qu'elle entra dans l'intimité du plus grand chef du pays et qu'elle fit la connaissance de tous les notables de Bougouni. Au début de son séjour, elle ne parlait pas un mot de bambara et devait recourir à un interprète, qui était le plus souvent Galo Bâ. Mais, douée pour les langues comme presque tous les Africains de cette époque, elle ne tarda pas à se débrouiller, puis à parler couramment la langue du pays.

Malgré toutes ses tentatives, Kadidja ne put communiquer avec son mari. La consigne était féroce. Le commandant de cercle exerçait une surveillance constante et soupçonneuse. Le moins que l'on puisse dire est que ce commandant — dont je tairai le nom par égard pour sa famille — était plutôt bizarre.

Son plus grand plaisir était de visiter la prison, la poudrière et la trésorerie plusieurs fois par jour et même la nuit, ce qui lui était d'autant plus facile qu'il ne pouvait dormir qu'entre quinze et dix-huit heures. Aucun traitement n'avait pu lui rendre son sommeil, perdu après une maladie contractée en Indochine. Il était en outre affligé d'un tic bizarre. A intervalles réguliers et fréquents, sa bouche s'ouvrait et se fermait comme pour mordre le vent. Et chaque fois que la contraction de ses muscles buccaux le lui permettait, il criait comme un dément. On lui donna vite le sobriquet de *coumandan dajenje kloti* : "commandant bouche-tordue-éclate-cris". Quelques mois plus tard, une fièvre pernicieuse le terrassa et on le rapatria d'urgence en métropole.

Il fut remplacé, heureusement pour ma famille, par un homme doté de grandes qualités humaines, le commandant de Courcelles. Celui-ci ne tarda pas à être surnommé *denkelen-bourou* : "trompette pour fils unique", car il avait pour habitude, chaque soir, entre quatorze heures et vingt heures, de jouer d'un instrument à vent appelé piston. Son boy Ousmane Ouaga Taraoré racontait partout que cet instrument était fait d'or massif et qu'il avait été spécialement coulé pour le commandant par des forgerons-orfèvres de France à la demande de ses parents, des nobles richissimes qui, n'ayant pu empêcher leur fils de partir à la colonie, lui avaient offert ce souvenir afin qu'il puisse jouer les airs réservés à la grande noblesse française et "flûter" chaque fois que son cœur ne pourrait plus contenir sa nostalgie. "L'instrument de mon patron, déclarait-il à qui voulait l'entendre, a coûté l'équivalent du prix de cinq cents belles génisses, plus cinquante étalons pur-sang du Sahel!" C'était pour lui façon de "monter en épingle" son patron, et lui-même par la même occasion.

La générosité du commandant, qui avait la main très large, contribua pour beaucoup à rendre ces propos vraisemblables.

La résidence du commandant était bâtie au sommet de l'une des collines qui s'élèvent à l'est de Bougouni. On l'appelait *coumandan-koulou:* "la colline du commandant". Toute la vallée qui s'étalait au pied de cette colline appartenait au grand chef bambara Tiémokodian, ou plutôt relevait de son autorité traditionnelle en tant que "maître de la terre", fonction rituelle qui l'habilitait à sacrifier aux génies de la terre afin que les hommes puissent l'exploiter sans dommage. C'est là qu'il avait ses propres champs de mil, de maïs et d'ignames.

Peu avant l'arrivée à Bougouni du commandant de Courcelles, Kadidja avait demandé au chef Tiémokodian de bien vouloir lui céder un lopin de terre au pied de la colline pour y bâtir des cases à usage d'habitation et y faire un peu de culture. Tiémokodian répondit à ma mère que la Terre-Mère appartenait à Dieu et aux ancêtres et qu'elle était trop sacrée pour être possédée par qui que ce soit; on ne pouvait donc en céder la "propriété". Néanmoins, aucun "maître de la terre" ne pouvait non plus en refuser l'usage à qui voulait mettre en valeur une parcelle inexploitée. Il suffisait de "payer la coutume", soit dix noix de cola, une tabatière pleine de tabac à chiquer ou à inhaler, sept coudées de bandes de coton blanc, un coquelet et un morceau de sel gemme. Kadidja paya la coutume, ce qui lui donna le droit de désigner le terrain qui lui convenait et, après la cérémonie rituelle célébrée par Tiémokodian, de l'exploiter non à titre de "propriété", mais comme une sorte d'usufruit.

Elle choisit un terrain d'une superficie de deux hectares, situé à environ deux kilomètres de la ville, au carrefour des routes qui menaient à l'ouest vers la Guinée, au nord-ouest vers Bamako et, au sud, vers la Côte d'Ivoire. La route menant à Bamako était d'ailleurs en voie d'agrandissement.

Kadidja avait son idée derrière la tête. Les caravanes de commerçants dioulas [27] qui faisaient le va-et-vient entre le pays du sel, au nord-est, et le pays de la cola au sud (actuelle Côte d'Ivoire) passaient toutes par cette route. Aussi projetait-elle de bâtir sur ce terrain non seulement un groupe d'habitations à usage familial, mais aussi un campement d'accueil où les Dioulas de passage trouveraient gîte et nourriture. Elle s'en était ouverte à Tiémokodian, qui avait soumis lui-même le projet au commandant "bouche-tordue-éclate-cris". Celui-ci donna son autorisation. Kadidja commença par faire creuser dans le terrain deux grands puits, l'un pour sa famille, l'autre pour les voyageurs. Puis elle fit aménager le campement proprement dit, lequel comprenait quelques cases et paillotes plus un très grand hangar d'environ vingt mètres sur cinq. Ainsi les Dioulas n'auraient plus besoin de se détourner de leur route pour aller se ravitailler, se reposer ou dormir à Bougouniville. Les gens de Bougouni, toujours prompts à donner un nom à toute chose, baptisèrent le lieu *foulamoussobougou :* "le village de la femme peule", puis *Kadidiabougou :* "le village de Kadidja".

Ma mère avait demandé à une femme dioula de Bougouni de montrer à Batoma comment on préparait les galettes et la bouillie de mil dont les Dioulas étaient friands, surtout pour leur petit déjeuner du matin. Batoma devint si experte en la matière qu'elle allait même vendre ses galettes dans les marchés des alentours.

De leur côté les femmes des gardes de cercle venaient toutes se faire tresser les cheveux par ma mère, qui finit par devenir leur confidente et leur conseillère écoutée.

Lorsque le commandant de Courcelles arriva à Bougouni, il trouva le campement en plein rendement, bruissant d'activités. Il apprit non sans surprise que le lieu avait été fondé par une femme étrangère à la région, une Peule, et de surcroît épouse d'un reclus! Désireux d'en savoir davantage, il se fit communiquer le dossier complet du détenu Tidjani Thiam et l'étudia avec attention. Il en conclut que la vérité sur l'affaire de Louta était loin d'avoir été établie par l'instruction et que le jugement ne l'explicitait pas davantage. Intrigué, il donna l'ordre de faire venir dans son bureau Tidjani et Tierno Kounta. Il découvrit deux hommes épuisés, aux membres affaiblis, à demi aveugles, les paupières clignant sous la lumière du jour, la peau couverte de croûtes de saleté et de plaies suppurantes et répandant autour d'eux l'odeur des latrines. Tierno Kounta, beaucoup plus âgé que Tidjani et de constitution plus frêle, ne pouvait plus se tenir debout. Ils avaient chacun une barbe de plusieurs mois.

Le commandant de Courcelles donna immédiatement l'ordre de retirer les deux prisonniers de ce qu'on appelait le *kaso-kolon* (le "puits-prison") et de les transférer dans une cellule normale. Puis il chargea l'aide-médecin indigène du poste de les soigner jusqu'à ce qu'ils recouvrent leurs forces. Kadidja, avec la connivence des gardes, leur fit envoyer régulièrement des vivres.

Le commandant, on ne sait pourquoi, se passionna pour "l'affaire Tidjani Thiam". Avait-il été informé par l'un de ses boys, un Toucouleur du clan Ly lié au clan Thiam par alliance et à qui Kadidja avait conté toute l'histoire? Quoi qu'il en soit, en excellent juriste qu'il était, il éplucha le dossier. Il y trouva des lacunes, et même un vice de forme dans le jugement qui avait condamné Tidjani et Tierno Kounta. Il adressa un rapport aux autorités. Je ne sais comment il s'y prit, mais en fin de compte le jugement fut révisé par une haute instance de Kayes, chef-lieu de la colonie "Haut-Sénégal-et-Niger". La peine de réclusion fut transformée en peine de prison de droit commun. La résidence obligatoire à Bougouni pour une durée tenue secrète était, elle, maintenue, mais il s'agissait là, comme nous l'apprendrions plus tard, d'une mesure plus politique que judiciaire.

Tidjani et Tierno Kounta, enfin revenus à la lumière du jour, furent autorisés à recevoir la visite de leurs parents et amis dans leur nouvelle prison. Malgré les soins médicaux et la bonne nourriture, il leur fallut plusieurs mois pour se remettre de leurs épreuves. Dès qu'ils retrouvèrent leurs forces, ils furent astreints aux corvées auxquelles tous les prisonniers de droit commun étaient alors soumis. Les plus rudes travaux de l'époque étaient dus au percement d'une route à travers la forêt depuis le bord du fleuve jusqu'à la grande route de Bamako. Il s'agissait d'élargir le sentier que les commerçants dioulas en provenance de Bamako avaient pris l'habitude de prendre pour pouvoir rejoindre Bougouni sans faire un détour.

Tidjani Thiam, ses forces recouvrées, se montra un défricheur et un coupeur de gros arbres exceptionnel. Il était infatigable ! Heureux de se retrouver au grand air, il abattait sa hache à coups de bras puissants, tout en chantant de grands poèmes en langue arabe, particulièrement la célèbre *Bourda* du cheikh Mohammed-el-Bushiri et la *Safînatou Saada* d'El Hadj Omar, composés en l'honneur du Prophète.

Tidjani récoltait les fruits du sévère apprentissage auquel son père l'avait soumis durant sa jeunesse et qui lui avait donné sa force et son endurance hors du commun. Tous les princes africains qui, pendant la colonisation, furent incarcérés à Bougouni en moururent, sauf mon père Tidjani — Tierno Kounta lui-même ne devait pas y survivre longtemps. Chaque fois qu'il donnait un coup de hache sur le tronc d'un arbre, Tidjani disait : "Merci, mon père ! Je croyais que tu ne m'aimais pas, je ne savais pas que tu me préparais à cela !" Et il abattait l'arbre en un temps record !

Pour suivre l'avancement des travaux, le commandant de Courcelles n'avait pas besoin de se rendre sur place ; il lui suffisait de descendre au premier niveau de la colline et de braquer sur le chantier les gros yeux de ses puissantes jumelles. Il semblait prendre plaisir à voir Tidjani, prince toucouleur et ancien chef d'une grande province, accepter de travailler plus durement qu'un captif et, semblait-il, avec une joie réelle. En fin de compte, de Courcelles constata que c'était pratiquement Tidjani qui menait les travaux, et non le chef garde de cercle qui passait le plus clair de son temps assis à l'ombre d'un arbre, à siroter sa bière de mil.

Ce garde grognon, qui s'était lui-même surnommé *gonfin yirijougou feere* ("chimpanzé noir fleur d'un arbre vénéneux"), ne se levait que pour fouetter à plaisir, et sans aucun motif valable, le premier prisonnier qui passait à portée de son bras. "Ma langue et ma main me démangent, aimait-il dire. Or, les prisonniers sont faits pour être insultés et cravachés." Et chaque fois qu'il prononçait cette phrase, il fonçait tête baissée dans le groupe des prisonniers qu'il frappait à coups redoublés, devant, à droite, à gauche, tout en proférant mille insultes grossières. Quand il était fatigué de cogner, il posait ses deux mains sur ses hanches, la cravache serrée sous son aisselle, rotant de temps en temps bien fort pour marquer son état d'homme repu et satisfait, et lançait aux prisonniers en langue bambara: "Priez les mânes de vos ancêtres pour que mon « petit frère » (il appelait ainsi son fouet) que vous voyez coincé là sous mon bras n'en soit pas délogé, sinon il viendra labourer vos dos de criminels tout comme la *daba* laboure les mauvaises herbes des champs. Le commandant est là-bas, au sommet de la colline où il trône comme un grand aigle des airs, mais ici, dans la vallée, je suis comme l'hippopotame qui ravage les rizières. Ici, c'est moi qui commande, et non le commandant." Et il ajoutait, dans son "français des tirailleurs" (appelé français *forofifon naspa*): "*Allez, travadjé travadjé!* (Travaillez!) *Sinon mon cochon, moi cochonner vous comme y faut!*"

A l'insu de Gonfin, le commandant de Courcelles continuait sa surveillance discrète. Après plusieurs mois de travail, la route, longue d'une quinzaine de kilomètres, était presque terminée. Il ne restait plus qu'un petit pont à réaliser. La fantaisie prit soudain Gonfin de faire venir de grandes caisses d'emballage vides dont chacune avait servi à transporter douze bouteilles d'alcool logées dans des manchons de paille tissée. Il distribua les caisses aux prisonniers et leur ordonna d'aller les remplir de terre et de les rapporter jusqu'au pont. "J'exige, aboya-t-il, qu'aujourd'hui même, avant le coucher du soleil, vous ayez complètement fini de remblayer le pont et de damer la chaussée." Il chargea son fusil de cinq balles et le posa contre un arbre. "Ô camarade pète-fort, dit-il à son fusil, tu vas te reposer là contre cet arbre en attendant qu'un prisonnier malavisé m'oblige à me servir de toi contre lui." Puis, se tournant vers les prisonniers: "Allez! cria-t-il. Que pics, pelles et pioches jouent l'air des fossoyeurs, et que les «caisses de douze» se remplissent de terre... *Allez, travadjé travadjé! Sinon mon cochon, moi cochonner vous comme y faut!*"

Il y avait environ une dizaine de prisonniers. Tidjani était parmi les piocheurs-pelleteurs, tandis que Tierno Kounta avait été affecté au transport des caisses que les prisonniers portaient sur leur tête. Or, chacune de ces caisses bien remplies de terre ne pesait pas moins de trente à trente-cinq kilos. Après quelques voyages, Tierno Kounta fut si épuisé qu'il s'écroula et que sa caisse manqua lui broyer le crâne. Gonfin bondit en brandissant sa cravache: "Espèce de singe rabougri! Lève-toi, reprends-moi cette caisse et plus vite que ça, ou tu sauras que les mains de Gonfin ne sont pas lisses..."

Tidjani, sa pelle à la main, accourut pour tenter d'empêcher Gonfin de frapper le vieil homme. "Gonfin, lui dit-il, la caisse est trop lourde pour un homme de plus de soixante ans. Laisse-le souffler un peu..." Gonfin ferma son poing et serra les dents. Les yeux hors des orbites, il se pencha vers Tidjani qui, sa pelle en main, attendait calmement. "Toi qui pouvais te vanter de n'avoir pas encore reçu ton baptême de coups de fouet de mes mains, tu ne le pourras plus. Attrape! Voici ton premier service!" Et il leva son fouet. Au moment où il allait l'abattre sur Tidjani, celui-ci para le coup avec le manche de sa pelle, puis saisit promptement le fouet qu'il arracha des mains de Gonfin. Fou de colère, celui-ci se précipita vers son fusil, mais Tidjani lui lança sa pelle à travers les jambes. Gonfin s'y empêtra et alla s'étaler de tout son long à quelques mètres de l'arme. Avant qu'il ait eu le temps de réaliser ce qui lui arrivait, Tidjani l'avait enjambé, avait pris le fusil et le lui braquait sur le front: "Debout! Et les deux mains sur la tête ou je te fais sauter la cervelle avec ton propre fusil. Et tu sais que je suis homme à le faire..."

Les prisonniers, affolés, se mirent à pousser des cris.

Le commandant de Courcelles, du haut de son poste d'observation, n'avait rien perdu de la scène. Il envoya immédiatement cinq gardes remettre de l'ordre. Il recommanda au brigadier Toumani Kamara de reprendre le fusil des mains de Tidjani et d'attendre que lui-même arrive sur les lieux.

Les gardes coururent de toutes leurs jambes. Arrivés sur place, ils n'eurent aucune difficulté à calmer les prisonniers, mais lorsque Toumani Kamara demanda à Tidjani de lui remettre le fusil, celui-ci refusa. "Si je dois rendre ce fusil, dit-il, je ne le ferai qu'entre les mains du commandant lui-même."

On était allé dire à Kadidja que son mari s'était révolté après s'être emparé du fusil et des cartouchières du surveillant-chef. Sans même prendre le temps de couvrir sa tête ni d'enfiler des chaussures, elle s'élança hors de la maison. Pieds nus, cheveux au vent, elle courut jusqu'au chantier où elle arriva presque en même temps que le commandant. Elle se précipita vers son mari. Tremblant, les yeux hagards, celui-ci lui cria : "Arrière, arrière, Kadidja ! Eloigne-toi, je vais en finir avec cette vie d'enfer et de honte !"

Elle se jeta sur lui : "Naaba ! Naaba ! M'as-tu fait venir ici pour t'évader dans la mort et partir comme un lâche, me laissant dans l'embarras, seule et à la merci de tous ? Si tu es décidé à mourir, alors tire d'abord sur moi, afin que je ne devienne pas une misérable veuve après ta mort." Et tout en parlant, Kadidja le serrait avec force pour l'empêcher d'agir.

Le commandant de Courcelles s'avança : "Allons, pauvre Tidjani, rends-moi ce fusil. J'ai tout vu, tu n'as rien à craindre."

De Courcelles ignorait qu'il venait de se servir d'une expression qui n'avait jamais cessé de bourdonner dans les oreilles de Tidjani depuis que Charles de la Bretèche l'avait prononcée sur la route de Louta. Ce fut comme s'il avait utilisé une formule magique. Toute fureur retombée, tel un fauve dompté, Tidjani s'approcha de lui. Instinctivement il se mit au garde-à-vous, la main droite à la tempe comme il l'avait vu faire aux gardes, aux tirailleurs et aux spahis. Puis il tendit l'arme et les cartouchières en disant en français : "Pardon, ma coumandan..."

Kadidja se jeta aux pieds de De Courcelles, répétant à son tour en français : "Pardon, pardon, ma coumandan !" et portant ses deux mains de chaque côté de sa tête en une maladroite imitation du salut militaire. Le commandant sourit. Il la releva, puis chargea le brigadier Toumani Kamara de ramener tout le monde à la Résidence. Là, il donna ordre de reconduire Tidjani à la prison et d'hospitaliser Tierno Kounta, visiblement fort mal en point. Puis il eut un entretien privé avec Gonfin. Quand celui-ci sortit de son bureau, le commandant fit venir Kadidja : "Retourne dans ton campement, lui dit-il, et ne crains rien. Il ne sera fait aucun mal à ton mari."

Lorsque Kadidja sortit du bureau, elle se trouva nez à nez avec Gonfin qui était demeuré sans bouger devant la porte, comme figé au garde-à-vous. Leurs yeux se croisèrent. Jamais, depuis, Kadidja n'oublia l'expression qu'avait prise le visage de Gonfin. Cette brute épaisse, qui appelait son fouet tantôt "petit frère", tantôt "compagnon de voyage", semblait foudroyée sur place. En fait de voyage, c'est lui qui était arrivé au village "Revers de fortune", "rue de l'adversité"... Que s'était-il passé entre lui et le commandant ? On ne le sut jamais. Toujours est-il que durant huit jours entiers personne ne vit Gonfin déambuler dans les rues comme il en avait l'habitude, titubant, ivre mort, criant comme un dément qui marche sur des braises. Le neuvième jour, Fambougouri Diaguité, un palefrenier du commandant, accourut chez Kadidja : "Sucre ma langue, lui dit-il, afin qu'elle t'annonce une heureuse nouvelle !" — façon, pour un porteur de nouvelles, de demander un cadeau. Kadidja lui donna une pièce de dix centimes, qui se monnayait alors contre quatre-vingts cauris. Il y avait là de quoi se payer beaucoup de sucreries, et même de quoi nourrir pendant toute une journée une petite famille.

Fambougouri enveloppa soigneusement sa piécette de cuivre rouge dans un chiffon, rangea le tout dans la poche de son boubou, puis, regardant Kadidja, lui livra enfin sa nouvelle : "Ce matin, dit-il, alors que j'attendais le lever du disque solaire pour l'honorer, j'ai vu de mes yeux, oui, de mes propres yeux, le brigadier Toumani Kamara faire sortir Gonfin du bâtiment de la prison. La femme de Gonfin avait amené devant la porte un âne chargé de bagages. Le brigadier Toumani a remis à Gonfin une grande enveloppe. Gonfin l'a rangée dans ses bagages, puis, avec sa femme et son âne, il a pris la route de Bamako. Je les ai suivis des yeux jusqu'au moment où l'horizon les a avalés. Ils sont partis, envolés comme des feuilles mortes quand soufflent les vents annonciateurs de pluie. J'ai l'impression que le commandant a licencié ou fait déplacer Gonfin. Combien Koro Zan a eu raison de dire en adage : «*Les morceaux de bois pourris du mauvais puits finissent toujours par retomber dans le puits !*» (Ou : les conséquences d'une mauvaise action retombent tôt ou tard sur son auteur.) Gonfin se nommait lui-même «fleur d'un arbre vénéneux» ! Eh bien, qu'il aille porter ses fruits là où Dieu lui-même n'aura pas pitié de lui. *Amîne !* (Amen.)"

En vraie femme peule qu'elle était, Kadidja sut dominer sa joie. Sans rien montrer sur son visage, elle donna à Fambougouri une deuxième pièce de dix centimes et lui servit une pleine calebassée d'un fin couscous de mil arrosé de lait frais sucré. De ce jour, Fambougouri compta parmi les informateurs sûrs de Kadidja dont il fréquenta régulièrement la maison.

Mais revenons à Tidjani. Il n'avait pas seulement appris, dans son jeune âge, à manier pelle, pioche, hache et houe de cultivateur, il n'était pas seulement — on l'a vu à Toïni — un tireur émérite et un cavalier expert, il savait aussi, chose plus inattendue pour le lecteur européen, coudre et broder à la manière des métis arabes de Tombouctou. Dans les pays ouest-africains situés au sud du Sahara (ce que l'on appelait jadis le Bafour) les nobles toucouleurs et peuls n'avaient pas le droit de pratiquer les travaux manuels propres aux castes artisanales [28] (forgeronnerie, tissage, cordonnerie, travail du bois, etc.) mais il leur était permis de broder et de vendre leur travail. Tierno Bokar lui-même était un remarquable brodeur. Plus tard j'apprendrai moi aussi cet art et il m'arrivera de broder à la main de magnifiques boubous qui, aujourd'hui, seraient hors de prix !

Il se trouvait que le commandant de Courcelles avait un beau couvre-lit réalisé dans un tissu blanc spécial. C'était un souvenir de famille auquel il tenait comme à une sainte relique. Un jour une bestiole, une souris peut-être, rongea le centre de ce couvre-lit et y pratiqua un très gros trou vaguement circulaire. Comme le commandant se lamentait, ne sachant comment réparer ce trou intempestif et disgracieux, son boy Ousmane Ouaga lui suggéra de montrer le couvre-lit à Tidjani et de lui demander conseil.

Tidjani examina la pièce, puis demanda au commandant de faire venir à Bougouni trois petits écheveaux de soie : un blanc, un rouge et un bleu. Un mois après, Tidjani avait à sa disposition des bobines de soie de toutes les couleurs ainsi que tout un nécessaire pour tailleur-brodeur. Il arrondit le trou aux ciseaux pour lui donner une forme régulière, puis il le combla en exécutant un fin travail de bouclettes. Quand ce fut terminé, il entoura le tout d'une tresse circulaire ornée de motifs aux couleurs du drapeau français. Cette broderie artistique rehaussa la beauté du couvre-lit d'une manière des plus inattendues, à la plus grande satisfaction du commandant.

De plus en plus intrigué par la personnalité de cet étrange prisonnier, sans doute souhaita-t-il mieux le connaître, car il chargea le brigadier Toumani Kamara de placer un "mouton" dans sa cellule. On ignore ce qui en résulta, mais toujours est-il que jamais l'attitude de bienveillance du commandant de Courcelles envers Tidjani ne se démentit par la suite.

Entre-temps, la route qui menait de Bougouniville à la Résidence avait été terminée. Tidjani fut chargé de planter, de chaque côté de cette belle route, de jeunes pousses de fromager qu'il allait lui-même arracher une à une dans la brousse. Il effectua là un travail de titan. Et cinquante-six ans plus tard, ces mêmes fromagers plantés par Tidjani Thiam en tant que prisonnier allaient devoir, en raison de leur âge, être coupés sur ordre de mon cousin Ousmane Cissé qui, après l'indépendance du Mali, sera nommé... commandant du cercle de Bougouni ! Ironie de l'Histoire...

Bientôt Tidjani et Tierno Kounta eurent purgé plus

d'un an de leur peine. A part l'incident avec Gonfin, ils n'avaient fait l'objet d'aucun rapport défavorable ni de la part du régisseur de la prison ni de la part des gardes. Le commandant de Courcelles donna ordre de les faire travailler moins durement. Tierno Kounta fut désigné pour actionner le *panka* (panneau de ventilation) au bureau du trésorier du cercle. Quant à Tidjani, il fut chargé de s'occuper du jardin de la Résidence.

A la longue, le commandant de Courcelles s'en fit un ami. Kadidja eut ses entrées libres à la prison. Dans la journée, Tidjani pouvait circuler en ville à sa guise, mais avec des chaînes aux pieds et en compagnie d'un garde. S'il l'avait voulu, sans doute aurait-il pu passer la nuit à la maison mais il n'usa jamais de cette possibilité. Il ne venait à Kadidiabougou (le "village de Kadidja") qu'après avoir terminé son travail de la journée. Puis, dès vingt et une heures, il regagnait la prison.

C'est alors que le gouverneur William Ponty, fondateur de la fameuse Ecole normale portant son nom dans l'île de Gorée, au Sénégal, vint à passer à Bougouni au cours de l'une de ses tournées. Le maître d'hôtel et le cuisinier qui l'accompagnaient partout se trouvaient être tous deux des Toucouleurs, et de surcroît membres de la confrérie Tidjaniya, comme Tidjani Thiam et toute notre famille. Ces deux domestiques, qui ne quittaient jamais le gouverneur, veillaient à son bien-être et à la qualité de sa nourriture et lui servaient éventuellement de source d'information directe. Kadidja entra en rapport avec eux. Elle leur expliqua toute l'affaire de Louta, puis leur fit envoyer mille noix de cola, du lait et un bon couscous de mil accompagné d'une sauce au mouton. Les deux hommes exposèrent au gouverneur Ponty le cas de Tidjani Thiam et de son vieux compagnon. Ils sollicitèrent même, pour les deux prisonniers, une remise gracieuse du restant de leur peine.

Ponty connaissait on ne pouvait mieux le roi Aguibou Tall. Il lui gardait même, dit-on, une rancœur tenace parce que Aguibou, au temps où il remplissait les fonctions de premier conseiller du colonel Archinard (avant de devenir "roi" de Bandiagara), n'aurait eu aucun égard pour lui, William Ponty, qui n'était alors que le petit secrétaire privé du conquérant français.

Ponty demanda au commandant de Courcelles son appréciation sur la conduite et la mentalité de Tidjani Thiam et de son compagnon. Le rapport de Courcelles étant des plus favorables, Ponty lui donna ordre d'introduire, en faveur des deux détenus, un dossier de remise gracieuse du restant de leur peine à l'occasion du prochain 14-Juillet.

Pendant que le dossier s'engageait sur le long et tortueux chemin de la voie hiérarchique administrative, Kadidja apprit la mort de son grand frère Bokari Pâté, l'ami de jeunesse de Tidjani et de Tierno Bokar. Bien qu'enceinte de quelques mois, elle décida de rejoindre immédiatement Bandiagara. Son commerce ayant bien marché, elle avait fait de confortables économies qui lui permirent d'acheter d'importantes quantités de riches étoffes et d'articles divers. Elle chargea le tout sur des bœufs porteurs, y ajouta des provisions de bouche, puis, profitant de ce qu'une caravane se dirigeait sur Bamako, elle prit la route, accompagnée de sa fidèle Batoma.

Kadidja fit son entrée à Bandiagara non pas comme la femme d'un bagnard, mais comme une riche marchande revenant de voyage et chargée de richesses rares. Elle distribua beaucoup de tissus et de bibelots aux parents, aux amis, aux notables de la ville.

Après avoir rendu ses devoirs à la mémoire de son frère, elle liquida sa succession. Ce fut d'autant plus facile qu'aucun de ses deux frères aînés, Amadou et Bokari, n'avait laissé d'enfant — comme l'avait annoncé jadis l'oncle Eliyassa. De sa famille, il ne lui restait plus désormais que son frère cadet Hammadoun et sa sœur cadette Sirandou, tous deux chefs d'importantes associations à Bandiagara.

Kadidja vendit une cinquantaine de bœufs pour faire face aux frais du voyage de retour. Elle commença par faire partir sur Bougouni, en un premier convoi, sa coépouse Diaraw Aguibou, fille d'Aguibou Tall. Kadiatou

Bokari Moussa, la première épouse, n'en faisait pas partie. En effet, Tidjani, avant de partir pour son lointain exil, avait offert à toutes ses femmes le divorce et la liberté ; seule sa cousine Kadiatou Bokari Moussa avait accepté cette offre et choisi de recommencer sa vie.

En plus de Diaraw Aguibou, ce premier convoi comprenait également les trois frères de Tidjani : Abdoul Thiam, Bokari Thiam et Débé Thiam, ainsi que Gabdo Gouro, l'épouse de Tierno Kounta, qui se joignit à eux pour rejoindre son mari.

Vers Bougouni avec ma mère

Cette fois-ci, Kadidja était décidée à m'emmener coûte que coûte avec elle à Bougouni. Elle réunit le conseil de la famille Hampâté Bâ, composé essentiellement de Beydari et des anciens captifs de mon père, et leur exprima son souhait. Beydari, encore une fois, s'y opposa fermement : "Notre maître et père Hampâté nous a confié le sort de ses deux garçons, Hammadoun et Amadou, et nous a légué toute sa fortune. Nous consentons à ce que tu uses de cette fortune comme bon te semblera, mais nous ne pouvons pas laisser partir Amadou. Nous tenons à nos jeunes maîtres comme à notre propre vie, et même davantage. Il n'est pas question que nous les laissions aller dans une autre famille que celle de leur père." Il faut dire que Beydari et ses compagnons n'aimaient guère les Thiam, surtout depuis que Tidjani Thiam m'avait adopté officiellement alors que Hampâté vivait encore.

Kadidja tint bon. Elle alla plaider sa cause auprès du cadi Amadou Khalil en invoquant mon jeune âge (j'avais près de cinq ans) et la très longue séparation qui allait suivre. C'est ce dernier argument qui l'emporta. Le cadi, s'appuyant à la fois sur la loi musulmane et sur la coutume africaine qui veulent toutes deux qu'un enfant reste auprès de sa mère au moins jusqu'à l'âge de sept ans, donna finalement raison à ma mère et l'autorisa à m'emmener avec elle à Bougouni, où ses conditions de vie étaient désormais favorables.

Obligé de se soumettre, Beydari décida alors que la

jeune Nassouni (qui avait été adoptée et élevée par mon père sous le premier nom de Baya) nous accompagnerait pour s'occuper exclusivement de moi. Niélé était maintenant trop âgée pour effectuer ce long voyage; elle avait sa propre famille sur place, et, à vrai dire, elle ne tenait guère à quitter la concession de la famille Hampâté où elle avait toujours vécu.

Mon grand frère Hammadoun, qui avait atteint ses sept ans, resta à Bandiagara où il poursuivait d'ailleurs des études coraniques brillantes auprès de Tierno Bokar. Ma mère le confia plus spécialement à la garde de Beydari et de Niélé.

Kadidja passa environ deux mois à Bandiagara au milieu des siens. Pendant ce temps, une jeune fille peule nommée Koudi Ali, originaire de Bankassi et cousine éloignée de ma mère, fut donnée par ses parents en mariage à Tierno Kounta. Ma mère accepta de l'emmener avec elle à Bougouni. Tout le monde lui conseillait de renoncer à son voyage en raison de son état de grossesse avancée et d'attendre sa délivrance à Bandiagara. Rien n'y fit! "Mon mari a besoin de moi, répondait-elle. Dieu me délivrera où et comme Il voudra, mais ma place est à Bougouni, auprès de mon époux."

Enfin, tout fut prêt pour le départ. Un matin de l'an 1905, au premier chant du coq, le petit convoi, poussant devant lui quelques bœufs porteurs chargés de bagages, s'ébranla. Outre ma mère et moi, il comprenait Koudi Ali, la promise de Tierno Kounta, Batoma et la jeune Nassouni. Beydari et Abidi tinrent à nous accompagner jusqu'à Mopti, ville située au confluent du Niger et du Bani, à soixante-dix kilomètres environ de Bandiagara. Nous devions y prendre le bateau pour Koulikoro, une ville proche de Bamako. Tout le long du chemin, chacun d'eux me porta tour à tour sur ses épaules.

Je n'ai guère de souvenirs précis de cette première période de ma vie. Le mécanisme de ma mémoire ne s'éveillera vraiment que grâce à un événement qui se produira au cours de ce voyage et que je raconterai un peu plus loin. Pour lors, j'étais inconscient de la portée réelle de tout ce qui se passait. Je ne réalisais pas que je quittais pour longtemps, peut-être pour toujours, la maison paternelle où j'avais été choyé comme un petit roi, et tous ceux qui m'avaient entouré de leur affection.

Certes, j'étais heureux d'avoir retrouvé ma mère, mais surtout, surtout, je m'amusais fort à voyager sur les épaules de Beydari et d'Abidi et à découvrir le monde nouveau qui s'ouvrait devant moi.

A Mopti, ma mère descendit chez Tiébéssé, une amie d'enfance chez qui elle avait l'habitude de loger chaque année lorsque Anta N'Diobdi amenait son troupeau à Taykiri. Le premier soin de Kadidja fut de réserver nos places sur un chaland ; puis elle se procura dans la ville une grande quantité d'objets et d'articles qu'elle savait introuvables à Bamako et à Bougouni et dont elle espérait tirer deux ou trois fois leur prix.

Le départ eut lieu un matin de très bonne heure. Beydari et de nombreux parents étaient venus nous accompagner au bord du fleuve, au débarcadère Simon. Pour la première fois de ma vie, je me trouvais devant une vaste étendue d'eau. En ce temps-là, l'abondance des eaux à la rencontre des deux fleuves était telle que l'on pouvait à peine distinguer l'autre rive. Je découvrais également les solides pirogues de fabrication locale et les grands chalands, de bois ou de fer, qui me semblaient immenses.

Je n'ai pas souvenir de notre embarquement. Attaché au dos de Nassouni, je crois bien que je m'étais endormi avant de m'apercevoir de quoi que ce soit. Lorsque je me réveillai, le soleil était déjà haut dans le ciel. Nous étions en train de naviguer le long de la rive droite du Niger ; on apercevait à peine la rive gauche, éloignée de près d'un kilomètre et demi. Nous croisions de longues pirogues chargées jusqu'au rebord. Elles fendaient l'eau sous les coups vigoureux des percheurs bozos dont l'ample mouvement, d'une élégance rare, s'accordait au rythme de leur chant.

La bataille de Kadidja et du patron laptot

Notre flottille était composée de trois grands chalands, bateaux à fond plat et sans pont qui, outre le transport des passagers, assuraient, pour le compte de la maison

Deves-et-Chaumet, le transport de marchandises et de produits locaux sur le fleuve Niger entre Koulikoro (près de Bamako) et Mopti. Chaque embarcation comptait dix percheurs et matelots, que l'on appelait alors laptots.

Nous remontions le courant, ce qui rendait notre progression très lente. Pendant une huitaine de jours, nous voyageâmes sans problème. Nos laptots évitaient de s'arrêter devant les ports des grandes villes telles que Sansanding, Ségou et Nyamina ; sans doute avaient-ils bien des choses à cacher à bord et craignaient-ils d'être contrôlés par les autorités.

A quelques jours de Koulikoro, dernière étape fluviale avant Bamako, une vive querelle éclata entre ma mère et le patron laptot de l'un des trois chalands, qui se trouvait être également le chef général de tout le convoi. Les autres laptots l'appelaient craintivement "le patron". La beauté de Koudi Ali et de Nassouni, qui étaient alors dans la fleur de l'âge, lui avait littéralement fait perdre la raison. Il les avait importunées l'une après l'autre. A la fin, il avait même tenté d'abuser de Nassouni mais, heureusement pour elle, elle savait se défendre. Mise au courant de cet incident, ma mère, indignée, protesta énergiquement auprès du laptot responsable de notre propre chaland ; mais celui-ci, qui avait une peur bleue de son "patron" réputé très mauvais coucheur, resta coi et n'osa pas intervenir. N'ayant pas pour habitude de "laisser faire", Kadidja, profitant d'un moment où le chaland du chef laptot était proche du nôtre, passa sur son embarcation et intima l'ordre au libidineux "patron" de cesser ses importunités malsaines.

"Ah oui ? ricana-t-il. Eh bien, moi, je te dis que si tu veux finir ton voyage agréablement, il faudra me donner une de tes jeunes filles, sinon je vous ferai souffrir à toutes un véritable enfer et il n'y aura personne ici pour vous défendre !

— Si tu as l'habitude d'abuser des femmes qui empruntent ton convoi, riposta ma mère, sache que mes filles ne sont pas de ces femmes-là ! Je te conseille de te modérer, sinon il pourra t'en coûter cher !"

Vexé de voir une femme lui tenir tête devant ses laptots, le "patron" insulta grossièrement ma mère. Nullement décontenancée, elle lui rendit ses injures coup pour coup. Pris de furie, le chef laptot, sans égard pour son état de grossesse avancée, la gifla à toute volée. Elle tituba et serait sans doute tombée à l'eau si un jeune laptot ne l'avait retenue à temps par son boubou. Retrouvant son équilibre, elle se saisit d'une marmite en terre qui se trouvait à portée de sa main et la projeta de toutes ses forces sur la poitrine du chef laptot. Avant que celui-ci ne soit remis de sa surprise, elle avait réussi à revenir dans notre propre chaland.

Fou de rage, le chef laptot se saisit d'une très longue perche et en assena un coup violent sur la tête de ma mère, coup qui fut heureusement amorti par l'épaisseur de sa chevelure. Immédiatement, ma mère brisa notre canari de terre cuite en le fracassant sur le sol, prit un gros tesson bien tranchant et le lança de toutes ses forces vers le chef laptot. Le projectile l'atteignit en plein flanc droit et lui entailla profondément les chairs. Le sang coula. "Ah! progéniture de panthère et de lion accouplés, rugit-il, tu me paieras ce coup plus cher que tu ne t'y attends!" et il se pencha pour ramasser sa perche. Cette fois-ci, ma mère était sur ses gardes. Elle se saisit promptement d'un coupe-coupe qui traînait par là et qui avait sans doute servi à trancher les poissons. Le chef laptot, qui n'avait pas remarqué le rapide mouvement de ma mère, leva sa grande perche pour lui en assener un deuxième coup, mais au moment où la perche allait s'abattre sur sa tête, elle fit un pas de côté, et d'un grand coup de coupe-coupe elle la trancha tout net. Ebahi, le chef laptot contemplait le moignon de perche qui restait dans sa main. Avant qu'il ne se ressaisisse, ma mère lui envoya en pleine poitrine un autre gros tesson de canari. Elle cassa ensuite notre fourneau de terre cuite sur lequel les femmes faisaient cuire nos aliments et en entassa les morceaux devant elle. Et chaque fois que son adversaire tentait de la frapper avec une nouvelle perche, elle lui lançait, aidée de ses jeunes filles, de gros tessons bien tranchants. Il réussit cependant à l'atteindre et à la blesser plusieurs fois.

L'engagement dura assez longtemps. Pourtant aucun

laptot, dans aucun des trois chalands, ne fit quoi que ce soit pour défendre ma mère ou tenter de calmer son assaillant. Sous l'effet de toute cette agitation, nos deux chalands tanguaient violemment et s'étaient quelque peu éloignés l'un de l'autre. Ivre de colère, le patron laptot criait comme un fou à ses percheurs: "Accostez le chaland de cette femme, que je mette fin à ses jours!"

Il s'apprêtait à bondir dans notre chaland et nul ne sait comment les choses se seraient terminées quand, providentiellement, un laptot cria: "Chaland du commandant!" Ce cri figea tout le monde sur place. Effectivement, à un kilomètre environ devant nous se profilait la silhouette d'un gros chaland arborant un drapeau tricolore. Propulsé par de nombreux laptots, il venait droit sur nous. C'était le commandant du cercle de Koulikoro qui effectuait une tournée de recensement.

Le patron laptot donna ordre de dévier afin d'éviter le chaland du commandant. Mais il avait compté sans l'audace et l'ingéniosité de Kadidja: elle ordonna à ses trois jeunes filles, Koudi Ali, Batoma et Nassouni, de pousser des cris d'appel à la manière des personnes en danger de mort. Jusqu'alors, j'étais resté à l'arrière du chaland où ma mère m'avait fait placer par sécurité, mais là j'accourus auprès d'elle, fasciné par l'approche de ce gros bateau orné d'un drapeau qui flottait au vent. Instinctivement, je mêlai ma petite voix à celles des femmes. Kadidja attacha un voile blanc à l'extrémité d'une perche et l'agita en criant: "Venez à notre secours, on est en train de nous tuer!" Tous les laptots se sentirent menacés. Ils supplièrent Kadidja de se taire. De son côté, le patron laptot essayait vainement d'abaisser la perche de Kadidja et son voile blanc dénonciateur.

Le gros chaland se rapprocha. A l'avant se dressait la haute silhouette du commandant, sanglé dans son bel uniforme et tenant des jumelles à la main. Tout portait à croire qu'il observait la scène depuis un bon moment. Il donna ordre à nos trois chalands d'accoster sur la rive droite du fleuve. Le chef laptot ne savait plus où se mettre. Toute fougue et toute arrogance perdues, toute cruauté ravalée, il n'avait plus de membres que pour trembler. "Tremble fort, plus fort que feuilles de palmier au vent! lui jeta Kadidja. Jamais plus tu ne frapperas une femme d'autrui, à plus forte raison quand elle porte à la fois un enfant dans son giron et un autre dans son ventre!"

Dès que le chaland officiel eut accosté le nôtre, le commandant sauta sur notre pont, suivi de quatre gardes de cercle armés de mousquetons. Il vit Kadidja couverte de traces sanglantes, le boubou déchiré et les tresses défaites. L'intérieur du chaland était jonché de tessons et de divers objets déplacés par les violents entrechoquements des deux embarcations. "Tout le monde sur la berge!" crièrent les gardes en bambara, interprétant sans doute les ordres du commandant. Nous descendîmes tous du bateau. Je me vois encore, fourré contre le boubou de ma mère qui me tenait le bras et regardant la scène de tous mes yeux, surtout le commandant dont l'apparition à l'avant de son bateau m'avait paru presque miraculeuse.

Par l'entremise de son interprète, le commandant posa des questions. Ma mère, qui avait encore des larmes dans les yeux, répondit cependant d'une voix calme et posée, exposant les faits d'une façon précise. Lorsqu'elle parla de Koudi Ali et de Nassouni, tous les regards se tournèrent vers les deux jeunes filles, qui se tenaient pudiquement les yeux baissés. C'étaient deux demoiselles extrêmement belles et avenantes. Sans doute eût-il fallu être un saint pour résister au désir qu'elles inspiraient. Le commandant demanda qui elles étaient. "Koudi Ali que voici est ma cousine, répondit ma mère. Celle-ci, Nassouni Hampâté, est ma servante-fille, ainsi que Batoma Sow qui m'accompagne également." Elle sortit le laissez-passer qui lui avait été délivré à Bandiagara et le tendit au commandant.

Celui-ci interrogea ensuite les laptots. Tous confirmèrent les dires de Kadidja et accablèrent leur patron, qu'ils détestaient pour ses brutalités et son mauvais caractère.

"Parmi les trente hommes que vous êtes, s'exclama le commandant, pourquoi aucun d'entre vous n'a-t-il tenté de défendre ces femmes et cet enfant contre cette brute épaisse que vous appelez votre «patron» et que moi, à partir de maintenant, j'appelle mon prisonnier?

— Nous sommes à sa merci, répondirent les laptots. Il licencie qui il veut et quand il veut. Les Blancs de la maison Deves-et-Chaumet ont en lui une confiance illimitée. Ils font tout ce qu'il leur demande de faire. Auprès d'eux il n'a jamais tort. Il nous fait fouetter pour un oui ou pour un non. Il est physiquement plus fort que nous, et il fait mettre en prison celui qui ose se plaindre. Mais le traitement qu'il a fait subir à cette femme nous a révoltés à tel point que, secrètement, nous avions décidé de nous réunir afin de le battre et de le dénoncer en arrivant à Koulikoro.

— Bande de lâches! s'écria le commandant. Ainsi, vous vouliez attendre qu'il soit trop tard pour agir. La loi française, sachez-le, punit sévèrement ceux qui refusent de porter secours à une personne en danger. Tous les trente, vous ferez un mois de prison à Koulikoro et vous serez exclus de votre travail pour trois mois. Quant à votre redoutable «patron», je vais l'interroger plus longuement. Sa vie dépend désormais de la vie de cette femme enceinte qu'il a rouée de coups."

L'interrogatoire ne fut pas long. L'homme était une brute, il l'avait suffisamment prouvé, mais par on ne sait quel phénomène, dès que ses membres cessèrent de trembler il répondit calmement aux questions du commandant sans chercher à se disculper. Il reconnut tous ses torts, puis fit cette déclaration étonnante, qui aurait sans doute intéressé le corps médical:

"Je ne bois pas, je ne fume pas, je ne mens pas, je ne vole jamais, mais hélas ma grande maladie c'est la femme. Quand j'en vois une qui me tente, je suis capable de tuer quiconque s'interpose entre elle et moi. Ma furie peut durer jusqu'à trois jours. Comme un ouragan, je renverse tout sur mon passage jusqu'à ce que je couche avec cette femme, ou jusqu'à ce que je vomisse, ou saigne du nez..." Et il se mit à gémir: "Je suis malade, je suis malade...!"

Tout le monde s'exclama: "*Allâhou* akbar!" (Dieu est le plus grand!) comme les musulmans ont coutume de le faire lorsqu'un événement les dépasse. Quant à moi, je me mis à chantonner sans arrêt, comme une litanie, les derniers mots du patron laptot: "Je suis malade... Je suis malade...", au point que ma mère, excédée, dut me frapper plusieurs fois pour me faire taire.

Le commandant écrivit quelque chose sur un papier. Il le plia, versa dessus un peu de cire rouge qu'il frappa avec un tampon, puis le tendit à ma mère, en lui faisant dire par l'interprète : "Quand tu arriveras à Bougouni, tu iras remettre ce papier au commandant de cercle." Il se tourna vers Koudi Ali :

"Si jamais ta cousine ne pouvait, pour une raison ou une autre, faire ce que je viens de lui demander, tu le feras à sa place.

— Je le ferai", répondit Koudi.

Le commandant fit attacher un lien de fer autour du poignet du chef laptot et transféra celui-ci sur son propre chaland. Il désigna Bounâfou comme patron laptot pour le reste de la route et lui confia un autre papier à remettre au directeur de la maison Deves-et-Chaumet.

Ainsi se termina pour ma mère cette aventure mouvementée qui nous avait coûté un jour entier de jeûne forcé... et tous nos ustensiles de cuisine en terre cuite ! J'entendrai bien des fois, par la suite, le récit des événements de cette journée mémorable car il deviendra, sous le titre de "La bagarre de Kadidja et du patron laptot", l'un des morceaux de choix de nos conteuses familiales !

Enfin, le bateau arriva à Koulikoro. Il n'allait pas plus loin. Il fallait ensuite prendre le train pour rejoindre Bamako, à environ cinquante kilomètres de là. De ce premier voyage en chemin de fer je n'ai gardé aucun souvenir, pas plus que de la ville de Bamako. Arrivés après le coucher du soleil, le lendemain à l'aube nous nous engagions sur la route qui menait à Bougouni. Il nous restait environ cent soixante kilomètres à parcourir.

Naissance de mon petit frère

Ma mère était de plus en plus fatiguée. Lorsque nous arrivâmes au gros village bambara de Donngorna, elle souhaita s'y reposer un peu. N'ayant ni parents ni amis chez qui loger, elle alla se présenter au chef du village. Ce dernier nous accorda l'hospitalité et nous installa dans son grand vestibule, qui servait de pièce d'accueil pour les hôtes de passage.

Ma mère aurait bien voulu accoucher chez elle à Bougouni, mais, comme on dit, *"le désir de l'homme ne peut modifier le dessein de Dieu"*. A peine étions-nous installés qu'elle fut prise de violentes douleurs. Le visage crispé, mordant sa lèvre inférieure, elle gémissait, se tordait, pétrissait son ventre. De grosses gouttes de sueur coulaient sur son visage. Puis, comme elle ne pouvait rester en place, elle se mit à faire le va-et-vient dans la cour, se tenant le dos des deux mains. Affolé, je courus vers elle pour lui porter secours, j'entourai ses jambes de mes bras.

"Dadda ! Dadda [29] ! Qu'as-tu ? Que se passe-t-il ?"

Elle me repoussa doucement vers Koudi Ali, qui me retint.

Je demandai à Koudi de quoi souffrait ma mère. Qui donc l'avait rendue malade ? Qu'est-ce qui avait à ce point gonflé son ventre ?

"Ta mère n'est pas malade, répondit-elle. Son ventre contient un petit frère ou une petite sœur qu'elle va te donner bientôt.

— Pourquoi se tient-elle le dos ?"

Avant qu'elle ne me réponde, je vis ma mère s'affaisser sur les genoux. Cette image de ma mère à genoux ne s'effacera jamais de ma mémoire. Koudi m'éloigna. Fou de terreur, je me débattais comme un poulet qu'on s'apprête à égorger, mais elle me tenait solidement.

Le chef du village, prévenu que ma mère était "en travail", avait fait venir une vieille femme pour l'assister. La vieille apporta un vase de terre contenant de l'eau bien chaude. Selon l'usage, elle y jeta des écorces d'arbre et une boule de beurre de karité, mélangea le tout et en fit boire à Kadidja ; puis elle commença à lui masser le dos. Je voulais rester pour voir ce qui allait arriver à ma mère. Peine perdue ! Koudi me remit à Nassouni, qui m'emmena dans la case de la femme du chef du village. Celle-ci, pour me calmer, me donna une poignée d'arachides bouillies.

"Tu vas avoir un petit frère ou une petite sœur, me dit-elle en souriant. Il faut attendre ici."

J'entendais Koudi répéter comme une litanie : "Youssoufi ! Youssoufi !" Machinalement, je me mis à crier moi aussi : "Youssoufi ! Youssoufi !" J'apprendrai plus tard que Youssoufi (le prophète Joseph) était le patron des parturientes et que l'invocation de son nom était censée faciliter le travail de l'accouchement.

Ma mère ne souffrit pas longtemps. Fut-ce l'effet de la décoction, la vertu des massages ou la grâce de Youssoufi, ou les trois ensemble ? Toujours est-il qu'elle fut délivrée en moins d'une heure. Tout à coup, je perçus les vagissements d'un nouveau-né. Koudi m'appela :

"Amkoullel, viens ! Tu as un petit frère !"

Je courus vers ma mère. Elle ne souffrait plus. Son visage était souriant. Son gros ventre avait mystérieusement disparu. Koudi tenait devant elle un gros garçon au teint clair, doté d'un front haut et d'une abondante chevelure. Le bébé, apparemment furieux, crispait son petit visage et n'arrêtait pas de pleurer. Koudi le calmait d'une voix douce, l'appelant du joli nom traditionnel que l'on donne à tous les nouveau-nés avant qu'ils n'aient reçu leur nom véritable :

"Ô bienheureux Woussou-Woussou ! Sois le bienvenu parmi nous ! Apporte-nous longévité, santé et fortune. Ne pleure pas, ne pleure pas, Woussou-Woussou ! Tu es chez toi, au milieu des tiens, rien que des tiens !"

Elle se tourna vers moi :

"Amkoullel, voici ton petit frère que ta maman a fait exprès pour toi. Il est à toi.

— Pourquoi pleure-t-il ? Il n'est pas content ? Il a peur ?"

Avant d'obtenir une réponse, je m'aperçus que mon petit frère était encore relié à son placenta.

"Koudi ! m'écriai-je, pourquoi mon petit frère a-t-il un sac avec lui ? Que va-t-il mettre dedans ?"

Je ne me souviens pas de la réponse de Koudi, car à ce moment-là je vis la vieille femme revenir avec un couteau et une calebasse emplie d'eau. Elle tenait également un sac contenant les cadeaux traditionnels servant à laver et à masser l'enfant. D'un seul coup de couteau, elle trancha le cordon qui reliait mon petit frère à son drôle de sac, puis elle offrit ses cadeaux à ma mère : du savon, du sel gemme, du miel, du beurre de karité et du beurre de vache. Ma mère se prépara à laver le bébé et à masser son petit corps selon la coutume des mamans africaines.

Aujourd'hui encore, je me souviens parfaitement, et dans les moindres détails, de tout le film de cet événement. Ce fut comme si j'émergeais d'un sommeil qui, jusqu'alors, m'avait embrumé l'esprit, m'empêchant de bien discerner les choses. C'est ce jour-là, à partir de la naissance de mon petit frère, que je pris clairement conscience et de mon existence et du monde qui m'entourait. Ma mémoire se mit en marche, et depuis elle ne s'est plus arrêtée...

Le chef du village dépêcha auprès de ma mère le doyen d'âge de la communauté. Il était accompagné du "maître du couteau" de la société secrète Komo de Donngorna. Comme je l'apprendrai plus tard, le Komo est une antique société religieuse bambara réservée aux adultes et dont le dieu, représenté par un masque sacré, est également appelé Komo. Quant au "maître du couteau", c'est le sacrificateur, et souvent le maître initiateur, de cette société.

Le "maître du couteau" examina attentivement le nouveau-né. Il lui tâta les os de la tête en commençant par la nuque et en terminant par le front. Il regarda ses doigts, les paumes de ses mains, ses orteils et la plante de ses petits pieds. Puis il se retira sans rien dire.

Le doyen d'âge, vêtu d'une tunique jaune faite de bandes de coton assemblées, était appuyé sur un grand bâton gainé de cuir. Une queue de bœuf agrémentée de grelots en cuivre jaune était suspendue à son bras gauche. Il se fit apporter une calebasse d'eau claire. Il la prit dans sa main droite et avança jusqu'au seuil du vestibule où se tenait ma mère. Là, il s'accroupit et dit, s'adressant au nouveau-né :

"Ô Njî Donngorna ! (Envoyé de Donngorna !) Tu es venu chez nous de la part de Celui qui t'a envoyé. Sois le bienvenu ! Apporte-nous une nouvelle réjouissante. Voici ton eau, accepte-la en échange de notre bien-être et de notre longévité."

Il tendit la calebasse d'eau à ma mère.

"Verses-en quelques gouttes dans la bouche de ton fils", lui dit-il. Quand ce fut fait il ajouta : "Nous ignorons comment ton père te nommera. Pour nous, il est Njî Donngorna, l'envoyé du ciel aux habitants de Donngorna."

Avant de quitter la maison, le vieillard prévint les femmes :

"Dînez de bonne heure ce soir, et enfermez-vous aussitôt dans la maison. Le dieu Komo de Donngorna fera une sortie exceptionnelle pour venir saluer son hôte étranger « Njî Donngorna », mais les femmes, les enfants et tous ceux qui ne sont pas initiés au Komo ne sont pas autorisés à le voir. S'ils le faisaient, ils risqueraient la mort. Le Komo les tuerait impitoyablement. Restez donc bien enfermés."

Après son départ, chaque famille tint à offrir quelque chose au petit Njî Donngorna : qui un poulet de bienvenue, qui une boule de karité enveloppée dans des feuilles humides pour l'empêcher de fondre, qui une mesure de feuilles pilées de baobab, du tamarin, des tomates, du mil, du maïs, etc. Donngorna étant un gros village de six à sept cents habitants, on peut se faire une idée du volume des cadeaux qui furent offerts au petit Njî Donngorna.

Plus tard, le crieur public parcourut les ruelles du village en criant qu'il fallait dîner tôt car le dieu Komo viendrait s'exhiber en l'honneur du nouveau-né de Donngorna. Un jeune berger peul, qui ne nous quitta pas pendant tout notre séjour, nous traduisait tout en peul.

"Qu'est-ce que le Komo ? demandai-je à ma mère.

— Ce dieu n'est pas un jouet pour les enfants !" m'accorda-t-elle pour toute réponse. Je dus m'en contenter.

A l'approche du soir, les derniers pilons tombaient dans les mortiers et tintaient doucement. De tous côtés on voyait revenir des pâturages bœufs, chèvres et moutons. Bêlements et beuglements se mêlaient aux aboiements des chiens qui pourchassaient des chèvres récalcitrantes. Des ânes nerveux, montés par des garçons ou des hommes couverts de poussière, regagnaient eux aussi le village en balançant doucement la tête de droite à gauche au rythme de leur marche, comme pour alléger leur fardeau. Aucun ne manquait de braire énergiquement en approchant de sa maison, sans doute pour signaler amicalement son retour des champs. Des cris de coqs, qui résonnaient de loin en loin, semblaient saluer la dépouille du soleil mourant à l'occident.

D'un seul coup, l'obscurité assombrit les collines qui entouraient Donngorna et que les derniers rayons du soleil avaient un instant recouvertes d'or. Dépouillées de leur parure, elles n'étaient plus que des monstres informes entassés les uns à côté des autres en un vallonnement tourmenté.

Après avoir dîné à la hâte, notre hôte fit rentrer ses poules et ses cabris. Ma mère s'enferma avec nous, servantes et enfants, dans le vestibule. Quelques instants plus tard, nous entendîmes au loin un son de corne. C'était la trompe du dieu Komo qui retentissait derrière l'une des collines. Dans le calme de la nuit, l'écho en amplifiait le son au point qu'il paraissait venir de partout à la fois. Un gros tam-tam y mêla bientôt ses notes profondes, auxquelles vint s'ajouter le vrombissement effrayant du rhombe. Partout dans la concession, on éteignit les lumières. Chacun se tassa dans l'ombre. Il fallait faire le mort, sinon le dieu Komo ne manquerait pas de tuer tous ceux qui n'étaient pas des siens.

Ma mère, allongée de côté sur une natte, était en train de donner le sein au nouveau-né qui, indifférent au tumulte du monde extérieur, tétait goulûment, les yeux fixés sur son visage. Je me pressais contre elle, me cramponnant à son dos.

Par-dessus le son des instruments s'éleva la belle voix du chantre du Komo. Soutenu par un chœur, il chantait en bambara, langue que malheureusement je ne comprenais pas encore. Les voix se rapprochèrent. Le vacarme des trompes de corne et des tam-tams incommoda les chiens du village. De partout ils se mirent à pousser des aboiements de protestation, longs et lugubres pour certains, pour d'autres saccadés comme s'ils se préparaient à mordre. Mais sans doute ces chiens savaient-ils que le Komo ne badine pas, car dès que le dieu parvint au milieu du village, ils se turent comme par enchantement et devinrent aussi silencieux que s'ils avaient été enterrés au fond des greniers à mil.

Le Komo parcourut les ruelles du village en poussant son cri de sortie : *"Han-han-han-han-han-haaan! n'fani'mba!"* [30] dont le son rythmé, porté par le souffle profondément expiré du *h*, semblait sortir de ses entrailles. Durant toute la cérémonie le chantre du dieu, porteur du masque sacré, psalmodia cette litanie qui se grava si profondément dans ma mémoire que je l'entends encore.

Quand le Komo entra dans la cour de la maison, il me sembla que la terre allait s'entrouvrir. Heureusement ma mère, qui s'était redressée, m'avait couché sur ses jambes et se penchait au-dessus de moi pour me protéger de son corps. Le Komo devait être très lourd, car la terre tremblait sous chacun de ses pas. Il resta dans la cour un temps qui me parut une éternité. Dans ses chants revenait sans cesse le nom que le doyen du village avait donné à mon petit frère : Njî Donngorna. Il proclamait, comme nous l'apprîmes par la suite, que mon petit frère était un messager porte-bonheur pour tout le pays situé entre les deux fleuves, le Niger et le Bani, à trois journées de marche à la ronde.

Enfin le dieu s'éloigna, emportant son vacarme avec lui. Tout le monde se détendit et respira comme après une violente tornade.

Nous ne pouvions quitter le village avant une semaine en raison d'un interdit qui empêchait tout bébé de moins de sept jours de traverser la rivière sacrée de Donngorna, rivière que nous devions franchir pour rejoindre Bougouni. Un chef dioula, client de ma mère, se trouva revenir de Bamako avec sa caravane d'ânes chargés de sel qu'il menait à Bougouni. Ma mère le chargea de donner de nos bonnes nouvelles à Tidjani et aux parents que nous avions dans la ville, mais elle lui demanda expressément de ne pas annoncer la naissance de mon petit frère. Elle voulait en faire la surprise à son époux.

J'étais très heureux d'avoir enfin un petit frère. Jusque-là c'était moi qui étais le "petit frère" de mon aîné Hammadoun, lequel, en vertu de la tradition, avait tous les droits sur moi, et j'étais fort contrarié de ne pas en avoir un pour moi-même. Je cessai donc de me sentir frustré.

Finalement, nous restâmes dix jours à Donngorna. Je profitai de cet heureux temps pour aller m'amuser avec Bamoussa, le fils du chef du village, un garçon qui devait avoir un an de plus que moi. Il allait tout nu, portant en bandoulière un sac fait de bandes de coton dans lequel il gardait tout ce qui lui tombait sous la main: souris des champs capturées au piège, sauterelles, lézards, fruits sauvages, etc. Cela me changeait de ma vie de petit Peul habitué à jouer entre veaux, chevreaux et agnelets et à boire du lait en tétant directement chèvres et brebis.

Je trouvais les occupations de mon ami Bamoussa bien amusantes, mais tout de même un peu dégoûtantes. Aussi me contentais-je de manger les fruits et lui laissais-je ses souris, lézards et sauterelles. Il les grillait sur un feu de menus morceaux de bois et de paille que je l'aidais à ramasser. Il possédait une houe minuscule dont il usait pour creuser, un petit couteau et une hachette et, pour allumer le feu, un briquet africain constitué de deux pièces: une pierrette à feu et un fer de choc. Avec sa provision d'amadou composé de duvets de fromager, il produisait du feu à volonté. La brousse était son restaurant préféré. Il y déjeunait souvent. Certains s'étonneront peut-être qu'un enfant aussi jeune (il devait avoir autour de six ans) soit capable de faire tant de choses. C'est que les enfants africains étaient extrêmement précoces, leurs jeux consistant le plus souvent à imiter les travaux des adultes, qu'ils aidaient d'ailleurs très tôt dans leurs tâches. Bamoussa n'était nullement une exception.

Quand vint le dixième jour, je vis qu'on chargeait trois bœufs porteurs. C'était le départ. Une sourde contrariété m'envahit le cœur. Je n'avais pas envie de quitter Donngorna, où Bamoussa venait tout juste de m'apprendre à monter sur le petit ânon docile de son père. J'aurais bien voulu profiter davantage de tous ces plaisirs nouveaux, mais il me fallait choisir : ou bien rester à Donngorna, ou bien suivre ma mère et mon petit frère dont la venue me rendait si fier et si heureux...

Je ne voulus pas partir en laissant Bamoussa les mains vides. Aussi, sans en avoir demandé la permission à ma mère, lui donnai-je en cadeau mon plus beau boubou de basin. Bamoussa et ses parents ne pouvaient en croire leurs yeux. Un boubou brodé fait en fine cotonnade de toubab ! Jamais aucun enfant de Donngorna n'avait reçu un cadeau aussi somptueux. Pour eux, je ne pouvais être que le fils d'un grand roi, et non d'un prisonnier.

A son tour Bamoussa, sans en demander davantage la permission à ses parents, me donna l'objet le plus précieux que puisse posséder un petit garçon bambara de cette époque : son *flè*, cette petite flûte à bec percée de deux trous sur les côtés, à la fois instrument de jeu et moyen d'appeler au secours, que chaque garçonnet portait suspendue à son cou.

Enlevant son *flè*, il me l'attacha autour du cou avec une certaine cérémonie enfantine qui toucha nos parents respectifs. C'était le meilleur témoignage du lien qui nous unissait. Il ne parlait pas le peul, je ne comprenais pas le bambara et nous ne pouvions échanger que par gestes à la façon des sourds-muets, mais cela n'avait en rien compromis la chaleur de notre petite amitié.

Ma mère ordonna le départ. Mon petit frère fut placé dans une calebasse à lessive bien bourrée de linges doux et portée sur la tête de Batoma, tout comme, jadis, Niélé m'avait porté juste après ma naissance.

Quelle ne fut pas la surprise agréable de ma mère quand elle vit s'approcher une délégation des notables de Donngorna nous amenant trois ânes chargés de vivres et de condiments, deux jeunes gens pour les conduire et une jeune fille pour aider Batoma à porter la calebasse contenant mon petit frère ! Par la suite, jamais les notables de Donngorna ne manqueront de nous envoyer chaque année, après la récolte, trois ânes chargés de vivres pour leur "Messager porte-chance", et cela tout le temps que nous demeurerons à Bougouni.

Le convoi s'ébranla sur la route. Tout Donngorna était sorti pour saluer son petit Messager et l'accompagner jusqu'à la rivière sacrée.

Bamoussa marcha à mes côtés jusqu'à la rivière. Là, on me hissa sur l'un des bœufs porteurs. Je ne pus m'empêcher de pleurer. Bamoussa aussi.

Un père enchaîné

Après un jour et demi de marche, nous arrivâmes enfin à Kadidiabougou, le "village de Kadidja". Toute la maisonnée nous fit fête. Une bonne toilette et un peu de repos furent les bienvenus, surtout pour ma mère. Comme à son habitude, Tidjani ne devait venir à la maison que le soir, après sa journée de travail. Nous étions tous réunis dans la cour pour l'attendre. Je ne l'avais encore jamais vu, mais je savais que, malgré l'opposition de tous les siens, il m'avait choisi comme premier fils et même désigné comme son successeur. Il devait donc m'aimer beaucoup. J'étais heureux de voir mon nouveau papa et je l'attendais avec impatience.

Enfin, il apparut à l'entrée de la cour, accompagné d'un garde de cercle. Il avait les pieds enchaînés. En découvrant sa femme debout, son dernier-né dans ses bras et moi-même à son côté, il s'immobilisa ; puis, maladroitement, gêné dans sa marche par la chaîne qui entravait ses pieds, il s'avança vers nous. Ce spectacle me causa un grand choc. Je me tournai vers ma mère :

"Dadda, qui a mis des fers aux pieds de Naaba ?

— Les toubabs de France", répondit-elle. Aussitôt mon cœur s'emplit de colère envers ces méchants toubabs. Une hachette traînait sur le sol à quelques pas de là. Je courus m'en emparer et me précipitai vers mon père pour tenter de briser sa chaîne et les anneaux qui enserraient ses chevilles. Avec douceur, le garde qui l'escortait m'enleva la hachette des mains. Il avait les larmes aux yeux, ainsi que Tidjani.

"Quand je serai grand, je vengerai mon père !" m'écriai-je.

A part ce petit incident, tout ne fut que joie ce soir-là

dans la famille. Tous les parents et amis de Bougouni vinrent saluer ma mère et souhaiter une longue et heureuse vie à mon petit frère.

Dès qu'ils se retrouvèrent seuls, ma mère remit à Tidjani la lettre du commandant de Koulikoro, qui devait être communiquée au commandant de Bougouni. Quand elle expliqua à mon père comment et pourquoi ce papier se trouvait entre ses mains, il pleura comme un enfant et se mordit l'index jusqu'à la deuxième phalange.

"Ô Poullo! Poullo! s'exclama-t-il, ce n'est qu'en l'absence de l'éléphant qu'on peut ramasser ses excréments!" (Autrement dit: il est des choses qu'on ne peut se permettre que lorsque le principal intéressé est absent.)

Kadidja se hâta de l'apaiser:

"Quand Dieu venge un homme, celui-ci n'a pas le droit de garder quoi que ce soit dans son cœur. Que souhaitais-tu depuis mon départ, sinon me revoir en bonne santé? Or me voici de retour avec tes deux fils: celui qui a un nom, Amadou, et celui à qui tu vas en donner un et que les gens de Donngorna ont déjà baptisé « Njî Donngorna ». Remercions plutôt Dieu de sa protection. Et demain matin, quand tu remettras ce papier au commandant, dis-lui bien que les coups que j'ai reçus du patron laptot ne m'ont pas abîmée. J'ai été délivrée sans mal et mon enfant est bien venu. Il se porte bien. En conséquence, je retire ma plainte et demande que mon agresseur soit libéré."

Mon père, rasséréné, prit le papier et regagna la prison, accompagné de son garde.

Koudi Ali fut conduite chez Mamadou Thiam, le cousin de Tidjani, afin d'y demeurer jusqu'au jour de son mariage avec Tierno Kounta.

Le lendemain matin, Tidjani se présenta au bureau du commandant de Courcelles pour lui remettre le papier. Avant qu'il ait pu dire un mot, le commandant, assisté de son interprète, l'interpella: "Ah, te voilà Tidjani! Approche! J'ai une très, très mauvaise nouvelle à t'annoncer." Mais en même temps un grand sourire éclairait son visage. Comme à son habitude, Tidjani accueillit ces paroles sans se troubler.

"De mon côté, dit-il, je suis venu dire à mon commandant que ma femme, partie d'ici enceinte, est revenue en bonne santé. Elle m'a donné un beau garçon. Son accouchement s'est passé sans difficulté, bien qu'on ait craint pour sa vie et celle de l'enfant à la suite des coups qu'un laptot furieux lui a assenés au cours du voyage. Le commandant de Koulikoro, qui a assisté à la scène, a arrêté l'agresseur. Il le garde en prison en attendant de connaître les conséquences des coups reçus par ma femme. Voici, mon commandant, la lettre qu'il a écrite pour vous. J'atteste que ma femme et mon enfant se portent bien et que ma femme désire retirer la plainte que le commandant de Koulikoro a déposée en son nom."

Le commandant de Courcelles lut le papier :

"Le nécessaire sera fait", dit-il. Puis, bien calé dans son fauteuil, il s'adressa à nouveau à mon père avec son étrange sourire. "Je regrette de n'avoir pas, comme les anciens Arabes, un astrolabe pour mesurer aujourd'hui la position du soleil. Mais quelle que soit cette position, je puis t'affirmer que ce jour est faste pour toi. Ton épouse t'a donné un fils, et moi je viens de recevoir, dans le courrier de ce matin, une lettre m'annonçant la levée du temps de prison qui te restait à purger. A partir de maintenant, Tierno Kounta Cissé et toi, vous êtes libres ! Toutefois, et jusqu'à nouvel ordre, vous ne devez vous rendre nulle part hors de Bougouni. Vous n'êtes plus prisonniers, mais vous êtes toujours en résidence surveillée dans le cercle de Bougouni." Mon père restait imperturbable. "Mais enfin, Tidjani, s'étonna le commandant, dis-moi pourquoi ni mauvaise nouvelle ni mauvais traitement n'ont de prise sur toi.

— Mon commandant, on ne peut m'annoncer une nouvelle plus grave que celle que le destin m'a assignée au jour de ma naissance en me disant : « Tu es entré dans une existence dont tu ne sortiras pas vivant, quoi que tu fasses », et nulle force humaine ne pourra jamais me loger plus étroitement sur cette terre que je ne le serai dans ma propre tombe. C'est pourquoi aucune mauvaise nouvelle ne peut réellement m'assombrir. J'ai appris à voir venir la mort avec le même calme que je vois tomber la nuit quand le jour décline. A chaque réveil, je me considère comme un condamné en sursis. Mais je ne suis pas pessimiste pour autant, mon commandant, et je ne serais nullement surpris si, un jour, je redevenais le grand chef que j'ai été. La vie est un drame qu'il faut vivre avec sérénité."

A ce point de sa vie, Tidjani en était arrivé à dompter aussi bien sa joie que sa colère. Il recevait de façon égale le bien ou le mal qui se présentaient à lui. Il attribuait l'un comme l'autre à Dieu et acceptait de la vie aussi bien l'amer que le doux. Cette philosophie, qu'il avait acquise à Bandiagara aux pieds de son maître Tierno Amadou Tapsîrou Bâ (qui fut également celui de Tierno Bokar), lui avait sans doute donné la force de résister sans se laisser abattre aux terribles épreuves qui jalonnèrent son existence, et dont chacune aurait pu détraquer le cerveau le plus solide...

Mon père et Tierno Kounta, libérés, revinrent ensemble le jour même à Kadidiabougou avec tout leur "fourbi", qui se limitait à bien peu de choses. Le premier acte de mon père fut de fixer une date commune pour la cérémonie d'imposition du nom de mon petit frère et le mariage de Tierno Kounta et de Koudi Ali. La double fête fut célébrée avec la participation de tous les fonctionnaires indigènes de Bougouni. Chacun apporta son cadeau. Les deux cérémonies furent présidées par Moustapha Dembélé, "moniteur de l'enseignement" avec qui mon père, malgré son âge, apprenait à lire et à écrire le français. Tiémokodian, le grand chef bambara de Bougouni, envoya une délégation composée des notables les plus en vue de son entourage et une masse de cadeaux. Ma mère fit préparer de nombreux plats et un somptueux couscous au mouton dont tout le monde se régala.

Quant à mon petit frère, mon père lui donna le nom de "Cheik Mohammed el Ghaali", le maître auprès duquel El Hadj Omar avait passé plusieurs années à Médine, en Arabie, et qui l'avait investi de la fonction de "khalife général de la Tidjaniya pour l'Afrique noire".

La nouvelle de la libération de Tidjani Thiam se répandit dans tout le Macina. La plupart de ses amis et compagnons d'âge de Bandiagara saisirent l'occasion pour quitter la ville et venir le rejoindre à Bougouni. On vit arriver d'abord Koullel, l'ami de toujours, accompagné de Tidjani Daw et d'Abdallah Kolâdo, eux aussi fins "connaisseurs" en de nombreux domaines traditionnels, puis bien d'autres qui tous se fixèrent à Kadidiabougou. Ma mère, qui avait déjà fait venir précédemment sa coépouse Diaraw Aguibou, les trois frères de Tidjani et Gabdo Gouro, la première femme de Tierno Kounta, fit venir cette fois-ci le célèbre guitariste Ali Diêli Kouyaté, griot personnel de Tidjani, et les serviteurs les plus proches de ce dernier : Sambourou, Kolâdo, Bolâli et Salmana, plus sa servante préférée qui lui servait toujours ses repas, la douce Yabara. Les frères de Tidjani restèrent un certain temps avec nous, puis Tidjani les renvoya à Bandiagara pour veiller sur le reste de ses parents.

Ainsi la famille se retrouva-t-elle en partie réunie à Bougouni. Une véritable petite cour ne tarda pas à se reconstituer autour de mon père. Certes, elle était moins nombreuse et moins brillante qu'à Louta, mais au dire de tout le monde elle était, grâce à ma mère, mieux organisée, mieux nourrie et plus agréable à vivre. Chaque soir, la cour de la maison se remplissait de Peuls, de Toucouleurs et de Bambaras qui venaient écouter chanter le griot Ali Diêli ou entendre conter Koullel, le maître du "grand parler" peul. Il fallait nourrir tout ce monde mais, Dieu merci, ma mère savait gagner de l'argent. Son "campement-restauration" marchait à merveille et ses diverses activités commerciales prospéraient. Kadidja et ses frères ne s'étaient-ils pas juré, jadis, que Tidjani retrouverait grâce à eux la cour qu'il avait perdue à Louta ?

Plus de vingt personnes prenaient leurs trois repas de la journée à la maison. L'hospitalité de ma mère était telle que les gens de Bougouni disaient en maxime : "Le repas de Tidjani Thiam se prend jusque dans la rue" — façon de dire que la maison était toujours pleine. Jamais ma mère n'avait mieux mérité son surnom de *Debbo diom timba :* "femme à pantalon" !

Tidjani avait repris son métier traditionnel de tailleur-brodeur. Parallèlement, grâce à sa culture islamique et arabe, il jouait plus ou moins le rôle de marabout auprès des gens de Bougouni. La région, peu islamisée, comptait en effet encore fort peu de musulmans qualifiés, encore moins de savants; aussi voyait-on chaque jour des Dioulas musulmans venir demander prières et conseils à mon père, qui devint bientôt un guide religieux écouté.

Une braise qui ne brûle pas

Quelque temps après notre retour à Bougouni, le commandant de Courcelles, qui effectuait une tournée de recensement, passa à la maison. J'avais entendu dire que les Blancs-Blancs (comme on appelait les Européens par opposition aux Blancs-Noirs, ou Africains européanisés) étaient des "fils du feu" et que la clarté de leur peau était due à la présence en eux d'une braise ardente. Ne les appelait-on pas "les peaux allumées"? Les Africains les avaient baptisés ainsi parce qu'ils avaient observé que les Européens devenaient tout rouges lorsqu'ils étaient contrariés; mais moi, j'étais persuadé qu'ils brûlaient. Tenaillé par la curiosité, je demandai à Nassouni de me cacher derrière les pans de son grand boubou. Chacun défilait devant le commandant, qui inscrivait les noms sur un grand registre. Quand ce fut le tour de Nassouni, bien caché derrière elle, j'avançai tout doucement ma main droite sur le côté. Le plus légèrement que je pus, je posai le bout de mon index sur la main gauche du commandant qui reposait au bord de la table. Contrairement à mon attente, je ne ressentis aucune brûlure. J'en fus extrêmement déçu. Désormais, pour moi, le Blanc était "une braise qui ne brûle pas". A vrai dire, bien caché derrière le boubou de Nassouni, je n'avais pas vu grand-chose du commandant; à peine avais-je vu sa main. Notre vraie rencontre allait avoir lieu un peu plus tard.

Mon petit frère Mohammed el Ghaali (prononcer Raali) s'épanouissait de jour en jour. J'aimais veiller sur lui, chatouiller ses joues, ses petits bras potelés, son ventre rond et l'entendre rire aux éclats. Quelquefois je l'emmenais jouer hors de la maison. Un jour que nous étions en train de nous amuser au bord du chemin, je vis surgir devant nous un Blanc-Blanc, vêtu d'un costume extraordinaire, accompagné de deux acolytes blancs-noirs : un garde de cercle et un interprète. Les Blancs, c'est bien connu, sont de puissants sorciers qui émettent des forces maléfiques et mieux vaut ne pas s'attarder en leur compagnie. Mais là, impossible de fuir, nous étions coincés. Je saisis alors mon petit frère et le plaçai entre mes jambes pour le protéger du "mauvais œil" qui émanait du Blanc-Blanc et de ses compagnons blancs-noirs, lesquels étaient forcément ses complices, à l'image du hibou qui, dit-on, accompagne partout le sorcier. Des sanglots dans la voix, j'appelai de tous mes poumons ma mère, Allâh et le prophète Mohammad.

Le Blanc-Blanc parlait à ses compagnons dans une langue mystérieuse, et chaque fois qu'il s'arrêtait les Blancs-Noirs répétaient invariablement et inlassablement : *"Oui ma coumandan ! Oui ma coumandan !"* Ces mots se gravèrent immédiatement dans mon esprit. Ce ne pouvait être qu'un *moolorgol*, une formule propre à exorciser le mal venant du Blanc-Blanc. Machinalement, je me mis à la répéter moi aussi, pour éloigner de mon petit frère et de moi-même la calamité qui nous menaçait. J'étais persuadé que nous étions tombés dans le piège du diable et que la formule mystérieuse nous protégerait. Hélas, au lieu d'écarter le Blanc-Blanc, elle l'attira sur nous comme l'aimant attire le fer ! Mon frère, totalement inconscient du danger, souriait et tendait innocemment vers le Blanc-Blanc ses deux petits bras, tapant de temps en temps des mains sur le sol dans un geste de joyeuse impatience. Le Blanc-Blanc, complètement charmé, se pencha et lui caressa la tête, les joues et le menton. Ce geste, manifestement plus paternel que diabolique, me rassura. Je me ressaisis. Aussitôt, ma curiosité innée reprit le dessus et je me mis à examiner en détail le Blanc-Blanc.

Son costume était d'une blancheur remarquable mais au lieu de flotter et de laisser l'air circuler librement autour du corps comme les vêtements africains, il épousait strictement les formes du Blanc, comme si c'était pour lui une carapace de protection. Immédiatement, une vieille légende, qui remontait aux premières arrivées des Blancs par voie de mer et que j'avais entendue, me revint à l'esprit. Les Blancs, disait-on alors, étaient des "fils de l'eau", des êtres aquatiques qui vivaient au fond des mers dans de grandes cités. Ils avaient pour alliés des djinns (génies) rebelles que le prophète Salomon avait jadis précipités dans les profondeurs de l'océan et à qui le séjour sur terre était interdit à jamais. Ces djinns fabriquaient pour eux, dans leurs ateliers, des objets merveilleux. De temps en temps ces "fils de l'eau" sortaient de leur royaume aquatique, déposaient quelques-uns de leurs objets merveilleux sur le rivage, ramassaient les offrandes des populations et disparaissaient aussitôt [31].

"Ce costume prouve bien que les Blancs-Blancs sont des «fils de l'eau», me dis-je en moi-même. Ce sont des espèces d'écrevisses géantes à forme humaine, et comme toute bonne écrevisse qui se respecte, ils doivent avoir une carapace, si légère fût-elle." Rassuré par ce raisonnement, j'examinai tous les détails de la légère carapace du Blanc-Blanc, dont l'image se grava dans ma mémoire comme sur une pellicule photographique. Elle se composait de trois parties : une pour sa tête, une pour son tronc et une pour ses membres.

La carapace de la tête avait la forme d'une courge coupée en biais. Elle était peinte d'une matière blanche semblable à celle que fabriquent les femmes africaines en pilant des os d'animaux et dont elles s'enduisent les doigts pour mieux faire tourner leur fuseau à fusaïole. La tête du Blanc-Blanc dans sa carapace me fit penser à celle de *Koumba joubbel*, l'ombrette, un oiseau échassier de l'Afrique tropicale, mais la tête de *Koumba joubbel* était mieux ajustée et plus fièrement portée en arrière. Il me vint par espièglerie une méchante idée, que je devais d'ailleurs regretter un peu plus tard quand je connus mieux mon Blanc-Blanc : je souhaitai sur-le-champ qu'un vilain gecko, ce lézard considéré comme immonde par la tradition au point d'être surnommé *geddel Allâh* ("l'ennemi de Dieu"), vienne nicher dans sa carapace de tête pour fourrager dans les longues mèches de sa chevelure. A cette seule idée, j'eus envie de rire.

La carapace de son tronc était, elle, savamment apprêtée. Elle avait deux bras, deux lèvres verticales se rejoignant au milieu du corps et quatre poches superposées deux à deux. La lèvre gauche de la carapace était percée de cinq fentes pareilles à de petites paupières mi-closes. Sur la lèvre droite étaient fixés cinq gros boutons dorés que le Blanc-Blanc avait passés dans les cinq petites fentes. Il avait encore deux boutons dorés sur les épaules et un sur chaque poche.

Quant à la carapace des membres inférieurs, c'était bien la plus étrange : elle descendait jusqu'aux chevilles le long des deux jambes qu'elle enserrait étroitement. Les pieds, eux, étaient cachés dans des chaussures noires, fermées, qui reluisaient comme de l'ébène bien huilée. De toute évidence, ces chaussures ne ressemblaient en rien à celles des Noirs, habitants normaux de la terre ferme.

Sur son visage, le Blanc-Blanc portait une moustache dont les poils drus évoquaient la crinière coupée d'un poulain. Sa barbe, de longueur moyenne, était très bien peignée.

Tandis que je l'observais, le Blanc-Blanc se pencha vers moi pour prendre mon petit frère dans ses bras. Son corps exhala une vapeur inhabituelle à mon odorat. Bien que cette odeur ne fût pas une puanteur à proprement parler, elle me saisit à la gorge et je faillis vomir. J'eus la conviction que le Blanc-Blanc venait de m'envoûter avec un encens magique émané de son propre corps. Profitant de ce qu'il était occupé avec mon petit frère, je détalai à toutes jambes vers la maison, appelant ma mère au secours :

"Dadda ! Dadda ! Le Blanc-Blanc a pris Mohammed el Ghaali, puis il a soufflé sur moi un fumet de son encens magique ! J'ai essayé de le rejeter par la bouche mais je n'ai pas pu, le Blanc-Blanc a obstrué mon gosier par un sortilège. Dadda, viens vite ! Viens délivrer mon petit frère et donne-moi vite un lavement guérisseur afin que je ne meure pas !"

Pendant que je détalais ainsi vers ma mère en hurlant, le Blanc-Blanc, tenant mon petit frère dans ses bras, m'emboîtait le pas, suivi de ses deux auxiliaires blancs-noirs.

Ma mère, alertée par mes cris, fut vite auprès de moi, mais malgré sa présence rassurante je n'eus pas le courage de m'arrêter. Je courus jusqu'à sa case et allai me cacher derrière la couchette installée tout au fond. Là je dérangeai par mégarde une mère poule qui était venue y couver. Furieuse, et mue sans doute par l'instinct maternel, elle me sauta dessus et me décocha une bordée de coups de bec. Je ne sais comment je me suis retrouvé dans la cour, le corps orné de quelques duvets que mon adversaire, sans doute pour m'obliger à me souvenir de notre engagement, y avait déposés. J'eus très honte d'avoir été battu et chassé de la case maternelle par une poule. Il fallait bien que le Blanc-Blanc m'ait jeté un sort puissant pour que m'arrive une pareille disgrâce, et cela dans le giron même de ma mère où j'étais venu me réfugier contre ses sortilèges !

Tout à coup, je vis entrer dans la cour ma mère portant dans ses bras mon petit frère et suivie du Blanc-Blanc et de ses acolytes. Cela ne m'étonna pas. Ma mère, je le savais, n'avait peur de rien, et elle était bien capable de dompter même des diables européens. Pour que le Blanc-Blanc et ses compagnons la suivent ainsi, dociles comme des moutons de case à l'engrais, sûrement elle avait réduit à néant leurs forces maléfiques !

Arrivé au milieu de la cour, le Blanc-Blanc se tourna vers moi. Il me demanda, par l'entremise de son interprète, pourquoi je m'étais sauvé sans me soucier de ce qu'allait devenir mon petit frère. Stupéfait, je ne sus que répondre. Me mordillant la lèvre, je baissai la tête, extrêmement vexé. Le Blanc-Blanc dit alors qu'il ne savait pas que Tidjani Thiam avait de si beaux garçons. Il nous apprit qu'il se nommait de Courcelles, qu'il appartenait, en France, à un très vieux clan de chefs et que ses ancêtres, à une certaine époque qu'il appela "Révolution", avaient été, tout comme Tidjani, dépouillés de leur chefferie. Quelques membres de sa famille avaient même été exécutés et d'autres envoyés au bagne après confiscation de leurs biens. C'est dire s'il comprenait Tidjani et se sentait proche de lui !

Au fur et à mesure que le Blanc-Blanc parlait, je m'apaisais. Je sentis même naître dans mon cœur un élan de sympathie pour lui. Il ne me faisait plus peur, et je me repentis sincèrement d'avoir souhaité qu'un vilain gecko aille nicher dans sa coiffure pour brouter ses cheveux. J'eus l'impulsion de lui demander pardon pour cette mauvaise pensée, mais la peur d'être sévèrement puni par ma mère me retint. En effet, elle ne cessait de nous recommander: "Battez-vous s'il le faut, mais n'ayez jamais de mauvaises pensées contre qui que ce soit. Allâh ne le veut pas, et les règles de la noblesse peule *(n'dimaakou)* le réprouvent."

Après quelques instants de conversation avec ma mère, le commandant s'adressa de nouveau à moi.

"Ton petit frère est mon Grand Ami, dit-il. Quant à toi, tu n'es que mon Ami, parce que tu as fui devant moi. Un vrai noble meurt, mais il ne fuit jamais."

Comme je l'avais vu faire par le garde quand il parlait au Blanc-Blanc, je me mis maladroitement au garde-à-vous et dis:

"Oui ma coumandan!" Et j'ajoutai en peul: "Je suis noble de père et de mère. Je ne fuirai plus jamais devant un Blanc-Blanc, même s'il ne s'appelle pas de Courcelles. Je t'en prie, fais de moi un Grand Ami, car je ne peux pas être plus petit que mon petit frère. Sinon Binta Diafara ne voudra plus de moi pour mari." (Binta Diafara, une amie de ma mère, était la fille du grand preux Diafara Aïssata, réputé pour son courage et sa témérité. Je lui avais dit que je voulais l'épouser. Pour me consoler, elle avait promis de se conserver pour moi jusqu'à ce que je grandisse. Je me considérais comme son chevalier servant.)

De Courcelles, après avoir écouté la traduction de l'interprète, éclata de rire. Il me caressa la tête et m'éleva sur-le-champ au rang de Grand Ami, tout comme mon petit frère.

Telles sont, à quelques détails près, les circonstances de ma première vraie rencontre avec un Blanc-Blanc appartenant à une race d'hommes que, jusqu'alors, je n'aimais point, par rancœur pour ce qu'ils avaient fait à mon père Tidjani. Lorsqu'il partit, je demandai à ma mère:

"Dadda, le commandant de Courcelles n'est-il pas un toubab?

— Si, me répondit-elle, mais c'est un bon toubab."

Cette réponse me troubla. J'avais décidé de haïr tous les toubabs, mais comment pouvais-je détester ce commandant si gentil, dont j'entendais dire qu'il avait tout fait pour faire libérer mon père ? J'apprenais pour la première fois que les réalités de ce monde ne sont jamais ni entièrement bonnes ni entièrement mauvaises, qu'il faut savoir faire la part des choses et se garder de tout jugement préconçu.

De Courcelles aimait le cheval et la chasse. Or mon père était non seulement un excellent cavalier mais aussi l'un des meilleurs fusils de Bougouni — qui était pourtant un pays de chasseurs traditionnel — et un habile traqueur de fauves et de gros gibier. Deux sorties en commun achevèrent de convaincre le commandant qu'il avait trouvé en mon père le compagnon qu'il lui fallait.

Le commandant de Courcelles nous aima, sans calcul ni arrière-pensée. Force fut pour nous de l'aimer et, à travers lui, d'aimer aussi son pays auquel il vouait une véritable dévotion. On ne répugnait plus, à la maison, à parler de la France et des Français. On ne les maudissait plus. Un jour mon père, parlant de la France, nous dit : "Le royaume de France a deux têtes : l'une est très bonne et l'autre très mauvaise." Je ne compris pas, alors, ce qu'il voulait dire. Ce n'est que plus tard, avec l'expérience et une meilleure connaissance des êtres et des choses, que j'appris à faire la différence entre le peuple de France et le comportement de certains de ses représentants hors de ses frontières, en particulier dans les colonies. Etait-ce ce qu'il avait voulu dire ?

Je commençais à m'ennuyer de passer toute la journée à la maison, n'ayant pour seul compagnon de jeu que mon petit frère. Certes, nous nous entendions comme lait et couscous et il partageait de bon cœur avec moi les friandises que le commandant lui apportait chaque dimanche matin, mais il était bien petit et la compagnie d'enfants de mon âge me manquait. Un jour, ma mère m'emmena en ville saluer nos cousins Galo Bâ et Mamadou Thiam. Le premier avait deux garçons de mon âge, Mamadou et Issiaka, et le second une petite fille, Kadjalli. C'étaient pour moi des camarades tout indiqués. Dès lors chaque matin, après avoir pris mon petit déjeuner, je quittais la maison pour les rejoindre. Un jeune garçon bambara, Sirman Koné, ne tarda pas à s'ajouter à notre petit groupe.

C'est à cette époque, je crois, que j'ai été affilié à la société bambara d'initiation enfantine Tiebleni ainsi que mes petits compagnons de jeu. Etant donné que nous vivions en plein milieu bambara, cette affiliation était indispensable, sinon il nous aurait été impossible de fréquenter nos camarades de Bougouni qui faisaient tous partie de ces associations, et nous aurions été obligés de rester enfermés à la maison chaque fois que le masque sacré du Komo[32] sortait de sa retraite pour parcourir les rues à l'occasion des fêtes ou des cérémonies. Pour les petits musulmans, cette affiliation était de pure forme. On nous apprenait les secrets du rituel, les signes de reconnaissance, quelques petits contes, mais guère plus. Il existait également (et cela vraisemblablement depuis l'empire du Mandé [Mali] fondé au XIIIe siècle par Soundiata Keïta) une affiliation de pure forme au Komo pour les adultes musulmans vivant en pays bambara afin qu'ils ne soient pas coupés de la communauté dans laquelle ils vivaient. Ils étaient dispensés de sacrifier aux fétiches, ne mangeaient pas les aliments sacrifiés, ne buvaient pas d'alcool et n'assistaient pas aux cérémonies, mais au moins ils n'étaient pas, eux non plus, obligés de se cloîtrer lors des sorties du Komo. Ces relations de bon voisinage et d'acceptation mutuelle reposaient sur le vieux fond de tolérance religieuse de l'Afrique traditionnelle animiste qui acceptait toutes les formes de pratiques religieuses ou magico-religieuses et qui, de ce fait, ignora les guerres de religion.

Tidjani était un musulman fervent et convaincu dont l'exemple suscita même, à Bougouni et ailleurs, d'assez nombreuses conversions, mais cela ne l'empêchait pas d'être extrêmement tolérant. Pour lui, mon affiliation aux initiations enfantines bambaras était une occasion supplémentaire de m'instruire. Dès cette époque, j'ai appris à accepter les gens tels qu'ils étaient, Africains ou

Européens, tout en restant pleinement moi-même. Ce respect et cette écoute de l'autre quel qu'il soit et d'où qu'il vienne, dès l'instant que l'on est soi-même bien enraciné dans sa propre foi et sa propre identité, seront d'ailleurs plus tard l'une des leçons majeures que je recevrai de Tierno Bokar.

Mort de ma petite enfance

Quand j'eus atteint l'âge de sept ans, un soir, après le dîner, mon père m'appela. Il me dit :

"Cette nuit va être celle de la mort de ta petite enfance. Jusqu'ici ta petite enfance t'offrait une liberté totale. Elle t'accordait des droits sans t'imposer aucun devoir, pas même celui de servir et d'adorer Dieu. A partir de cette nuit, tu entres dans ta grande enfance. Tu seras tenu à certains devoirs, à commencer par celui d'aller à l'école coranique. Tu vas apprendre à lire et à retenir par cœur les textes du livre sacré, le Coran, que l'on appelle aussi Mère des livres."

Cette nuit-là, je ne pus dormir. J'étais hanté par ces mots mystérieux : "mort de ma petite enfance". Qu'est-ce que cela voulait dire ? Quand les hommes meurent, on creuse le sol et on les enfouit sous la terre, tout comme les graines des céréales. Mon père allait-il enterrer ma "petite enfance" ? Je savais que le mil, le maïs et l'arachide que l'on mettait en terre réapparaissaient ensuite sous forme de tiges nouvelles, mais je n'avais ni vu ni entendu dire qu'un homme ait, comme une céréale, germé et poussé hors de sa tombe. Qu'en serait-il avec ma petite enfance ? Allait-il en germer quelque chose de nouveau ? Je finis par m'endormir, la tête pleine de questions insolubles. Je fis un rêve, le premier dont le souvenir me soit resté vivant : je me voyais dans un cimetière où, de toutes les tombes, sortaient des bustes d'hommes.

Le lendemain, ma mère me réveilla de bonne heure. Elle me fit prendre un bain. Pendant qu'elle me lavait, j'eus envie de lui raconter mon rêve, mais je ne sais pourquoi, j'hésitai. Finalement je ne lui dis rien. Après le bain, elle me revêtit d'un boubou blanc, puis elle alla chercher deux petites calebasses emplies l'une de lait de chèvre, l'autre de boules de farine de mil cuites à la vapeur.

Mon père vint me prendre par la main et m'emmena, à travers "Kadidiabougou", vers la case de Tierno Kounta. Ma mère nous suivait avec les deux calebasses. Arrivé à l'entrée de la case, mon père prononça la formule de salutation musulmane : "*As-salaam aleïkoum !*" (La paix sur vous.) Tierno Kounta, qui avait reconnu la voix de Tidjani, sortit et répondit : "*Wa aleïkoum essalaam !* (Et sur vous la paix !) *Bissimillâhi ! Bissimillâhi !*" (Bienvenue au nom de Dieu !)

Pendant que Tierno Kounta et mon père échangeaient les longues litanies de salutation d'usage, Koudi Ali étala sur le sol, devant la case, une natte historiée du Macina sur laquelle elle plaça une belle peau de mouton. Sur un signe de Tierno Kounta, mon père y prit place. Il me fit asseoir à côté de lui, ma mère venant m'encadrer de l'autre côté.

"Tierno Kounta, dit mon père, notre venue chez toi de si bon matin n'a rien de fâcheux.

— Qu'il en soit bien ainsi ! C'est des deux mains que je reçois votre visite.

— Notre fils Amadou a atteint sa septième année. Nous te l'amenons afin que tu lui enseignes la lettre du Coran comme la loi musulmane l'exige."

Ma mère tendit les deux petites calebasses :

"Voici les aliments exigés par la tradition : le lait de chèvre et les boulettes de mil."

Tierno Kounta prit les deux calebasses, les posa à côté de sa peau de prière, puis pénétra dans sa case. Quand il en ressortit, il tenait dans sa main droite une petite tablette de bois et, dans sa main gauche, une écuelle emplie de sable fin dans laquelle il avait solidement fiché une petite gourde contenant de l'encre noire (fabriquée à partir de charbon de bois et de gomme arabique), plus quelques tiges de roseau taillées en forme de plume. Il posa ces objets à terre, puis se retournant vers l'est, paumes ouvertes, il récita la *fatiha*, première sourate du Coran intitulée "l'Ouvrante", texte rituel de base de l'islam. Il versa dans une petite calebasse un peu d'encre et de lait de chèvre, trempa une plume de roseau dans ce mélange et écrivit sur la planchette un long texte coranique. Ensuite, il lava la planchette avec du lait, recueillit soigneusement ce lait mêlé d'encre et trempa dans ce mélange les trois boulettes de farine de mil qu'il me donna à manger. Puis il me fit boire trois gorgées de la mixture. Le goût en était plus agréable que je ne l'avais craint.

Après cette petite cérémonie, Tierno Kounta me fit prononcer la *shahada*, c'est-à-dire la double profession de foi musulmane : *"Ach-hadou an lâ ilâha ill'Allâh* (Je témoigne qu'il n'y a de dieu que Dieu [33]) *oua Mohammad rassoul-Allâh* (et que Mohammad est l'envoyé de Dieu)." Il recevait ainsi ma conversion à l'islam, conversion qu'il m'appartiendrait de renouveler en pleine conscience quand j'atteindrais ma majorité.

Il reprit alors la planchette et y inscrivit sept lettres de l'alphabet coranique. Ensuite, il me fit asseoir sur les talons dans la position musulmane traditionnelle, le poids du corps reposant essentiellement sur le pied gauche. Il me fit prendre la planchette de telle sorte que le haut repose sur mon avant-bras gauche et le bas sur ma cuisse droite. De mon index droit je devais désigner chacune des sept lettres qu'il avait tracées en gros caractères. J'étais rituellement préparé à recevoir l'enseignement du livre sacré.

Avec un respect religieux, Tierno Kounta suivit lui-même de son index droit chacune des sept lettres coraniques, énonçant chaque fois le nom que les Peuls leur ont donné. Ces sept lettres étaient celles qui composent la formule coranique *Bismillâh* (au nom de Dieu), que l'on trouve en tête de chacune des sourates du Coran et que les musulmans prononcent avant chaque geste ou acte important de leur vie.

Sept fois Tierno Kounta me répéta la leçon, et sept fois je la rabâchai après lui, après quoi il congédia mes parents. Je devais rester dans un coin de sa cour et répéter quatre cent huit fois la leçon en suivant les lettres du doigt. Cela me prit environ deux heures. Quand j'eus terminé, Tierno Kounta me dit d'aller déposer ma planchette contre le mur à l'intérieur de sa case, puis de rentrer chez moi. Le lendemain était un jeudi, jour traditionnel de congé scolaire ; je ne devais donc revenir que le vendredi. Je rangeai soigneusement ma planchette puis m'élançai en gambadant vers l'habitation de mes parents, chantonnant tout le long du chemin une petite rengaine bien rythmée un peu moqueuse à l'égard du maître, que tous les enfants peuls musulmans apprennent bien avant d'aller à l'école coranique.

Tout heureux d'être libéré, je restai néanmoins impressionné par la mise en scène qui avait accompagné cette première leçon. Une fois revenu à la maison, fier de connaître ma première leçon, je me mis à tympaniser tout le monde en la serinant à tue-tête. Il ne fallut pas moins que l'intervention de mon père pour me faire taire.

Depuis que Naaba m'avait parlé de la mort de ma petite enfance, j'avais pris à mes yeux une importance exagérée, d'autant que ma mère m'accordait dorénavant une grande liberté. Elle ne m'empêchait plus d'aller tout seul à Bougouniville. Mes petits camarades Mamadou, Issiaka et Sirman venaient me chercher le mercredi après-midi. Le lendemain étant jour de congé, je couchais parfois chez eux et nous passions ainsi ensemble deux jours pleins à courir dans la brousse et les bois environnants. Nous formâmes bientôt un groupe de quatre véritables petits diables, impénitents piégeurs de souris et de lézards et incorrigibles maraudeurs de petits potagers. Je me gardais bien de rapporter à la maison mon butin, généralement constitué d'oisillons, de bestioles diverses et de petits légumes chapardés, car mes parents n'auraient pas manqué de me rosser d'importance. Ils n'aimaient ni l'un ni l'autre voir maltraiter des animaux, et jamais ils ne m'auraient pardonné le moindre larcin !

Danfo Siné, le joueur de dan

Le grand chef bambara Tiémokodian, protecteur de ma mère depuis son arrivée dans le pays, se prit d'amitié pour Tidjani. Chaque fois qu'il allait saluer le commandant de Courcelles — ce qu'il faisait presque journellement — il ne manquait pas de passer à la maison pour donner un petit bonjour à la famille. Il était toujours accompagné d'un groupe de serviteurs, de courtisans et d'amis parmi lesquels tranchait parfois un homme que l'on sentait différent des autres : de taille et de corpulence moyennes, il avait le visage assez rond et le nez empâté, ce qui ne l'enjolivait guère, mais ses yeux étaient si expressifs et leur regard si perçant qu'il en était presque effrayant. Une sorte de force mystérieuse émanait de cet homme. Comme je l'appris par la suite, c'était un "homme de connaissance" bambara, un *doma*, donc un "grand connaisseur" — ce que l'on traduit souvent en français, faute de mieux, par le terme "traditionaliste" au sens de *savant en matière de connaissances traditionnelles*[34]. Il existe des *doma* dans chaque branche ou filière de connaissance, mais lui était un *doma* complet. Il possédait toutes les connaissances de son temps touchant à l'histoire, aux sciences humaines, religieuses, symboliques et initiatiques, aux sciences de la nature (botanique, pharmacopée, minéralogie), sans parler des mythes, contes, légendes, proverbes, etc. C'était aussi un merveilleux conteur. C'est auprès de lui que j'ai entendu pour la première fois de nombreux contes et légendes bambaras et peuls de la région du Wassoulou, où ces deux ethnies vivent assez mêlées.

Poète, grand maître de la Parole, il était célèbre dans tous les pays qui s'étendent entre Sikasso et Bamako. Mais avant tout c'était un maître éminent de l'initiation du Komo, un "maître du couteau" (c'est-à-dire sacrificateur rituel, enseignant et nécessairement forgeron de son état) et l'un des plus célèbres chantres du Komo que l'on ait connus dans la région.

Dans certains villages, le masque sacré du Komo ne pouvait sortir qu'en sa présence. Lorsqu'il fit la connaissance de mon père, il venait de terminer son septénaire de *Korojouba*, l'une des plus hautes écoles initiatiques des Bambaras et des Sénoufos de la savane dans le Soudan occidental, dont le nom signifie "le grand tronc de la chose" — autrement dit "le grand tronc de la connaissance" — et dont le centre était alors situé dans le cercle de Bougouni.

Cet homme s'appelait Danfo Siné ("Siné le joueur de *dan*"), car il ne quittait jamais son *dan*, sorte de luth à cinq cordes confectionné avec une moitié de grosse calebasse. Il en jouait avec une virtuosité étonnante, mais ce n'était pas un musicien ordinaire ; lorsqu'il pinçait les cordes de son *dan*, s'il déclamait certaines incantations qui avaient la propriété de le plonger en transe, il se mettait alors à prédire l'avenir avec une exactitude qui stupéfiait tous les habitants de la région et même des pays environnants, car ses prédictions étaient immédiatement colportées très loin, jusqu'aux rives du fleuve Baoulé.

Il lui arriva, entre autres, de prédire un an à l'avance que les cavaliers du royaume de Kenedougou envahiraient M'Pegnasso, Bolona et les villages environnants. Il annonça que le pays de Tengrela serait incendié par quatre chefs de guerre venant du Sikasso et il prédit la défaite à venir de Samory Touré. Quant à mon père, il l'informa de la mort prochaine du roi Aguibou Tall de Bandiagara et de sa libération définitive, événements qui se réalisèrent exactement comme il l'avait annoncé.

Danfo Siné se déplaçait à travers le pays avec un groupe de néophytes, qu'il formait. A Bougouni, il donnait presque chaque soir une séance de chants et de danses ; s'il s'exhibait ainsi, ce n'était pas seulement pour distraire la population et moins encore pour en tirer profit, car rien de ce qu'il faisait n'était à proprement parler profane. Ses danses étaient rituelles, ses chants souvent inspirés, et ses séances toujours riches d'enseignements.

Musicien virtuose, il faisait ce qu'il voulait de ses mains, mais aussi de sa voix. Il pouvait faire trembler son auditoire en imitant les rugissements d'un lion en furie ou le bercer en imitant, à lui seul, tout un chœur d'oiseaux-trompettes. Il savait coasser comme le crapaud ou barrir comme un éléphant. Je ne connais pas un cri d'animal ni un son d'instrument de musique qu'il n'ait pu imiter. Et quand il dansait, c'était à en rendre jaloux Monsieur Autruche lui-même, roi des danseurs de la brousse quand il fait la cour à sa belle. Souple comme une liane, aucune acrobatie ne lui était impossible.

Cet homme extraordinaire s'attacha au garçonnet que j'étais. Me trouvant dans un âge où mon cerveau, comme il disait, "était encore une terre glaise façonnable", il me plaçait toujours auprès de lui quand il parlait et m'emmenait même parfois, avec l'autorisation de mes parents, assister à certaines de ses représentations au-dehors. Il s'agissait souvent de séances chantées et dansées retraçant symboliquement les différentes phases de la création du monde par *Maa n'gala*, le Dieu suprême créateur de toutes choses [35]. Prenant son *dan*, Danfo Siné commençait à jouer les yeux fermés, sans prononcer une parole. Ses doigts volaient sur les cordes de son instrument. Peu à peu son visage se couvrait de gouttelettes luisantes et il cessait de jouer. Alors, comme un plongeur remontant à la surface après être resté longtemps dans les eaux profondes, il expirait bruyamment l'air de ses poumons, reprenait son *dan* et déclamait un chant aux paroles hermétiques évoquant le mystère de la création à partir de l'Unité primordiale. Dans ce chant, quand il lui arrivait de remplacer l'interjection *Ee Kelen* (Ô Un !) par le nom divin *Maa n'gala*, il tombait en transe et vaticinait. Il lui arrivait aussi d'accomplir en public toutes sortes de prodiges assez impressionnants, dont le souvenir agitait parfois mes nuits.

Presque chaque soir de grandes veillées se tenaient dans la cour de la maison de mes parents, où se rencontraient les meilleurs conteurs, poètes, musiciens et traditionalistes aussi bien peuls que bambaras, et que dominaient sans conteste Koullel et Danfo Siné. Ma famille parlait maintenant parfaitement le bambara ; les nouveaux arrivés ne tardèrent pas à l'assimiler eux aussi. Quant à Danfo Siné, il avait appris le peul dans la région du Wassoulou, où Bambaras et Peuls vivaient mêlés.

Dans ma petite enfance, j'avais déjà entendu beaucoup de récits historiques liés à l'histoire de ma famille tant paternelle que maternelle, et je connaissais les contes et historiettes que l'on racontait aux enfants. Mais là, je découvris le monde merveilleux des mythes et des grands contes fantastiques dont le sens initiatique ne me serait révélé que plus tard, l'ivresse des grandes épopées relatant les hauts faits des héros de notre histoire, et le charme des grandes séances musicales et poétiques où chacun rivalisait dans l'improvisation.

A l'occasion de certaines fêtes, Danfo Siné amenait à la maison des danseurs masqués appartenant à la grande école initiatique *Korojouba*, dont il était lui-même un grand maître. Mais il existait une autre sorte de danseurs que je préférais à tous : ceux que l'on appelait les *Hammoulé*. Affranchis par la tradition, comme les *Korojouba*, de toutes nos conventions de bienséance, ils bousculaient les usages, disaient tout de travers et faisaient tout à l'envers, se livrant à mille facéties qui mettaient l'assistance en joie. Autant je redoutais un peu Danfo Siné, autant les *Korojouba* et les *Hammoulé* m'amusaient. A les regarder, j'en oubliais parfois mes leçons d'école coranique...

On m'a demandé un jour quand j'avais commencé à récolter les traditions orales ; je répondis qu'en fait je n'avais jamais cessé de le faire, et cela depuis ma prime jeunesse, ayant eu la chance de naître et de grandir dans un milieu qui était pour moi une sorte de grande école permanente pour tout ce qui touchait à l'histoire et aux traditions africaines.

Tout ce que j'entendais le soir dans la cour de mes parents, je le transmettais dès le lendemain à mes petits camarades de jeu, faisant ainsi mes premières armes de conteur ; mais je ne le ferai d'une manière systématique que quelques années plus tard, quand nous serons revenus à Bandiagara et que j'y fonderai ma première association (*waaldé*), laquelle regroupera jusqu'à soixante-dix gamins de mon âge.

La fin du vieux maître

Mon maître Tierno Kounta, épuisé par la prison et les travaux forcés, ne parvenait pas à se remettre des fatigues et des privations qu'il avait subies. Il n'était plus guère en état de m'apporter une formation sérieuse. Après avoir appris les lettres de l'alphabet coranique et leur nom en peul, c'est tout juste si j'arrivais à lire les assemblages de lettres et à épeler les mots.

Ses forces l'abandonnaient peu à peu. Chaque jour son appétit diminuait. Il dépérissait à vue d'œil. Sa mémoire des hommes et des choses s'effritait. Déjà très affaibli, il reçut le coup de grâce en apprenant brusquement le décès de sa fille unique Fanta qu'il chérissait tendrement et qui lui avait été "enlevée" par un militaire français.

Fanta Kounta Cissé avait été l'une des plus belles filles de Bandiagara. Vingt fils de grandes familles toucouleures étaient ses soupirants et avaient officiellement demandé sa main. La compétition, qui coûta beaucoup d'or et de têtes de bétail, dura une année entière. Finalement, c'est Badara Thiam, le plus jeune frère de Tidjani Thiam, qui l'emporta sur ses rivaux, mais sa mort tragique à Toïni mit fin, au moins temporairement, à tout autre projet de mariage. C'est alors que le commandant militaire affecté aux Etats du roi Aguibou Tall, le capitaine Alphonse, vit Fanta Kounta. J'ignore comment les choses se passèrent ; toujours est-il qu'il tomba follement amoureux de la jeune fille et qu'il usa du droit du plus fort pour en faire, conformément à l'usage des hauts fonctionnaires coloniaux, sa "femme coloniale".

Indignés et humiliés, les jeunes Toucouleurs soupirants de Fanta complotèrent en vue d'assassiner le capitaine Alphonse. Le bruit en parvint aux oreilles du roi Aguibou. Pour éviter une tragédie, celui-ci écrivit à son ami le colonel Archinard, qui se trouvait alors à Paris, pour lui demander d'intervenir auprès des autorités afin d'éloigner au plus vite de Bandiagara le capitaine Alphonse.

Il était alors d'usage que les administrateurs ou militaires coloniaux, lorsqu'ils changeaient de poste, abandonnent sur place les femmes qu'ils avaient prises dans le pays, avec ou sans "mariage colonial" ; ils les léguaient même souvent à leur successeur. Le roi Aguibou comptait sur cette coutume pour récupérer Fanta et apaiser les esprits. Malheureusement, le capitaine Alphonse faisait exception à la règle. Il n'avait pas épousé Fanta pour satisfaire un désir passager mais parce qu'il l'aimait réellement. Aussi, quand l'ordre vint de Paris de l'affecter à Lobi-Gaoua, à la grande colère des jeunes Toucouleurs de Bandiagara il emmena Fanta avec lui. Le jour où il apprit cette nouvelle, Tierno Kounta Cissé était déjà emprisonné. Il en conçut une rancœur tenace envers tous les Français, non sans quelque raison d'ailleurs, d'abord pour l'avoir jeté au cachot, puis pour lui avoir enlevé sa fille.

Tandis qu'un mal sournois minait mon vieux maître à Bougouni, une fièvre pernicieuse, apparue à l'occasion de son premier accouchement, emporta Fanta en vingt-quatre heures à Lobi-Gaoua. Le capitaine Alphonse, fou de douleur, faillit se suicider; il devait d'ailleurs être rapatrié peu après en France pour raisons sanitaires. Il télégraphia au commandant de cercle de Bougouni ainsi qu'à Tierno Kounta pour leur annoncer la triste nouvelle.

Un après-midi, le facteur entra dans la cour, un papier bleu à la main. Tierno Kounta venait de me donner ma leçon. J'étais réfugié dans l'ombre de sa case où j'ânonnais avec nonchalance les mots qu'il venait d'écrire péniblement sur ma planchette. Le facteur lui tendit la dépêche: "Papier bleu urgent de Gaoua", dit-il. Tierno Kounta appela mon père, mais ce dernier, dont le français était encore rudimentaire, préféra faire venir d'urgence le "moniteur d'enseignement" Moustapha Dembélé.

Dès que celui-ci arriva, il lut le contenu du papier bleu, puis dit en peul:

"Fanta Kounta est décédée hier matin à Gaoua. Le capitaine Alphonse doit rentrer en France. Il demande que la mère de Fanta aille chercher les affaires de sa fille."

J'entendis tout à coup exploser des cris aigus poussés par les deux épouses de Tierno Kounta. Sortant de la case en courant, je vis Gabdo Gouro, la mère de Fanta, se rouler par terre en gémissant. Elle improvisa sur-le-champ, à la manière traditionnelle des femmes peules, un poème chanté où elle exprimait sa douleur, lançant régulièrement le long cri "*Mi héli yooyooo! Mi héli!*" (Je suis brisée, ô Héli Yooyo!) que poussent les Peuls lorsqu'ils sont dans la détresse [36], en souvenir du pays originel de Héli et Yooyo, le paradis perdu où, à l'aube des temps, ils vivaient heureux et préservés de tous les maux de l'existence avant d'être dispersés aux quatre coins de l'Afrique. Voici quelques extraits de ce poème, que je devais entendre souvent encore par la suite car les gens de ma famille l'avaient immédiatement mémorisé :

Mi héli yooyooo, mi héli !
Ô Dieu, qu'ai-je fait, qu'ai-je dit contre toi ?
Ô ciel, descends sur la terre
qui vient d'avaler ma fille,
arrache-lui ma Fanta,
mon or, mon espoir, ma raison de vivre !
Hélas, la terre vient de l'avaler...
(...)
Mi héli yooyooo, mi héli !
Pourquoi ne suis-je pas devenue sourde
pour ne pas entendre une si affreuse nouvelle,
une nouvelle qui comme un couteau tranchant
m'arrache les sept viscères ?
Mi héli yooyooo, mi héli !
Ô samedi de malheur,
éclairé par un soleil de douleur !
Ô samedi de répétition[37] !
Ta nuit va me couvrir d'une ombre
aussi dense que l'obscurité des entrailles de la terre
où est couchée ma Fanta !
(...)

Sa complainte, entrecoupée des longs cris de désespoir *Mi héli yooyooo...*, vous déchirait le cœur. Le vieux Tierno Kounta, pétrifié par la nouvelle, finit par tomber en syncope. Mon père essaya de le ranimer, mais en vain.

"Naaba, qui a frappé mon maître ? demandai-je.
— On ne l'a point frappé, il est malade."

Appelé d'urgence, l'aide-médecin Baba Tabouré examina Tierno Kounta et déclara qu'il n'y avait pas d'arrêt du cœur. En exerçant sur lui des mouvements respiratoires, il parvint à le ranimer. Mais au moment où Tierno Kounta revenait à lui et tentait de se remettre sur son séant, il fut pris d'une violente contraction. Un bruit inarticulé s'échappa de sa poitrine. Il haleta avec force puis rejeta par la bouche un jet de sang vermeil. Je fus pris d'une peur terrible! C'était la première fois que je voyais vomir du sang.

On transporta le vieil homme dans la case de sa première épouse, Gabdo Gouro. On le coucha sur son *tara*, un lit de rondins recouvert d'une paillasse, et on posa sur lui une couverture blanche. J'entendis ma mère dire à sa coépouse Diaraw Aguibou :

"Tierno Kounta ne survivra pas à sa fille, il l'aimait trop. La nouvelle a coupé son cœur."

Toute la famille entourait le moribond. On ne m'avait pas éloigné. Je compatissais à l'état de mon maître, que je trouvais bien triste, mais au fond de moi ma *nafs*, mon âme secrète, me susurrait tout doucement : "Désormais, tu seras libre d'aller t'amuser tous les jours avec Sirman et tes autres petits camarades. La maladie de Tierno Kounta est une occasion de congé pour toi..."

On fit venir Danfo Siné. Il étala par terre au chevet du malade une couche de sable fin et y imprima des signes qu'il étudia longuement. Se mordant la lèvre inférieure, il secoua pensivement la tête et regarda longuement mon père ; puis il se leva et l'emmena au-dehors pour lui parler. Quelque temps après, Batoma vint dire discrètement à ma mère :

"Naaba a dit que Danfo Siné ne donne que deux semaines à vivre à Tierno Kounta, trois au plus ; mais il faut cacher cette mauvaise nouvelle à ses femmes."

Ma mère essaya de son mieux d'apaiser les épouses de Tierno Kounta par quelques paroles de réconfort et d'espoir.

Pendant quelque temps, les choses allèrent leur train dans la maison, sans enthousiasme. Les femmes de Tierno Kounta, pour mieux assister leur mari, avaient cessé de pleurer. Elles avaient un peu oublié Fanta, qui pouvait enfin dormir tranquillement dans sa tombe. Ne dit-on pas en effet que les pleurs, les larmes et les cris empêchent le défunt de dormir en paix et l'entravent dans son ascension, lui rappelant ses attachements et les émotions dont il doit parvenir à se libérer ? C'est pourquoi il est conseillé, en milieu musulman, de prier pour un disparu non avec des larmes mais avec un cœur empli de paix, d'amour et de confiance.

Les soins et les remèdes dispensés par Danfo Siné restèrent sans effet. Mon père se rendit chez le commandant de Courcelles pour l'informer de l'état de santé de son compagnon. "Un guérisseur blanc doit passer demain à Bougouni, lui dit le commandant. Je lui demanderai de visiter et de soigner ton malade." Le lendemain matin, en fin de matinée, le guérisseur blanc se présenta chez nous. Pour le recevoir, on souleva Tierno Kounta afin de l'asseoir dans son lit, le dos appuyé sur des coussins, soutenu par sa femme.

Le "guérisseur blanc" était le deuxième toubab que je pouvais observer de près. Ses gestes, qui ne ressemblaient nullement à ceux de nos guérisseurs traditionnels, me remplirent d'étonnement. Il examina d'abord les mains, les yeux, la langue, les oreilles et les pieds du malade. Après cela, il lui plaça une serviette sur le dos. Il posa sa main gauche bien à plat sur la serviette, puis, de son index droit replié, tapa doucement sur sa main, tandis qu'il la déplaçait en tous sens sur le dos du malade. Il demanda à Tierno Kounta de respirer fort plusieurs fois, puis de tousser. Il écouta attentivement. Ensuite il le coucha sur le dos, lui tâta le ventre, lui fit plier et replier plusieurs fois les jambes.

Silencieux, il regarda longuement le malade, comme perdu dans sa réflexion ; puis il se leva et donna à la famille quelques médicaments, expliquant comment les prendre. Comme il sortait de la case, il m'aperçut debout derrière mon père, d'où j'avais assisté à toute la scène. Il me passa la main sur la tête plusieurs fois, me souleva le menton et plongea ses yeux colorés dans les miens. Il sourit, et je ne pus m'empêcher de lui répondre. Enfin il partit, non sans avoir jeté un dernier regard sur Tierno Kounta qui essaya, sans y parvenir, de lever la main droite pour rendre le salut militaire, comme les Africains étaient habitués à le faire chaque fois qu'ils rencontraient un Blanc.

Durant toute la semaine, l'état de Tierno Kounta resta stationnaire. Le vendredi, lorsque mon père se rendit en ville pour participer à la prière commune, il demanda aux fidèles de prier pour cet homme qui avait été récitateur du Coran à la porte de Tidjani Tall, le premier roi de Bandiagara, puis cadi de la province de Louta, enfin compagnon de malheur dans les jours d'infortune et de souffrance.

La nuit de vendredi à samedi fut très pénible ; les deux épouses de Tierno Kounta ne purent fermer l'œil. Le samedi matin, vers neuf heures, Gabdo Gouro accourut dans notre case, les cheveux dénoués, les yeux rougis et les lèvres desséchées par l'insomnie. D'une voix enrouée à force de pleurer, elle appela mon père :

"Ô Naaba ! viens vite voir Tierno Kounta. Je ne reconnais plus l'expression de son visage. Il parle un langage inintelligible pour Koudi et moi. Il ne regarde plus qu'au plafond."

Mon père et ma mère se précipitèrent derrière Gabdo. Je les suivis discrètement. Mon vieux maître, couché sur une natte au milieu de la pièce, pliait et dépliait ses doigts qui semblaient vouloir saisir quelque chose. Il commença à produire un son de gorge comme s'il se gargarisait doucement. Mon père s'assit à côté de lui sur la natte, étendant ses jambes de toute leur longueur. Il souleva doucement la tête du vieil homme et la posa sur ses jambes. Alors il prononça pour lui, comme on le fait pour les mourants qui ne peuvent plus parler, la *shahada : "Lâ ilâha ill'Allâh, oua Mohammad rassoul-Allâh."* (Il n'y a de dieu que Dieu et Mohammad est l'envoyé de Dieu.) La respiration de Tierno Kounta sembla se suspendre. Il ouvrit la bouche, râla plus profondément encore. Ses yeux semblaient vouloir sortir de leurs orbites. Sa poitrine se gonfla, puis s'affaissa d'un seul coup. Avec le dernier souffle de ses poumons, le vieil homme venait de rendre son âme.

Mon père lui ferma la bouche, restée entrouverte comme si son âme s'était échappée par là de son corps, et lui abaissa les paupières. Il déclama alors à voix haute la *shahada* qu'il n'avait cessé de réciter tout doucement durant l'agonie de Tierno Kounta, qui fut courte et douce autant qu'une agonie peut l'être. Je vis deux grosses larmes couler sur les joues de mon père. Elles allèrent se perdre dans les poils de sa barbe.

Dès que Gabdo entendit mon père prononcer à haute voix la *shahada*, elle fit un bond et sauta en l'air, comme propulsée par un ressort. Retombant lourdement sur le sol, elle se roula dans la poussière, criant sa douleur. Après un moment, un peu calmée, elle se lamenta doucement. Puis, comme au jour où elle avait appris le décès de sa fille, sa voix, moitié pleurant, moitié chantant, s'éleva pour une nouvelle complainte peule déchirante :

Ô samedi de répétition, te voilà exact au rendez-vous !
Fanta n'a pas suffi, il te fallait Tierno Kounta aussi.
Mi héli yooyooo, mi héli !
Ô Kounta, pourquoi as-tu répondu
à l'appel de celle qui a emporté ta fille ?
(...)
Nous, tes veuves, sommes devenues
deux récipients sans couvercle
deux corps sans souffle
deux portes sans battant
deux jardins sans eau.
Mi héli yooyooo, mi héli !

Ma mère, qui pleurait elle aussi, essuya ses larmes. Elle prit Gabdo dans ses bras et la berça doucement, l'invitant à dominer sa peine : "Console-toi, ô Ịnna Fanta (mère de Fanta). Reviens à ton Seigneur, tu es en train de t'en éloigner. Etre musulman, c'est savoir accepter les desseins de Dieu et souffrir courageusement l'épreuve sans blasphémer. Tierno Kounta et sa fille ont répondu à l'appel de leur Seigneur. A notre tour, l'heure venue, nous répondrons au même appel et partirons dans les mêmes conditions que nos devanciers. Tierno Kounta et Fanta ne sont pas les premiers à partir, ils ne seront pas les derniers. Laisse ton époux et ta fille aller en paix. Oublies-tu que les larmes et les cris dérangent l'âme du défunt dans son ascension vers Dieu et qu'ils incommodent les anges accompagnateurs ?

"Tierno Kounta ne vous laisse pas seules, ajouta-t-elle. La famille de Tidjani et la mienne seront toujours avec vous deux, dans le meilleur et dans le pire. Et même si Dieu ne nous accordait qu'un épi de mil et dix cauris, nous les partagerions avec vous."

Un peu plus tard, des visiteurs venus de la ville commencèrent à affluer. Chaque femme qui arrivait criait : "*Mi héli yooyooo, mi héli !*" puis allait se jeter sur Gabdo ou sur ma mère qu'elle serrait dans ses bras. C'était à qui dirait les paroles les plus touchantes pour faire l'éloge du défunt. Les hommes étaient accueillis par Bokari Thiam, le demi-frère de Tidjani, qui se trouvait en séjour chez nous à cette époque. Koullel, accompagné de deux ou trois hommes de la maison, se chargea d'aller creuser la tombe. Mon père, aidé de quelques serviteurs, planta dans la cour une série de pieux auxquels il accrocha des nattes afin de constituer une sorte de hangar. On y transporta le corps de Tierno Kounta. Dans la cour, les femmes firent chauffer de l'eau. On versa l'eau chaude dans de grandes calebasses que l'on porta derrière les nattes où Ibrahima Sawané, le laveur de morts, procédait avec mon père à la toilette funéraire de Tierno Kounta.

Personne ne s'occupait de moi. Tout en faisant semblant de jouer, j'observais tout et ne perdais de vue aucun geste des uns et des autres. J'avais très envie d'aller voir ce qui se passait derrière les nattes, mais je craignais trop mon père pour m'y risquer.

Enfin le corps de Tierno Kounta, revêtu de son ensemble mortuaire et roulé dans une natte faite de feuilles de palmier, apparut, porté à bras d'hommes. La foule murmura une litanie composée de formules coraniques : "Dieu est le plus grand ! Point de recours ni de force si ce n'est auprès de Lui ! A Lui nous appartenons et vers Lui nous retournerons ! Qu'Il soit exalté, que Sa volonté soit faite ! *Amîne !*"

On déposa le corps au milieu de la cour, devant l'imam. Tous les hommes se levèrent et célébrèrent derrière lui la prière des morts. Les femmes, qui avaient cessé de pleurer, restèrent assises, silencieuses. Quand la prière fut terminée, quelques hommes s'emparèrent du corps et le portèrent jusqu'à la tombe qui avait été creusée à environ cinq cents mètres de là.

Je voulais suivre le cortège, mais Sambourou, le principal serviteur de Tidjani, me chassa. Je me mis à pleurer doucement. Mon oncle Bokari Thiam, qui passait devant moi, me demanda ce que j'avais.

"Je veux accompagner mon maître Tierno Kounta comme tout le monde, lui dis-je entre deux sanglots, mais Sambourou me l'a interdit."

Mon oncle regarda Sambourou d'un œil sévère, puis se pencha vers moi :

"Donne-moi ta main et suis-moi, me dit-il. Sambourou est un imbécile."

Et il m'emmena avec lui jusqu'au bord de la fosse où l'on allait enfouir Tierno Kounta. Deux hommes se tenaient dans la fosse principale, celle que l'on appelle "tombe mère". Ils reçurent délicatement le corps et le placèrent dans une niche latérale creusée à même la paroi est de la fosse et que l'on appelle "tombe fille". Tierno Kounta fut couché sur le côté droit, la face tournée vers La Mecque ; on découvrit légèrement son visage pour lui placer dans la bouche, selon l'usage, quelques feuilles vertes de jujubier, symbole d'immortalité.

Au moment de creuser la fosse, on avait mis de côté la première et la dernière pelletée de terre. Une fois le corps installé, on jeta sur lui d'abord la première pelletée de terre, puis la dernière, de manière que ce qui avait été au-dessus aille au-dessous, et que ce qui avait été au-dessous aille au-dessus. Puis on combla la fosse.

Quand la tombe fut terminée, mon père traça sur le tertre, en arabe, les lettres composant le nom de *Fâtima bint Assadin*, la mère d'Ali, cousin et gendre du Prophète, qui fut le quatrième khalife de l'Islam. Selon la tradition, les onze lettres de ce nom auraient la vertu de rendre la terre plus légère sur le corps du défunt et d'affermir son cœur en face des anges interrogateurs Mounkari et Nâkir.

Les assistants s'assirent autour de la tombe et récitèrent onze fois la 112e sourate du Coran intitulée *Ikhlass* (la purification), que l'on a coutume de réciter pour les morts. Puis tout le monde revint dans la cour. Mon père remercia la foule et rendit à chacun sa liberté, après avoir eu soin de demander que les créanciers ou les débiteurs de la succession de Tierno Kounta se fassent connaître dans la journée ou au plus tard dans les sept jours suivant le décès.

Chacun regagna son domicile. Ainsi se terminèrent les

funérailles de mon maître Tierno Kounta Cissé, que Dieu lui fasse miséricorde !

Les deux veuves défirent leur coiffure, se dépouillèrent de leurs bijoux et s'enlaidirent autant qu'elles purent. Durant sept jours, elles restèrent strictement isolées, après quoi elles recommencèrent à vaquer à leurs affaires, mais en gardant leur tenue de veuve. Au total, leur deuil dura cent trente jours.

La première naissance dont j'avais été le témoin était celle de mon petit frère Mohammed el Ghaali, et le premier mariage celui de Koudi Ali. Le décès de mon maître Tierno Kounta fut ma première rencontre avec la mort.

Depuis la mort de Tierno Kounta, je n'avais plus de maître d'école coranique ; je m'occupais plus ou moins à réviser mes leçons. En l'absence d'un marabout capable de continuer ma formation, mon père Tidjani Thiam prit sur lui de me donner des cours. Malheureusement, habitué à être implacable avec lui-même, il fut très dur avec moi et, à vrai dire, peu efficace : il réussit tout juste à me dégoûter des études. Ma mère, tenue par les règles de pudeur peules qui interdisaient d'afficher ses sentiments pour ses propres enfants, ne pouvait se plaindre auprès de son mari. Aussi est-ce Diaraw Aguibou, sa coépouse, qui s'en chargea. Elle défendit énergiquement ma cause et obtint de mon père qu'il renonce à me donner des cours en attendant que l'on puisse trouver pour moi un maître valable — ce qui ne se produira qu'à notre retour à Bandiagara lorsque je serai confié à Tierno Bokar.

Libéré, j'en profitais pour aller jouer avec mes petits camarades, mais je passais aussi beaucoup de temps avec Koullel, qui poursuivait mon éducation peule et traditionnelle, et avec Danfo Siné, qui venait souvent me chercher pour m'emmener avec lui.

C'est à peu près à cette époque que se situe une épreuve de courage à laquelle me soumit mon père, très typique de son système d'éducation. Je devais avoir entre sept et huit ans. Un soir, après le dîner, alors que la nuit était déjà tombée, il m'appela. Il me tendit un paquet et me dit d'aller le remettre immédiatement en main propre à son cousin Mamadou Thiam, qui logeait à Bougouniville. Se doutant que son cousin voudrait me garder pour la nuit, il ajouta : "Tu me rapporteras sa réponse."

Parcourir en pleine nuit les deux kilomètres qui séparaient notre habitation de Bougouni et en revenir n'était pas une petite affaire pour un garçonnet de mon âge. Selon son habitude, ma mère ne dit rien, mais sa coépouse s'indigna : "On n'a pas idée d'envoyer un enfant en pleine nuit jusqu'à Bougouni !"

Naaba répondit simplement : "Il ira."

Et il fit une prière spéciale pour moi.

Chargé de mon paquet, je sortis dans la nuit en trottinant sur la route de Bougouni. Je sursautais à chaque bruit, frissonnais parfois, mais j'étais empli de la certitude que la prière de mon père me protégerait contre tout danger. Et j'avançais... En plus des jeunes fromagers que Tidjani avait plantés le long de la route au temps où il était encore bagnard, il y avait d'autres grands arbres peuplés de chauves-souris. Or c'était l'heure où ces animaux hybrides, oiseaux par les ailes, chiens par leur tête et plus ou moins vampires de réputation, sortaient pour aller chercher de la nourriture, qu'ils rapportaient à leurs petits en un va-et-vient incessant. Leurs ailes claquant dans la nuit faisaient un bruit impressionnant ; mais nous vivions alors tellement au milieu de la nature qu'aucun animal, même de mauvaise réputation, ne pouvait nous terroriser au point de nous paralyser. J'éprouvais une peur physique, certes, et mon corps tremblait, mais mon esprit était tranquille. Ce furent tout de même deux kilomètres bien longs...

Une fois arrivé à Bougouni, j'allai porter son paquet à Mamadou Thiam, qui me félicita et me remit un petit flacon empli de bonbons de toutes les couleurs. Comme je lui expliquais qu'il me fallait rentrer aussitôt, il me chargea de remercier mon père pour son paquet, et me bénit lui aussi pour mon voyage de retour.

Je revins sans encombre à Kadidiabougou. Les lumières brillaient encore. J'entrai dans la case de mon père et le trouvai en train de prier. Ma tante Diaraw Aguibou me dit :

“Va te coucher, tu le verras demain.
— Il n'en est pas question, répondis-je, je dois lui rendre compte de ma mission.”

Et je restai là, debout, attendant que Naaba ait fini d'égrener son chapelet tidjani ou *wird*, c'est-à-dire la longue série de formules et de répétitions du nom de Dieu que doivent réciter chaque soir les membres de la confrérie Tidjaniya. Tant qu'il n'avait pas terminé la principale des oraisons de cet exercice, il ne devait ni parler, ni bouger, ni même tourner la tête. L'attente dura presque une heure. Quand il eut fini, je m'approchai :

“Naaba, lui dis-je, j'ai remis ton paquet à mon père Mamadou Thiam ; il te remercie.”

Il me regarda longuement.

“Depuis la période de Louta, dit-il (c'était la première fois que je l'entendais parler de Louta), personne ne s'est comporté de cette manière avec moi : attendre que je ne sois plus occupé pour me faire un compte rendu.”

Il m'envoya me coucher. J'étais très content de moi.

A l'ombre des grands arbres

Diaraw Aguibou, que j'appelais *Gogo Diaraw* (tante Diaraw), souffrait périodiquement d'un rhumatisme polyarticulaire très grave, et chaque fois qu'elle avait une crise elle devenait invivable. Pour ma mère, avec qui elle ne s'entendait guère, elle était comme une arête dans sa gorge. Mais curieusement, autant Diaraw ne pouvait souffrir ma mère, et cela depuis son mariage, autant elle me chérissait sincèrement et prenait ma défense chaque fois qu'elle m'estimait maltraité. Ses disputes orageuses et quotidiennes avec ma mère ne l'empêchaient nullement de venir le soir dans sa case réclamer impérativement : “Rends-moi mon enfant !” et elle m'arrachait à Kadidja qui se contentait de répondre : “C'est bon, Tall ! Prends ton enfant, mais à demain pour la bagarre !” Diaraw m'emmenait alors chez elle, me comblait de friandises et me contait des récits merveilleux ou des anecdotes se rapportant à la vie du roi son père. Elle fut elle aussi, je dois le dire, l'une de mes grandes sources d'information et d'enseignement dans ma petite enfance, surtout pour tout ce qui concernait le règne d'Aguibou Tall.

Parmi les anecdotes qu'elle me raconta, j'en citerai une qui permet, je crois, de mieux comprendre la personnalité complexe du roi Aguibou ; car s'il fut souvent implacable dans ses rancunes et ses vengeances, il sut aussi faire preuve de sagesse dans sa façon de gouverner.

Un jour, un étranger de passage que le roi avait bien reçu à son arrivée à Bandiagara voulut, par reconnaissance, l'avertir d'un complot ourdi contre lui et qu'il avait découvert par hasard. Il lui confia en secret les noms des vingt comploteurs, tous notables de la ville. Pour le remercier, le roi offrit à cet informateur inattendu et bénévole un très beau boubou brodé à la mode arabe de Tombouctou.

Après la sortie de l'homme, l'un des courtisans s'écria :

"*Fama* (roi) ! Tu as vraiment en cet étranger un ami sûr !

— Je ne nie pas, dit le roi, qu'un étranger soit capable d'amitié, mais si un ami quel qu'il soit, étranger ou non, veut me pousser à tuer les miens ou à les écarter de moi, alors je le considère comme plus dangereux qu'un ennemi déclaré !"

Peu de temps après se tint une grande réunion où les notables toucouleurs étaient assemblés au grand complet. Le roi en profita pour leur dire :

"Ô gens de Fouta ! Il m'a été rapporté par un ami, qui n'est pas du pays mais qui est très vigilant, que vous êtes en train d'ourdir un complot contre moi. Vous souhaitez, paraît-il, ma destitution ou ma mort. Cet ami m'a conseillé de liquider les meneurs et m'a donné leurs noms. Si je n'écoutais que mon égoïsme et mon désir de rester à la tête du royaume, je sacrifierais ces vingt notables sans hésiter ! Bien des chefs l'ont fait avant moi, et bien d'autres le feront après. Mais je suis né chef, j'ai l'habitude du commandement. Le faste des tam-tams et les louanges des flatteurs ne me grisent pas au point de me faire perdre la mesure. Les risques que tout chef court en ce bas monde ne me troublent pas non plus au point de me faire commettre sciemment un crime.

"Je sais une chose, et vous aussi, mes frères, sachez-le : *au pays où les audiences se donnent à l'ombre des grands arbres, le roi qui coupe les branches tiendra ses assises en plein soleil.* Tuer un être sans défense est facile ; mais c'est l'art du bourreau. L'art royal consiste à laisser vivre et à faire prospérer, et ce n'est pas toujours un art aisé."

Enfin la liberté !

Quatre ans environ avaient passé depuis l'exil de Tidjani. Ni prisonnier ni véritablement libre, il ne pouvait sortir des limites du cercle de Bougouni. Ma mère, elle, avait fait plusieurs fois le voyage de Bamako, d'où elle rapportait des produits africains locaux et des marchandises de fabrication européenne qu'elle revendait avec profit. Grâce à ses diverses activités commerciales et au bon fonctionnement du gîte d'accueil, grâce aussi au travail de tailleur-brodeur de mon père, toute la famille — toute la "cour", devrais-je dire, car Dieu sait qu'il y avait du monde à la maison ! — vivait largement.

Entre-temps le commandant de Courcelles, à qui nous devions tant, avait dû quitter Bougouni. Nous ne l'avions pas vu partir sans tristesse. En guise de cadeau de départ, il m'avait fait remettre un véritable trésor : trois gros catalogues illustrés de la Manufacture d'armes et cycles de Saint-Etienne. Mes petits camarades venaient souvent passer la journée à la maison pour en feuilleter les pages emplies de merveilles, mais ils n'étaient pas les seuls ; bien des grandes personnes venaient elles aussi contempler les belles images colorées qui les faisaient rêver. Les bicyclettes, les armes et les outils mécaniques les fascinaient tout particulièrement.

Un matin de l'année 1908, mon petit frère Mohammed el Ghaali s'amusait dans la cour, assis sur le sable. Tout à coup, il se mit à chantonner :

"Ô Dieu ! Fais que mon père soit libéré aujourd'hui... aujourd'hui même... aujourd'hui même..." et il répétait inlassablement son petit refrain. Ma mère attira l'attention de sa coépouse sur ce que disait son fils.

"Les petits enfants sont souvent des messagers de Dieu, dit Diaraw Aguibou, j'ai entendu mon père le dire plus d'une fois."

L'après-midi même, vers dix-sept heures, le garde-planton du nouveau commandant de cercle descendit en courant du sommet de la colline où se trouvait le palais de la Résidence jusqu'à la corniche qui surplombait notre concession. "Tidjani Thiam ! Tidjani Thiam ! cria-t-il. Viens vite, le commandant veut te voir. Laisse tout tomber, ne le fais pas attendre !" Mon père, qui était très respectueux de l'autorité, s'élança comme un bolide. Toute la famille tomba dans une inquiétude mortelle. Que se passait-il ? Allait-on de nouveau arrêter Naaba ?

Lorsque mon père arriva chez le commandant, celui-ci le reçut avec le sourire.

"Tidjani Thiam, lui dit-il, ton beau-père Aguibou Tall, l'ancien roi de Bandiagara, vient de mourir. A partir de maintenant tu es libre de retourner à Bandiagara ou d'aller te fixer là où tu le voudras. Je puis te dire maintenant que lors de ton jugement, un arrêt politique secret avait été pris qui t'assignait Bougouni comme résidence obligatoire tant que l'ancien roi Aguibou Tall vivrait. C'est pourquoi, après la révision de ton procès, on t'a quand même maintenu ici en résidence surveillée. Cette mesure, que l'on avait décidé de te tenir cachée, était inspirée par la peur de te voir attenter à la vie du *Fama* si tu retournais à Bandiagara.

— Je vous remercie de cette bonne nouvelle, mon commandant, mais permettez-moi de vous dire que l'on m'a retenu ici quatre ans pour rien. Je suis musulman. Je n'ai pas le droit d'assassiner même mon ennemi, à plus forte raison un parent très proche. De plus, Aguibou Tall n'était pas seulement mon beau-père mais également le fils d'El Hadj Omar, mon patron spirituel, et jamais je ne lui aurais fait le moindre mal ; je me suis même laissé condamner sans me défendre pour ne pas le charger. Je suis stupéfait à l'idée des intentions que l'on m'a prêtées. Mais je m'y ferai, car ici-bas, je l'ai appris à mes dépens, l'injustice humaine est et restera insatiable. Je n'approuve pas cet état de choses, mais je l'accepte."

Une heure environ après son départ, mon père revint à la maison, le visage plus sévère que joyeux. C'était une habitude chez lui de sourire quand tout allait mal et de se renfrogner quand la joie emplissait son cœur. Peut-être était-ce une discipline acquise afin de ne pas se laisser déborder par les circonstances, qu'elles fussent heureuses ou malheureuses ? En voyant son expression, tous ceux qui étaient restés dans la cour à l'attendre furent saisis d'angoisse. Ma mère était alors occupée dans sa case. Diaraw Aguibou se précipita chez elle : "Poullo ! Poullo ! cria-t-elle. Ton homme est revenu avec un très vilain visage. Il est entré directement dans sa case sans souffler mot à personne. Viens vite, il n'y a que toi pour le faire parler !" Ma mère se précipita dehors, manquant me renverser au passage. Je la suivis.

Elle entra dans la case de mon père qu'elle trouva installé sur sa peau de prière, égrenant son grand chapelet à mille grains. Je me faufilai derrière elle. Me voyant, Naaba me tira par la main, me fit asseoir à son côté et se mit à me caresser doucement la tête de sa main gauche. Quand il eut terminé son chapelet, ma mère lui demanda ce qui s'était passé. "Le soleil vient de se coucher, dit-il, c'est l'heure de la prière de *maghreb*. Rendons d'abord à Dieu l'hommage que nous lui devons ; ensuite nous parlerons de ce que le commandant a dit."

On sortit sa peau de prière dans la cour. Comme de coutume, toute la famille s'aligna derrière lui pour célébrer la quatrième prière du jour, l'une des plus solennelles en islam, dite "prière du couchant". Quand les dernières salutations et paroles de bénédiction furent échangées, Naaba, profitant de ce que nous étions tous assis sagement autour de lui, et toujours sans dérider son visage, nous dit :

"Aujourd'hui plus qu'hier, nous devons témoigner

notre reconnaissance à Dieu. Le jour où, prisonnier, je quittai Bandiagara, j'ignorais où l'on m'emmenait et quel sort nous était réservé à Tierno Kounta et à moi-même. A la mort de mon fidèle compagnon, je me demandai si un jour on ne me coucherait pas ici à ses côtés. Nul ne savait combien de temps je serais retenu à Bougouni. Or, aujourd'hui, le commandant vient de m'annoncer que le soleil de ma détention se coucherait en même temps que le soleil de ce jour béni que nous vivons. Nous sommes libres de partir pour Bandiagara demain matin si nous le voulons..."

Ce fut une explosion de cris, une débauche d'embrassades et de larmes partagées entremêlées d'exclamations pieuses : "*Hamdoulillâh !*" (Merci à Dieu, louange à Dieu !) "*Allâhou akbar !*" (Dieu est le plus grand !) On rappela les paroles prononcées par mon petit frère le matin même. Mon père resta silencieux un long moment, sans doute pour laisser aux cœurs le temps de se vider de leur trop-plein d'émotions. Croyant qu'il n'avait plus rien à dire, Diaraw Aguibou s'élança hors de la concession et courut vers Bougouni, chantant à tue-tête : "Jour heureux, jour béni !..." Elle tenait à être la première à annoncer la bonne nouvelle à Mamadou Thiam. Mon père ne fit rien pour l'arrêter. Puis il reprit son discours :

"Il est écrit dans le livre saint : *Le bonheur est proche du malheur* (XIV, 5/6). Si nous sommes heureux d'avoir retrouvé notre liberté, il va falloir en même temps nous préparer à porter un grand deuil. Diaraw est partie comme une flèche, en chantant, sans savoir que notre joie est coupée par une grande douleur : j'ai appris en effet que son père, le *Fama* Aguibou, est mort."

Au mot "mort", le grand cri des Peuls : "*Yooyooo... mi héli yooyooo !...*" s'éleva d'une seule voix et se répandit dans les airs. Lorsque, quelque temps plus tard, arrivèrent presque en courant Mamadou Thiam et toute sa famille, Diaraw en tête, ils ne comprirent rien à ces cris et à ces pleurs là où ils s'attendaient à ne trouver que des manifestations joyeuses. Batoma alla se jeter aux pieds de Diaraw. Le visage baigné de larmes, entre deux sanglots, elle lui dit :

“Ô fille d'Aguibou! Pleure, déchire tes vêtements, défais tes tresses, tu es orpheline de père…

— Moi, orpheline de père? fit Diaraw. Comment est-ce possible?…” Lorsqu'elle réalisa la vérité, elle lança à son tour le lugubre cri “*Yooyooo…*” et courut se jeter dans les bras de son mari.

Or, l'affection rhumatismale congénitale dont souffrait Diaraw avait la particularité de déclencher chez elle, à la moindre contrariété, une crise si violente que, sous l'effet de la douleur, elle était capable de se jeter dans le feu ou dans un puits. Elle devenait plus terrible qu'un animal enragé. C'est d'ailleurs pourquoi, autant que possible, on ne la laissait jamais seule nulle part.

Le mal la prit d'un seul coup. A force de secouer sa tête en des mouvements désordonnés, ses tresses se défirent. En quelques minutes, elle avait pris l'apparence d'une folle. Les cheveux hirsutes, les yeux hagards, elle faisait pitié à voir. On la transporta dans sa chambre où on ne réussit à la maîtriser qu'en l'attachant fermement aux montants de bois de son lit. Rassemblée autour de sa case, toute la famille passa, comme on dit, une “nuit sans feu de foyer”, c'est-à-dire une nuit durant laquelle on ne prépare rien à manger. Les Peuls et les Toucouleurs de Bougouni, prévenus du deuil de Diaraw Aguibou et de sa maladie, accoururent à Kadidiabougou, apportant des marmites de nourriture pour tout le monde; mais à l'exception de mon petit frère et de moi-même, personne ne consomma quoi que ce soit.

La nuit entière, Diaraw fut torturée par la souffrance. Tidjani et Kadidja restèrent à ses côtés. Le matin, elle se calma un peu. La crise était passée, mais il lui fallut une bonne semaine pour se rétablir.

La famille fit ses préparatifs de départ. Et un beau matin de l'année 1908, laissant derrière elle tous ceux, Peuls, Toucouleurs et Bambaras de Bougouni, qui étaient venus lui faire leurs adieux, c'est une véritable caravane qui s'engagea, sans idée de retour, sur la route qui nous ramenait à Bandiagara.

RETOUR À BANDIAGARA

Je n'ai gardé aucun souvenir des péripéties de notre voyage de retour. Etait-ce une période de sommeil de mon esprit, un accès d'amnésie infantile? Je ne sais. En revanche, je me souviens parfaitement de notre arrivée à Doukombo, à sept kilomètres environ de Bandiagara. La coutume voulant que le retour dans une ville ne s'effectue qu'au coucher du soleil, nous campâmes sous le grand hangar dogon construit à l'entrée du village. Un émissaire fut dépêché à Bandiagara pour annoncer notre arrivée à travers la ville. Mon frère aîné Hammadoun Hampâté, trop impatient pour attendre, prit la route en courant et nous rejoignit à Doukombo au milieu de l'après-midi.

On peut imaginer la joie de ma mère de retrouver son fils aîné qui se tenait devant elle, beau comme un ange, le visage rayonnant. C'était un grand garçon de onze à douze ans. Il salua toute la famille, puis embrassa chaleureusement mon petit frère. On me fit avancer devant lui. J'avais gardé peu de souvenirs de notre vie commune à Bandiagara et le regardai avec une certaine méfiance, voyant en lui un rival qui allait accaparer ma mère que j'avais déjà bien du mal à partager avec mon petit frère Mohammed el Ghaali. Mais mon aîné était si beau, si souriant qu'avant même d'avoir parlé, il me conquit; je me précipitai dans ses bras et nous éclatâmes de rire, à la grande satisfaction de notre mère.

Me juchant à califourchon sur ses épaules, il m'emmena au bord de la rivière Yaamé qui vient de Bandiagara et passe par Doukombo avant d'aller se jeter plus loin dans le Niger. Nous y restâmes un bon moment à jouer aux ricochets, puis mon frère alla cueillir des fruits de jujubier dont il emplit ma poche. Il était tout heureux de me voir m'attacher à lui comme si nous ne nous étions jamais quittés.

Quand le soleil commença à baisser, Sambourou vint nous chercher pour le départ. Tous les membres de la caravane, grands et petits, revêtirent leurs plus beaux habits de fête. A environ quatre kilomètres de la ville, une forte délégation de parents et d'amis nous attendait. Après les interminables salutations et souhaits d'heureux retour, le cortège s'ébranla et nous arrivâmes enfin à Bandiagara, juste après le coucher du soleil.

Tidjani se dirigea avec sa suite vers sa concession de famille où vivait toujours sa mère, la vieille Yaye Diawarra. Kadidja, qui n'avait pas dans cette demeure de logement réservé, se rendit avec Batoma et Nassouni, ses trois fils et son frère cadet Hammadoun Pâté dans la concession de son père Pâté Poullo.

Dans toute la ville, on ne parlait plus que du retour inattendu de Tidjani Thiam, de sa bonne mine et de l'importance de sa caravane. On se demandait s'il avait vraiment été au bagne.

Le lendemain, comme le règlement et la courtoisie l'exigeaient, Tidjani se rendit à la résidence du cercle pour saluer le nouveau commandant (qui avait remplacé Charles de la Bretèche), lui présenter ses papiers de voyage et formuler le souhait de demeurer à Bandiagara parmi les siens. Le commandant refusa de le recevoir. Il lui fit dire par son adjoint de se tenir tranquille à Bandiagara, et surtout de se faire oublier dans son propre intérêt. Sensible comme un escargot dont on touche les cornes, mon père prit très mal ces propos. Il se rendit compte avec amertume qu'il avait été desservi auprès du nouveau commandant sans doute par ceux-là mêmes qui avaient tout fait pour provoquer sa destitution et sa condamnation, voire sa mort.

Mais il fallait organiser notre nouvelle vie. Tidjani fit aménager dans sa concession un logement confortable de plusieurs pièces pour ma mère et lui demanda de s'y transférer. Elle voulut m'y emmener avec elle, mais Beydari Hampâté, Abidi, Niélé et Nassouni s'y opposèrent catégoriquement. "Amadou n'est plus un enfant en bas âge qui ne peut être séparé de sa mère, plaida Beydari.

Nous sommes là, et c'est nous qui représentons sa famille paternelle où il doit normalement revenir. Nous ne pouvons pas le laisser définitivement à Tidjani Thiam. C'est assez que tu l'aies emmené à Bougouni pendant toutes ces années parce qu'il était petit et que la loi religieuse t'autorisait à le garder, mais maintenant il doit rejoindre sa famille paternelle. Sa demeure normale est chez nous, ce qui ne l'empêchera pas d'aller vous voir quand il voudra."

La loi musulmane aussi bien que la coutume donnaient alors plus de droits à la famille paternelle qu'à la famille maternelle sur un garçon âgé de plus de sept ans. Beydari Hampâté, en tant que chef de famille désigné par mon père Hampâté pour lui succéder, avait donc plus de droits sur moi que mon père adoptif Tidjani. Ma mère fit à nouveau appel au conseil des anciens et des responsables religieux, mais cette fois-ci elle n'obtint pas gain de cause. En raison de mon âge, le conseil décida que je relevais désormais de ma seule famille paternelle, qui me récupéra. Je m'étais bien abstenu de dire quoi que ce soit durant tout cet épisode, mais au fond, quelque peu traumatisé par les cours d'école coranique trop sévères de Tidjani, j'avais très envie de rejoindre Beydari, Niélé et la vieille maison paternelle où j'étais sûr de toujours trouver, quelles que soient mes incartades, douceur et indulgence. Cet arrangement devait d'ailleurs se révéler pour moi des plus agréables, car en raison de la liberté dont jouissent les enfants africains, en fait j'allais me partager à ma guise entre les deux maisons.

A son retour, Tidjani avait trouvé un parc sans bétail et des parents sans ressources occupant des demeures délabrées. Ma mère n'avait plus beaucoup de biens après les dépenses du voyage pour une si importante caravane, mais elle vendit une partie de ce qui lui restait pour restaurer la concession de son mari afin qu'il puisse mener, comme elle se l'était promis, une vie digne de son nom et de sa naissance. Puis elle reprit ses activités commerciales.

Quelques mois plus tard, la vieille Yaye Diawarra, comme si elle n'était restée en vie que pour avoir la joie de revoir son fils, rendit son âme à Dieu, le cœur satisfait.

Avant de partir pour l'exil, Tidjani avait proposé à ses trois épouses de reprendre leur liberté. Seule sa première épouse et cousine, Kadiatou Bokari Moussa, avait décidé de profiter de cette offre et avait fait prononcer le divorce. Par la suite elle avait épousé un commerçant peul, Mamadou Bâ, et en avait eu un fils. Malheureusement, son mari décéda peu après. Lorsque Tidjani revint à Bandiagara, il la retrouva seule, élevant sa fille Dikoré qu'elle avait eue de lui et le petit garçon qu'elle avait eu de Mamadou Bâ. Il était alors impensable, en Afrique, d'abandonner une femme seule telle une feuille volante, à plus forte raison si elle avait des enfants, ce qui l'aurait condamnée à la misère ou à vivre aux crochets de sa propre famille, généralement de l'un de ses frères. La solution classique consistait à l'intégrer, par voie de mariage, dans un nouveau foyer où elle retrouvait les droits légitimes d'une épouse, et ses enfants un père. Le mariage jouait alors, pour les femmes veuves ou divorcées et leurs enfants, un rôle de protection sociale. Après réunion du conseil de famille, si personne d'autre n'avait demandé la femme en mariage, on chargeait généralement un cousin ou un parent qui n'avait pas encore atteint les quatre épouses autorisées par la loi islamique de l'épouser. (Dans les sociétés africaines traditionnelles, les veuves épousaient généralement l'un des frères du mari défunt.)

Tidjani, en tant qu'ancien mari de Kadiatou, son cousin et père de sa petite fille, décida de la reprendre. Après avoir obtenu l'accord de Diaraw Aguibou et de Kadidja, il épousa donc de nouveau Kadiatou Bokari Moussa, qui réintégra sa maison.

La journée d'un enfant

Dès que notre vie eut repris un cours normal, ma mère, d'accord avec Tidjani et Beydari, m'emmena chez Tierno Bokar afin que je poursuive auprès de lui mes études commencées à Bougouni avec Tierno Kounta Cissé.

Tierno Bokar venait d'ouvrir à Bandiagara une petite école coranique qui n'était encore fréquentée que par deux élèves : mon frère aîné Hammadoun et la petite Dikoré, fille de Kadiatou Bokari Moussa. J'en devins le troisième élève. On nous appelait "les trois pierres du foyer de l'école de Tierno", par allusion aux trois pierres du foyer de la cuisine africaine sur lesquelles repose la marmite. Plus tard, de nombreux autres élèves vinrent se joindre à nous.

Tierno Bokar, qui avait veillé sur mes premières années, était pour moi autant un père qu'un maître ; mais à cet âge, en vérité j'étais plus intéressé par mes jeux avec mes petits camarades que par l'école et les études, surtout depuis que j'avais retrouvé un compagnon de ma petite enfance, qui serait l'ami de toute une vie : Daouda Maïga.

Mes journées ne variaient pas beaucoup. Niélé me réveillait avant le lever du soleil. Je me débarbouillais, faisais ma prière du matin puis courais vers l'école où m'attendait ma planchette, qui portait encore le texte coranique inscrit la veille. Je m'installais dans un coin et le récitais à haute voix pour l'apprendre par cœur. Chaque élève clamait sa leçon à tue-tête sans se soucier des autres, dans un vacarme indescriptible qui, curieusement, ne gênait personne. Vers sept heures, si je savais bien mon texte je prenais ma planchette et m'avançais vers Tierno. Il se tenait généralement dans le vestibule de sa demeure, plus rarement dans sa chambre. "*Moodi* (maître) ! lui disais-je, j'ai appris ma leçon." Je m'accroupissais auprès de lui et récitais mon texte. S'il était satisfait, je pouvais aller laver ma planchette pour y inscrire de nouveaux versets dont il me donnait le modèle. Sinon je conservais ma leçon de la veille et la révisais jusqu'au lendemain, mais je prenais alors un jour de retard sur le délai dont je disposais pour terminer l'apprentissage du Coran — délai qui était traditionnellement de sept ans, sept mois et sept jours, mais certains élèves doués, comme mon grand frère Hammadoun, pouvaient le terminer beaucoup plus tôt. Chaque leçon non apprise était punie par Tierno de quelques légers coups de liane ou, châtiment plus douloureux, d'un pincement d'oreille. Mais cela me semblait bien doux à côté du traitement que j'avais connu à Bougouni avec mon père Tidjani — et sans doute à côté du traitement d'un grand nombre de maîtres d'écoles coraniques de l'époque.

Après avoir copié mon nouveau texte, je le présentais à Tierno. Il le corrigeait, puis le lisait à haute voix tandis que je le suivais du bout de mon index. Retournant dans mon coin, je le rabâchais dix ou quinze fois, ce qui me menait vers huit heures du matin. Tierno me donnait alors la permission de rentrer chez moi.

Dès mon arrivée à la maison, Niélé me servait mon petit déjeuner : des restes réchauffés du dîner de la veille, des beignets de riz trempés dans de la sauce, des beignets au lait frais ou encore de la bouillie de mil au lait caillé. Je suspendais soigneusement le boubou que j'avais enfilé pour me rendre à l'école, puis m'installais et mangeais de bon appétit. Une fois bien restauré, j'enlevais tous mes vêtements et, complètement nu comme tous mes petits camarades, je courais chercher Daouda Maïga pour aller jouer avec lui à l'extérieur de la ville. C'est l'islam qui exigeait de vêtir les enfants, non la tradition africaine qui n'exigeait l'habillement qu'après la circoncision.

Jusqu'à mon retour à Bandiagara, Daouda Maïga, quoique moins âgé que mon frère Hammadoun, s'était attaché à lui ; mon frère aîné était en effet le chef de l'association de jeunes *(waaldé)* la plus importante de toute la ville, puisqu'elle rassemblait les enfants de sept quartiers de Bandiagara. Mais depuis qu'il avait retrouvé en moi un compagnon de jeux de son âge, Daouda ne me quittait plus. De ce jour, nous formâmes une paire d'amis inséparables, d'autant que nos familles étaient unies : la mère de Daouda était une amie d'enfance et une camarade d'association de ma mère, et nos deux maisons se trouvaient dans la même ruelle. Elèves assidus de l'école de la brousse, Daouda et moi étions surtout d'incorrigibles petits piégeurs d'animaux et chapardeurs de potagers, ce qui me valut parfois, de la part de Tierno Bokar, quelques coups de chapelet sur le dos.

Nus comme des vers, nous courions jusqu'au bord de la rivière Yaamé, armés chacun d'une longue tige de mil garnie à son extrémité d'un nœud coulant que nous fabriquions avec des crins de cheval. Nous nous en servions pour capturer des geckos, ces petits lézards plats qui courent la nuit sur les murs et les plafonds des cases grâce à leurs pattes adhésives et dont le cri guttural était considéré comme maléfique. Il n'en fallait pas plus pour condamner à mort la malheureuse bestiole ; le verdict populaire prétendait même que tuer un gecko portait bonheur ! C'est donc la conscience tranquille qu'armés de notre longue tige à lacet nous allions les traquer au fond de leurs repaires. Par la même occasion nous n'épargnions ni souris, ni rats, ni margouillats, une autre sorte de lézard aux écailles joliment colorées. Puis, comme pour nous purifier, nous nous lavions dans la rivière.

Si d'autres camarades se trouvaient là, nous organisions une lutte, soutenus par les encouragements des adultes de passage. De structure malingre comme la plupart des enfants peuls, j'étais l'un des moins forts de mes compagnons mais je maniais très adroitement le bâton et n'avais pas peur des coups. Sans bâton, j'étais une proie facile, mais quand j'en tenais un je me faisais respecter par tous, je devenais même une petite terreur ! Daouda, bien proportionné, était plus fort que moi et mieux doué pour le corps à corps. D'un caractère goguenard et rieur, il ne recherchait pas la bagarre, mais quand elle était déclenchée il se battait avec courage.

Nous jouions aussi souvent au *tèlè*, jeu un peu semblable au golf ; on frappe une balle avec un bâton pour lui faire atteindre non un trou mais un but, et chaque équipe essaie d'empêcher l'autre de marquer des points.

Vers midi nous retournions déjeuner dans nos familles, ensemble ou séparément. De toute façon, nous nous retrouvions après le déjeuner pour aller ramasser, derrière le village, des tiges de mil dont nous rapportions deux fagots pour l'école coranique. On s'en servait le soir pour allumer un grand feu au milieu de la cour de Tierno. A la nuit tombée, les "grands élèves" étudiaient leurs leçons à sa lumière, car il y avait des cours du soir pour ceux qui voulaient devenir *hafiz* à la fin de leurs études, c'est-à-dire retenir le Coran tout entier de mémoire — ce que les familles célébraient par une fête. Des jeunes gens parvenaient ainsi à écrire et à réciter le texte entier du livre saint sans une seule faute, alors qu'ils n'en comprenaient pas le sens ; seuls ceux qui, plus tard, apprendraient l'arabe pourraient accéder à sa signification.

Pour nous, les gamins, les cours reprenaient à quatorze heures. Pelotonnés à l'ombre du mur de la case du maître, nous apprenions la leçon que nous aurions à réciter le lendemain. Vers seize heures ou dix-sept heures, après la prière du milieu de l'après-midi, nous étions libérés. Nous courions à la maison pour y déposer nos vêtements et retournions sans tarder à nos petits jeux.

Nous avions coutume, le soir, de nous rendre au bord de la rivière pour y rencontrer les troupeaux d'ânes ou de chèvres qui revenaient du pâturage. J'aimais particulièrement la caravane d'ânes appartenant à Malaw Wâki, un gros commerçant haoussa établi à Bandiagara, et que ramenaient quelques gardiens. Chacun de nous se saisissait d'un âne et le chevauchait depuis la rivière jusqu'à la concession de Malaw Wâki. Ma monture préférée était un ânon de petite taille, très paisible, que je me plaisais à faire trottiner en le harcelant de coups de talon. Un soir, le petit ânon, excédé sans doute par mon traitement quotidien, décida de me jouer un tour. Il attendit tranquillement que je sois bien installé sur son dos et soudain, sans crier gare, il rua si fort qu'il m'envoya rouler dans la poussière à deux mètres de lui. Puis il partit au galop en poussant des braiments sonores, comme pour mieux se moquer de moi. Je me relevai très contusionné, mais surtout mortellement vexé. J'en conçus un dégoût non seulement pour les ânes mais même pour les âniers, qui pourtant ne m'avaient rien fait. Je cessai de les fréquenter.

Je me tournai alors vers les troupeaux de chèvres que surveillait Séga, un vieux chevrier à moitié aveugle. Quand venait l'heure de la traite, il serrait une chèvre contre lui en emprisonnant l'une de ses pattes dans sa jambe repliée sur sa hanche, puis il la trayait de la main droite. Le lait ruisselait dans une calebasse qu'il tenait de la main gauche. S'il arrivait qu'une chèvre se dégage brusquement en renversant la calebasse, les gamins se tordaient de rire et sautaient de joie, ce qui leur valait une belle bordée d'injures car, comme tout bon chevrier qui se respecte, le vieux Séga avait la bouche amère et l'injure abondante. Lorsqu'il était bien occupé à traire, je me glissais parfois au milieu du troupeau, me saisissais d'une chèvre et me mettais à la téter. Le vieux Séga, que sa position empêchait de me poursuivre, m'envoyait alors un chapelet de malédictions assaisonnées d'insultes de toutes sortes. Je lui rendais la monnaie de sa pièce puis, repu, m'enfuyais à toutes jambes. Ce petit manège dura un certain temps, jusqu'à ce que je me passionne pour autre chose.

Comme tous les enfants de la ville, je devais impérativement regagner la maison avant le coucher du soleil, avant que n'ait retenti l'appel à la prière du couchant (*maghreb*). Le crépuscule, surtout le moment précis où le soleil lance ses dernières flèches de lumière avant de s'engloutir dans l'inconnu, était depuis toujours considéré comme un moment ambigu et dangereux où des forces obscures sont tout à coup libérées. Dans l'antique tradition peule, le soleil est considéré comme symbolisant l'œil de Guéno, l'Eternel, le Dieu suprême. Quand cet œil s'ouvre, la lumière se répand sur le monde et permet aux hommes de vaquer à leurs affaires ; les mauvais génies, sorciers, vampires ou jeteurs de sorts se retirent alors dans leurs retraites respectives, tandis que lutins et farfadets se terrent dans des abris secrets. Mais quand cet œil béni se ferme et que l'obscurité envahit la terre, le poussin, apeuré, se réfugie sous les plumes de sa mère, le veau et l'agnelet se blottissent contre le flanc de leur maman, les femmes prennent leur bébé dans leur dos ou dans leur giron afin de protéger son "double" contre les vampires suceurs de sang ; les insectes font tinter leurs enclumes et les animaux nocturnes de la haute brousse commencent à pousser mille cris qui animent la nuit.

C'est l'heure où chaque maman doit conjurer le "mauvais œil" du soir. Jamais Niélé ne manquait, juste avant le coucher du soleil, de faire brûler des matières spéciales sur des braises ardentes. Tandis que la fumée déroulait ses volutes, elle chantait en peul une litanie conjuratoire traditionnelle tout en me retenant auprès d'elle. Dès que la fumée s'était dissipée, elle me libérait.

Les excréments des Blancs et le village d'ordures

Le mercredi après-midi, le jeudi toute la journée et le vendredi matin, pas d'école ! Nous avions quartier libre. Seuls ou accompagnés d'autres petits camarades qui commençaient à se regrouper autour de nous, Daouda et moi en profitions pour nous livrer à nos expéditions habituelles en brousse ou sur les rives du Yaamé : cueillir des fruits sauvages, piéger de petits animaux ou pêcher des poissons que nous faisions rôtir sur place et dont nous nous régalions, et surtout rapporter de la terre à termitière que nous pétrissions au bord de la rivière et qui servait à façonner des jouets ou de petits personnages. Mais nous allions bientôt nous aventurer sur un terrain plus dangereux.

A l'époque, sur les vingt-neuf circonscriptions administratives que comptait le territoire du Haut-Sénégal-et-Niger, Bandiagara était l'une des plus importantes, sinon par le nombre de ses habitants, du moins par sa situation politique et économique et la densité de sa population européenne. La ville abritait en effet un bataillon, ce qui entraînait la présence d'une administration militaire comprenant dix officiers et sous-officiers français et d'une administration civile comprenant un commandant de cercle, un adjoint au commandant et six ou sept agents civils français. C'est dire l'importance de la présence française dans la ville, comparée à celle de Bougouni où il n'y avait en tout et pour tout qu'un commandant de cercle, quelques employés et quelques gardes.

Tout ce qui touchait de près ou de loin aux Blancs et à leurs affaires, y compris leurs balayures ou leurs ordures, était tabou pour les nègres. On ne devait ni les toucher ni même les regarder! Or, un jour, j'entendis le cordonnier Ali Gomni, un ami de mon oncle maternel Hammadoun Pâté, déclarer que les excréments des Blancs, contrairement à ceux des Africains, étaient aussi noirs que leur peau était blanche. Je rapportai sans tarder cette étrange information à mes petits camarades. Une discussion s'ensuivit, si violente que l'on faillit en venir aux mains. Daouda et moi étions comme toujours du même avis, tandis que nos camarades Afo Dianou, Hammadoun Boïnarou et Mamadou Gorel s'opposaient violemment à nous.

"D'accord, criaient-ils, on peut parfois mentir, mais au moins le mensonge doit rester dans les limites permises! Un mensonge qui veut grimper jusqu'au septième ciel finit par dégringoler sur le nez du menteur!"

Daouda et moi étions extrêmement blessés par les critiques insultantes de nos camarades. La seule manière de les confondre était d'aller nous assurer par nous-mêmes de la réalité des faits, quitte, ensuite, à exiger un règlement de comptes avec nos contestataires. Tout compte fait, il y avait une volée de coups de bâton dans l'air...

Les Blancs avaient leur quartier d'habitation sur la rive gauche du Yaamé, et les indigènes de Bandiagara sur la rive droite. Un grand pont de pierre séparait les deux agglomérations. On appelait le quartier des Blancs "Sinci", c'est-à-dire "instauré". N'y vivaient que les Blancs eux-mêmes et leurs principaux auxiliaires indigènes: les gardes de cercle (agents de sécurité de l'administration civile chargés de la police) et les tirailleurs (militaires indigènes chargés de la défense territoriale). Les tirailleurs étaient placés sous le commandement d'un capitaine, lequel était secondé par un lieutenant, deux sous-lieutenants et quatre sergents européens, plus deux adjudants, quatre sergents et huit caporaux indigènes. Quant aux fonctionnaires civils indigènes et au personnel domestique des Blancs (boys, cuisiniers et autres), ils devaient impérativement regagner chaque soir la ville indigène sur la rive droite du Yaamé.

Sinci était étroitement gardée: le quartier civil par des

gardes de cercle et le quartier militaire par des tirailleurs, deux catégories d'Africains bien domestiqués et dressés comme de méchants chiens de garde. Les indigènes qui s'aventuraient à Sinci sans y être officiellement invités risquaient la prison ou, au minimum, de sérieux coups de cravache. Or, on ne pouvait trouver des excréments de Blancs qu'à Sinci, et Daouda et moi voulions à tout prix vérifier leur couleur de nos yeux. Ce fut vite décidé : nous irions à Sinci, jusque dans l'antre du fauve, et advienne que pourra ! Si notre entreprise avait été connue de nos parents, à coup sûr ils nous l'auraient interdite en nous empêchant de sortir de la maison ; mais notre secret fut bien gardé.

Un matin de très bonne heure, Daouda et moi nous retrouvons trottinant sur le chemin menant au Yaamé. Pour ne pas nous faire remarquer, nous le traversons à l'ouest, assez loin du pont. Arrivés sur l'autre rive, nous nous engageons sur un sentier bordé à gauche par le cimetière des Blancs — fleuri comme un jardin ! — et à droite par le champ de courses, ce qui nous fait déboucher sur la route qui mène au village de Dimbolo. Sitôt sur la route, nous bifurquons et nous enfonçons dans la brousse qui borde la façade sud de Sinci, derrière le quartier résidentiel. Un bosquet se dresse à environ deux cents mètres de la ville. Cachés par les hautes herbes, nous nous approchons et nous y postons pour explorer les lieux, quand un événement inespéré vient faciliter notre entreprise. Une file de prisonniers enchaînés s'avance, chacun d'eux portant sur la tête un grand seau. Escortés par un garde de cercle armé, ils se dirigent vers un grand trou que l'on devine un peu plus loin. Le vent, qui souffle dans notre direction, amène à nos narines une odeur révélatrice qui n'a vraiment rien à voir avec le fumet de la cuisine des Blancs. Nous nous regardons, ébahis : "Mais ce sont les excréments des Blancs que les prisonniers transportent là !" Et effectivement, nous voyons les prisonniers vider à tour de rôle le contenu de leur seau — comme ils le font d'ailleurs chaque jour — dans le grand trou aménagé spécialement pour recevoir les excréments des Blancs, sans doute trop précieux pour être mélangés à ceux des Noirs.

Même en observant la scène de loin, nous sommes vite convaincus : les Blancs déposent "mou" et "noir". C'est la preuve que nous avions raison, mais cela ne suffit pas : il nous faut rapporter une pièce à conviction pour nos camarades récalcitrants. Dès que la file des prisonniers s'est éloignée des lieux, nous sortons prudemment de notre cachette. Courbés en deux, nous nous approchons du trou nauséabond. Chose curieuse, les excréments y sont mélangés à une quantité incroyable de papier, au point que nous nous demandons un moment si les Blancs ne ch... pas aussi du papier. Il s'ensuit même une discussion assez mouvementée entre Daouda et moi à ce sujet, mais ce n'est point le moment de nous attarder. Découvrant un peu plus loin un journal abandonné, nous y empaquetons le mieux possible un peu du "corps du délit" pour le rapporter en ville.

Juste comme nous allions quitter les lieux, Daouda aperçoit un peu plus loin plusieurs "villages d'ordures", autrement dit de grands tas d'ordures ménagères qui s'étalent derrière le mur d'enceinte du quartier résidentiel. Poussés par la curiosité, nous allons les examiner. A notre plus grande stupéfaction, nous y découvrons une mine de trésors ! Les Blancs y jettent toutes sortes d'objets particulièrement précieux : boîtes d'allumettes vides, boîtes en fer de diverses tailles, flacons et bouteilles de toutes les couleurs, papiers dorés et argentés, morceaux d'étoffe de couleur, couverts dépareillés ou cassés (y compris des couteaux, quelle aubaine !), tessons de vaisselle joliment décorés, vieilles casseroles, rasoirs à manche cassés, fourneaux de pipe fêlés, planchettes, clous, bobines vides, bouts de crayons, montures de lunettes, et surtout gros catalogues illustrés, entre autres celui de la Manufacture d'armes et cycles de Saint-Etienne qui, à Bougouni, m'avait valu une certaine notoriété auprès de mes camarades. Nous ramassons ce qui peut tenir dans nos bras, bien décidés à revenir une autre fois pour compléter notre collection. Puis, chargés de notre butin, nous revenons triomphalement à Bandiagara.

Nos camarades, après avoir vérifié de leurs yeux la couleur de nos "pièces à conviction", sont bien obligés d'admettre que nous avions dit vrai. Daouda et moi leur proposons le choix : des excuses, ou la bastonnade. Ils nous font des excuses... Le jour même, tous les enfants du quartier sont au courant : "Amkoullel et Daouda ont rapporté de Sinci des excréments de Blancs ! Va voir, c'est noir comme du charbon !"

Par la suite, Daouda et moi retournerons souvent à Sinci pour prélever de nouveaux trésors dans les "villages d'ordures", créant ainsi, sans nous en rendre compte, un véritable musée d'ordures ménagères de Blancs. Notre collection fut installée chez Daouda où sa mère Moïré avait libéré pour nous la moitié d'un hangar.

Au retour de chaque expédition, nous faisions joyeusement le tri de nos prises. Tout cet attirail hétéroclite était classé, nettoyé et arrangé selon notre goût. Les morceaux d'étoffe, par exemple, servaient à confectionner des vêtements pour nos petits personnages en terre glaise que Daouda, excellent modeleur, fabriquait de ses mains : petits soldats criants de vérité, personnages de différentes classes sociales, mais aussi chèvres, vaches, chevaux, etc.

Avec ces poupées d'argile, nous jouions à reproduire des scènes réelles ou imaginaires de la vie à Bandiagara : soldats bien alignés pour le défilé du 14-Juillet, courses de chevaux, réception de chefs indigènes par le commandant... Le défunt roi Aguibou Tall et son vaillant premier fils Alfa Maki Tall (qui lui avait succédé en tant que chef traditionnel des Toucouleurs de Bandiagara) étaient particulièrement à l'honneur. Nous assurions les dialogues : Daouda tenait le rôle du roi et moi celui du prince. Les grands imams de Bandiagara et les marabouts importants — y compris Tierno Bokar — n'étaient pas oubliés eux non plus.

Parfois notre camarade Afo Dianou, de caractère taquin et assez belliqueux, venait jouer avec nous, mais cela se terminait toujours par une bagarre. Comme il était beaucoup plus fort que nous, nous ne pouvions espérer le terrasser ; nos bâtons suffisaient en général à le tenir en respect, mais si d'aventure nous les avions oubliés, notre camarade se faisait un malin plaisir de bousculer notre installation, de casser quelques figurines et surtout d'en chaparder, ce qui provoquait immanquablement une lutte féroce dont il sortait toujours vainqueur. Il ne nous restait plus, sous l'effet d'une rage impuissante, qu'à déchirer nos boubous, à la grande indignation de nos mères.

A cette époque, Daouda et moi étions encore les seuls à oser nous aventurer à Sinci. L'expédition n'était pas sans risques. De temps en temps, en effet, il nous arrivait de tomber sur des gardes de cercle ou des tirailleurs particulièrement zélés qui nous pourchassaient méchamment. Et s'ils parvenaient à mettre la main sur nous, c'en était fait de la peau de nos fesses... Plus d'une fois, Daouda et moi avons été fouettés et enfermés par les gardes pour avoir osé fourrager dans les dépotoirs des Blancs. Nous n'étions libérés que sous une pluie de taloches impitoyable ; mais rien ne pouvait nous faire renoncer à pratiquer notre sport favori. Ce n'est que beaucoup plus tard, l'âge venant, que nous cesserons d'aller farfouiller dans le "village d'ordures" des Blancs comme des poules mères grattant des détritus pour y trouver de quoi nourrir leurs poussins.

Fondation de ma première association

Notre musée, unique en son genre, était devenu le rendez-vous de nombreux gamins du quartier. A force de les entraîner au bain, à la cueillette, au maraudage des jardins potagers, d'organiser avec eux des courses à pied, des danses au clair de lune et des séances de récitation de contes, Daouda et moi finîmes par rassembler autour de nous un petit groupe décidé à nous suivre partout, parfois même contre le gré de leurs parents. Le moment était venu de fonder notre propre association d'âge, ou waaldé. Au départ, nous étions onze membres fondateurs dont voici les noms, suivis du sobriquet amical ou taquin que nous utilisions entre nous : Daouda Maïga, dit Kinel (le petit nez), Mamadou Diallo, dit Gorel (le petit bonhomme), Seydou Sow, dit Kellel (la petite gifle), Amadou Sy, dit Dioddal (le mal emmanché), Afo Dianou, dit N'Goïré (le gland de pénis), Hammel, dit Bagabouss (l'escogriffe), Oumar Goumal, dit Nattungal (le paresseux), Madani Maki, dit Gorbel (l'ânon), Mouctar Kaou, dit Polongal (le gros clou), Bori Hamman, dit Tiaw-Tiaw (le perturbé), enfin Amadou Hampâté, dit Amkoullel (le petit Koullel).

Mes camarades décidèrent de me choisir pour chef. Il n'y avait là rien de surprenant, tous les membres de ma famille étant ou ayant été chefs d'association. Mon père Hampâté, après sa réhabilitation par le roi Tidjani Tall, avait fondé vers 1870 la première waaldé de jeunes Peuls de Bandiagara ; ma mère Kadidja Pâté, son frère aîné Amadou Pâté, son frère cadet Hammadoun Pâté, sa sœur cadette Sirandou Pâté et même Beydari, notre tuteur, étaient tous chefs de leurs associations respectives, ce qui, à l'époque, leur donnait un assez grand pouvoir.

En attendant, il nous fallait faire reconnaître notre waaldé et lui donner une vie officielle. La première démarche consistait à nous relier à une association aînée. La coutume voulait en effet que toute association de cadets soit parrainée par une association aînée qui jouait auprès d'elle un rôle de conseil et, le cas échéant, de protection. Notre choix se porta tout naturellement sur la waaldé de mon grand frère Hammadoun.

Il nous fallait aussi choisir un doyen, un "père" qui serait notre *mawdo*, sorte de président d'honneur, toujours choisi parmi une association d'adultes et qui jouait traditionnellement un rôle de conseiller, de représentant officiel et éventuellement de défenseur en cas de difficultés avec la population. Nous choisîmes Ali Gomni, de la caste des cordonniers, ami de mon oncle maternel Hammadoun Pâté et membre de son association. Moïré Koumba, la mère de Daouda Maïga, alla le solliciter de notre part. Après les quelques réticences d'usage, il accepta et fixa la date de notre première réunion solennelle, au cours de laquelle nous devions élire nos dirigeants et fixer le règlement intérieur de notre waaldé. Chaque association était en effet organisée selon une hiérarchie qui reproduisait la société du village ou de la communauté. Outre le *mawdo*, doyen et président d'honneur extérieur à l'association, il devait y avoir un chef *(amîrou)*, un ou plusieurs vice-chefs *(diokko)*, un juge ou cadi *(alkaali)*, un ou plusieurs commissaires à la discipline ou accusateurs publics *(moutassibi)*, enfin un ou plusieurs griots pour jouer le rôle d'émissaires ou de porte-parole.

Le jour venu, quand nous fûmes tous réunis dans la cour, Ali Gomni prit la parole :

"Avant toute chose, dit-il, il faut que nous donnions à notre waaldé une tête et des dirigeants, et aussi un nom pour la tirer de l'anonymat. Qui voulez-vous désigner comme chef ?

— Notre chef est tout naturellement désigné, répondirent les camarades, c'est Amkoullel. Les associations de la moitié de Bandiagara ont à leur tête un membre de sa famille. S'il s'en montre digne, nous le suivrons et nous combattrons pour lui. Mais s'il fait l'imbécile, nous le fouetterons jusqu'à ce qu'il en pisse rouge, et personne ne nous fera péter de peur pour ça !"

Je fus donc élu chef, et la waaldé reçut le nom de "waaldé d'Amkoullel". Reprenant l'exclamation traditionnelle des adultes dans leurs grandes assemblées officielles, tout le monde cria : *"Allâhou townou dîna !"* (Que Dieu élève très haut la communauté !)

La suite de la réunion se déroula sans incident, si ce n'est qu'un certain nombre de camarades tentèrent de s'opposer à la désignation de Daouda Maïga comme cadi (juge). Pour des raisons tenant à la naissance, ces camarades récalcitrants auraient préféré voir nommer cadi un Diallo, un Cissé, un Sow ou un Dicko. Notre doyen *(mawdo)* Ali Gomni, qui était le maître en cordonnerie de Daouda, prit sa défense. Il fit valoir que le vieux Modibo Koumba, maître de la mère de Daouda et considéré comme le grand-père de ce dernier, avait été lui-même le cadi de la puissante association fondée, dans les premières années du royaume de Bandiagara, par Amadou Ali Thiam (père de Tidjani Thiam) avant que ce dernier ne devienne chef de la province de Louta. Or, en son temps, cette waaldé tenait tête à celle de Noumoussa Dioubaïrou, l'un des généraux du roi, et réunissait ce que le royaume toucouleur de Bandiagara comptait alors de plus brave et de plus noble parmi ses fils.

En tant que chef, mon avis était prépondérant. Etant donné que je ne concevais aucune différence sociale entre Daouda et moi, je lui donnai ma voix. Il fut donc accepté comme cadi malgré les jérémiades de ces quelques camarades qui, en fait, auraient bien voulu la place pour eux-mêmes, ou à défaut pour l'un des leurs. Mamadou Diallo, dit Mamadou Gorel ("le petit bonhomme"), fut élu second chef. Madani Maki et Mouctar Kaou, fils de griots, furent nommés griots de notre association. Ils auraient pour charge de convoquer aux réunions et de percevoir les cotisations, eux-mêmes en étant exemptés. Ils transmettraient les nouvelles et seraient messagers plénipotentiaires entre notre waaldé et les autres associations de la ville. En somme, ils joueraient un rôle de porte-parole et d'intermédiaires, exactement comme les griots adultes au sein de la société africaine d'alors. Tous les autres enfants griots de la waaldé se devaient de les aider éventuellement dans leur tâche.

C'est Bori Hamman qui devint notre *moutassibi*, c'est-à-dire notre fouinard et accusateur public. Le *moutassibi* était la bête noire de toutes les associations. Sorte de détective et de commissaire aux mœurs, il était chargé de veiller en toutes occasions au respect des règlements et de dénoncer tout manquement à la discipline ou à la bienséance. Afo Dianou, *dîmadjo* ("captif de case") par son statut familial, fut désigné comme deuxième *moutassibi*, assistant de Bori Hamman.

Une fois ce conseil institué, nous élaborâmes nos règlements intérieurs, à peu près semblables à ceux de toutes les autres associations. Les infractions étaient jugées en premier ressort par le cadi ; le contrevenant pouvait en appeler au chef, puis, en un troisième stade, à l'assemblée générale présidée par le doyen. Les peines prévues étaient graduées.

Elles consistaient, pour les infractions les plus légères,

à payer des amendes en cauris ou en noix de cola, à être jeté à la mare tout habillé ou douché avec des calebasses emplies d'eau. Pour les délits très graves, la peine pouvait être de un à dix coups de fouet — voire l'exclusion temporaire ou définitive.

Les séances devaient être présidées par le chef, qui était assisté du second chef et du cadi. Les réunions plénières étaient hebdomadaires en saison sèche et mensuelles pendant la saison des pluies, appelée "hivernage". Il pouvait y avoir aussi des réunions imprévues décidées par le chef et annoncées par les griots.

Notre waaldé, dûment constituée, pouvait commencer à fonctionner. Tous les cadets de la waaldé de mon frère aîné Hammadoun vinrent grossir la nôtre, plus adaptée à leur âge. Elle prit avec le temps une assez grande importance. Plus tard, vers 1912, quand nous aurions absorbé une association rivale d'un autre quartier, elle rassemblerait même jusqu'à soixante-dix garçonnets issus de toutes les couches ethniques et sociales de Bandiagara.

Certains lecteurs occidentaux s'étonneront peut-être que des gamins d'une moyenne d'âge de dix à douze ans puissent tenir des réunions de façon aussi réglementaire et en tenant un tel langage. C'est que tout ce que nous faisions tendait à imiter le comportement des adultes, et depuis notre âge le plus tendre le milieu dans lequel nous baignions était celui du verbe. Il ne se tenait pas de réunion, de palabre ni d'assemblée de justice (sauf les assemblées de guerre ou les réunions des sociétés secrètes) sans que nous y assistions, à condition de rester tranquilles et silencieux. Le langage d'alors était fleuri, exubérant, chargé d'images évocatrices, et les enfants, qui n'avaient ni leurs oreilles ni leur langue dans leur poche, n'avaient aucune peine à le reproduire ; à la limite, j'ai plutôt simplifié leurs tirades, pour ne pas trop déconcerter le lecteur. Les règles étaient, elles aussi, empruntées au monde des adultes. La vie des enfants dans les associations d'âge constituait, en fait, un véritable apprentissage de la vie collective et des responsabilités, sous le regard discret mais vigilant des aînés qui en assuraient le parrainage.

Comme tous les enfants de cette époque, je jouissais d'une grande liberté, surtout depuis que je dirigeais une waaldé. Je prenais mes repas un peu où je voulais : dans ma maison paternelle avec Beydari, mon frère Hammadoun et Niélé, dans la maison de Tidjani, ou encore chez la mère de Daouda. Mais le plus souvent, surtout le soir, je mangeais chez mon père Tidjani où je pouvais retrouver ma mère, Koullel et tous ceux qui animaient les veillées.

Nous prenions nos repas en deux groupes séparés : celui des hommes et celui des femmes. Les hôtes de marque étaient servis à part, sauf s'ils manifestaient le désir de manger avec tout le monde. Des plats étaient régulièrement réservés pour être envoyés au-dehors : à des parents, des amis, des personnes à honorer. La tradition voulait en effet qu'une famille aisée réserve toujours un plat pour un pauvre, qu'une femme mariée envoie un plat à sa famille et que le fils en envoie un à ses parents.

Chez Tidjani, la servante préposée aux repas était toujours la douce Yabara. Elle installait les nattes dans le grand salon et y brûlait de l'encens afin de purifier l'atmosphère. Quand les plats étaient prêts, elle les disposait sur les nattes puis allait chercher Tidjani : "Naaba, le repas est prêt ! — Appelle les convives", répondait mon père. Yabara appelait alors tous les hommes et garçons de la maison. Seul Tidjani avait une place réservée, marquée par une peau de mouton cousue sur une peau historiée garnie de belles franges. Lorsqu'il était assis, Yabara venait lui présenter une grande calebasse d'eau, du savon et une serviette. Il se lavait soigneusement les mains, puis la calebasse circulait parmi les convives.

Tidjani était toujours le premier à se servir. Il prenait dans le plat une poignée de nourriture, puis invitait les autres à en faire autant en disant "*Bissimillâhi*" (au nom de Dieu). Chacun commençait alors à manger. Le chef de famille était toujours le premier à se laver les mains et à commencer à manger afin de donner l'exemple ; à la fin du repas, il se devait de se laver les mains et de se lever le dernier afin que chacun ait largement le temps de manger à satiété.

Durant les repas, les enfants étaient soumis à une discipline rigoureuse. Ceux qui y manquaient étaient punis, selon la gravité de leur faute, d'un regard sévère, d'un coup d'éventail sur la tête ou d'une gifle, ou même d'un renvoi pur et simple avec privation de nourriture jusqu'au repas suivant. Nous devions observer sept règles impératives :

— ne pas parler ;

— tenir les yeux baissés durant le repas ;

— manger devant soi (ne pas grappiller à droite et à gauche dans le grand plat commun) ;

— ne pas prendre une nouvelle poignée de nourriture avant d'avoir terminé la précédente ;

— tenir le rebord du plat de la main gauche ;

— éviter toute précipitation en puisant la nourriture avec sa main droite ;

— enfin, ne pas se servir soi-même parmi les morceaux de viande déposés au centre du grand plat. Les enfants devaient se contenter de prendre des poignées de céréales (mil, riz ou autre) bien arrosées de sauce ; ce n'est qu'à la fin du repas qu'ils recevaient une pleine main de morceaux de viande considérée comme un cadeau, ou une récompense.

Toute cette discipline ne visait nullement à torturer inutilement l'enfant, mais lui enseignait un art de vivre. Tenir les yeux baissés en présence des adultes, surtout des pères — c'est-à-dire les oncles et les amis du père — c'était apprendre à se dominer et à résister à la curiosité. Manger devant soi, c'était se contenter de ce que l'on a. Ne pas parler, c'était maîtriser sa langue et s'exercer au silence : il faut savoir où et quand parler. Ne pas prendre une nouvelle poignée de nourriture avant d'avoir terminé la précédente, c'était faire preuve de modération. Tenir le rebord du plat de la main gauche était un geste de politesse, il enseignait l'humilité. Eviter de se précipiter sur la nourriture, c'était apprendre la patience. Enfin, attendre de recevoir la viande à la fin du repas et ne pas se servir soi-même conduisaient à maîtriser son appétit et sa gourmandise.

En fait, même pour les adultes, le repas correspondait jadis — et encore aujourd'hui dans certaines familles traditionnelles — à tout un rituel. En islam comme en tradition africaine, la nourriture était sacrée et le grand plat commun, symbole de communion, était censé receler en son centre un foyer de bénédiction divine.

Tidjani s'aperçut un jour que la plupart des enfants se levaient avant d'être pleinement rassasiés de céréales et tendaient hâtivement la main pour recevoir leur ration de viande, de peur de voir les meilleurs morceaux partir avant que ne vienne leur tour. Il comprit vite notre manège. De ce jour, il décida de donner à chaque gamin sa part de viande à l'avance. Nous devions la placer à notre gauche et attendre la fin du repas pour la manger.

A l'époque, à Bandiagara, la base de la nourriture était le mil. Le riz n'étant pas cultivé dans notre région, un plat de riz représentait un grand luxe que l'on ne s'offrait qu'à l'occasion des grandes réjouissances. “Le riz est une nourriture de roi”, disait un adage des montagnes de Bandiagara. Mais grâce à la fortune de ma mère, chez nous on en mangeait deux fois par mois, et plus tard on en mangea même chaque vendredi. Ces jours-là, je me gardais bien de me laver les mains à la fin du repas. Je courais dans la rue chercher un petit camarade. Quand j'en avais trouvé un, je cachais ma main droite derrière mon dos et l'apostrophais : “Si tu le peux, dis-moi ce que j'ai mangé aujourd'hui à la maison.” Comme il hésitait, je lui plaquais ma main sur le nez : “C'est quoi ?” Il s'émerveillait : “C'est du riz ! Oh ! c'est du riz !” Gonflé d'orgueil comme un crapaud, j'éclatais de rire : “Ça, ça ne s'appelle pas du riz, mais de la céréale royale !” Et je partais à la recherche d'un autre camarade pour lui appliquer ma main sur le nez.

Un matin, mon camarade Abdallâh était venu s'amuser avec moi dans le vestibule de la concession de Tidjani. Quand l'heure du déjeuner arriva, il se leva pour rentrer chez lui. Je le retins. “Non, reste avec moi, ma mère a préparé aujourd'hui du riz. — Oh, si seulement je pouvais en avoir une poignée, je serais le plus heureux des garçons de Bandiagara, dit-il. Mais jamais je n'oserais aller manger dans le salon de ton père ; ses captifs ne manqueraient pas de me frapper pour me faire payer mon audace. Que je vienne jouer avec toi dans le vestibule, passe encore, mais manger avec ton père, ça, jamais ! — Bon, fis-je, quand Yabara viendra m'appeler pour le déjeuner, reste ici et attends que je revienne."

A l'appel de Yabara, je me rendis dans le salon. Je mangeai le plus rapidement possible. Au moment de me lever, je pris dans ma main une grosse poignée de riz que je tentai de cacher sous mon boubou. Mon geste n'avait pas échappé à mon père. "Si tu n'es pas rassasié, dit-il, pourquoi te lever ? Et si tu n'as plus faim, que vas-tu faire avec cette poignée de riz ? C'est une véritable provision de route que tu emportes là !" Ne sachant que dire, je me mis à trembler. J'éprouvais toujours une crainte excessive devant Naaba, qui ne badinait guère avec ses enfants. "C'est bon, dit-il, va-t'en avec ta poignée de riz." Heureux comme un condamné à mort subitement gracié, je sortis presque en courant retrouver Abdallâh. Je lui tendis la poignée de riz. Il la respira, puis la dégusta avec délices. Il avait à peine fini sa dernière bouchée quand Sambourou, que mon père avait chargé de me suivre discrètement pour voir à qui je destinais mon riz, apparut à l'entrée du vestibule. Comme propulsé par un ressort, Abdallâh se leva et prit la fuite ; je détalai derrière lui sans réfléchir et ne revins à la maison que tard dans la soirée, après le dîner. Mon père m'attendait dans le vestibule. J'essayai de passer sans me faire remarquer mais il m'attrapa. Je m'attendais au moins à une claque mais il se contenta de dire :

"Pourquoi n'as-tu pas invité ton ami à déjeuner ? Et pourquoi vous êtes-vous sauvés tous les deux à la vue de Sambourou ?

— Naaba, bredouillai-je, je l'ai invité, mais il n'a pas osé venir manger avec toi. Et quand il a vu Sambourou, il a cru qu'il venait pour le frapper et il a fui. Je l'ai suivi sans réfléchir, et après j'ai eu peur de rentrer pour le dîner."

Mon père éclata de rire.

"A partir de demain, il y aura un plat spécial réservé pour toi. Invite qui tu voudras de tes petits camarades pour le partager avec toi."

C'est alors que ma mère fit aménager, pour mes camarades et moi, une très grande case. Nous pouvions nous y réunir, y prendre nos repas et même y dormir. On l'appelait *walamarou*, "le dortoir d'association". C'est à partir de ce moment que j'ai vraiment commencé à être entouré et à jouer mon rôle de chef de waaldé.

A l'école des maîtres de la Parole

Après le dîner, que nous l'ayons pris ensemble ou séparément, Daouda, mes camarades et moi nous rendions parfois à la grande place de Kérétel où les jeunes gens et les jeunes filles de plusieurs quartiers de Bandiagara se réunissaient le soir pour bavarder, chanter ou danser au clair de lune. Nous aimions danser avec les fillettes de la waaldé dirigée par Maïrama Jeïdani, et je commençais déjà à penser à "jumeler" notre waaldé avec la leur, comme la coutume le permettait, pour une sorte de mariage symbolique entre nos deux associations.

A la belle saison, on venait le soir à Kérétel pour regarder s'affronter les lutteurs, écouter chanter les griots musiciens, entendre des contes, des épopées et des poèmes. Si un jeune homme était en verve poétique, il venait chanter ses improvisations On les retenait de mémoire et, si elles étaient belles, dès le lendemain elles se répandaient à travers toute la ville. C'était là un aspect de cette grande école orale traditionnelle où l'éducation populaire se dispensait au fil des jours.

Le plus souvent, je restais après le dîner chez mon père Tidjani pour assister aux veillées. Pour les enfants, ces veillées étaient une véritable école vivante, car un maître conteur africain ne se limitait pas à narrer des contes, il était également capable d'enseigner sur de nombreuses autres matières, surtout lorsqu'il s'agissait de traditionalistes confirmés comme Koullel, son maître Modibo Koumba ou Danfo Siné de Bougouni. De tels hommes pouvaient aborder presque tous les champs de la connaissance d'alors, car un "connaisseur" n'était jamais un spécialiste au sens moderne du mot, c'était plutôt une sorte de généraliste. La connaissance n'était pas compartimentée. Le même vieillard (au sens africain du terme, c'est-à-dire *celui qui connaît*, même si tous ses cheveux ne sont pas blancs) pouvait avoir des connaissances approfondies aussi bien en religion ou en histoire qu'en sciences naturelles ou en sciences humaines de toutes sortes. C'était une connaissance plus ou moins globale selon la qualité de chacun, une sorte de vaste "science de la vie", la vie étant ici conçue comme une unité où tout est relié, interdépendant et interagissant, où matériel et spirituel ne sont jamais dissociés. L'enseignement, lui non plus, n'était jamais systématique, mais livré au gré des circonstances, selon les moments favorables ou l'attention de l'auditoire.

Le fait de n'avoir pas eu d'écriture n'a donc jamais privé l'Afrique d'avoir un passé, une histoire et une culture. Comme le dira beaucoup plus tard mon maître Tierno Bokar : *"L'écriture est une chose et le savoir en est une autre. L'écriture est la photographie du savoir, mais elle n'est pas le savoir lui-même. Le savoir est une lumière qui est en l'homme. Il est l'héritage de tout ce que les ancêtres ont pu connaître et qu'ils nous ont transmis en germe, tout comme le baobab est contenu en puissance dans sa graine."*

Koullel faisait parfois venir à ces séances son maître Modibo Koumba. Celui-ci, contemporain d'El Hadj Omar, nous apporta beaucoup de lumières sur les événements de cette époque, dont il avait été un acteur. C'est par eux deux que j'ai entendu pour la première fois certaines explications des grands contes initiatiques peuls que j'ai été amené à publier plus tard, et qui, sous des dehors plaisants et récréatifs, recèlent des enseignements profonds. Des confrères de Koullel, eux aussi traditionalistes en de nombreux domaines, l'accompagnaient souvent. Quand l'un d'eux contait, un guitariste l'accompagnait en sourdine. C'était souvent Ali Dièli Kouyaté, le griot personnel de Tidjani ; mais d'autres griots chanteurs, musiciens ou généalogistes venaient aussi animer ces veillées, où musique et poésie étaient toujours présentes.

A travers ce chaos apparent, nous apprenions et retenions beaucoup de choses, sans peine et avec un grand plaisir, parce que c'était éminemment vivant et distrayant. *Instruire en amusant* a toujours été un grand principe des maîtres maliens de jadis. Plus que jamais, mon milieu familial était pour moi une grande école permanente, celle des maîtres de la Parole.

Comme à Bougouni, assis dans un coin de la cour auprès de Koullel, silencieux comme devait l'être tout enfant au milieu des adultes, je ne perdais pas une miette de tout ce que j'entendais. C'est là qu'avant même de savoir écrire j'ai appris à tout emmagasiner dans ma mémoire, déjà très exercée par la technique de mémorisation auditive de l'école coranique. Quelle que fût la longueur d'un conte ou d'un récit, je l'enregistrais dans sa totalité et le lendemain, ou quelques jours après, je le resservais tel quel à mes camarades d'association. Daouda Maïga, Afo Dianou, Mamadou Gorel et quelques autres, qui assistaient eux aussi fréquemment à ces veillées, me servaient de garantie.

C'est à cette époque que mon surnom d'Amkoullel prit véritablement son sens de "Petit Koullel" et qu'il commença à me valoir quelque prestige parmi les gamins de la ville. A cela s'ajoutait la générosité de mes parents qui nous logeaient, nous nourrissaient et comblaient tous nos besoins, ce qui ne contribua pas peu à consolider mon autorité sur mes camarades.

Nous regagnions nos couchettes respectives vers vingt-trois heures, épuisés mais heureux, ce qui ne nous empêchait nullement de nous réveiller le lendemain matin avant le lever du soleil pour entamer une nouvelle journée bien remplie.

Le jardin de Sinali

Les enfants de Bandiagara, comme ceux de toutes les grandes cités, étaient réputés pour leur turbulence. C'étaient de vrais gavroches, des gamins spirituels, moqueurs, taquins, mais braves et généreux. Daouda et moi aimions les exciter à jouer au plus brave et à prendre des risques. Non seulement nous leur avions appris à dévaliser le "village d'ordures" de Sinci, mais nous les entraînions au maraudage des jardins appartenant à des personnes réputées méchantes ou puissantes, tels l'ancien caporal Sinali, Fabéré le *sofa* (ancien guerrier des armées royales) ou même le commandant de cercle. Pendant les pluies d'hivernage, nous maraudions dans les champs de mil appartenant à des Dogons. Daouda était plus audacieux que moi. Lorsque nous nous trouvions au beau milieu d'un champ de mil en train d'en ravager les tiges sucrées, il aimait rire aux éclats. Je craignais toujours que son rire n'attire l'attention des Dogons, et plus d'une fois, d'ailleurs, nous avons été surpris et poursuivis. Mais, Dieu merci, nous étions aussi rapides que des biches et jamais on ne nous rattrapait. A l'époque, les dépravations commises par les enfants étaient tolérées. On se contentait de fouetter un peu ceux d'entre eux qui se faisaient prendre, et tout s'arrêtait là.

L'une de nos aventures, toutefois, manqua de peu de tourner mal : ce fut le saccage du jardin de Sinali. Sinali était un de ces tirailleurs échoués à Bandiagara après avoir aidé les Français à conquérir le pays. Le pauvre Sinali n'avait guère gagné à son contact prolongé avec les militaires français pour qui il avait pourtant, disait-on, été une sorte d'"homme à tout faire". L'opinion publique, peut-être excessive, voyait en lui une brute épaisse capable de boire du sang tout cru.

Ses treize années de service dans l'armée coloniale ne lui avaient rapporté aucun galon, mais elles l'avaient si bien dressé que le fait de se mettre au garde-à-vous et de saluer militairement n'importe qui était devenu chez lui un réflexe automatique. On l'avait surnommé *bi-gardabou* (engendré par garde-à-vous) et *Hammadi gardabou* (fils aîné de garde-à-vous).

Il était resté tirailleur de deuxième classe presque jusqu'à la fin de sa carrière, ce dont il était mortifié à l'extrême. Rengagé plusieurs fois, il avait tout de même fini par obtenir les trois chevrons de caporal qui ornaient la manche de son vieux veston de drap kaki. Il ne manquait jamais de porter ce veston chaque fois qu'il devait rencontrer un fonctionnaire, surtout si c'était un "Blanc-Blanc", un pur Français de France. Sa veste était devenue trop étroite pour lui, mais il s'en moquait bien.

Lorsqu'il avait affaire à des interlocuteurs ignorant tout des questions militaires, il se targuait de ses trois chevrons comme d'une gloire, allant jusqu'à déclarer qu'ils étaient supérieurs à ceux qui se portent plus bas sur la manche ! Un jour qu'il était en train de raconter ses exploits à un cercle de badauds survint Dianou, une tête brûlée de notre quartier — le père de notre camarade Afo Dianou.

"Eh, Sinali ! s'écria-t-il. Peux-tu nous dire pourquoi tes prétendus galons supérieurs sont plus petits que les galons inférieurs, et pourquoi ils sont renversés sur leur cul ? Ohé, mes amis, croyez-moi, Sinali vous bourre le crâne ! Vous voulez savoir ce qu'il a fait au camp militaire français durant ses treize années de captivité ? Je vais vous le dire :

"— *Un :* se mettre au garde-à-vous à longueur de journée.

"— *Deux :* saluer tout le monde en serrant bien les fesses pour ne pas péter de peur, et Dieu sait combien de fois cela lui est arrivé !

"— *Trois :* courir, se coucher à terre, se relever et sauter par-dessus quelques obstacles semés sur une piste.

"— *Quatre :* aller toucher chaque jour sa ration consistant en une poignée de mil, une pincée de sel, beaucoup de piments rouges et un morceau de viande. Et comme Sinali n'a jamais fait que ça, à la fin de son contrat les Français, très malins, lui ont collé discrètement sur sa manche trois petits galons en forme de patte d'autruche et renversés sur le cul."

Ecumant de rage, le vieux soldat se jeta sur Dianou. Mais celui-ci était dur comme du fer trempé ; il reçut Sinali dans ses bras, l'empoigna fortement, et le tenant soulevé comme un fétu de paille, se mit à crier à tue-tête :

"Où y a-t-il une bonne pierre plate, que j'y écrase cette vieille baderne captive des petits Français ?"

De bonnes gens intervinrent à temps et les séparèrent. Les gamins du quartier, inutile de le dire, n'avaient rien perdu de la scène.

De temps à autre, avec quelques camarades, nous nous amusions à rejouer entre nous la scène dite "Dianou-Sinali". Je ne sais comment Sinali l'apprit. Toujours est-il qu'il épia notre petite troupe avec la patience d'un chasseur de fauves, et un beau jour, il finit par nous surprendre en pleine action dans le vestibule d'une maison de la ville. Armé d'un fouet en lianes tressées bien cinglantes, il se précipita sur nous : "Gestations de filles dévergondées, hurlait-il, je vous apprendrai à vous moquer de Sinali et à l'insulter !" Et il fit pleuvoir sur nous, avec toute la brutalité qui lui était naturelle, des coups qui nous arrachèrent la peau. Se souvenant sans doute que le coup de pied aux fesses était particulièrement prisé chez les tirailleurs de son temps, il nous en gratifia généreusement. Couverts de sang, pleurant et poussant des cris à la manière des petits coloniaux blancs, nous nous dispersâmes comme une volée de moineaux apeurés.

Or, contrairement à ce qu'avait affirmé Dianou, Sinali, durant ses treize années de service, ne s'était pas contenté de faire des exercices physiques et de péter de peur chaque fois qu'un gradé français venait à passer ; il avait surtout appris à faire du jardinage, et une fois revenu à la vie civile il avait consciencieusement mis ses connaissances en pratique. Après chaque hivernage, quand les eaux commençaient à baisser, il aménageait dans le lit du Yaamé un jardin saisonnier que seuls surpassaient en beauté les jardins des fonctionnaires blancs du poste ou celui du chef Alfa Maki Tall (fils de l'ancien roi Aguibou Tall), entretenu par le *sofa* Fabéré. Cette année-là, quand les pluies cessèrent et que les eaux du Yaamé tarirent, Sinali, comme chaque année, aménagea son jardin. Il y planta des légumes européens et beaucoup de légumes locaux : tomates, patates douces, citrouilles, gombos, calebassiers comestibles, melons de pays, etc.

Daouda Maïga vint me proposer de nous venger de Sinali en ravageant son jardin :

"J'ai peur de Sinali, avouai-je.

— Tu n'es donc pas un pur fils de Peul! répliqua-t-il. Eh bien, moi, Daouda Maïga, je me vengerai de Sinali! Mamadou Gorel et Afo Dianou marcheront avec moi. Et j'irai dire à Maïrama Jeïdani que tu es un couard!"

Le fait d'avoir prononcé le nom de Mamadou Gorel, mon concurrent dans la waaldé, et celui de Maïrama Jeïdani, la dirigeante de l'association de jeunes filles auprès de laquelle je tenais particulièrement à briller, fit tomber toutes mes hésitations. "D'ailleurs, me dis-je, Afo Dianou, dont le père est la terreur de Sinali, sera avec nous. Sinali y regardera donc à deux fois avant de réitérer le traitement qu'il nous a fait subir précédemment."

Nous dressâmes un plan d'action. Avant d'entreprendre quoi que ce soit, il nous fallait d'abord habituer Sinali à nous voir rôder non loin de son jardin. Daouda Maïga, Afo Dianou et moi prîmes l'habitude, lors de nos congés scolaires hebdomadaires (c'est-à-dire le mercredi après-midi, le jeudi et le vendredi matin), d'aller chasser les lézards et autres petits reptiles qui vivaient dans les pierres jonchant la rive du Yaamé, en face du jardin. Après la chasse, nous descendions nous baigner dans la rivière. Sinali s'habitua donc à notre présence.

Bientôt son potager fut en plein rapport. Il était temps d'agir. Notre expédition serait composée de Daouda Maïga, d'Afo Dianou et de moi-même. Rendez-vous fut pris pour la prochaine nuit du mercredi au jeudi; le jeudi étant jour de congé, nous pourrions, en cas de besoin, aller nous cacher toute la journée dans la brousse.

Le mercredi soir, après le dîner, Afo Dianou et Daouda vinrent me chercher. Nous gagnâmes discrètement les bords du Yaamé. Malheureusement pour nous, un superbe clair de lune éclairait le paysage. Quelques femmes, trop occupées dans la journée pour s'éloigner de leur maison, profitaient de cette belle soirée pour remplir leurs canaris et se rafraîchir dans l'eau de la rivière, subtilement parfumée par les racines de vétiver qui poussaient au bord des rives. Elles discutaient, chantaient, se poursuivaient avec de joyeux éclats de rire.

Faisant un détour pour les éviter, notre petit groupe se faufila le plus silencieusement possible derrière les buissons et arriva enfin devant le jardin que ceinturait une haie de branches épineuses. Afo Dianou murmura : "Il faut être sûrs que Sinali n'est pas caché quelque part. Attendez ici, je vais aller voir en éclaireur." Il tourna autour de l'enclos, mais n'y décela âme qui vive. Il poussa même l'audace jusqu'à y jeter de gros cailloux. Rien n'ayant bougé, il en conclut que Sinali était rentré au village. "Le vieux crocodile est rentré chez lui, nous dit-il. Allons-y avant qu'il ne revienne, attiré par le tapage des femmes." Il en était bien capable, pensions-nous, l'armée l'ayant habitué à la surveillance de nuit et aux rondes nocturnes.

L'un de nous devait faire le guet pour avertir les autres en cas de danger. Chacun voulant participer au saccage, il fallut tirer au sort. Afo Dianou fut désigné.

Pour entrer dans le jardin, il fallait encore écarter la haie hérissée d'épines. Cela nous prit du temps et nous valut de belles écorchures, mais enfin Daouda et moi pénétrâmes dans le lieu interdit. C'était vraiment un jardin magnifique, mais peu nous importait. Animés par la rage que nous inspirait le souvenir des coups reçus quelques mois auparavant, nous l'avons ravagé sans regret, arrachant, écrasant, piétinant jusqu'à la moindre tomate, tels des singes fous libérés dans un champ de maïs. Avant de partir, nous ouvrîmes une partie de la haie dans le malin espoir que quelque chèvre ou âne errant viendrait y fourrager au lever du jour, détournant ainsi de nous d'éventuels soupçons.

Le lendemain matin, lorsque Sinali découvrit son jardin dévasté, son unique espoir mis en pièces, nous n'étions pas là pour assister à la scène, mais nous imaginions sans peine sa colère et les bordées de jurons qu'il devait lancer à la face du ciel ! Malheureusement pour nous, il découvrit sur le sol des traces de pas d'enfants. Il en déduisit que seuls des gamins ayant eu affaire à lui avaient pu se livrer à un tel saccage, et il avait son idée à ce sujet. Connaissant la mentalité des natifs de Bandiagara, il ne nous accusa pas d'emblée mais visita chacune de nos demeures comme s'il venait donner un bonjour de courtoisie à nos parents. En fait, il comptait nous surprendre, espérant qu'à sa vue nous nous trahirions par quelque réaction compromettante qui faciliterait notre accusation. Il en fut pour son compte, car Daouda, Afo Dianou et moi n'avions pas regagné nos maisons ; nous étions allés finir la nuit dans notre *walamarou*, le dortoir commun que ma mère avait fait construire pour nous.

Lorsque Sinali arriva chez Moïré Modi Koumba, la mère de Daouda, et que là non plus il ne trouva aucun d'entre nous, ne pouvant se contenir davantage il éclata :

“Ton fils et ses compagnons ont pénétré cette nuit dans mon jardin ! Ils l'ont détruit de fond en comble ! Voilà pourquoi aucun d'entre eux n'a osé rentrer chez lui cette nuit ! Mais je leur réglerai leur compte dès qu'ils me tomberont sous la main, et ça ne va pas tarder !”

Moïré, comme tous les parents des enfants qui avaient été battus par Sinali, l'attendait au tournant. “Oh, certes, tu es un maître en brutalité, répliqua-t-elle, un homme habitué à fouetter les enfants. Mais si tu veux la dispute, c'est la guerre que tu auras de nous, et une guerre qui te fera oublier ton jardin. Espèce de vieux tirailleur méprisable, cœur de roche, poumons de fer ! Non content d'avoir rossé nos enfants qui jouaient innocemment, tu t'amènes ici, drapé de tes haillons dont une vieille culotte plus cousue de poux que de fils, et une vieille chéchia puante datant du général Faidherbe, pour tenter de me faire avaler une tortue !... Je ne sais ce que feront les autres parents, mais moi je te préviens : si tu touches à un cheveu de Daouda, je te fendrai la tête d'un coup de mon pilon. Espèce de « treize-ans-de-service-militaire-sans-galons » ! Si tu ne sors pas d'ici tout de suite, je vais appeler Dianou. Lui, il sait combien tu pèses. Mais cette fois, s'il te soulève, c'est moi qui lui dirai où trouver la pierre plate sur laquelle il t'écrasera au point de faire entrer tes os dans ta chair !”

Aveuglé par la colère, Sinali voulut frapper Moïré. Heureusement notre *mawdo* Ali Gomni et Kaou Daouda, tous deux camarades de mon oncle maternel Hammadoun Pâté et qui travaillaient non loin de là dans leur atelier de cordonnerie, avaient été alertés par les éclats de voix. Accourus en hâte, ils menacèrent Sinali de le jeter dans la rue s'il ne partait pas de lui-même, et de l'assommer s'il osait toucher à Moïré.

Obligé bien malgré lui de se retirer, Sinali se rendit tout droit chez le *sofa* Fabéré, jardinier du chef Alfa Maki Tall. Il lui conta sa mésaventure, soulignant les risques que couraient tous les jardins de Bandiagara, en particulier celui de Fabéré lui-même, si les ravageurs n'étaient pas démasqués et sévèrement punis. Fabéré, convaincu, prit sur lui de gagner l'oreille d'Alfa Maki Tall à la cause de Sinali, cause qu'il considérait désormais comme la sienne.

Durant toute la matinée de ce jeudi mouvementé, Afo Dianou, Daouda et moi étions restés en brousse, nous occupant à cueillir des fruits et à dénicher des oiseaux, poussant même jusqu'au "village d'ordures" des Blancs de Sinci. Vers midi, chargés de fruits sauvages, d'objets divers et de terre à poterie, nous revînmes en ville, riant et couverts de sueur, mais à vrai dire assez inquiets sur le sort qui nous attendait. Nous nous rendîmes d'abord chez Moïré, la mère de Daouda. Elle nous raconta en détail la scène qu'elle avait eue avec Sinali, puis nous demanda de lui confier, sous le sceau du secret, si oui ou non nous étions les auteurs du saccage commis dans le jardin du vieux tirailleur. Afo Dianou, qui par moments faisait preuve d'une naïveté étonnante, s'écria :

"Mère Moïré, nous ne pouvons rien dire ! Tous les trois nous avons juré sur les âmes de nos ancêtres de ne jamais avouer que nous sommes les auteurs du saccage du jardin de Sinali !"

Moïré nous regarda avec sévérité :

"Vous avez commis là une vilaine action, nous dit-elle, mais Sinali n'a eu que ce que sa méchanceté lui a attiré. Maintenant écoutez-moi bien : vous ne devez jamais, même si on vous fouette, avouer que vous êtes les coupables. Si on vous interroge, vous direz que vous avez passé la nuit dans votre dortoir. Vous ajouterez que vous vous êtes couchés tôt parce que vous vouliez partir ce matin de très bonne heure en brousse pour faire votre cueillette et aller jusqu'à Sinci y glaner vos petits objets. C'est bien compris ?"

Nous hochâmes tous les trois la tête de bas en haut, ce qui signifie "oui".

Fabéré, de son côté, avait saisi de l'affaire le chef Alfa Maki Tall, lequel convoqua Sinali pour complément d'information. Sinali lui cita les noms de tous les enfants qu'il avait rossés dans le vestibule: Daouda Maïga, Mamadou Gorel, Madani Maki, Abdallâh, Afo Dianou et Amkoullel. Alfa Maki Tall chargea le *sofa* Koniba Kondala, chef de notre quartier, d'enquêter pour savoir quel avait été notre emploi du temps dans la nuit de mercredi à jeudi. Ce dernier apprit que Madani Maki, petit-fils de Kaou Diallo, le grand griot d'Alfa Maki Tall, avait passé la nuit avec son grand-père dans la propre concession du chef, et qu'il n'en avait pas bougé d'un pas; les épouses d'Alfa Maki Tall l'avaient attesté. Mamadou Gorel était absent de Bandiagara. Abdallâh, lui, était malade depuis trois jours. Quant à nous trois, Koniba Kondala avait entendu dire que nous avions passé la nuit dans notre dortoir avec l'intention de partir le lendemain matin de bonne heure en brousse, selon notre habitude.

Lorsque Koniba Kondala rendit compte au chef des résultats de son enquête, il ne manqua pas de lui signaler la brutalité avec laquelle Sinali nous avait traités et les coups sanglants qu'il nous avait distribués pour avoir joué notre petite comédie à ses dépens. Alfa Maki Tall était d'une nature bienveillante, et surtout il aimait les actions de type chevaleresque. Touché, sans doute, par notre détermination, il déclara à Koniba Kondala:

"Va dire à Sinali d'estimer le montant des dégâts commis dans son jardin. C'est moi qui le dédommagerai. Dis-lui que je suis content que mes gamins, qui sentent encore l'odeur de lait de la maternité, aient prouvé qu'ils n'entendaient pas subir un affront sans se venger. S'ils avaient été plus grands, je suis convaincu qu'ils ne se seraient pas cachés pour régler son compte à Sinali. Enfin, donne-lui de ma part ce conseil : qu'il veille désormais sur son jardin plus qu'il ne l'a jamais fait, car ce qu'il a vu n'est qu'un commencement de pillage. Cela durera deux ou trois saisons. C'est une coutume enfantine qui s'est instaurée ici depuis le temps de Tidjani Tall, le premier roi de Bandiagara."

Et effectivement, durant trois saisons, nous n'avons cessé de tenter de nous introduire dans le jardin de Sinali ou d'enterrer des épines sur le sentier qui y menait. Mais, tel un cerbère, Sinali veillait. Que nous arrivions de jour ou de nuit, il était là. Et dès qu'il nous voyait, il nous donnait une chasse frénétique qui arrachait des cris moqueurs aux porteuses d'eau: "Hé...! Voyez Sinali aux prises avec les enfants! Hé Sinali! Arrête! Arrête!"

Il s'en fallut de peu que nous ne rendions le pauvre Sinali complètement fou. Il en arriva au point où la seule vue d'un gamin, même dans la ville, le mettait dans tous ses états. Il ne pouvait s'empêcher de le pourchasser, de lui lancer des mottes de terre et des injures. On le voyait s'agiter et parler tout seul dans la rue, marmonnant des propos décousus où il était question des enfants et de leurs parents. Un beau jour, je ne me souviens plus ni comment ni pourquoi, nous avons cessé de tracasser Sinali, le vieux tirailleur aux trois chevrons.

Valentins et Valentines

Notre waaldé grossissait de jour en jour, mais c'était toujours une waaldé "célibataire". Pour être complets, il ne nous manquait plus que d'être jumelés, comme le voulait la coutume, avec une association de jeunes filles de même catégorie d'âge que nous et dont nous deviendrions, en quelque sorte, les chevaliers servants et les protecteurs attitrés, elles-mêmes devenant nos "dames de cœur" platoniques. Pour employer un terme utilisé par certains ethnologues français, elles seraient nos "Valentines" et nous leurs "Valentins". (Cette coutume, qui remonte à un passé lointain, existait, à ma connaissance, dans toute l'Afrique subsaharienne.)

Vers 1911 (je ne puis garantir à un an près les dates des événements de cette époque), je décidai de soumettre cette proposition au vote de mes camarades et lançai une convocation pour une réunion plénière. Notre séance se tint un soir après le dîner, par une nuit de pleine lune. C'était l'une de ces nuits africaines où hommes et bêtes, heureux de baigner dans une si douce lumière, aiment à prolonger un peu leur veille. De loin en loin résonnaient des chants, des battements de mains rythmant le pas des danseurs, des cris d'enfants, des aboiements de chiens, en un mot tout ce concert de sons joyeux et paisibles liés dans mon souvenir aux belles soirées de mon enfance à Bandiagara.

Ce soir-là, la lune déversait sur les murs gris et les ruelles serpentantes une lumière laiteuse d'une telle clarté que l'on aurait pu distinguer une aiguille traînant sur le sol. L'obscurité, vaincue, s'était réfugiée au creux des portes et des vestibules. Seules demeuraient sur les murs les ombres noires que projetaient les avancées de gouttières, semblables à l'entrée de bouches obscures ou de trous mystérieux.

Mes camarades, avisés deux jours à l'avance par les *moutassibi* et les griots, m'attendaient. Les *moutassibi* arrivaient toujours les premiers pour contrôler l'identité des arrivants et signaler éventuellement les retardataires et les absents, qui se voyaient infliger des amendes. Les plaisanteries d'usage courant entre camarades se donnaient libre cours tant que le chef n'avait pas déclaré la séance ouverte, ce qui ne pouvait avoir lieu qu'en la présence du cadi.

A mon arrivée, le *moutassibi* Bori Hamman s'écria d'une voix forte : "*Amîrou warî !*" (Le chef est venu !) Tous les assistants clamèrent en chœur : "*Bissimillâhi amîrou !*" (Bienvenue, chef !) Je m'assis confortablement à terre, jambes croisées. Mamadou Gorel, chef adjoint, vint se placer à ma droite, et Daouda Maïga, cadi, à ma gauche. La poitrine soudain gonflée d'un certain sentiment d'importance, je criai à mon tour : "*Waaldé joodiima !*" (La waaldé est assise !) — ce qui équivaut au traditionnel : "La séance est ouverte !" des assemblées occidentales.

Afo Dianou, le *moutassibi* adjoint, vociféra : "*Soukoumek !*", interjection un peu triviale qui signifie littéralement : "Fermez-les !" — ce pluriel désignant les deux principales portes de sortie du corps, celle du haut et celle du bas. Quand le silence fut total, Bori Hamman, le *moutassibi* principal, se tourna vers moi :

"Nous t'écoutons, chef."

J'attaquai l'objet de la réunion.

"Ô associés! La réunion de cette nuit a pour but de vous soumettre une idée que j'ai conçue. Je souhaite qu'elle devienne la vôtre. Examinez-la, voyez si elle en vaut la peine, et si vous êtes d'accord pour la réaliser, dites-le.

"Comme vous le savez, notre waaldé masculine n'a pas d'association féminine pour lui servir d'épouse. Elle est donc encore célibataire. Cela ne saurait durer plus longtemps. De toutes les waaldés de jeunes filles de notre âge, celle qui a été créée par Maïrama Jeïdani me paraît la mieux indiquée pour devenir notre partenaire. Elle a déjà été sollicitée par trois associations de garçons rivales de la nôtre et avec lesquelles nous avions des comptes à régler. Cela fera un compte de plus, mais ce n'est pas cette perspective qui nous fera reculer.

"La parole est maintenant au cadi.

— Je suis pour cette idée, déclara Daouda Maïga, et je demande à tous ceux qui sont pour de crier: *«Allâhou toownou diina!»* (Que Dieu rehausse la dîna!)

— Pourquoi aller de l'autre côté de la ville pour nous trouver des Valentines? demanda notre camarade Amadou Sy. Ne pouvons-nous pas en trouver qui soient à portée de la main?

— Amadou Sy, répliqua Gorko Mawdo, en disant cela tu es poussé par un ressentiment que je connais...

— Menteur aux lèvres affilées comme une lame de rasoir! explosa Amadou Sy. Quelle injure m'a jamais été faite pour que j'en garde un souvenir désagréable? Par qui, où et quand a-t-elle été prononcée? D'ailleurs ai-je l'air d'un garçon qu'on peut insulter sans conséquence?..."

Je dus intervenir et ordonner aux deux antagonistes de se taire, sous peine d'avoir à payer une amende. Amadou Sy se tourna vers moi:

"Chef, je ne permettrai jamais à Gorko Mawdo, ce fils d'un tisserand cagneux et des plus maladroits, de me vilipender en pleine réunion!

— Cadi! s'écria aussitôt notre *moutassibi* adjoint Afo Dianou. Je cite Amadou Sy devant toi pour avoir été le premier à insulter Gorko Mawdo en la personne de son père!

— Ta citation est entendue", fit Daouda Maïga.

Au cours de la séance, il y eut encore cinq ou six accrochages du même genre, immédiatement relevés par le *moutassibi*. Finalement, ma proposition fut acceptée et on me chargea de mettre en œuvre les premières démarches en vue du jumelage. Amadou Sy et les autres fauteurs de troubles furent jugés et condamnés à payer des amendes de noix de cola pour indiscipline et grossièreté au cours de la réunion.

Le lendemain de notre réunion, je me rendis chez notre *mawdo* Ali Gomni pour lui demander d'entreprendre les démarches d'usage auprès de Martou Nawma, doyenne et présidente d'honneur de la waaldé de Maïrama Jeïdani. Ali Gomni lui présenta notre requête, qu'il appuya d'un don de cent noix de cola payées de sa poche. Martou Nawma accepta les colas, ce qui équivalait déjà à une acceptation implicite.

"Je n'ai personnellement rien à refuser à la waaldé d'Amkoullel, dit-elle. Je suis amie et camarade d'âge de Kadidja, Amkoullel est donc mon fils. Mais, je ne te le cache pas, la waaldé de Maïrama Jeïdani est très sollicitée. Elle a déjà enregistré trois demandes. La vôtre est la quatrième. La coutume, tu le sais, veut que les filles prennent leur décision elles-mêmes; je ne dois les influencer en rien. Mais si jamais elles viennent me demander mon avis, alors je sais qui je recommanderai: ce sera la waaldé d'Amkoullel, cela va sans dire."

Pour accroître nos chances, Ali Gomni me conseilla d'emmener mes camarades jouer et danser avec les jeunes filles aussi souvent que possible, et de chercher par tous les moyens à leur plaire et à nous rendre utiles.

Le soir même, je provoquai une réunion extraordinaire de tous nos camarades pour les informer du résultat de nos démarches et des conseils de notre *mawdo*. Je leur proposai d'organiser immédiatement une grande séance de fête et de danse, pour laquelle fut levée une souscription dite "de galanterie". Le minimum à payer fut fixé à quarante cauris. Finalement, grâce aux dons de tous nos parents, nous réunîmes huit mille cauris et quatre cents noix de cola, ce qui nous permettait d'organiser pour les jeunes filles une grande fête dite "de générosité" où nos adversaires viendraient nous disputer les honneurs réservés aux plus généreux donateurs.

La séance eut lieu quelques jours après. La soirée était animée par des griots guitaristes-chanteurs et des griots généalogistes-louangeurs attachés aux familles. Pour ouvrir la séance, des griots chantèrent les louanges de Maïrama Jeïdani et de sa famille. En l'honneur de la jeune fille, les chefs des trois associations rivales de la nôtre donnèrent aux griots, comme c'est la coutume, d'importantes quantités de noix de cola et de cauris. Passant, comme tout bon chef, par un porte-parole, je fis déclarer par notre *moutassibi* Bori Hamman que non seulement j'offrais aux griots une somme beaucoup plus importante en l'honneur de Maïrama, mais que j'y ajoutais, pour les gens de caste attachés aux familles des jeunes filles, un mouton et le prix des condiments afin qu'ils se préparent un bon méchoui. Je couronnai le tout en offrant aux griots un nouveau don substantiel en l'honneur, cette fois-ci, de toutes les compagnes de Maïrama. Nos rivaux, eux, n'avaient pensé ni aux autres jeunes filles ni aux gens de caste de leurs familles. Mon annonce fut saluée de cris enthousiastes par les griots qui improvisèrent immédiatement des louanges en mon honneur et en celui de ma famille. Ils continuèrent ainsi toute la soirée, chantant les louanges des uns et des autres à leur manière traditionnelle.

Le consensus populaire venait d'agréer la candidature de notre waaldé, mais la décision des jeunes filles n'était pas encore acquise; nous n'étions pas encore leurs Valentins officiels. En attendant, mes camarades allaient chaque soir, par petits groupes, veiller à ce que personne d'autre ne vienne badiner avec nos futures Valentines. Selon la tradition, nous étions devenus responsables de leur vertu et devions les défendre et les assister en toutes circonstances. Nous montions la garde, armés de bâtons et de fouets en lianes flexibles. Mais il va sans dire qu'autant nous tenions à décourager nos rivaux, autant ces derniers étaient décidés à prendre leur revanche sur nous — ce qu'ils essaieront de faire un peu plus tard.

La chance voulut que Maïrama Jeïdani, qui était destinée à devenir ma propre Valentine selon la tradition puisqu'elle était chef de sa waaldé, s'attachât sincèrement à moi. C'était une chérifat, une descendante du Prophète par son père, lequel appartenait à une famille de métis d'Arabes de Tombouctou et jouissait d'une grande réputation de sainteté. Et, ce qui ne gâtait rien, elle était particulièrement jolie, charmante et douée d'une forte personnalité. Quant à sa seconde, Aye Abbassi, elle n'avait d'yeux que pour Daouda Maïga, qu'elle aimait beaucoup. Ces deux jeunes filles étant celles qui menaient les autres, notre victoire était assurée.

Nos rivaux comprirent vite que leur place était ailleurs. Non seulement notre waaldé était mieux nantie que les leurs, mais elle comptait davantage de garçons batailleurs et bien entraînés. Quelques escarmouches où nos adversaires furent malmenés prouvèrent que nous n'étions pas de ceux à qui l'on pouvait reprendre une conquête...

Un mois après cette mémorable soirée, les compagnes de Maïrama Jeïdani prirent leur décision; elles nous choisirent pour être leurs Valentins. Martou Nawma, leur présidente d'honneur, en avisa notre *mawdo* Ali Gomni. La coutume voulait que les garçons envoient aux jeunes filles une dot de mariage symbolique : deux paniers de mil, un panier de riz, un mouton bien gras, deux mille cauris et mille noix de cola. Ma mère paya le tout.

Avec ces provisions, nos Valentines préparèrent un grand couscous et nous invitèrent à manger et à danser avec elles. Ce soir-là, des plats furent distribués un peu partout dans la ville pour annoncer le mariage de nos deux associations.

Le lendemain soir, une réunion générale des filles et des garçons se tint chez Martou Nawma en présence d'Ali Gomni. Nos deux présidents d'honneur procédèrent au jumelage officiel des garçons et des filles entre eux. Selon l'usage, chaque dirigeant garçon fut déclaré Valentin d'une dirigeante fille. Je devins donc le Valentin de Maïrama Jeïdani, Daouda Maïga celui d'Aye Abbassi, et ainsi de suite. Pour les membres non dirigeants des deux associations, chaque fillette reçut son Valentin par tirage au sort. Au départ, les jeunes filles étaient plus nombreuses que les garçons, et nos présidents pensèrent un moment qu'elles pourraient être collectivement les Valentines de toute notre waaldé, mais de nouvelles et enthousiastes adhésions masculines vinrent immédiatement rétablir l'équilibre. Chaque garçon tenait en effet à avoir sa Valentine personnelle, si petite et si laide qu'elle puisse être, afin d'avoir quelqu'un à courtiser, à servir et à protéger, et dont il serait tenu pour personnellement responsable. En effet, si la tradition permettait au Valentin de badiner galamment avec sa Valentine — aujourd'hui, on dirait flirter — c'était à la condition expresse de respecter sa chasteté. Il pouvait chanter la beauté de sa Valentine dans des poèmes, vanter ses vertus et ses mérites, lui dédier ses exploits, lui consacrer une soirée poétique et musicale en compagnie d'un griot, mais la communauté le tenait pour personnellement garant de la pureté de la jeune fille, et cela jusqu'à son mariage. C'était pour lui-même, et pour toute sa famille, une question d'honneur.

Les mariages étant conclus dès l'enfance entre cousins et cousines, il était assez rare qu'un Valentin puisse épouser sa Valentine (cela s'appelait "mettre du miel dans le lait"). Son honneur et sa gloire étaient alors de conduire sa "Dame" vierge jusqu'au jour de son mariage. On disait de lui : "Il peut mourir de faim à côté d'un mets délicieux sans y toucher." Maître de ses instincts, il était consacré digne de confiance et devenait de droit le meilleur ami des deux époux.

Certes, je ne saurais me porter garant de la vertu de tous les Valentins et Valentines à travers les siècles mais ce dont je suis sûr, c'est que durant toute ma jeunesse, à Bandiagara, jamais on n'a entendu parler d'un seul cas où un Valentin n'aurait pas respecté l'honneur de sa Valentine — et étant donné les coutumes, cela se serait su !

La victoire remportée par notre association sur les autres dans le jumelage avec les jeunes filles, ajoutée à sa prospérité et à quelques coups d'éclat, eut pour conséquence naturelle de lui valoir de nombreux jaloux, qui finirent par devenir des ennemis avec lesquels il fallait compter, on le verra plus loin. En attendant, dès que nous étions libérés de nos cours d'école coranique, nous pensions surtout à nous amuser et à briller aux yeux de nos Valentines. Nos grandes séances de scènes mimées et de récitation de contes nous y aidaient tout particulièrement.

Kadidja et Tidjani : le drame

Partagé entre mes deux familles où j'étais également comblé, entre mon frère aîné Hammadoun, que j'admirais, et mon gracieux petit frère Mohammed el Ghaali dont j'étais le protecteur, entre mes deux maîtres Tierno Bokar et Koullel dont chacun m'apportait, dans son domaine respectif, tout ce qui pouvait le mieux enrichir l'esprit d'un enfant, entre mes camarades garçons et nos charmantes Valentines, j'étais vraiment l'un des enfants les plus heureux de Bandiagara, la ville dont les enfants étaient les petits rois. Un drame inattendu vint tout faire chanceler.

Les femmes toucouleures Tall et Thiam de la famille de Tidjani, épouses aussi bien que parentes, n'avaient toujours pas pardonné à Kadidja d'être la dernière venue au sein de leur famille, d'y avoir introduit comme “premier fils” son rejeton peul et surtout d'être devenue, grâce à son travail acharné et à l'affection que lui portait Tidjani, la grande patronne de la maison. La vieille Yaye Diawarra n'étant plus là pour défendre Kadidja, elles reprirent les hostilités, n'attendant qu'une occasion favorable pour frapper un grand coup. Cette occasion se présenta avec le départ de Tidjani pour Tombouctou, où il devait effectuer un assez long séjour pour affaires.

Faman N'Diaye, la doyenne des parentes de Tidjani, profita de cette absence pour monter une véritable cabale contre ma mère. Assurée du soutien de tous les membres féminins de la famille, elle vint la trouver. "Nous toutes, proches parentes ou épouses de Tidjani, lui dit-elle, nous t'avons assez vue et supportée. Nous avons décidé que si ton mari ne te répudiait pas, nous nous séparerions toutes de lui. Nous le lui avons déclaré avant son départ et avons obtenu de lui ton divorce, mais il n'a pas osé te le dire en face. C'est pourquoi il m'a chargée de te signifier sa décision. A partir de cet instant, ta place et celle de ton fils Amadou Hampâté ne sont plus dans cette maison. Fais comme doit faire toute femme répudiée : ramasse tes bagages, pousse devant toi ton enfant né d'un autre lit et retourne dans la maison de ton père, ou dans celle du père de ton fils. Salut!..."

Sans répliquer quoi que ce soit, Kadidja rassembla ses affaires et retourna dans sa maison familiale. Faman N'Diaye cria victoire. N'avait-elle pas, du premier coup et sans difficulté, réduit cette femme peule que, jusque-là, aucun homme ni aucune mésaventure n'avait jamais réussi à abattre?

Elle écrivit à Tidjani une longue lettre en arabe où elle lui annonçait qu'à la suite d'une décision unanime prise par l'ensemble des membres féminins de la famille, Kadidja était répudiée, qu'elle avait accepté le divorce et quitté la concession maritale pour rejoindre sa maison paternelle. Malheureusement Tidjani, si courageux devant l'adversité, était très faible devant les siens. Au lieu de protester, il s'éternisa à Tombouctou pour ses affaires, pensant que ce n'était qu'un incident et que le temps arrangerait les choses. Peu doué, on l'a vu, pour la diplomatie, il commit la maladresse de ne rien dire à Kadidja, ni directement ni par personne interposée.

Profondément blessée, ma mère décida de quitter définitivement Bandiagara. Elle vendit quelques têtes de bétail de son troupeau et organisa son voyage, emmenant avec elle mon petit frère Mohammed el Ghaali, sa fidèle servante Batoma et quelques serviteurs. Mon frère aîné Hammadoun et moi-même relevant de la tutelle de notre famille paternelle, ma mère ne put faire autrement que de nous laisser à Bandiagara où notre oncle maternel Hammadoun Pâté et notre tante Sirandou Pâté auraient un œil sur nous. Elle nous confia à Tierno

Bokar pour continuer notre formation morale et religieuse, puis elle partit pour Mopti. Hélas, à peine y était-elle arrivée que le malheur frappa : mon cher et souriant petit frère, alors âgé de six à sept ans, attrapa la rougeole, et en mourut.

Tidjani, averti, accourut en toute hâte à Mopti. Il trouva ma mère se préparant à partir pour Bamako, le plus loin possible de Bandiagara, pour y chercher un peu de paix. Elle avait besoin de calmer ses nerfs ébranlés — beaucoup plus ébranlés, d'ailleurs, par le silence de son époux et la mort de son enfant que par la conduite des parentes de Tidjani. Celles-ci n'avaient jamais rien ménagé, depuis le début de son mariage, pour l'humilier et tenter de l'abattre, et Kadidja avait l'habitude de faire front ; mais les derniers événements avaient eu raison d'elle.

"Comment peux-tu partir pour Bamako sans mon autorisation, alors que tu es ma femme ? lui demanda Tidjani.

— Non, répondit Kadidja, tes femmes, toutes filles de rois, sont à Bandiagara. Quant à moi, la fille du pasteur peul Pâté Poullo, j'étais ta femme-servante, et maintenant je suis divorcée. Mes délais de vacuité sont épuisés, je suis donc libre. Même le lien qui nous unissait vient de se casser : c'était ton fils, Cheik Mohammed el Ghaali. Tu viens de voir sa tombe... Demain je m'embarque pour Bamako. Je te souhaite longue et heureuse vie avec tes épouses et la patronne de ta famille, Faman N'Diaye, qui a le droit d'épouser tes femmes et de les répudier à ta place et pour ton compte !"

Tidjani tenta l'impossible pour faire revenir Kadidja sur sa décision, mais elle ne voulut rien entendre. Le jour même, il alla trouver le marabout Alfa Oumarou Hammadi Sanfouldé pour lui demander d'intervenir auprès de ma mère, mais quand le marabout se présenta le lendemain chez son logeur, il apprit qu'elle s'était déjà embarquée au petit matin à bord d'un bateau monoroue en direction de Bamako.

Désespéré, Tidjani regagna Bandiagara. A son arrivée, ses proches parentes, conduites par Faman N'Diaye, s'assemblèrent pour venir le saluer. Faman N'Diaye, se fiant à l'emprise qu'elle exerçait sur Tidjani par son droit d'aînesse, avait pris sur elle toute la responsabilité morale de la répudiation de Kadidja ; quand certaines de ses compagnes s'inquiétaient de la réaction possible de Tidjani, elle leur répondait : "C'est mon affaire !"

Elle souhaita la bienvenue à Tidjani, mais dès qu'elle essaya de parler de Kadidja il l'interrompit :

"Vous avez toutes agi selon votre passion. Ne me donnez aucune explication, allez la donner à « votre Tidjani ». Moi, je ne suis plus rien pour vous. Vous ne voulez pas de Kadidja parce que vous en êtes jalouses. J'étais un arbre sous lequel vous vous reposiez, dormiez et vous réveilliez pour en manger les fruits ; mais ce que vous avez décidé d'ignorer délibérément, c'est que Kadidja était la sève vivifiante de l'arbre que je suis. Un arbre peut-il vivre sans sa sève ? Moi, je ne peux pas vivre sans Kadidja. Aussi, dès la semaine prochaine, je rejoindrai ma femme, celle qui sait braver soldats et obscurité, qui sait dépenser son sang et sa sueur pour que je mange et vous fasse manger.

"Ôtez-vous de ma présence ! Allez vous façonner un Tidjani à votre façon ! L'homme est fait de boue, dit-on ? Eh bien, vous en trouverez beaucoup dans la grande mare de Bilal Samba Lâna, à Bandiagara. Servez-vous-en. Vous vous êtes arrogé des droits que Dieu lui-même ne s'est pas arrogés : prononcer le divorce entre un homme et son épouse !"

A la consternation de sa famille, Tidjani entreprit aussitôt de régler toutes ses affaires à Bandiagara. Quand tout fut en ordre et les ressources de sa famille assurées, il prit congé de Tierno Bokar et, à son tour, il quitta la ville. Il se rendit à Mopti d'abord, puis à Bamako où il retrouva Kadidja. Il réussit à obtenir son pardon. Leur mariage n'étant pas dissous légalement, ils reprirent leur vie commune. Désormais à l'abri de toute complication familiale, ils vivront heureux côte à côte jusqu'à la fin de leur vie.

En fait, Tidjani avait quitté Bandiagara sans regret, car à part le groupe de parents et d'amis fidèles qui le fréquentaient, dans son ensemble la société toucouleure de la ville, depuis son retour de Bougouni, ne le traitait pas selon le rang qui était le sien, et il en souffrait en silence. Aussi décida-t-il de refaire sa vie ailleurs, ce qu'il réussit à Kati, une petite ville de garnison militaire proche de Bamako où il se fixa avec Kadidja et où leur foyer s'enrichit de trois nouveaux enfants.

A Kati, Kadidja reprit ses activités commerciales — qui l'amèneraient d'ailleurs de temps en temps à Bandiagara — et Tidjani ses activités de marabout et de tailleur-brodeur, auxquelles il allait ajouter un petit commerce de produits courants très achalandé en raison de la proximité du camp militaire. Je les y rejoindrai en 1915, lorsque je m'enfuirai de l'école française...

Et voilà comment mon père adoptif Tidjani (Amadou Ali) Thiam sortit ses pieds des étriers d'argent de la chefferie de Louta pour les poser sans complexe sur la pédale d'une machine à coudre, face à un étalage de pacotilles où bonbons, allumettes, sucres et biscuits voisinaient avec du "bleu Guillemet". Il vendait un peu de tout, à la seule exception de la liqueur et du vin, interdits par le Coran, et du tabac, auquel un bon adepte de la Tidjaniya ne saurait toucher ni de près ni de loin!

Circoncision de mon frère Hammadoun

Le départ de Kadidja nous avait douloureusement frappés, Hammadoun et moi, mais mon frère aîné en était peut-être affecté davantage. Privé de notre mère pendant les longues années de son exil à Bougouni, il s'y était d'autant plus attaché quand il l'avait retrouvée. Il vivait comme moi dans notre maison paternelle avec Beydari, Niélé et leurs compagnons, mais il voyait Kadidja chaque jour et venait souvent manger ou dormir chez elle. Le vide laissé par le départ de notre mère et la mort de notre petit frère le rapprocha encore de moi. A l'école coranique ou à la maison, nous étions toujours ensemble, et si je ne passais pas la nuit avec mes camarades d'association, il s'arrangeait toujours pour dormir à mes côtés. On avait fini par nous surnommer les "fils de la même couverture". L'affection qui nous liait nous aida beaucoup à franchir ce moment difficile.

Nous n'allions plus dans la concession de Tidjani, d'où nous avions été exclus. De toute façon la cour de cette maison, qui avait si souvent vibré, le soir, au rythme des chants, des poèmes et des guitares, et retenti du récit des hauts faits du passé, cette cour où nous nous étions enivrés de la magie du Verbe était devenue tristement silencieuse. Mais Koullel était toujours là ; il venait me chercher pour m'emmener aux séances qu'il organisait ici ou là avec ses amis et confrères. Ma formation traditionnelle ne fut donc pas interrompue. Et puis, il y avait toujours les soirées sur la place de Kérétel, véritable cœur nocturne de la ville, où le spectacle était permanent...

Quelque temps après, notre attention fut requise par un événement important qui balaya toutes nos autres préoccupations : la circoncision d'Hammadoun.

Après le baptême (cérémonie d'imposition du nom), la circoncision est la deuxième cérémonie publique de la vie d'un homme, la troisième étant le mariage. Comme le baptême, elle occasionne de nombreuses dépenses. La famille, aidée par les parents et les amis, s'y prépare longtemps à l'avance. Après la récolte, quand les greniers sont pleins et que les vents frais commencent à souffler, les vieux du village ou du quartier se concertent en vue d'organiser la cérémonie.

Généralement, les enfants à circoncire sont âgés de sept à quatorze ans. Pour les Bambaras, l'âge idéal est de vingt et un ans, c'est-à-dire à la fin du premier cycle de trois fois sept ans. Mais en fait elle a souvent lieu beaucoup plus tôt, en particulier quand l'enfant se sent prêt et en fait lui-même la demande, ne voulant plus être traité moqueusement par les autres de *bilakoro* (incirconcis), terme qui constitue la plus grave des injures quand on l'adresse à un adulte, lui signifiant par là qu'il n'est pas un homme.

Chez les Peuls de brousse, on aime que le futur circoncis ait déjà fait la preuve de son courage, par exemple en allant délivrer un veau enlevé par une hyène ou une panthère, voire un lion.

En islam, la circoncision du petit garçon a lieu le septième jour après sa naissance, en même temps que la cérémonie du baptême. Les Peuls convertis à l'islam ont reporté l'opération à sept ans, parfois même plus tard.

Cette année-là, à Bandiagara, la récolte des champs de mil était terminée ; les animaux partis en transhumance dans les zones d'inondation avaient regagné la région des falaises où il y avait désormais assez d'eau et de pâturages pour les nourrir ; les troupeaux de ma famille, dirigés par notre "premier berger" Allaye Boubou (qui avait déjà été le berger de mon grand-père Pâté Poullo), rejoignirent Bandiagara. C'était l'abondance.

Un conseil de famille se réunit sous la présidence de Beydari Hampâté. On décida d'organiser la circoncision d'Hammadoun par la même occasion. Lorsque la nouvelle fut portée à la connaissance de Boudjedi Bâ, le doyen d'âge des Bâ de Bandiagara, il s'opposa à ce que je sois circoncis en même temps que mon frère aîné. "Cela entraînerait une violation de la coutume, expliqua-t-il. Les garçons circoncis en même temps deviennent en effet, pour toute leur vie, des « camarades » sans considération d'âge, de hiérarchie ni de statut social, et ils jouissent les uns vis-à-vis des autres d'une liberté de comportement totale. Cela irait à l'encontre du devoir d'obéissance et de serviabilité dû à l'aîné de la part d'un petit frère, surtout de même père et de même mère."

Ma circoncision fut donc écartée et renvoyée à deux ans plus tard.

Hammadoun, très déçu, demanda que je puisse au moins rester à ses côtés en qualité de parent.

"Je ne peux pas me passer de mon petit frère, dit-il, et lui non plus ne peut pas se passer de moi."

Il plaida si bien ma cause qu'on m'accorda de rester auprès de lui, non pendant l'opération elle-même, ni la première semaine de retraite où l'isolement des circoncis est de rigueur, mais pendant les deux semaines suivantes de retraite en brousse.

Une quinzaine d'enfants du quartier devaient être circoncis en même temps. Comme de coutume, la cérémonie serait précédée d'une grande fête qui durerait toute la nuit, du coucher au lever du soleil. Tous les parents et amis de la famille furent avisés. Les préparatifs de la fête durèrent un bon mois. Ma mère, qui vivait alors à Kati, était trop éloignée pour pouvoir nous rejoindre à temps. Elle fit donner l'ordre de vendre dix taureaux de dix ans de son troupeau pour aider Beydari Hampâté à faire face aux dépenses. Sa sœur cadette, notre tante Sirandou Pâté, fournit les calebasses dont les tessons cassés serviraient à fabriquer des sortes de castagnettes destinées aux futurs circoncis. Notre oncle maternel Hammadoun Pâté — notre "mère masculine" selon la tradition — serait là pour veiller à tout.

Enfin, la grande nuit arriva. Après un vrai repas de fête, les servantes étalèrent les tam-tams d'eau (grande calebasse remplie d'eau sur laquelle on renverse une calebasse plus petite pour créer une résonance profonde) sur lesquels frapperaient tambourineurs et tambourineuses pour soutenir les danses et les chants. Les futurs circoncis, eux, devaient dormir dans leur dortoir commun *(walamarou)* et ne rejoindre l'assistance qu'au petit jour.

Beydari avait fait venir cinq griots généalogistes-chanteurs : trois hommes et deux femmes. L'une d'elles était la célèbre griote Lenngui, l'une des seules à pouvoir chanter d'une voix aussi fluette que puissante, dans l'aigu comme dans le grave. A côté de son chant, celui des autres paraissait monotone. Comme elle connaissait parfaitement la famille dont descendait mon père Hampâté, elle était la plus qualifiée pour chanter notre généalogie et les exploits de nos ancêtres.

L'assistance fit un grand cercle autour des griots. Certains commencèrent à jouer et à déclamer des louanges. En fait, c'est Lenngui qui menait la séance. Toute la nuit elle chanta, alternant chants de bergers et chants nuptiaux, chants de guerre ou d'amour, chants épiques ou nostalgiques. Les tambourineurs donnaient la mesure. La foule, battant des mains en rythmes alternés, soutenait la cadence. De temps en temps, un griot généalogiste se levait et entrait dans le cercle. Balançant légèrement son corps et sa tête d'avant en arrière à la manière des Peuls, il faisait le tour de l'assistance. Il lançait d'abord, avec les onomatopées d'usage, l'air du thème musical traditionnel choisi par lui, lent ou rapide, gai ou triste, et la foule le reprenait en chœur. Il entamait alors sur cet air sa tirade improvisée.

Après chacun des chants, un parent de l'un des garçons entrait dans le cercle ; et là, contrairement aux usages, sans scrupule ni modestie il prononçait, pour cette unique circonstance, des paroles mettant en valeur sa propre famille afin de stimuler la fierté du garçon. Notre tradition interdit en effet aux nobles de dire du bien d'eux-mêmes ou de leurs ancêtres ; ils sont toujours tenus à une extrême réserve de langage et de gestes, sauf pour les fêtes de circoncision et les veilles de départ à la guerre. En toute autre circonstance ils doivent se taire : les griots parlent pour eux.

“Cette nuit est grave pour les miens, chantait Allaye Boubou, notre premier berger, dont le fils Ali serait circoncis le lendemain. Elle précède un jour solennel, un jour de courage où les peureux feront honte à leurs père et mère. Demain, mon fils Ali Allaye subira la morsure du couteau tranchant. S'il pleure, j'en mourrai de honte ; s'il ne bronche pas, il me couvrira de gloire !”

Puis il distribua des cadeaux aux griots et regagna sa place. Tantes, oncles, frères aînés et parents se succédaient dans le cercle, chantant, dansant et couvrant de cadeaux griots, gens de caste et captifs de case. La fête dura toute la nuit. Au petit jour, bien des pères et mères se sentirent gagnés par l'inquiétude à l'idée de l'épreuve qu'allait subir leur fils, et de la honte toujours possible : “Si notre fils pleure, quelle sera notre face ?”

Au premier chant du coq, alors que l'aube n'était encore qu'une lointaine et vague promesse, on fit venir dans la cour les futurs circoncis. Ils arrivèrent en file indienne, conduits par mon frère Hammadoun qui, en tant que chef de waaldé, avait été désigné pour être circoncis le premier.

Quand les jeunes gens arrivèrent dans la cour, Lenngui leur lança une harangue chantée destinée à exciter leur courage :

Ô jeunes garçons, soyez braves!
Ne vous conduisez point en étalons ombrageux.
Bientôt votre chair connaîtra
la morsure du couteau tranchant.
Le fer fera gicler votre sang vermeil,
mais qu'il ne fasse pas jaillir vos larmes!
(...)
Quand le forgeron coupera, plaisantez avec lui!
Frappez légèrement sa tempe
pour le punir d'avoir osé toucher
à un membre qu'il aurait dû respecter
comme celui de son propre père.
Et pour montrer que vous n'avez pas peur,
dites-lui de recommencer!
(...)
Prouvez demain que vous êtes virils,
et la communauté reconnaîtra votre majorité!

Chaque parent se levait à nouveau pour venir encourager le futur circoncis et lui promettait, s'il supportait l'épreuve sans broncher, de lui donner une ou plusieurs vaches laitières qui constitueraient le début de son petit troupeau personnel.

Les jeunes gens entraient à leur tour dans le cercle en esquissant quelques pas de danse. Les griots les y incitaient :

"Premier fils de son père, as-tu peur de la terre ? Si tu n'as pas peur, saute, danse, frappe-la de tes pieds, que je voie tes talons soulever la poussière !..."

Quand le ciel commença à s'éclaircir, les jeunes gens, toujours en file indienne, furent conduits sur les bords du Yaamé. Ils traversèrent la rivière. Chaque garçon, accompagné d'un parent-témoin, portait la brique de terre qui lui servirait de siège pendant l'opération. Les femmes et les enfants n'étaient pas du cortège.

Arrivé au pied des deux grands balanzas qui avaient abrité de leur ombre des générations de circoncis, chaque garçon s'assit sur sa brique, le dos tourné au soleil levant. Bougala, le forgeron circonciseur, leur demanda d'étendre leurs jambes en les écartant le plus possible. Mon frère Hammadoun devant être opéré le premier, Bougala vint se placer devant lui. Il ouvrit une noix de cola en deux et en plaça chaque moitié entre les molaires du fond de la bouche de mon frère, une à droite et une à gauche, afin que l'on puisse y mesurer ensuite la marque de ses dents, indice de son courage. Se saisissant de son membre, il tira sur le prépuce de manière à renvoyer le gland le plus loin possible en arrière, puis attacha solidement la base du prépuce avec une petite ficelle, mettant ainsi la chair du gland hors de portée de sa lame. Il prit alors son couteau, fixa mon frère et dit :

"Hammadoun, fils de Hampâté Bâ, tu vas être le premier à verser ton sang comme prix de ton admission dans le camp des adultes. Tu vas être un homme, à toi de prouver que tu en es digne. Détourne les yeux, que je sectionne ce qui te classait parmi les gamins incirconcis.

— Ô vieux père Bougala, répondit Hammadoun, tu voudrais que je tourne le dos le jour de mon premier engagement avec le fer ? Que dirais-tu de moi ? Ne suis-je pas aujourd'hui le chef qui doit conduire ses compagnons ? *Wallaye !* (Par Dieu !) c'est sous mes yeux bien ouverts que je veux te voir couper ce prépuce qui retient prisonnière ma majorité et me maintient parmi les bambins. Coupe, ô vieux père, et coupe bien !..."

Bougala sourit et d'un coup de couteau adroit et rapide, en prononçant la formule musulmane "*Bismillâhi errahman errahimi*" (Au nom de Dieu, le Clément, le Miséricordieux), il trancha net le prépuce d'Hammadoun. Celui-ci éclata de rire, appliqua sa main droite sur la joue du vieux forgeron comme pour le gifler, cracha ses deux noix de cola et s'écria :

"*Filla fa fillo Bandiagara !* (Recommence [et que cela dure] jusqu'à faire le tour de Bandiagara !) Recommence, vieux père, je t'en donne l'ordre !" et il se mit à chanter d'une voix claire la devise de Bandiagara.

Le vieux Bougala présenta aux parents le prépuce d'Hammadoun et les deux moitiés de noix de cola sur lesquelles ses dents n'avaient imprimé qu'une marque légère. "*Koulou diam ! Hourra !* s'exclama-t-il. Le fils de Hampâté a traversé le fleuve de l'épreuve à la nage malgré les crocodiles!" Et il poursuivit ses opérations sur les autres garçons, qui avaient à cœur d'imiter l'attitude d'Hammadoun.

Pendant que se déroulait l'opération, les parents des garçons avaient édifié sous les deux balanzas un grand hangar. Les circoncis s'y installèrent sous le contrôle de leur *bawo* (surveillant), généralement membre de la caste des tisserands et chargé, entre autres choses, de leur enseigner les "chants des circoncis" pendant leurs trois semaines de retraite — retraite qui, chez les Bambaras et les Dogons, dure trois mois.

Après l'opération, tous les prépuces furent enterrés. Pour la tradition africaine ancienne, le prépuce est considéré comme un symbole de féminité dans la mesure où il recouvre le pénis et l'enveloppe dans une sorte d'obscurité, car tout ce qui est féminin, maternel et germinatif s'accomplit et se développe dans le secret et l'obscurité des lieux clos, que ce soit dans le sein de la femme ou dans le sein de la Terre-Mère. Une fois le garçon dépouillé de sa marque de féminité originelle, qu'il retrouvera plus tard chez sa compagne, il est censé devenir le support d'une "force" exclusivement masculine.

Au cours de la première semaine, on gave les circoncis de nourriture comme des moutons de case, mais ils ne doivent se désaltérer qu'aux principaux repas. Ils dorment sur le dos, les jambes écartées. Au premier chant du coq, leur *bawo* les réveille. On allume un grand feu autour duquel ils viennent tourner en cercle, reprenant en chœur les chants spéciaux qu'on leur enseigne et dont ils marquent le rythme avec leurs castagnettes. L'ensemble forme un chœur très harmonieux chez les Peuls, et plus encore chez les Dogons. Durant toute la première semaine, le membre opéré reste enveloppé dans un emplâtre médicinal, qui forme une croûte assez épaisse.

Dans la nuit du septième au huitième jour, les circoncis peuls cessent d'être isolés et peuvent enfin être approchés par les femmes et les enfants. C'est à ce moment-là que je pus enfin rejoindre Hammadoun, que désormais je ne quitterai plus d'un pas, mangeant, dormant et me promenant avec lui. Je dois le récit de tout ce qui précède en partie à Hammadoun lui-même, mais aussi à mon oncle Hammadoun Pâté, si fier de l'attitude de mon frère qu'il ne se lassait pas de raconter les détails de cette grande journée, dans les milieux masculins tout au moins.

Cette nuit-là, après le dîner, on fit asseoir les circoncis en cercle. Des griotes invitées pour l'occasion commencèrent à chanter, accompagnées de quelques musiciens. Chaque garçon se levait et exécutait de son mieux la danse rythmée dite *dippal* où le battement du pied contre le sol est de rigueur, puis cédait la place à son suivant. Le *bowo* avait auparavant lavé leur membre blessé avec de l'eau savonneuse, puis l'avait enduit d'une couche de beurre de vache pour commencer à ramollir l'emplâtre. Oubliant un moment leur mal, les garçons, emportés par le rythme, dansaient et frappaient la terre de leurs pieds. Plus tard, recrus de fatigue, ils regagnèrent leur dortoir, situé un peu plus loin aux abords de la ville. Il leur fallait se reposer pour se préparer à la grande journée du lendemain qui serait celle de leur bain rituel et du premier lavage de leur plaie.

Le huitième jour, à l'aurore, les circoncis gagnent le bord de la rivière. Ils se placent dans l'eau de telle sorte que le courant, en s'écoulant, nettoie la plaie et la libère peu à peu de son emplâtre. Plus tard ils reviennent sur le rivage, se couchent sur le sable et y restent étalés sur le dos jusqu'à environ dix heures.

Des personnes âgées, ou le forgeron, essaient alors d'enlever ce qui reste de leur emplâtre. Si le beurre appliqué la veille et l'immersion dans l'eau n'ont pas suffisamment ramolli la croûte formée de poudre et de sang durcis, une intervention devient nécessaire. Cette épreuve est de beaucoup plus douloureuse que la section du prépuce elle-même. Heureusement, à ce stade des opérations on n'exige plus des garçons une impassibilité au-dessus de leurs forces, mais les plus courageux seront toujours à l'honneur et on parlera d'eux jusqu'au fond des cases. Quand tout est terminé, on refait les pansements, plus légers qu'auparavant. Vers onze heures, bien lavés, bien propres et visiblement plus à l'aise, les circoncis rejoignent le hangar au pied des deux balanzas.

Le déjeuner du huitième jour est un vrai repas de fête. Après s'être bien restaurés les garçons font la sieste puis, vers quinze heures, remis de leurs épreuves, ils entament, sous la conduite de leur *bawo* et de quelques anciens, une longue promenade en haute brousse qu'ils renouvelleront chaque jour. Au cours de ces promenades, ils reçoivent des anciens, versés dans la connaissance des végétaux, des minéraux et de la faune locale, des enseignements de toutes sortes sur ce que l'on pourrait appeler "les sciences de la nature".

Tous ces enseignements reposent sur des exemples concrets faciles à comprendre pour les enfants. Certaines scènes observées donnent l'occasion de développements plus profonds : un arbre déployant ses branches dans l'espace permet d'expliquer comment tout, dans l'univers, se diversifie à partir de l'unité ; une fourmilière, une termitière donnent l'occasion de parler des vertus de la solidarité et des règles de la vie sociale. A partir de chaque exemple, de chaque expérience vécue, le *bawo* et les anciens enseignent aux garçons comment se comporter dans la vie et quelles sont les règles à respecter envers la nature, envers ses semblables et envers soi-même. Ils leur enseignent à être des hommes.

Chaque soir, après le dîner, des conteurs et des griots viennent animer la veillée, faisant alterner contes et chroniques historiques amusantes ou glorieuses, émaillées des exploits de nos grands hommes. Et là, quelle que soit l'heure, les yeux restent bien ouverts et personne ne s'endort !

Dès le début de la deuxième semaine, les circoncis consacrent la matinée à faire une sorte de quête auprès des passants, au bord du chemin qui mène à la ville. Les provisions et les cauris recueillis serviront à organiser le grand repas de séparation des membres de la promotion.

La troisième semaine, la plaie est guérie ou presque. Les garçons acquièrent le droit d'entrer dans la ville en plein jour pour se livrer à une véritable razzia de volatiles. Dès le début de la matinée, armés de baguettes et faisant claquer leurs castagnettes, ils envahissent les quartiers et donnent la chasse à tous les poulets ou volatiles qui picorent dans les ruelles, les pourchassant même à l'intérieur des cours où ils ont le droit d'entrer impunément. Dès que l'on entend le vacarme annonciateur de l'arrivée des petits pillards, chacun essaie d'enfermer sa volaille jusqu'à ce que l'orage soit passé. Mais allez donc enfermer une armée de poulets habitués à picorer un peu partout!... Bientôt ce ne sont plus dans la ruelle que glapissements de poules affolées, gémissements aigus des vieilles femmes qui voient disparaître leurs meilleures pondeuses, cris excités des gamins de la ville, tout heureux de servir de rabatteurs aux circoncis. Et chaque matin, la ville retentit à nouveau de cette cacophonie joyeuse et bon enfant.

Enfin, c'est le vingt-deuxième jour! Le matin de bonne heure, le groupe de garçons va prendre son dernier bain dans la rivière. Pendant ce temps on démonte le hangar qui les a abrités près des deux balanzas, on en dispose les débris en trois tas séparés, on y jette tous les objets qui ont servi aux circoncis (sauf leurs vêtements qui traditionnellement reviennent au forgeron qui les a opérés), puis on y met le feu. Lorsque les garçons reviennent de leur bain, ils doivent sauter par-dessus les trois foyers, dont les flammes ont quelque peu perdu de leur violence mais qui sont encore de taille respectable. C'est leur dernière épreuve, mais non la moins périlleuse.

Cette épreuve terminée, ils regagnent leur dortoir. Chacun y découvre, dans une grande calebasse déposée à son intention, un trousseau complet tout neuf : une culotte bouffante, un boubou de dessous et un boubou de dessus, un bonnet blanc "gueule de caïman" (ou bonnet phrygien, coiffure traditionnelle des hommes adultes dans tous les pays de la zone mandingue), une écharpe brodée, une paire de chaussures ou de bottes, un sabre ou une belle canne, des ornements ou, selon le milieu traditionnel, des gri-gris. Revêtus de ces beaux habits de fête, ils pénètrent dans la ville et vont de porte en porte remercier les parents et les amis de tout ce qu'ils leur ont prodigué durant trois semaines. Ceux dont la plaie n'est pas encore guérie restent chez eux pour continuer leur traitement. Cette tournée dure plusieurs jours. Chez les Peuls, les jeunes gens se contentent de remercier ; chez les Dogons, ils accompagnent leur tournée de chants et de danses.

Durant onze jours encore, la promotion reste unie et continue de partager le même dortoir, puis chacun réintègre ses foyers et reprend les occupations correspondant à son âge, mais, cette fois, avec le statut d'"homme". En perdant son prépuce, le garçon a perdu le droit de marcher nu. Son membre viril, désormais consacré en tant qu'agent de la reproduction humaine, donc réceptacle d'une force sacrée, ne doit plus être exposé à la vue de tous.

Un lien de camaraderie puissant, de fraternité même, doublé d'un devoir d'assistance mutuelle, se crée entre les circoncis d'une même promotion, et cela pour toute la vie. Ils ont les uns sur les autres des droits analogues à ceux que donne la relation dite de "parenté à plaisanterie" ou *sanankounya* (*dendirakou* en peul). Comme l'avait fait remarquer le vieux Boudjedi Bâ, ils peuvent, sans considération d'âge ni de classe sociale, se plaisanter et se "mettre en boîte", même assez vertement, en public, sans que cela puisse tirer à conséquence ; ils peuvent aussi se baigner nus ensemble en un même lieu, utiliser les montures des uns et des autres sans avertissement préalable, s'asseoir sur leurs couchettes respectives (attitude très inconvenante pour toute autre personne), enfin se montrer galants en paroles avec les épouses de leurs condisciples (comme dans la relation de *sanankounya* entre beaux-frères et belles-sœurs) sans que leur attitude puisse être suspectée par le mari à moins d'une preuve patente de déshonneur conjugal, ce qui vaudrait d'ailleurs au coupable d'être mis au ban de tous ses camarades, voire de ses concitoyens, dans le cas où le mari ne lui aurait pas déjà passé sa lance à travers le corps !

Le grand combat

Depuis notre jumelage avec nos Valentines, aucun garçon étranger à notre association n'avait plus le droit de badiner avec elles. Toute infraction à cette règle était automatiquement punie d'une avalanche de coups de bâton ou de fouet à lianes ; mais l'incident pouvait parfois entraîner, entre les associations rivales, un combat général. Minutieusement préparé, il était officiellement déclaré, puis se déroulait selon des règles précises sous le contrôle des aînés. C'est ce qui nous advint vers la fin de 1911.

Un soir, nous surprîmes un groupe de garçons du quartier de Gan'ngal installés sur les nattes qui avaient été préparées à notre intention par nos Valentines légitimes. Ils avaient invité les jeunes filles à les y rejoindre, mais n'avaient obtenu de leur part que des rebuffades ironiques. A notre arrivée, ils étaient en train d'échanger avec elles des propos injurieux. Notre *moutassibi* Afo Dianou, qui était aussi notre grand champion de lutte, s'avança :

"Qui êtes-vous pour venir occuper nos nattes et importuner nos Valentines ?

— Nous sommes du quartier de Gan'ngal.

— Votre chef de waaldé est-il avec vous ?

— Pour quoi faire ? Ne sommes-nous pas assez grands garçons pour nous promener seuls, en quête de « colliers de taille[38] » à taquiner et de rondeurs à caresser ? Nous sommes tombés ici sur de belles filles aux formes rebondies, à la taille fine cerclée de perles tintant agréablement, semblables à des pouliches égarées dans une jachère. L'envie nous a pris de badiner avec elles, et puisque des nattes inoccupées invitaient nos postérieurs à prendre du repos, nous nous sommes installés."

Je m'avançai à mon tour :

"Est-ce votre chef qui vous a autorisés à venir violer

notre domaine et à tenir à nos compagnes un parler pourri de dévergondés?" Sans leur donner le temps de répondre, je haussai le ton: "Allez, levez-vous! Secouez vite les pans de vos boubous et tournez-vous, que l'on voie la rotondité de vos talons et l'envergure de votre dos. Allez dire à votre chef de nous envoyer des excuses, sinon demain soir, dès que la lune se montrera, je vous enverrai deux griots. Ce qu'ils lui diront viendra de ma bouche. Ce sera un dire court mais bien fiché. J'ai parlé, au nom de tous mes camarades."

Quand un chef de waaldé se trouvant dans son bon droit donne un ordre à des délinquants, ceux-ci doivent s'exécuter, sous peine de se voir bastonner séance tenante. Nos rivaux bougonnèrent, mais vidèrent les lieux à la plus grande satisfaction de nos Valentines qui saluèrent leur départ par une salve de rires moqueurs.

Tout fiers, nous nous installâmes sur nos nattes. Les jeunes filles vinrent nous y rejoindre. Notre bavardage habituel, parsemé de jeux, de rires et de contes, se poursuivit assez tard dans la soirée. Mes amis et moi avions décidé de nous réunir après la séance, quelle que soit l'heure, afin de discuter des termes du message à envoyer le lendemain à Si Tangara, chef de la waaldé de Gan'ngal. La nuit était bien avancée quand nous regagnâmes enfin nos couchettes.

Le lendemain, notre griot Mouctar Kaou, accompagné de trois camarades, dont Afo Dianou, se rendit auprès de Si Tangara. Seul Mouctar Kaou, en tant que griot porte-parole, avait qualité pour présenter notre message et parler; ses compagnons n'étaient là qu'à titre de témoins. Dès qu'il fut en face de Si Tangara, Mouctar prit la parole:

"Moi, Mouctar, fils de Kaou Diêli Sissoko, je viens, de la part d'Amkoullel, fils de Hampâté Bâ, chef de la waaldé du quartier de Deendé Bôdi, demander à Si Tangara, chef de la waaldé du quartier de Gan'ngal, ce qui suit:

— *Un:* Si Tangara est-il au courant de la violation commise cette nuit par quelques membres de sa waaldé?

— *Deux:* s'il n'est pas au courant, nous le lui apprenons et attendons une promesse ferme de réparation comme l'exige la coutume.

— *Trois:* s'il est au courant, nous attendons de lui l'explication et la justification de l'intention qu'il a emmanchée au bout de son action.

— *Quatre:* nous informons Si Tangara et les siens que la waaldé des cadets de Deendé Bôdi n'apprécie pas les palabres longues comme plusieurs jours de marche, et moins encore les palabres à la trame obscure teinte au «lait de charbon». Notre waaldé est commandée par Amkoullel, un pur Peul «oreilles rouges», descendant des Hamsalah du Fakala et d'Alfa Samba Fouta Bâ, qui fut général d'armée de Cheikou Amadou. J'ai transmis le message. Après nous, Amkoullel n'enverra plus personne auprès de toi, Si Tangara."

Si Tangara à son tour prit la parole:

"Moi, Si Tangara, rejeton des Tangara, chefs du pays de Pêmaye, je déclare n'avoir écouté que de mon oreille gauche, la droite refusant d'être docile, les paroles qu'Amkoullel t'a chargé, toi, Mouctar Kaou de la tribu des griots troubadours, bouffons sans vergogne, quémandeurs effrontés, hâbleurs éhontés, de venir miauler comme un chat lépreux à mes oreilles. Retourne dire à ton chef que je n'étais pas au courant de la belle excursion de mes camarades. Mais je n'en suis nullement fâché, et ce soir même, avant que le sommeil ne mette les langues à la merci des dents, je leur donnerai non pas le conseil, mais l'ordre, de récidiver.

"Dis à Amkoullel que Maïrama Jeïdani, Aye Abbassi, Mouminatou Oumarou, Aïssata Demba, Aminata Mâli et toutes leurs compagnes sont de trop belles jeunes pouliches pour que la prairie où elles paissent soit interdite aux étalons de choc que nous sommes, mes camarades et moi.

"Je pense que mes paroles sont claires comme de l'eau de roche et qu'elles ont suffisamment percuté le petit tambourin interne de ton oreille d'âne bâté. Laisse bien mes paroles aller se tapir au plus profond de ton entendement et s'y installer comme une poule couvant ses œufs dans son nid."

Sans se contenter de cette sortie insultante, Si Tangara cria à son *moutassibi*:

"Hé, Bila Hambarké! Apporte-moi ce que je dois

envoyer à Amkoullel par l'entremise de son escogriffe de griot."

Bila Hambarké s'éclipsa. Une minute plus tard, il réapparut, tenant dans sa main un tesson de calebasse cassée contenant un cauri dont l'extrémité était fendue, donc sans valeur — comme un billet de banque auquel il manquerait son numéro. "Tiens, prends ça ! fit dédaigneusement Si Tangara. C'est tout ce que je dois comme réparation à Amkoullel. Apporte-le-lui de ma part et dis-lui que je le lui offre de très bon cœur."

Afo Dianou, à la vue infamante du cauri fêlé dans une fêlure de calebasse, perdit tout contrôle de ses nerfs, déjà si facilement irritables. Oubliant la consigne de silence et son rôle de simple témoin, il éclata :

"Ô Si Tangara ! Pour agir comme tu viens de le faire, il faut que tu sois la progéniture d'un couple adultère, ou d'une union dont la bénédiction fut célébrée par El Wasswass lui-même, le plus dévergondé des fils de Satan le lapidé !"

Et il leva son bâton, dans la position menaçante de celui qui est prêt à donner ou à parer un coup.

Mouctar Kaou, qui n'avait pas bronché, le rappela à l'ordre à voix basse :

"Hé, Afo Dianou, tu n'avais nullement besoin de venir manger dans mon plat en parlant à ma place. J'ai une bouche assez largement fendue pour cela, et mes facultés masticatoires ne sont pas en panne. Cesse donc de me voler la parole. Au nom de notre chef, je t'ordonne d'être aussi muet que les dunes du désert. Notre seul devoir est de bien disposer nos mémoires afin de rapporter à Amkoullel toutes les paroles de Si Tangara, qui se targue d'être un pur-sang bambara mais qui tient un langage de charognard."

Se tournant vers Si Tangara, il reprit d'une voix forte :

"Tout griot que je suis, j'ai honte pour toi, Si Tangara, toi dont le nom Si signifie en bambara sept choses : « karité », « cheveu » ou « poil », « nature », « moudre », « passer la nuit », « beaucoup » et « âge ».

"Or, je m'aperçois que tu n'es pas un *Si* « karité », cet arbre qui fournit un beurre savoureux, pas plus qu'un *Si* « nature » ; tu es plutôt un *Si* au sens de « moudre », car

Amkoullel va te moudre et t'arracher de son chemin comme on arrache un «cheveu» ou un «poil superflu». *Si* veut dire «passer la nuit»? Attends-toi à ce qu'Amkoullel te fasse passer à toi, *Si* Tangara, la plus mauvaise nuit de ta vie malchanceuse. Quant à *Si* «beaucoup», dis-toi qu'à partir d'aujourd'hui tu rencontreras sur ton chemin beaucoup plus d'épines que de fruits comestibles. Enfin *Si* veut dire «âge». Eh bien, tu sauras vite que si Amkoullel et toi êtes du même âge, en fait vous êtes bien différents par la naissance, les connaissances et la fortune!"

Après cette réplique véhémente et quelque peu dithyrambique — mais les fils de griots, comme les fils de chefs, ne suçaient-ils pas l'art de la parole à la mamelle? — Mouctar Kaou arracha des mains de Bila Hambarké le cadeau injurieux qui m'était destiné. "*Si* veut dire «nature»?... ajouta-t-il encore. Eh bien, Amkoullel saura la nature de ce message, et Si Tangara connaîtra avant peu, à ses dépens, la nature d'Amkoullel!" Après avoir lancé cette dernière flèche, il prit le chemin du retour, suivi de ses compagnons-témoins.

Quand ils arrivèrent à notre lieu de réunion, ils avaient les traits tirés et la voix éteinte. Devant mes camarades au grand complet, Mouctar sortit de son boubou le tesson de calebasse et le cauri fêlé.

"Nous sommes allés chez Si Tangara, dit-il. Nous l'avons trouvé entouré des membres de sa waaldé. Il nous a accueillis d'une manière hostile et dédaigneuse. Après m'avoir écouté, comme il l'a dit lui-même, «avec son oreille gauche» et répliqué par des injures, il m'a remis pour toi ce cadeau symbolique et m'a chargé de te transmettre son message."

Et Mouctar Kaou me rapporta fidèlement toutes les paroles de Si Tangara.

J'étais comme pétrifié. "Un cauri sans nez, dans un tesson fêlé de calebasse!..." Je ne pus en dire plus. Le temps d'un clignement de paupières, le sang me monta à la tête et fit le tour de mon corps. Des fourmillements me parcoururent depuis la plante des pieds jusqu'au sommet du crâne. Ma vue se troubla. Je ne distinguais plus qu'une sorte d'obscurité percée de mille petits scintillements. Je voulus parler, mais ma voix s'arrêta dans ma gorge.

Tandis que je restais ainsi, interdit, mes camarades, eux, étaient tout à leur indignation. Daouda Maïga et Mamadou Gorel pestaient et juraient comme des tirailleurs. Leurs exclamations me ramenèrent à la réalité et je retrouvai enfin la parole :

"Aucune injure ne saurait être plus insultante que celle que Si Tangara vient de nous décocher. Elle mérite une grande volée de coups de bâton, si ce n'est même de coups de couteau."

Mes paroles, sans doute excessives, déclenchèrent un hurlement d'approbation, si violent que j'en fus un peu effrayé. Il me fallait tempérer mes amis. Je me souvenais des conseils de ma mère : "Un bon chef de waaldé doit toujours se montrer patient et conciliant. Il ne doit pas encourager la bagarre, mais si celle-ci devient inévitable, il ne doit pas non plus reculer. Et dans la mêlée, si mêlée il y a, il ne doit jamais fuir, quels que soient le nombre et la violence des coups qu'il reçoit. La seule blessure incurable pour un chef, ajoutait-elle, c'est de fuir devant l'ennemi." Pénétré de ces enseignements, je m'efforçais toujours de chercher la conciliation, mais quand il le fallait je relevais les défis, et si j'entrais dans la bagarre, j'allais jusqu'au bout.

Dans l'immédiat, il me fallait dire quelque chose pour calmer mes camarades et les empêcher d'aller se livrer à des représailles aveugles. Je fis signe que je voulais parler. Tout le monde se tut.

"Nous nous battrons contre la waaldé de Si Tangara, déclarai-je, et pour trois motifs : *un*, pour laver l'injure qu'il nous a faite, en l'obligeant à s'insulter lui-même quand il sera vaincu ; *deux*, pour garder la face devant nos Valentines et ne pas les perdre ; *trois*, pour dégoûter définitivement tous ceux qui auraient envie de nous affronter à l'avenir pour quelque motif que ce soit."

Les cris d'approbation de mes camarades, bien que toujours aussi enthousiastes, étaient déjà moins inquiétants.

Je décidai qu'un combat régulier aurait lieu dans les règles avec déclaration officielle. Je chargeai Mouctar

Kaou et ses accompagnateurs de retourner immédiatement auprès de Si Tangara pour lui transmettre le message suivant :

"Moi, Amkoullel, et mes amis au complet avons reçu le cadeau que Si Tangara et ses amis au complet nous ont envoyé. Nous ne sommes pas des chiens pour répondre à leurs aboiements par d'autres aboiements, et pour nous Si Tangara et sa bande ne sont que des chiens à la queue démesurée. Néanmoins, conformément à la coutume, nous les invitons à un combat en bonne et due forme. Nous leur laissons le soin de choisir leurs témoins et les nôtres parmi les aînés des autres waaldés, et de décider du jour et du lieu de la rencontre."

Si Tangara choisit pour date le jeudi suivant. Il refusa de choisir des témoins pour nous, mais il nous nomma les siens : Mouda Diourou et Nouhoun Allahadji, qui faisaient partie tous deux de l'association de mon grand frère Hammadoun. Il nous laissa fixer le lieu de la rencontre. Je choisis un vallon situé à l'ouest de la ville sur la rive gauche du Yaamé, près du champ de tir militaire, entre les dunes rouges et le bosquet d'acacias, et désignai nos témoins : Allaye Gombel et mon grand frère Hammadoun lui-même.

Nous avions trois jours complets pour nous préparer. Quand vint le jeudi, sitôt le déjeuner terminé, mes compagnons partirent par petits groupes afin de ne pas éveiller l'attention des adultes et de nos parents résidant dans la ville. Nous étions armés de lanières tressées flexibles et de bâtons de secours.

Une fois sur les lieux, nos témoins respectifs nous alignèrent face à face. La coutume voulait que le combat débute par un corps à corps entre chefs avant de se transformer en mêlée générale. Nouhoun Allahadji déclara à voix haute : "La parole est dans le camp « appelant »." Je sortis des rangs. "Si Tangara ! appelai-je, est-ce bien toi qui m'as envoyé des paroles pourries, accompagnées d'un cauri sans nez dans un débris de calebasse ?

— Oui, c'est bien moi qui ai fait ce que tu viens de dire. Et je réponds à ton invitation pour te prouver que tu n'en as pas encore fini avec moi !

— Eh bien, sors des rangs et répète ce que tu as dit afin que je te traite comme l'ânier traite son bourricot, rejeton de son ânesse stupide!"

Si Tangara s'élança vers moi en faisant cingler sa longue liane. Il réussit à m'en assener un grand coup sur le côté droit, mais j'avais réussi à amortir le coup avec mon bâton. Le bruit fut plus fort que le mal. L'extrémité de sa liane avait tout de même atteint mon flanc qui se marqua d'un ourlet gorgé de sang. Pour encourager les miens, et surtout leur cacher la vérité, je fanfaronnai:

"Ohé, Si Tangara, mauvais fouetteur! Tu as voulu fouetter l'égal de ton père et tu as manqué ton coup. Attrape maintenant de quoi déchirer ta chair de porc!..."

Je levai ma main droite, armée de la liane. Si Tangara, croyant que j'allais frapper son flanc gauche qui était à ma portée, le couvrit rapidement de ses bras. En un éclair, je passai ma lanière dans ma main gauche, dont je savais me servir assez adroitement, et lui cinglai le flanc droit si violemment qu'il en vacilla sur ses jambes.

Il était beaucoup plus fort que moi. Dans un corps à corps, il m'aurait terrassé en quelques minutes, et il en était bien conscient. Surmontant sa douleur, il bondit vers moi dans l'intention évidente de m'agripper pour me terrasser et me rouer de coups de poing; comptant sur la seule force de ses bras, il avait imprudemment laissé tomber son bâton et sa liane. Mais j'avais vu venir son mouvement. Agile comme un singe grâce à ma légèreté, je fis un saut en arrière tout en me déportant sur ma gauche, si bien qu'au moment où il tombait sur moi, je pus lui assener un violent coup de bâton sur le tibia de sa jambe droite. La douleur fut si vive qu'il s'écroula. Je le neutralisai en lui portant une volée de coups de bâton sur ses avant-bras dont il essayait de se couvrir pour se protéger.

Quand ses camarades le virent en si mauvaise posture, ils se ruèrent sur moi, mais mes compagnons n'attendaient que cela pour se jeter dans la bagarre. La mêlée devint générale et aveugle. Afo Dianou, trapu, bâti en force, Mamadou Gorel, excellent lutteur et bastonneur, doué de surcroît d'une agilité incomparable, et le solide Daouda Maïga avaient reçu la consigne de me couvrir et d'attaquer tout ennemi qui chercherait à m'agripper en vue d'un corps à corps.

Si Tangara s'était relevé, mais je faisais pleuvoir sur lui une telle grêle de coups qu'il ne pouvait reprendre l'avantage. Je le frappais de toutes mes forces, sans parvenir toutefois à lui faire pousser le moindre cri ou appel au secours qui aurait concrétisé ma victoire. Je l'avais battu, certes, mais n'avais réussi ni à le réduire ni à l'obliger à demander pardon. Tout meurtri et couvert de sang qu'il était, il restait superbe. J'admirai son courage et en tirai une leçon pour moi-même.

Afo Dianou, fou de rage devant sa résistance, lui cria : "Ohé, fils de *banmana* (Bambara), je suis ton homme !"

Et il s'élança vers Si Tangara, que je libérai. Ce dernier, qui connaissait la force physique et la brutalité d'Afo Dianou, arracha prestement son bâton à l'un de ses camarades. Or je savais que si Afo Dianou était l'homme du corps à corps, il n'était pas celui du bâton ni de la liane, armes que je maîtrisais mieux que lui. Profitant du mouvement de Si Tangara, je m'interposai et le frappai sur le flanc. Mais il avait repris des forces. En se retournant, il réussit à me porter sur le front un coup de bâton si violent qu'il m'ouvrit le cuir chevelu. Le sang gicla et m'aveugla, me privant de mes moyens. Si Tangara aurait certainement pris sa revanche sur moi à ce moment-là si Daouda Maïga, se jetant entre nous, n'avait fait pleuvoir sur lui une avalanche de coups qui le neutralisa. Afo Dianou, passant par-derrière, le ceintura de ses bras puissants et réussit à le soulever. Le bâton de Si Tangara lui tomba des mains. Ses bras, meurtris par mes coups de bâton, n'avaient plus assez de force pour desserrer l'étreinte d'Afo Dianou. Ce dernier, lui maintenant le cou serré dans son bras gauche, d'un rapide tour de hanche le fit tomber à terre et se jucha sur lui, l'écrasant de tout son poids. Il allait lui démolir le visage à coups de poing, quand, enfin, Si Tangara prononça les mots tant attendus : "*Aan jey !*" (C'est à toi ; sous-entendu : La victoire est à toi.) C'était la formule de demande de paix par laquelle on se déclarait hors de combat.

Aussitôt les arbitres des deux camps intervinrent pour arrêter la lutte. Assez malmenés dans la mêlée générale, la moitié des camarades de Si Tangara avaient fui, les uns courant se cacher derrière les dunes rouges, les autres dans le bosquet d'acacias; d'autres encore avaient traversé la rivière et regagné Bandiagara. Nous avions remporté la victoire, mais à un prix élevé : nombre d'entre nous avaient été sérieusement blessés.

Nous traînâmes Si Tangara en prisonnier jusqu'à l'entrée de la poche d'eau où vivait le caïman sacré de Bandiagara, que tout le monde appelait *Mamma Bandiagara* (l'ancêtre de Bandiagara [39]).

"Jure par le caïman sacré que tu ne nous provoqueras plus jamais, lui dis-je, et que tu ne t'allieras pas avec une autre waaldé pour nous combattre. En compensation, nous sommes prêts à fusionner avec ta waaldé. A nous tous, nous pouvons constituer une force redoutable capable de tenir tête à toutes les waaldés rivales des quartiers du nord."

Si Tangara déclara bravement ne rien pouvoir faire sans le consentement de ses camarades. Il demanda un délai de trois jours pour les consulter. Les témoins nous déclarèrent vainqueurs, mais accordèrent à Si Tangara le délai demandé.

Trois jours plus tard, à l'heure convenue, Si Tangara et ses camarades se présentaient devant la poche d'eau, demeure du caïman-ancêtre. Mes amis et moi les attendions. Nos témoins respectifs étaient là eux aussi; ils avaient décidé que si la waaldé de Si Tangara acceptait de fusionner avec nous, l'exigence de serment tomberait d'elle-même, mais que nos deux associations devraient alors se jurer mutuelle fidélité et leurs membres se reconnaître comme frères égaux en droits et en devoirs.

Les compagnons de Si Tangara ayant accepté la fusion, nous nous jurâmes fidélité dans les termes suivants :

"Nous, membres des associations de cadets des quartiers de Deendé Bôdi et Gan'ngal, nous jurons par les eaux du Yaamé de Bandiagara que nous sommes unis et que nous ne formerons plus désormais qu'une seule waaldé dont les membres seront comme des frères issus des mêmes entrailles. Ô Caïman-ancêtre de Bandiagara, sois témoin de notre alliance ! Si l'un de nous viole son serment, toi, ô Caïman-ancêtre, interdis-lui l'accès du Yaamé, qu'il ne puisse plus jamais s'y baigner, que ses eaux lui donnent des coliques, qu'il ne puisse plus y pêcher et, s'il le fait, que les poissons lui donnent la lèpre ! Et s'il y vient quand même, alors toi, ô Caïman-ancêtre, fais-lui happer la jambe par ton méchant fils Ngoudda-à-la-queue-écourtée, aux longues mâchoires garnies de dents pointues et venimeuses. Ô Caïman-ancêtre, fais-le pour la défense de la parole donnée ! Une bouche sans parole est une reine sans couronne."

Nos deux associations fusionnèrent donc. Si Tangara fut élu vice-chef de notre nouvelle waaldé, en remplacement de Mamadou Gorel qui devint deuxième vice-chef. A partir de ce jour, notre waaldé compta les meilleurs lutteurs, fouetteurs et manieurs de bâton de toute la ville de Bandiagara. Elle atteignit le nombre impressionnant de soixante-dix membres. Aucune autre waaldé de notre âge ne pouvait espérer nous vaincre. On nous donna bientôt en ville le titre peu flatteur de *Bonndé ounanndé* : "ce qui a été mal pilé", allusion à un couscous de mil auquel on aurait mêlé des éléments amers ou piquants. La vérité oblige à dire que nos maraudages dans les jardins des notables ou des militaires causaient parfois autant de dégâts qu'une colonie de rats ou une invasion de sauterelles, et que même les superbes tomates du jardin du commandant de cercle n'échappèrent pas à nos ravages...

A L'ÉCOLE DES BLANCS

Réquisitionné d'office

Alors que je coulais des jours heureux entre l'école coranique, mon grand frère et mes camarades d'association, survint un élément qui allait marquer un tournant majeur dans ma vie. En fait, chaque fois que mon existence commençait à s'engager sur une belle voie bien droite, le destin semblait s'amuser à lui donner une chiquenaude pour la faire basculer dans une direction totalement opposée, faisant régulièrement alterner des périodes de chance et de malchance. Cela commença bien avant ma naissance, avec mon père Hampâté, qui aurait dû (et ses enfants après lui) hériter d'une chefferie dans le pays du Fakala, et qui se retrouva, seul rescapé survivant de toute sa famille, réfugié anonyme au fond d'une boucherie. Réhabilité par le roi même qui avait fait massacrer tous les siens, voilà qu'il meurt trop tôt pour que je le connaisse vraiment et que le sort fait de moi un petit orphelin de trois ans. Un riche et noble chef de province vient-il à épouser ma mère et à m'adopter comme héritier et fils présomptif, faisant planer au-dessus de ma tête le turban des chefs de Louta? Patatras! Nous nous retrouvons tous en exil et me voilà fils de bagnard. Enfin revenus à Bandiagara où la vie semble reprendre son cours normal, voilà que l'on m'arrache brutalement à mes occupations traditionnelles, qui m'auraient sans doute dirigé vers une carrière classique de marabout-enseignant, pour m'envoyer d'office à "l'école des Blancs", alors considérée par la masse musulmane comme la voie la plus directe pour aller en enfer!

A l'époque, les commandants de cercle avaient trois

secteurs à alimenter par le biais de l'école : le secteur public (enseignants, fonctionnaires subalternes de l'administration coloniale, médecins auxiliaires, etc.) ou allaient les meilleurs élèves ; le secteur militaire, car on souhaitait que les tirailleurs, spahis et goumiers aient une connaissance de base du français ; enfin le secteur domestique, qui héritait des élèves les moins doués. Le quota annuel à fournir pour les deux premiers secteurs était fixé par le gouverneur du territoire ; les commandants de cercle exécutaient la "commande" en indiquant aux chefs de canton et aux chefs traditionnels combien d'enfants il fallait réquisitionner pour l'école.

C'est ainsi qu'un beau jour de l'année 1912, vers les deux tiers de l'année scolaire, le commandant de cercle de Bandiagara Camille Maillet donna ordre au chef traditionnel de la ville, Alfa Maki Tall, fils de l'ancien roi Aguibou Tall, de lui fournir deux garçons de bonne famille, âgés de moins de dix-huit ans, pour compléter l'effectif de l'école primaire de Bandiagara.

Alfa Maki Tall convoqua les chefs des dix-huit quartiers de Bandiagara et leur demanda quel était le quartier dont le tour était venu de fournir des écoliers. Koniba Kondala, chef de notre quartier de Deendé Bôdi, se frappa le front du bout des doigts, manière traditionnelle de déclarer sans paroles : "C'est mon tour, je suis de corvée."

Pour bien éclairer la situation, il me faut expliquer qui était Koniba Kondala. Né à Kondala, un village du Fakala, pays de mes ancêtres paternels, Koniba Kondala était, en fait, un ancien *dîmadjo* de la famille d'Alfa Samba Fouta Bâ, l'un de mes grands-oncles paternels qui fut général d'armée et chef de province au temps de l'Empire peul du Macina, sous le règne de Cheikou Amadou. Lorsque le roi Tidjani Tall, neveu d'El Hadj Omar, envahit le pays, prit le village de Kondala et décima toute ma famille paternelle, Koniba rallia les Toucouleurs et se donna au roi. Il devint son "captif volontaire", en quelque sorte, en même temps qu'un agent de renseignements éminemment utile en cette période de guerre et de représailles envers tous les anciens notables peuls du pays.

Le roi Tidjani Tall utilisa en son temps les services de Koniba Kondala, sans toutefois lui donner une place importante dans son entourage. Je ne sais comment il se retrouva plus tard à la cour du roi Aguibou Tall ni le rôle qu'il y joua, mais toujours est-il qu'au temps d'Alfa Maki Tall, Koniba Kondala était chef de notre quartier.

Depuis quelque temps, notre tuteur Beydari était devenu sa "bête noire". Beydari, on s'en souvient, avait appris auprès de mon père Hampâté et du vieil Allamodio le métier de boucher et se livrait au commerce de la viande, ce qui lui permettait de faire vivre toute la maisonnée : non seulement mon frère Hammadoun et moi, mais aussi lui-même, sa propre famille et les familles de ses compagnons, anciens captifs de mon père, qui s'étaient mariés et vivaient tous dans la concession familiale. Or, Koniba Kondala avait pris l'habitude de venir se servir gratuitement à l'étal de Beydari, et il emportait toujours les meilleurs morceaux. Un jour, excédé de voir ses plus beaux gigots et ses épaules bien grasses se volatiliser pour rien, Beydari arrêta la main de Koniba au-dessus de l'étal, au moment où il allait s'emparer de sa plus belle pièce. "Puisque tu manques de mesure, lui dit-il, force est pour moi de t'en donner. A partir d'aujourd'hui, tu ne prendras plus ici le moindre morceau de viande sans payer. Va-t'en ailleurs exercer ton pillage."

Koniba Kondala ne put qu'obtempérer, mais il se jura de faire payer cher à Beydari sa rebuffade. Et de ce jour il se mit à l'affût, prêt à saisir le premier prétexte pour se venger. L'occasion dont il rêvait se présenta quand il reçut l'ordre de réquisitionner deux garçons pour l'école des Blancs. Quel mal plus grand pouvait-il faire à Beydari que de lui arracher le même jour les deux petits orphelins qu'il adorait, pour les envoyer à l'école des "mangeurs de porc" ? Et quelle vengeance ultime contre la famille de ses anciens maîtres du Fakala ! De plus, il aurait l'immense plaisir de placer Beydari dans une situation impossible. Il ne doutait pas, en effet, que ce dernier allait tout tenter pour soustraire au moins l'un de nous au sort qui l'attendait, et pour cela il n'avait que deux possibilités : soit venir s'agenouiller devant lui,

Koniba Kondala, pour le supplier de libérer au moins l'un des deux fils de Hampâté en échange de la fourniture gratuite et quotidienne des plus beaux morceaux de son étal, soit aller supplier le maître d'école, ou l'interprète, de faire rayer l'un des deux garçons de la liste des élèves, ce qui lui coûterait une fortune au-dessus de ses moyens. Dans les deux cas, pensait-il, Beydari serait obligé de perdre la face sans même être sûr d'obtenir satisfaction.

La vérité m'oblige à dire que j'avais moi aussi contribué à nourrir l'animosité de Koniba Kondala à notre égard. Il entretenait en effet avec soin un beau jardin potager qu'il avait parsemé de fétiches protecteurs plus effrayants les uns que les autres et dont tout le monde avait peur. Or un jour, avec mes camarades de waaldé, nous avions enlevé et détruit tous ses fétiches avant de saccager joyeusement son jardin, conformément à notre coutume. Et il savait bien qui était responsable de ce méfait...

C'est dire avec quelle jubilation, dès la fin de la réunion des chefs de quartier, Koniba Kondala se précipita chez Beydari pour lui annoncer, la mine réjouie, que ses deux pupilles Hammadoun Hampâté et Amadou Hampâté étaient désignés pour aller à l'école des Blancs.

"Que la volonté de Dieu soit faite, comme il plaît à Dieu qu'elle le soit!" répliqua tranquillement Beydari.

C'était bien là la dernière réponse à laquelle s'attendait Koniba! Sa déception se peignit sur son visage. Frustré de la belle scène qu'il espérait, il ne put s'empêcher de s'écrier :

"Eh bien, tant pis pour tes petits maîtres! Ce qu'ils apprendront à l'école des Blancs les amènera à renier leur foi ; ils deviendront des mécréants et des vauriens, ils seront mis au ban de leur société!"

Beydari ne se donna même pas la peine de répliquer. De plus en plus déçu, Koniba aboya : "Où sont-ils?", bien persuadé que Beydari ne le lui dirait pas et qu'il aurait là une occasion de sévir.

Sans se départir de son calme, Beydari répondit :

"Ils sont aujourd'hui à l'école coranique d'Alfa Ali."

Koniba Kondala sortit comme une tornade et fonça chez le vieux maître Alfa Ali, auprès duquel Tierno Bokar nous avait placés avant d'effectuer un petit voyage. Hammadoun et moi étions assis sous le hangar de la cour, en train d'étudier nos leçons respectives sous la conduite d'un maître auxiliaire. Alfa Ali était resté à l'intérieur de sa maison.

Dès que Koniba apparut, tout le monde prononça, comme par un réflexe automatique, la formule coranique que l'on prononce quand un malheur arrive : "*Certes, nous appartenons à Dieu et c'est à Lui que nous retournons.*" Voir Koniba se diriger vers soi était en effet considéré comme l'annonce inévitable d'un malheur, car il ne venait chez les gens que pour les recruter ou les réquisitionner d'office soit pour un travail forcé, soit pour l'armée, soit pour l'école. Le moindre mal qu'il pouvait faire, c'était de réquisitionner vos animaux de bât pour le transport quasiment gratuit — ou si peu payé ! — du personnel ou du matériel de l'administration coloniale civile ou militaire, quand ce n'était pas pour les grosses sociétés de commerce françaises du lieu — auquel cas les prestations fournies par la population étaient considérées comme "contribution au développement de la colonie".

Koniba était un homme de haute taille, aux proportions énormes. Tout en lui était dur et dru. On l'avait surnommé "le lion noir à l'œil rouge", image éloquente quand on sait que le lion noir est toujours mangeur d'hommes. Sans le moindre égard pour Ammoussa, le moniteur qui nous donnait nos leçons, Koniba intima à mon frère et à moi l'ordre de le suivre. Quelqu'un était allé avertir le vieux maître Alfa Ali, qui accourut en hâte. Il s'indigna :

"C'est la première fois que je vois recruter pour l'école deux frères de même père et de même mère en même temps. Que se passe-t-il, Koniba Kondala ?

— Hé, toi, marabout ! ricana Koniba. Peut-être que cela n'a pas été écrit dans le Coran, mais apprends qu'ici-bas la force prime le droit. Si la force te coupe une phalange et que tu trouves cela injuste, elle te coupera la main, puis le bras tout entier, et le jour et la nuit n'en continueront pas moins à se succéder, les couples à s'accoupler, le vent à souffler, les rivières à couler et les plantes à pousser.

"Ajuste mieux ton turban et retourne donc à tes livres, à tes planchettes et à tes plumes de roseau!"

Le vieux maître prononça à son tour la phrase conjuratoire, puis il se tourna vers nous:

"Suivez-le, mes enfants, et que Dieu vous rende justice."

Koniba Kondala éclata de rire:

"Quand le toubab commande, Dieu ferme les yeux et laisse faire. Ne perds donc pas ta salive."

Hammadoun et moi, qui avions souvent vu Koniba Kondala aux prises avec Beydari, appréhendions de le suivre. Nous traînions le pas. Parvenus à un coude de la ruelle, nous fonçâmes à toutes jambes vers le marché où Beydari tenait boutique. Nous voyant détaler, Koniba Kondala comprit sans peine où nous nous rendions et nous y rejoignit peu après, écumant de rage, ruisselant d'injures et de menaces. Il tenta de nous empoigner mais Beydari, qui était lui aussi d'une taille impressionnante, s'interposa, brandissant son grand couteau à deux tranchants. Une très mauvaise pensée traversa mon esprit: je souhaitai voir Beydari ouvrir le ventre de Koniba Kondala comme il le faisait avec ses animaux de boucherie; mais l'idée qu'il serait aussitôt mis en prison avec de lourdes chaînes tintantes aux pieds, comme jadis mon père Tidjani, chassa cette pensée de ma tête! Tout au fond de moi, une petite voix me susurrait: "Si Beydari va en prison, qui s'occupera de toute la famille?" Ma peur fut si forte que, par une sorte de réaction nerveuse inconsciente, je m'écriai: "Non, Beydari n'ira pas en prison!

— Si, Beydari ira bel et bien en prison!" répliqua méchamment Koniba Kondala; et il nous poussa audehors, mon frère et moi, interdisant à Beydari de nous suivre. Il nous fit prendre le chemin qui menait au palais du chef Alfa Maki Tall.

"Allez, plus vite! criait-il. Me prenez-vous pour un caméléon, cousin germain de votre père, pour traîner le pas de la sorte? Si vous ne vous pressez pas, je vous administrerai des gifles si fortes que tous vos ancêtres se retourneront dans leur tombe pour savoir ce qui arrive à leurs rejetons.

— Où nous emmènes-tu? osa demander Hammadoun.

— Là où vous méritez d'aller, à la porcherie des toubabs! Vous y serez transformés en pourceaux, ou mieux encore, en petits fagots destinés à alimenter les feux de l'enfer!" C'est ainsi que, sous une bordée d'injures et de menaces, nous arrivâmes au palais du chef, l'âme envahie d'une angoisse de condamnés à mort.

Le vestibule était empli de serviteurs et de visiteurs attendant d'être reçus. Koniba Kondala, qui avait ses entrées libres chez Alfa Maki Tall, nous conduisit directement dans la cour intérieure. Là, il nous confia à un *sofa* qui montait la garde, en lui recommandant de nous tenir à l'œil parce que nous étions capables de nous sauver. Nous laissant sous sa surveillance, il prit l'escalier qui menait au premier étage. Quelques instants plus tard il en redescendait, précédé par le chef Alfa Maki Tall. Dès que ce dernier nous vit, il se retourna vers Koniba Kondala:

"Comment! Mais ces garçons ne sont-ils pas les deux fils de Kadidja Pâté?

— Oui, *Fama*, ce sont bien ses deux fils.

— Et tu voudrais que je désigne pour l'école le même jour deux frères de même père et de même mère?

— *Fama*, ces deux garçons ne sont pas comme les autres: ce sont les seuls descendants mâles des Hamsalah et d'Alfa Samba Fouta Bâ, par Tayrou Hammadoun, Bôri Hammadoun et Houdou Hammadoun; or cette famille est celle dont jadis Cheikou Amadou, le roi des Peuls du Macina, a dit qu'elle était l'or du Fakala et que si ses membres pouvaient être semés comme du mil, il en aurait planté afin que les pays de la Boucle du Niger n'en manquent jamais dans chaque génération. Ces garçons sont les derniers rejetons d'une famille ennemie de la tienne."

Le *Fama* alla s'asseoir sur une estrade de terre noire recouverte de couvertures brodées; immédiatement courtisans, *sofas*, serviteurs et visiteurs en boubou de parade entourèrent l'estrade. Il se tourna vers nous :

"Approchez, mes enfants", nous dit-il. Instinctivement, je sentis que cet homme ne nous voulait aucun mal. "De vous deux, reprit-il, quel est le plus avancé en études coraniques ?"

Sa question m'amusa. A-t-on idée de demander, entre un ânon et un pur-sang, quel est le plus rapide ? A côté de mon grand frère Hammadoun j'étais, intellectuellement parlant, comme un baudet par rapport à un coursier bien entraîné. A tous points de vue, mon frère Hammadoun était un chef-d'œuvre de la nature. C'était le plus beau garçon de tout Bandiagara, et sans avoir une stature de lutteur, il était doué d'une telle force physique que jamais un camarade n'avait pu le terrasser, au point qu'on l'avait surnommé "le Raide". Quant à sa mémoire, elle était si prodigieuse qu'à l'âge de onze ans il avait déjà achevé de retenir par cœur la totalité du Coran. Quand Koniba était venu nous recruter, mon frère en était à son second "tour" du livre saint, alors que moi je pataugeais encore dans la première moitié.

Quand chacun de nous eut expliqué à Alfa Maki Tall à quel niveau il était arrivé, le chef se tourna vers mon frère :

"Rentre chez toi et retourne à tes études, lui dit-il. Et cette fois-ci, quand tu termineras ton deuxième tour du Coran, c'est moi qui paierai personnellement ta *walîma*, ton repas de fête."

Hammadoun remercia le chef et partit, le cœur gros de me laisser tout seul.

Alfa Maki Tall appela un des serviteurs :

"Va dire à mon épouse Ta-Selli de m'envoyer mon fils Madani."

Pendant que l'on attendait la venue de Madani, que je pensais être un grand dignitaire du palais, une griote cantatrice richement parée entra dans la cour, les lobes de ses oreilles alourdis par d'énormes boucles d'or torsadé et les ourlets des pavillons délicatement sertis de petits anneaux précieux. Levant les bras pour faire tinter ses nombreux bracelets, elle lança d'une voix élevée et puissante, sur une longue note filée, le nom des Tall en guise de salut, puis elle entama un chant glorifiant l'épopée toucouleure. Tout à coup, elle se tut. Madani venait d'arriver. A ma grande surprise, je vis un petit garçon de sept ans. Vêtu d'un beau boubou de toile noire dite de Guinée, il portait sur un côté de la tête une grosse tresse de cheveux, le reste du crâne étant proprement rasé, comme il est de coutume pour les enfants Tall jusqu'à leur circoncision.

On l'amena devant son père. Ignorant ce que celui-ci lui voulait ni pourquoi il l'avait fait appeler, le garçonnet était tout tremblant. Alfa Maki se tourna vers Koniba Kondala :

"Puisque le commandant réclame deux écoliers de bonne famille, lui dit-il, voici mon fils Madani. Il remplacera Hammadoun Hampâté, que j'ai renvoyé. Emmène mon fils en même temps qu'Amadou chez le commandant et dis bien à ce dernier que s'il lui arrivait de vouloir en libérer un, je lui demande, pour des raisons de famille, de ne pas libérer l'un sans l'autre. Je veux qu'ils subissent tous deux le même sort. Il me comprendra."

Koniba Kondala était dans tous ses états. Perdant tout sens de la mesure et de la bienséance, il s'écria :

"Ô *Fama*, garde ton fils ! Fais revenir Hammadoun Hampâté et envoie-le avec son jeune frère à l'école des Blancs ! Ne leur donne pas l'occasion de s'ennoblir par des études coraniques. Ces descendants des Hamsalah deviendraient de grands marabouts, des personnalités, et c'en serait fait du prestige religieux de la famille !"

Alfa Maki se fâcha :

"Père Koniba ! tonna-t-il. Sache que, pour moi, le passé est le passé. Je n'entends pas, et la morale islamique me l'interdit, faire retomber sur des petits-fils la faute de leurs ancêtres. Ne me rappelle plus jamais ce qui s'est passé entre nous et nos frères peuls musulmans du Macina. Nous sommes tous des *Halpoular*, des hommes de langue peule. Je n'ai rien contre ces enfants. Ils sont nés à Bandiagara comme certains de mes enfants, et comme les vôtres aussi. Ils ont devant Dieu les mêmes droits et les mêmes devoirs. Ils sont comme des voyageurs qui ont pris une même pirogue, qui jouissent du même paysage et qui courent les mêmes dangers."

Kaou Diêli, l'ancien grand marabout-griot de la cour du roi Aguibou Tall (et le grand-père de notre camarade Mouctar Kaou), devenu conseiller du chef Alfa Maki Tall, était présent.

"Ô toi, Koniba Kondala! s'écria-t-il. Cesse de commander du vent quand nous commandons de l'eau pour éteindre notre incendie. Va, emmène Madani Alfa Maki et Amadou Hampâté, et répète fidèlement au commandant, sans rajout ni amoindrissement, ce que le *Fama* t'a dit de dire. Le meilleur des serviteurs est celui qui s'arrête à la limite qui lui est tracée et qui rapporte fidèlement ce qu'il est chargé de dire. L'intempestif n'est jamais un bon auxiliaire."

Koniba Kondala, visiblement honteux d'avoir été ainsi publiquement rabroué par celui auquel il cherchait à plaire, se saisit brutalement de mon bras et me poussa devant lui, alors qu'il susurrait de sa voix la plus respectueuse et la plus douce à Madani: "Venez, *Maké*, mon Seigneur! Suivez-moi..."

Quand je pense à ce que certains Tall ont fait subir à ma famille, je me rappelle le comportement si noble d'un Tall comme Alfa Maki, et je me dis qu'il faut fermer les yeux sur les travers des hommes et ne prendre d'eux que ce qui est bon. Ce qui est bon nous est commun; quant aux travers, nous avons tous les nôtres, et moi aussi j'ai les miens. Aujourd'hui encore je suis reconnaissant à Alfa Maki de la grandeur de son geste, et son image bienveillante est restée dans ma mémoire.

A peine étions-nous engagés sur la route menant à la résidence du commandant de cercle que l'orage qui s'accumulait en Koniba Kondala contre moi se déchaîna. Pendant que je trottinais de mon mieux derrière lui, prenant garde que mes orteils ne heurtent ses talons rugueux comme une terre argileuse après le recul des eaux, le vieux *dîmadjo* ouvrit tout grand son volumineux répertoire de poissard. Il fit pleuvoir sur ma race, mes parents et moi-même les pires injures, me traita de petite vipère couvée par un caïman borgne, de porte-guigne né d'un lion édenté et d'une tigresse sans crocs ni griffes, plus quelques noms orduriers que je ne saurais citer. "Espèce de fils de crocodile sans dents ! fulminait-il. A cause de toi un descendant direct d'El Hadj Omar va être envoyé à l'école des mangeurs de porc. Quel malheur !"

Tout le long du chemin, il ne fit que me maudire et m'envoyer en enfer. Je recevais toutes ces injures sans réaction apparente, aussi inerte qu'un mur de pisé absorbant en silence les rayons torrides du soleil de midi, mais intérieurement chaque parole me déchirait et allait brûler mon cœur. Plus d'une fois, je manquai perdre le souffle à force d'indignation.

Le commandant et la pièce de cent sous

Enfin, nous arrivons sur le pont qui traverse le Yaamé, à environ huit cents mètres de la résidence du commandant. "Ô Dieu ! continue de se lamenter Koniba, par la faute de ce fils maudit de Hampâté lui-même maudit, voilà que mon petit prince Tall, au lieu de faire de longues études coraniques pour devenir un grand marabout, est envoyé à l'école des moustachus buveurs de vin coupé de lait de truie !" Et me donnant un bon coup sur le crâne il me pousse en avant, exhalant toute sa rancœur dans une dernière malédiction : "Puisse Dieu t'expédier dans le septième gouffre de son enfer puant !" A la sortie du pont, nous avançons sur la belle route qui mène aux escaliers de la Résidence. Bien damée à main d'homme grâce aux "prestations de service" obligatoires auxquelles était soumise la population, elle est bordée des deux côtés par de grands flamboyants, arbres ainsi nommés pour leurs belles fleurs rouges et recherchés pour leur ombre rafraîchissante. Aux abords de la Résidence, des groupes de visiteurs sont assis sous les arbres ou à l'ombre des murs ; ils attendent que le bureau du commandant ouvre ses portes et que l'interprète leur fasse signe d'approcher. Tous ces gens parlent à voix basse. Personne n'ose élever la voix ni rire aux éclats. Sans doute le commandant de cercle, plus redoutable qu'un fauve, ne doit-il pas être troublé dans son sommeil.

Apparemment, Koniba Kondala fait partie, ici aussi, des privilégiés, car il franchit directement et sans encombre les quelques marches qui mènent à la véranda située devant le bureau du commandant. Toujours suivi de Madani, je lui emboîte le pas et vais m'asseoir à côté de lui au fond de la véranda, à même le sol.

Un homme semble veiller sur les lieux. En un va-et-vient incessant il arpente la véranda sur toute sa longueur, visiblement fier de sa belle tenue : le chef orné d'une grande chéchia rouge aussi éclatante que les fleurs du flamboyant, il porte une vareuse bleu marine, une culotte blanche, des bandes molletières bleues et des sandales jaunes en pur cuir de France. Sa taille est fièrement prise dans une large ceinture jaune à boucle argentée. C'est certainement le personnage le plus important de la Résidence après le commandant !

Quelques instants après, je reviens de mon erreur. Un Africain corpulent, revêtu d'un somptueux boubou blanc brodé bien amidonné, chaussé de bottes brodées, coiffé d'un casque colonial en très bon état et les doigts chargés de grosses bagues en argent, gravit les marches de la véranda d'un pas majestueux et tranquille. A peine est-il entré sous la véranda que l'homme à la chéchia rouge se fige au garde-à-vous dans un salut militaire impeccable, puis court recevoir son casque et va le suspendre à un portemanteau. L'homme au boubou brodé prend place sur une chaise à côté du bureau du commandant. Au moindre bruit, éjecté comme un ressort, il se lève et jette un regard furtif dans le bureau. Je comprendrai plus tard que c'est l'interprète, le "répond-bouche" du commandant, et qu'il est beaucoup plus important que le personnage précédent, que l'on appelle "planton".

A peine l'homme au boubou a-t-il pris place sur sa chaise qu'un troisième personnage apparaît, qui gravit les marches d'un pas aussi tranquille que l'interprète. Sa tenue est celle des "Blancs-Noirs" : veste en drill blanc bien ajustée à la taille, chemise blanche, culotte en drap marocain couleur chocolat, souliers vernis à bout pointu et chaussettes noires, le tout surmonté d'un casque colonial presque neuf.

Le planton se met à nouveau au garde-à-vous, salue le nouvel arrivant, court recevoir son casque et va le suspendre à côté de celui de l'interprète. Puis, toujours en courant, il va ouvrir la porte d'une pièce faisant face, dans le couloir, à celle du commandant. Le "Blanc-Noir" en veste blanche (j'apprendrai plus tard que c'est le commis-secrétaire indigène du commandant) serre rapidement la main de l'interprète et entre dans le bureau, sans faire le moindre cas de Koniba Kondala, et encore moins des deux garçonnets qui l'accompagnent.

Ce monde entièrement nouveau pour moi me plonge dans la perplexité. Quelle est donc cette maison dans laquelle tout le monde parle par mimiques et marche à pas étouffés ? Quel est le rôle exact de chacun ?... Tout à coup, à l'intérieur du bâtiment, des pas fermes résonnent sur le sol de briques cuites. Le bruit se rapproche. Dans le bureau du commandant, quelqu'un déplace la chaise, toussote plusieurs fois, se racle la gorge et se mouche bruyamment. Une voix forte appelle :

"Planton !

— Oui ma coumandan !" répond le planton en se précipitant vers le bureau, que le commandant a sans doute rejoint à partir de ses appartements intérieurs.

Il s'arrête net devant la porte et salue militairement, puis reste figé dans cette position comme une statue de bronze.

A l'intérieur, le commandant crie quelque chose. Avant que le planton ne réponde, l'interprète saute de sa chaise comme s'il avait été taquiné par un scorpion et se précipite devant la porte. "Voilà moi, ma coumandan !" s'écrie-t-il. Il écoute un moment, puis se tourne vers Koniba Kondala et lui dit en bambara :

"Le commandant te demande de venir lui présenter les deux nouveaux écoliers."

Au passage, le planton y va de sa petite remarque : "Dépêche-toi, Koniba Kondala ! Les Blancs sont de la race « allons vite-vite ». — La marche « allons vite-vite » mène au village « cou-cassé »", réplique entre ses dents Koniba Kondala.

Il nous pousse devant lui et tous, y compris l'interprète, nous nous retrouvons dans le bureau du grand commandant de cercle de Bandiagara Camille Maillet. Je l'observe attentivement ; une longue raie partage par le milieu ses cheveux noirs bien peignés et très plats, et son visage s'orne d'une barbe bien fournie qu'accompagne à merveille une moustache dont chaque pointe se relève en queue de scorpion. Il porte une veste à col droit en toile blanche fermée par cinq boutons dorés du plus bel effet et garnie de quatre poches, deux en haut et deux en bas, également fermées par des boutons dorés. Au total, avec la garniture des épaulettes, je compte onze boutons dorés. Son pantalon et ses chaussettes sont blancs mais, curieusement, ses chaussures bien luisantes sont noires.

Le vieux Koniba nous présente en rapportant mot pour mot les propos d'Alfa Maki Tall, sans omettre la prière par laquelle ce dernier demande au commandant de réserver à son fils le même sort qu'à moi. L'interprète traduit sa déclaration.

Le commandant, tout en l'écoutant, caresse doucement sa barbe et fixe le petit Madani d'un air pensif. Ce dernier, troublé, ne sait plus où poser son regard et tourne les yeux en tous sens.

"Es-tu content d'aller à l'école ? lui demande le commandant par le truchement de l'interprète.

— Non, je préfère mourir plutôt que d'aller à l'école, réplique Madani. Je veux retourner chez moi, auprès de ma mère. Je n'aime pas l'école, et l'école non plus ne m'aime pas !

— Mais ton père et moi-même tenons à ce que tu ailles à l'école, explique le commandant. Tu y apprendras à lire, à écrire et à parler français, cette belle langue que tout fils de chef doit connaître parce qu'elle permet d'acquérir le pouvoir et la richesse.

— Mon père et ma mère veulent que j'aille à l'école coranique et non à l'école des Blancs !" geint le petit Madani. Et tout à coup il se jette à terre en sanglotant, se tortille sur le sol en déchirant son boubou et pousse des cris aigus : "Yaa-yaa-yaaye !... Rendez-moi à ma mère, rendez-moi à ma mère! yaaaye! Je veux retourner à l'école coranique!...

— Mais tu pourras aller à l'école coranique chaque jeudi et chaque dimanche, et aussi le matin de bonne heure", tente d'expliquer le commandant. Peine perdue. Madani continue de se rouler par terre en pleurant.

Sans doute découragé, le commandant se tourne alors vers moi et me fixe de ses gros yeux gris. Plus curieux qu'intimidé, je supporte son regard, observant son beau nez droit, ses sourcils, ses lèvres minces, son front haut et ses grandes oreilles. Intrigué, peut-être, par mon attitude, il m'interroge:

"Qui es-tu?

— Je suis moi-même."

Il éclate de rire.

"D'accord, mais comment t'appelles-tu et comment s'appellent ton père et ta mère?

— Je m'appelle Amadou Hampâté. Mes pères, car j'en ai deux, s'appellent Hampâté Bâ et Tidjani Amadou Ali Thiam. Ma mère, elle, se nomme Kadidja Pâté Diallo.

— Et comment se fait-il que toi tout seul tu aies deux pères alors que les autres enfants n'en ont qu'un?

— Je ne sais pas, mais c'est comme ça et j'en suis très content, car j'en ai perdu un, Hampâté, et il m'en reste un, Tidjani. Si je n'avais eu que Hampâté, maintenant je serais sans père. Et alors, qui est-ce que j'appellerais papa?"

En écoutant la traduction de l'interprète, le commandant rit tellement qu'il s'en renverse dans son fauteuil et tape les accoudoirs de ses mains. Or, quand le commandant rit, l'interprète rit aussi, et quand l'interprète rit, le planton et tous les autres en font autant. Si bien que tout le monde se met à rire dans le bureau sauf moi-même, qui garde mon sérieux, et Madani qui continue de pleurer.

Son calme retrouvé, le commandant reprend:

"Veux-tu aller à l'école pour apprendre à lire, à écrire et à parler le français qui est une langue de chef, une langue qui fait acquérir pouvoir et richesse?"

Je réponds avec force:

"Oui, papa commandant! Et je t'en conjure par Dieu

et son prophète Mohammad, ne me renvoie pas, garde-moi et envoie-moi à ton école le plus vite possible !"

Visiblement, le commandant est interloqué par une réponse aussi inattendue de la part d'un petit nègre, surtout dans cette région très musulmane. Comment ne serait-il pas surpris quand il voit un garçon se rouler à terre et gémir pour ne pas aller à l'école, et l'autre le supplier de l'y envoyer ?

"Pourquoi, mon petit, tiens-tu tellement à aller à l'école, contrairement à tous les enfants de Bandiagara ?

— Interprète, dis au commandant que j'ai manqué deux fois d'être chef : une fois en tant que fils de Hampâté et une fois en tant que fils de Tidjani. Or, ce dernier m'a dit que la chance se présente toujours trois fois avant de se détourner définitivement. Le commandant me donne ma troisième chance de devenir chef, je ne voudrais pas la rater comme j'ai raté les deux premières. C'est pourquoi je veux aller à l'école.

— Et pourquoi veux-tu devenir chef ? Que feras-tu après ? demande le commandant.

— D'abord, je veux apprendre la langue du commandant pour pouvoir parler directement avec lui, sans passer par un interprète. Ensuite, je voudrais devenir chef pour pouvoir casser la figure à Koniba Kondala, cet ancien captif de mes ancêtres qui se permet, parce qu'il est envoyé par le commandant, de couvrir d'insultes toute ma famille. Dans la maison de mon père Hampâté, j'ai neuf *rimaïbé* qui pourraient, sans la peur qu'ils ont du commandant, faire avaler à Koniba Kondala et sa langue et sa luette !

"Koniba Kondala se prend pour le commandant lui-même. Il voulait nous envoyer, mon frère et moi, tous les deux le même jour à l'école. C'est le *Fama* qui s'y est opposé ; il a donné son propre fils Madani à la place de mon frère. Et puis, Koniba Kondala en veut à mon grand frère Beydari Hampâté parce que celui-ci ne le laisse plus prendre sans payer ses plus beaux morceaux de viande. Voilà pourquoi je veux devenir chef : pour échapper aux insultes et aux tracasseries de Koniba Kondala et pour pouvoir parler directement au commandant."

Me tournant vers le vieux *dîmadjo*, je pointe mon doigt vers lui :

"Koniba Kondala ! Si jamais je deviens chef, la première chose que je ferai sera de te fouetter, méchant bonhomme ! Tu paieras pour avoir insulté mon père et ma mère depuis la maison d'Alfa Maki jusqu'au pont, et tout cela parce que tu me rends responsable de l'envoi de Madani à l'école des toubabs, ces toubabs que tu appelles « moustachus buveurs de vin coupé de lait de truie » et qui, selon toi, vont faire de nous des mécréants promis à l'enfer !"

Le cœur enfin soulagé, je me tais. Au fur et à mesure que l'interprète traduit ce long discours, je vois monter la colère du commandant. A la fin, furieux comme un démon, il tape de la main un grand coup sur la table et se met à crier si fort que la peur me saisit. Croyant avoir dit une grosse bêtise, je cherche des yeux un endroit où me cacher, mais je retrouve vite mes esprits en voyant l'interprète, le visage courroucé, se tourner non vers moi mais vers Koniba Kondala :

"Malheur à toi, vieil imbécile ! s'écrie-t-il. Le commandant va te faire payer cher ton attitude envers cet enfant de douze ans qui pour ton malheur n'a pas sa langue dans sa poche, et aussi pour les propos injurieux que tu as tenus envers la France."

Tout à coup le planton, armé de sa cravache, s'engouffre en trombe dans le bureau sans y avoir été invité, visiblement prêt à frapper. Sans doute alerté par le ton des voix, il aura senti que des coups et des gifles étaient dans l'air et se prépare à cogner, ce qui, d'évidence, fait partie de ses attributions. Je comprends alors que cet homme, que j'avais d'abord pris pour une haute personnalité, n'est qu'un subalterne dressé à courir, à ouvrir les portes, à se mettre au garde-à-vous pour un oui ou pour un non, et prêt à user de sa cravache sur quiconque lui serait désigné par le commandant. En somme, c'est un exécuteur inconditionnel des œuvres pénibles du grand chef blanc.

L'entrée soudaine du planton a pour effet de calmer un peu le commandant.

"Pourquoi, demande-t-il à Koniba Kondala, as-tu

insulté et maltraité cet enfant sans défense, alors que tu n'avais rien d'autre à faire que de me l'amener? Espèce de vieil hypocrite! Tu nous jures amour et fidélité quand nous sommes présents et tu nous traites de buveurs de vin coupé de lait de truie quand nous tournons le dos. J'ai bien envie, pour que tu saches de quoi tu parles, de te faire servir un verre de cette boisson..."

A ces derniers mots, Koniba Kondala porte les deux mains sur sa tête comme en signe de malheur, puis s'incline profondément, les deux bras ramenés derrière le dos, dans l'attitude traditionnelle de supplication et de demande de pardon:

"Ô interprète, gémit-il, dis au commandant que je suis le plus malheureux des hommes. J'ai commis une faute grave. Je demande mille fois pardon au commandant. Qu'il me mette en prison, qu'il me fasse fouetter, mais je l'en supplie, qu'il ne me serve pas le verre qu'il veut me faire boire! Je jure par Dieu, par son Prophète, par les anges qui portent le trône divin, par les deux anges interrogateurs des défunts dans leur tombe, par les deux anges gardiens des sept paradis et des sept enfers, que je ne recommencerai plus jamais à maltraiter quiconque, et moins encore à dire du mal de mes papas et mamans toubabs!"

Son visage ridé, déformé par ses mimiques et ses grimaces, dit éloquemment à quel point il est bouleversé à l'idée d'être obligé, peut-être sous la menace de la cravache du planton ou de la baïonnette de la sentinelle, de boire un verre de vin coupé de lait de cochon! Heureusement pour lui, le commandant Maillet n'est pas un "bouffe-nègre". Emu, peut-être, par la sincère frayeur du pauvre homme, il se contente de le menacer du bout de son crayon:

"Si jamais quelqu'un porte encore plainte contre toi ou me signale simplement une faute de ta part, tu auras affaire à moi. Ce n'est pas un verre, mais trois verres de cette boisson que je te ferai boire, puis je t'enverrai pourrir en prison à Bougouni!"

Le nom de Bougouni réveille en moi deux types de souvenirs: les uns agréables, parce qu'ils évoquent les années de ma petite enfance, les autres pénibles, parce qu'ils me rappellent l'emprisonnement de mon père. Je revois en pensée Tidjani arriver dans la cour, les pieds chargés de lourdes chaînes, fatigué d'avoir, tout au long de la journée, cassé des pierres sur les routes, coupé des arbres à la hache ou fendu des billes de bois. Certes, je désire vivement pouvoir fouetter un jour Koniba Kondala, mais je ne lui souhaite vraiment pas d'aller à Bougouni — pas plus, d'ailleurs, que de boire de l'alcool coupé de lait de cochon !

Le commandant se tourne vers moi :

"Quant à toi, mon petit ami, chaque dimanche après-midi tu viendras sur mon terrain de tennis ramasser les balles qui se perdent dans le décor." Ouvrant alors le tiroir de son bureau, il en sort une belle pièce brillante de cent sous en argent et me la tend : "Tiens, dit-il, va acheter avec ça une blouse, un pantalon, une chéchia rouge et des babouches pour t'endimancher. Je veux que tu viennes bien habillé et bien propre sur le terrain de tennis."

Koniba Kondala en écarquille tout grands ses yeux. A l'époque, cent sous, c'était une fortune, cela représentait le prix d'une belle génisse ! Curieux, je regarde la pièce de près. On y voit un homme, une femme et un enfant, nus tous les trois. Quelle chose étrange ! Est-ce un symbole ? Un fétiche ? J'ai entendu des Peuls dire : "Celui qui s'attache à ces pièces dénude sa propre âme." Pendant ce temps, le commandant a griffonné quelques signes sur un bout de papier. Il le tend à Koniba Kondala et dit d'une voix sèche :

"Conduis maintenant ces deux enfants au maître d'école."

En sortant de la Résidence, nous prenons le chemin qui mène à l'école. Elle se trouve elle aussi sur la rive gauche du Yaamé, comme le quartier de Sinci, mais un peu plus loin. En cours de route, alléché sans doute par mes cent sous de bel argent, Koniba me dit d'une voix douce, sur un ton de reproche amical :

"Je blaguais avec toi, comme j'ai le droit de le faire en tant que *dîmadjo* et en tant que grand-père [40], mais toi tu as mal pris ma plaisanterie et tu m'as méchamment «entravé» chez le commandant. Tu es un vilain petit maître, un mauvais fils de Peul! Pour te prouver que je suis toujours ton captif disposé à te servir, toi et les tiens, confie-moi ta pièce d'argent. J'irai la porter tout de suite à Beydari Hampâté. Je ne voudrais pas que tu la fasses tomber, ni qu'elle te soit volée par un écolier plus âgé que toi.

— Eh, Koniba Kondala! lui dis-je en éclatant de rire. Si tu me demandes encore ma pièce, je retournerai tout de suite chez le commandant pour lui dire que tu veux m'arracher son cadeau.

— Hon! maugrée-t-il. Le petit du rongeur hérite de ses parents des dents longues, pointues et tranchantes, Donne-moi la paix!"

A partir de ce moment, et tout le reste de la route, il garda le silence.

Et voilà comment j'ai été recruté pour l'école, et comment j'ai reçu ma première pièce d'argent.

La première classe

Il n'existait pas de bâtiment spécial pour l'école. Les cours se donnaient dans un hangar de l'ancienne écurie royale aménagé en préau. A notre arrivée, le maître d'école était en train de donner son cours aux vingt-trois élèves de sa classe. C'était un "moniteur de l'enseignement primaire indigène", c'est-à-dire issu de l'Ecole professionnelle de Bamako (seuls les diplômés de l'Ecole normale de Gorée avaient droit au titre d'instituteur). Il s'appelait M. Moulaye Haïdara. C'était un métis maure d'une famille chérifienne du Sokolo (Mali). En nous voyant approcher, il interrompit sa leçon et se tourna vers nous. Koniba Kondala lui remit la note du commandant et nous présenta, puis il partit sans attendre, comme s'il redoutait que ma langue trop bien pendue ne lui attire, même en ce lieu, quelque nouveau désagrément.

Madani et moi nous tenions debout devant le maître. Celui-ci ouvrit un grand registre, plus haut que large, et y inscrivit soigneusement nos noms. Puis il nous demanda, dans notre langue, quel était le métier de nos parents. Madani répondit que son père était chef. Moi, ne sachant que dire, je donnai comme métier de mon père celui qu'exerçait Beydari Hampâté, c'est-à-dire boucher. M. Moulaye Haïdara se tourna vers ses élèves et dit à haute voix en français, en me montrant du doigt :

"Amadou est un boucher. Répétez !"

Les élèves reprirent en chœur :

"Amadou est un boucher.

— Encore, dit le maître."

Les élèves répétèrent, ensemble puis chacun à son tour :

"Amadou est un boucher."

Cette phrase fut la première que j'appris et retins de la langue française.

Le maître se leva et nous conduisit au dernier rang de la classe. Il me fit asseoir à l'avant-dernière place et Madani à la dernière, en nous demandant de tenir nos bras sagement croisés sur la table. Je me perdis en réflexions. Pourquoi m'avait-on placé avant Madani, fils du chef du pays, et pourquoi Daye Konaré, l'un de ses captifs, était-il assis au premier rang ? Peut-être était-ce une erreur ? Après un moment, je me levai pour céder ma place à Madani et m'installai à la sienne.

"Qui vous a permis de changer de place ?" s'écria le maître en bambara.

Je me levai et répondis dans la même langue, que parlaient d'ailleurs la plupart des enfants :

"Madani est mon prince, monsieur. Je ne peux pas me mettre devant lui.

— Ici, c'est moi qui désigne les places, on ne les choisit pas. Tu entends ?

— J'entends, monsieur.

— Reprenez les places que je vous ai données. Ici, il n'y a ni princes ni sujets. Il faut laisser tout cela chez vous, derrière la rivière."

Ces paroles me marquèrent profondément. Comment cela était-il possible ? Dans nos associations, nous étions tous camarades égaux, mais nos fonctions respectives reflétaient tout de même plus ou moins les classes auxquelles nous appartenions, et nul n'en avait honte. Ici, d'après le maître, il n'y avait plus rien. J'essayai d'imaginer un monde où il n'y aurait plus ni rois ni sujets, donc plus de commandement, plus de castes d'artisans et de griots, enfin plus aucune différence d'aucune sorte. Je n'y arrivai pas.

M. Moulaye Haïdara reprit sa leçon. Ce jour-là, les élèves devaient apprendre et réciter par cœur un texte que le maître énonçait bien distinctement en français, mot par mot puis phrase par phrase. Les élèves répétaient chaque mot après lui, puis chaque phrase, d'abord tous en chœur, puis chacun l'un après l'autre. Cela dura environ une demi-heure. Puis le maître demanda à chacun de répéter seul le texte après lui, la classe le reprenant en chœur comme si l'élève était devenu le maître. J'écoutais attentivement et répétais après les autres, m'appliquant à bien retenir les paroles même si je n'en comprenais pas le sens. Ma mémoire auditive, comme celle de tout bon élève d'école coranique, était dressée à ce genre de gymnastique, habitués que nous étions à apprendre par cœur des pages entières du livre sacré sans en comprendre le sens. Ce simple exercice de mémoire ne présentait pour moi aucune difficulté, d'autant que, dans mon désir d'apprendre le plus vite possible la langue de "mon ami le commandant", j'y mettais toute mon ardeur.

La leçon dura une bonne partie de la matinée. J'avais eu largement le temps de la retenir. Quand le vingt-troisième élève eut fini de la réciter en bredouillant quelque peu et que toute la classe l'eut répétée en chœur après lui, je me levai à mon tour. Le maître se mit à rire :

"Non, pas toi. Rassieds-toi.

— Monsieur, tout ce que mes camarades viennent de dire, je peux le réciter."

Il cessa de rire :

"Tu as tout retenu ?

— Oui.

— Alors récite, que je l'entende."

Tous les visages se tournèrent vers moi, yeux braqués

et oreilles tendues. Sûr de ma mémoire, je commençai à réciter d'une voix monocorde et chantonnante, comme je l'avais entendu faire aux élèves, le texte de la leçon dont je me souviens encore :

"Mon cahier ressemble à mon livre... mais il est moins épais... Il est plus mince... Il est rectangulaire... Sa couverture n'est pas en carton... C'est une feuille épaisse de couleur... Mon cahier a trente-deux pages[41]...

— *Kaa koo Jeydani!*" s'exclama le maître (c'est-à-dire : "Miracle d'Abd el-Kader el Djilâni !", un grand saint musulman des premiers siècles de l'islam réputé pour ses miracles).

Très content, il vint me prendre par la main et me fit monter sur son estrade. Il parla longuement aux élèves en français en me montrant, mais je n'ai jamais su ce qu'il leur avait dit. Le soir, à la sortie de la classe, il me donna un bel album d'images, une chéchia rouge garnie d'un pompon de soie bleue, et un petit drapeau aux couleurs françaises.

Dès le lendemain matin, il m'emmena chez le trésorier du cercle, M. Delestré, un ancien adjudant de la coloniale en retraite versé dans les cadres civils en qualité de commis des Affaires indigènes. Il avait charge, entre autres choses, d'inscrire sur une liste les bons élèves sans ressources qui pouvaient être proposés pour une bourse mensuelle de trois francs versée à leur famille. Etant considéré comme orphelin de père, je fus accepté sans difficulté. Le trésorier coucha mon nom sur sa liste.

Au moment où se produisaient ces événements, ma mère se trouvait à Bandiagara. Elle y venait de temps en temps pour nous voir, mon frère et moi, pour voir sa propre famille et aussi pour jeter un œil sur la bonne gestion de son troupeau. Comme elle n'était pas femme à laisser un voyage improductif, elle en profitait pour apporter à Bandiagara des articles bambaras de Kati qu'elle revendait sur place, puis remportait à Kati des spécialités du Macina qui y étaient fort appréciées.

Elle était tranquillement installée dans la cour de la

maison familiale lorsque, soudain, elle vit arriver Beydari en sueur, propulsant ses cent kilos aussi rapidement qu'il le pouvait et que le bon usage le lui permettait, car pour un adulte il était malséant, sinon ridicule, de courir. Il venait lui annoncer "l'enlèvement" dont nous avions été victimes, Hammadoun et moi, de la part de Koniba Kondala qui nous avait réquisitionnés tous les deux en même temps pour l'école des Blancs. Un peu plus tard, mon frère Hammadoun arrivait à son tour. Il expliqua à ma mère qu'il avait été renvoyé grâce à l'intervention du chef Alfa Maki Tall, mais que j'étais resté sur place ; il n'en savait pas plus.

Quand il s'agissait de se renseigner, ma mère n'était jamais à court de moyens. Peu après elle savait tout ce qui s'était passé : l'attitude généreuse d'Alfa Maki Tall, mon passage chez le commandant et mon arrivée à l'école avec le petit Madani.

Pour elle, la solution était simple. Comme cela se pratiquait à l'époque dans les familles aisées, elle allait "racheter", et à n'importe quel prix, mon renvoi de l'école. Les transactions de ce genre se passaient entre les parents d'un côté, l'interprète et le maître d'école de l'autre, ces deux derniers se partageant le prix du "rachat". Il existait plusieurs motifs de renvoi possibles : la maladie physique ou mentale, l'indiscipline, et quelques autres dont je ne me souviens plus. L'interprète soumettait le motif du renvoi au commandant, qui l'approuvait généralement sans difficulté car il ne mettait jamais en doute les déclarations de son directeur d'école, et surtout de son interprète : en bons "Blancs-Noirs" qu'ils étaient, c'est-à-dire nègres à moitié européens, ils étaient automatiquement au-dessus de tout soupçon !

Ma mère choisit pour motif "l'indiscipline", trouvant les autres motifs dégradants. Ma réputation de chef d'une association de soixante-dix galopins et les maraudages auxquels je me livrais régulièrement avec mes camarades justifiaient amplement ce choix. Il ne restait donc plus à ma mère qu'à vendre suffisamment de têtes de bétail et à aller trouver l'interprète et le maître d'école pour leur proposer mon "rachat". Auparavant, elle se rendit chez mon maître Tierno Bokar, qui était un peu le directeur de conscience de toute la famille.

Elle l'informa de ce qui m'était arrivé, puis laissa éclater son indignation :

"Amadou n'ira jamais dans cette école des Blancs où l'on va faire de lui un infidèle ! Je m'y opposerai par tous les moyens ! Je vais le racheter, et s'il le faut, je vendrai pour cela la moitié de mon cheptel !"

Tierno la tempéra :

"Pourquoi le fait d'aller à l'école rendrait-il Amadou infidèle ? Le Prophète lui-même a dit : «*La connaissance d'une chose, quelle qu'elle soit, est préférable à son ignorance*» ; et aussi : «*Cherchez la connaissance du berceau au tombeau, fût-ce jusqu'en Chine !*» Kadidja, ma sœur, ne t'interpose pas entre Amadou et son Seigneur. Celui qui l'a créé est mieux informé que nous sur sa destinée, laisse donc Amadou entre Ses mains. Qu'Il le mette où Il voudra et dispose de lui comme Il l'entendra. S'Il a décidé qu'Amadou ne doit pas s'instruire à l'école française, quoi qu'il arrive Amadou en reviendra ; et s'Il a décidé que là est sa voie, Amadou la suivra. Je te le demande, ma sœur, ne rachète pas Amadou et ne l'empêche pas d'aller à l'école des Blancs. Garde tes taureaux pour un autre usage."

Ma mère ne put que s'incliner, car tout le monde, dans la famille, se fiait au jugement de Tierno. C'est ainsi que, par le triple effet de la rancune de Koniba Kondala, de la sagesse de mon maître et sans doute de la volonté divine, s'infléchit ce jour-là la ligne de ma destinée. Elle m'écarta du chemin tout tracé qui devait me mener à la carrière de marabout-enseignant (doublée sans doute d'une activité de tailleur-brodeur comme mon père Tidjani et Tierno Bokar lui-même) pour me pousser sur une nouvelle voie dont personne, à l'époque, ne savait où elle me mènerait.

Dès lors, je pris chaque matin de bonne heure le chemin de l'école, qui se trouvait environ à deux kilomètres de la maison. Je portais en bandoulière un sac de toile contenant mes nouveaux trésors : mes cahiers, mes livres, mon ardoise, un beau porte-plume en bois blanc de France muni d'une plume sergent-major, des crayons, un crayon d'ardoise, deux gommes — l'une à encre, l'autre à crayon —, un buvard, une toupie garnie de sa ficelle, un petit couteau et un sachet préparé par Niélé contenant quelques friandises : arachides, patates douces, pois de terre, etc.

J'arrivais à l'école vers six heures quarante-cinq. A sept heures moins cinq, sur un signe du maître, l'élève Mintikono Koulibaly (dont le prénom signifie "celui qu'on n'attend pas") se précipitait sans attendre vers une longue lame métallique suspendue à une traverse et qui servait de cloche.

Se saisissant d'une tige de fer qui reposait au pied de la lame, Mintikono — que les élèves avaient surnommé "le petit hippo", autrement dit "le petit hippopotame", en raison de sa corpulence — infligeait à la lame, comme pour la corriger de quelque méfait connu de lui seul, trois grands coups vigoureux. Il avait monopolisé d'office la sonnerie de la cloche et corrigeait vertement quiconque se permettait de sonner à sa place ou seulement de toucher à sa lame bien-aimée, que les gamins appelaient malicieusement "l'amante de Mintikono". Le maître lui-même n'y pouvait rien.

Aux premières vibrations de la cloche, les élèves, qui étaient en train de courir en criant, de rire et de gambader dans la cour comme une troupe de jeunes singes lâchés dans un champ d'arachides, cessaient brusquement tout mouvement et se tournaient vers le maître. "En rangs !" criait celui-ci. Ils accouraient alors et venaient se ranger en deux rangs impeccables de chaque côté de la grande porte. "Bras tendus !" ordonnait le maître. Chacun tendait son bras droit à l'horizontale et le plaçait sur l'épaule du camarade placé devant lui. Quand le maître criait : "Fixe !" nous ramenions vivement notre bras sur la hanche, paume ouverte vers l'avant, puis, marchant en file indienne, nous entrions dans la classe où chacun regagnait sa place et s'asseyait en silence, ses bras croisés posés sur la table.

M. Moulaye Haïdara, grimpant sur l'estrade, allait s'asseoir derrière son bureau. Il ouvrait son grand registre et procédait à l'appel des présents en pointant les noms; cette petite cérémonie quotidienne terminée, il commençait ses cours. La classe était scindée en deux parties: une première division composée des élèves les plus avancés, et une seconde division qui n'en était encore qu'à l'apprentissage de la lecture et de l'écriture. Les uns travaillaient à leurs devoirs tandis que le maître s'occupait des autres.

Habitué depuis longtemps à transcrire mes leçons coraniques sur une planchette de bois, en un mois j'avais appris par cœur tout mon alphabet et pouvais l'écrire correctement. A la fin du deuxième mois, je connaissais parfaitement mon syllabaire. Ma méthode d'apprentissage était particulièrement efficace: je tympanisais tout le monde à la maison en déclamant à tue-tête des séries de mots de même consonance, telles que: *au loin, du foin, un coin, des liens, les miens, un chien, un point, des soins*... ou encore: *qui, quoi, c'est toi, ma foi*..., élevant et laissant traîner la voix sur l'article ou le premier mot, comme le faisaient les élèves. Afin que tout le monde, y compris le voisinage, puisse profiter pleinement de mes connaissances nouvelles, il m'arrivait même d'aller me percher sur le toit d'où je lançais à pleine voix ces litanies d'un nouveau genre, au point que le patient Beydari lui-même en était excédé!

Je ne saurais décrire le processus par lequel les nouveaux élèves parvenaient à parler rapidement le français, car le maître ne traduisait absolument rien en langue locale des leçons qu'il nous dispensait. A moins d'une nécessité particulière, il nous était d'ailleurs strictement interdit de parler nos langues maternelles à l'école, et celui qui était pris en flagrant délit se voyait affublé d'un signe infamant que nous appelions "symbole".

La principale méthode utilisée était celle du "langage en action". Chaque élève devait dire tout haut les mots (enseignés au départ par le maître) qui décrivaient ses gestes et son action du moment. Rudimentaires au début, avec le temps les phrases devenaient plus riches et plus complexes. Le maître, par exemple, ordonnait à un élève d'aller au tableau noir. En se levant, le garçonnet ânonnait, d'une voix chantante et traînante: "Le maître m'ordonne d'aller au tableau noir... Je me lève... Je croise les bras sur ma poitrine... Je sors du banc... Je me dirige vers le tableau noir... Je m'approche de l'estrade, sur laquelle est placé le bureau du maître... Je monte sur l'estrade... Je prends le torchon mouillé avec la main gauche et un morceau de craie blanche avec la main droite... J'essuie le tableau noir... J'écoute le maître... Il me dicte une phrase... J'essaie de l'écrire sans fautes... Le maître corrige ma dictée... Il est satisfait... Il me caresse la tête... J'en suis bien content... Le maître m'ordonne de regagner ma place... Je la regagne avec fierté...", etc.

Grâce à cette méthode, je mis peu de temps à pouvoir m'exprimer en français. Cela n'a rien d'étonnant quand on pense que la plupart des enfants africains, vivant dans des milieux où cohabitaient généralement plusieurs communautés ethniques (il y avait à Bandiagara des Peuls, des Bambaras, des Dogons, des Haoussas...), étaient déjà peu ou prou polyglottes et habitués à absorber une nouvelle langue aussi facilement qu'une éponge s'imbibe de liquide. En l'absence de toute méthode, il leur suffisait de séjourner quelque temps au sein d'une ethnie étrangère pour en parler la langue — ce qui est d'ailleurs encore valable aujourd'hui. Bien des adultes, réputés "illettrés" selon la conception occidentale, parlaient quatre ou cinq langues, en tout cas rarement moins de deux ou trois; Tierno Bokar lui-même en parlait sept. S'y ajoutaient parfois l'arabe et, maintenant, le français — ce dernier souvent parlé, il est vrai, à la façon piquante des tirailleurs, que l'on appelait le *forofifon naspa*.

Mais comme toujours, il y avait des exceptions. Deux de nos camarades, un Bambara et un Dogon, non rompus comme la plupart des enfants peuls et toucouleurs à l'apprentissage mnémotechnique intensif des écoles coraniques, et par ailleurs d'un esprit assez lent, avaient le plus grand mal à assimiler les enseignements du maître. Un jour, celui-ci, après une lecture expliquée, demanda à chaque élève de trouver un verbe et de le conjuguer au présent de l'indicatif. Chacun s'exécuta tant bien que mal. Quand ce fut le tour de notre camarade bambara, Moussa P., il se leva avec précipitation.

"As-tu trouvé un verbe à conjuguer? lui demanda le maître.

— Oui, monsieur.

— Et quel verbe as-tu trouvé?

— Le verbe... le verbe... cabiner!"

M. Moulaye Haïdara en ouvrit tout grands ses yeux et même sa bouche.

"Ah oui? dit-il. Eh bien, conjugue donc ce verbe à la première personne du singulier, au présent de l'indicatif et au futur."

Tout fier, Moussa se mit à décliner:

"Je cabine, tu cabines, il cabine, nous cabinons, vous cabinez, ils cabinent!"

Le maître, dont le caractère était rien moins que patient et dont les nerfs s'enflammaient vite, commençait à mordiller sa lèvre inférieure, signe évident de colère, et à triturer la liane qu'il tenait dans sa main. Moussa ne voyait rien. Tout heureux, il passa au futur: "Je cabinerai, tu cabineras..." Le maître bondit sur lui:

"Certainement, tu cabineras!"

Et il se mit à le cingler si fort de sa liane que le pauvre Moussa, sous le coup de l'émotion, s'en oublia dans sa culotte et se mit à gémir:

"Yaa-yaa-yaaye... Monsieur! J'ai cabiné! *Wallaye* (par Dieu!), j'ai cabiné!..."

L'autre camarade, un Dogon nommé Sagou K., eut un jour à réciter, comme chaque élève, une phrase dite par le maître. Cette phrase était: "*Le corps humain se compose de trois parties: la tête, le tronc et les membres.*" Quand son tour fut venu, Sagou, qui avait beaucoup de mal à retenir les mots français, improvisa et chantonna, en un français phonétique approximatif: "Le cor himin sin kin foossi (se compose) trois frati (parties): la tête, soreeye (oreilles), né... *foufé!*" Ne se souvenant pas du mot "bouche", il avait inventé une sorte d'onomatopée à partir du verbe "souffler" qui, pour lui, évoquait la bouche. M. Moulaye Haïdara le fit recommencer plusieurs fois, mais jamais le malheureux ne put parvenir au bout de la phrase sans sortir son sempiternel *foufé*. Le maître était hors de lui. Inutile de dire que Sagou eut droit, lui aussi, à une solide correction.

Heureusement, il y avait aussi des moments de détente. Un matin, après la petite cérémonie de l'appel des présents, le maître écrivit sur le tableau noir la date du jour et la fit suivre immédiatement d'une maxime en français qu'il nous énonça lentement à haute voix : "*Ni le grenier ni la mansarde ne s'emplissent à babiller.*" Dès qu'il prononça les mots "à babiller", tous les élèves qui parlaient le bambara — autant dire la plus grande partie de la classe — éclatèrent de rire en s'esclaffant :

"Hee ! Heee ! monsieur, monsieur !..."

Surpris et fâché, le maître se tourna vers nous :

"De quoi riez-vous, tas d'imbéciles ?"

Daye Konaré, l'élève favori à deux titres (il était le premier de la classe et par ailleurs petit frère du boy remplissant les fonctions de "maître d'hôtel" chez le gouverneur de la colonie), fut le premier à retrouver son calme.

"Pardon, monsieur, dit-il, mais les deux derniers mots que vous venez de prononcer sont, en bambara, une grosse injure que vous nous adressez alors que nous ne l'avons pas méritée."

Etonné, M. Moulaye Haïdara se retourna et relut les mots attentivement. Il ne s'était pas rendu compte, tout concentré qu'il était sur le sens français, du jeu de mots possible avec le bambara. Tout à coup il fut pris, lui aussi, d'un rire inextinguible. Toute la classe se pâma avec lui. En effet, si "à babiller" signifie en français "bavarder sans suite et à propos de rien", en bambara, phonétiquement, cette expression signifie "le sexe de vos mamans" (pour parler poliment). Entendre une telle grossièreté dans la bouche du maître, surtout proférée innocemment, était du plus haut comique pour les enfants. Il n'en fallait pas plus pour faire éclater leur hilarité. M. Moulaye Haïdara en riait aux larmes ! Quand il eut fini par se remettre et que le silence revint enfin dans la classe, il expliqua longuement la sentence du point de vue grammatical et en tira la morale. La phrase devait être apprise par cœur et récitée à la fin de l'après-midi.

A midi chacun rentrait déjeuner chez soi, sauf les punis qui étaient consignés à l'école. Le maître nous conduisait en rangs jusqu'à la grande route, assez loin des résidences des Blancs. Là, il criait : "Halte !" puis : "Rompez !" ce qui provoquait immédiatement une débandade joyeuse.

Les cours reprenaient à quatorze heures. Le soir, à dix-sept heures, les vigoureux coups de cloche de Mintikono nous libéraient de nos peines. Nous nous placions sur deux rangs : d'un côté les punis qui devaient passer la nuit chez le maître où une pièce spéciale les attendait (leurs parents, prévenus, leur portaient à manger), de l'autre ceux qui pouvaient rentrer chez eux, aller s'amuser avec leurs camarades d'association ou passer la soirée au clair de lune avec leurs Valentines.

Le plus clair de l'enseignement — comme dans toutes les écoles primaires indigènes locales — consistait à nous apprendre à lire, à écrire et surtout à parler correctement le français. L'enseignement mathématique élémentaire se limitait aux quatre opérations de base : addition, multiplication, soustraction et division. Après un an ou deux, les élèves ayant réuni un nombre de points suffisant étaient envoyés dans une école régionale où on les préparait aux épreuves du certificat d'études primaires indigène, dont l'obtention était nécessaire pour être dirigé sur l'Ecole professionnelle de Bamako.

Je ne serai moi-même dirigé sur l'école régionale de Djenné qu'à la rentrée scolaire de 1913. Quant aux élèves qui ne dépassaient pas le stade de l'école primaire, ou bien ils retournaient dans leurs familles, ou bien, en raison de leur connaissance, même rudimentaire, du français, ils étaient employés par les Blancs comme personnel domestique : cuisiniers, petits boys ou pankas — du nom de l'écran mobile suspendu au plafond, que l'on actionnait en tirant sur une corde et dont le mouvement donnait un peu d'air frais.

C'est au début de l'été 1912 que j'ai fait la connaissance d'un personnage hors du commun qui devait plus tard jouer un certain rôle dans mon existence, quoique de façon indirecte, puisque la publication du récit de sa vie allait me valoir, en 1974, de recevoir un prix littéraire : je veux parler de celui que, sur sa demande même, j'ai désigné par l'un de ses pseudonymes : "Wangrin", un homme qui, par ses seuls dons de ruse et d'intelligence, parvint — fait rarissime à l'époque pour un indigène — au sommet de la réussite sociale et financière puisqu'il finit par accumuler une fortune comparable au capital des plus grosses sociétés françaises de l'époque, roulant et trompant sans vergogne les riches et les puissants d'alors, aussi bien africains que français (y compris les redoutables administrateurs coloniaux dits "dieux de la brousse" et la toute-puissante "chambre de commerce" elle-même), se sortant par une pirouette des pires imbroglios créés par lui-même à plaisir, poussant parfois le panache jusqu'à prévenir certaines de ses futures victimes du "tour carabiné" qu'il allait leur jouer, et, finalement, redistribuant aux pauvres, aux infirmes et aux déshérités de toutes sortes une grande partie de ce qu'il avait gagné en dupant les riches.

Pourtant, ce n'est pas cette première partie de sa vie qui est digne d'intérêt, mais la seconde, celle où, à la suite d'une trahison, il perdit en un seul jour la gloire et la fortune, sombrant dans la misère la plus profonde, voire la déchéance. C'est à cette époque qu'il s'est montré le plus grand. Là où d'autres seraient devenus fous, ou emplis d'aigreur, lui accéda à la sagesse. Sans rancune envers personne, sans aucun regret de la fortune perdue, continuant à distribuer aux pauvres les quelques sous qu'il gagnait par-ci par-là, il savait rire de la vie, de lui-même et de sa propre histoire. Devenu une sorte de clochard philosophe, il tenait séance dans les estaminets de la ville, et l'on venait de loin pour entendre ses récits pleins de verve et d'humour et ses savoureux propos sur la nature humaine.

C'est juste après sa ruine, vers 1927, que je devais le

rencontrer à nouveau en Haute-Volta, où j'effectuais une mission en tant que jeune fonctionnaire colonial. C'est là qu'il me racontera, des soirées durant, accompagné en sourdine par la guitare de son fidèle griot Diêli Maadi qui l'avait suivi dans son malheur, toutes les péripéties incroyables de sa vie. Et c'est lui-même qui me demandera d'écrire un jour cette histoire et de la faire connaître pour, disait-il, "servir aux hommes à la fois d'enseignement et de divertissement" — à condition de le désigner par l'un de ses pseudonymes, pour ne pas donner à sa famille, présente ou future, "des idées de supériorité ou d'infériorité" [42].

Lorsque Wangrin était arrivé à Bandiagara pour y exercer les fonctions de moniteur d'enseignement, vers 1911 ou 1912, c'était encore un tout jeune homme. J'avoue ne pas savoir où il enseignait — peut-être y avait-il d'autres classes que celle de M. Moulaye Haïdara?... Il ne devait pas tarder, d'ailleurs, à sortir de cette situation modeste pour accéder à celle, plus honorifique et plus lucrative, d'interprète auprès du commandant de cercle. Après un combat mémorable, il ravit sa place au vieil interprète ancien tirailleur que j'avais vu chez le commandant, l'homme aux doigts couverts de bagues et qui ne savait parler que le français *forofifon naspa*.

Lorsque je l'ai rencontré pour la première fois, Wangrin venait d'être momentanément détaché par le commandant auprès d'un commis des Affaires indigènes de passage à Bandiagara, M. François-Victor Equilbecq, qui effectuait une tournée à travers tout le pays pour recueillir le plus grand nombre possible de contes soudanais. Quand M. Equilbecq arriva à Bandiagara en juin 1912, le commandant de cercle convoqua le chef Alfa Maki Tall pour lui demander d'envoyer au nouvel arrivant tous ceux, hommes, femmes, vieillards ou enfants, qui connaissaient les contes. Je figurais parmi les enfants choisis.

Chaque conte retenu était payé à l'informateur dix, quinze ou vingt centimes, selon sa longueur ou son importance. Au début, Wangrin les traduisait à M. Equilbecq, qui prenait des notes. Mais bientôt ce dernier se déchargea sur lui du soin de recueillir directement la plupart des textes. Wangrin rédigeait une première traduction en français, puis la communiquait à M. Equilbecq, lequel y apportait éventuellement des corrections ou des modifications de son cru. Il devait publier une grande partie des contes recueillis en 1913 chez E. Leroux, dans la "Collection des contes et chants populaires", texte qui sera repris en 1972 par les éditions Maisonneuve et Larose sous le titre *Contes populaires d'Afrique occidentale.* Il n'est pas sans intérêt de savoir que Wangrin en a été l'un des principaux rédacteurs. Son nom est cité au bas de la plupart des contes, précédé de la mention "traduit par" ou "interprété par". Mon nom y figure aussi par endroits, sous l'appellation bizarre de "Amadou Bâ, élève *rimâdio* de l'école de Bandiagara" — bizarre car le mot *rimâdio* n'existe pas ; tout au plus peut-on dire qu'il mêle curieusement les deux mots *dîmadjo* et *rimaïbé*, respectivement singulier et pluriel de "captif de case"...

Lorsque les autres enfants conteurs et moi avons été présentés à Wangrin, quelqu'un lui dit que j'étais le neveu de son grand ami Hammadoun Pâté (le frère cadet de ma mère), chef de la puissante association d'adultes à laquelle il s'était affilié dès son arrivée à Bandiagara. Il me considéra aussitôt comme son propre neveu, ainsi que le voulait la tradition africaine où l'ami du père est un père, l'ami de l'oncle un oncle, etc. Désormais, que j'aie ou non des contes à lui rapporter, j'allais le saluer presque chaque jour en sortant de l'école, et il m'arrivait fréquemment de passer la soirée chez lui.

Plus tard, vers 1915 ou 1916, après la fameuse "affaire des bœufs" où, grâce à son habileté et contre toute attente, il triomphera en justice d'un "dieu de la brousse" — autrement dit d'un administrateur des colonies —, Wangrin quittera Bandiagara pour aller poursuivre en Haute-Volta sa fulgurante ascension. Nous ne serons cependant jamais totalement privés de ses nouvelles car son épouse, une Dogon de Bandiagara dont la famille était proche voisine de la mienne, écrivait de temps en temps à ses parents, qui nous tenaient au courant.

La mort de mon grand frère

Quand vint le début de l'été 1913, mon frère Hammadoun ne put résister au désir de revoir notre mère, qui n'était pas venue à Bandiagara depuis assez longtemps. Il demanda à Beydari l'autorisation de se rendre à Kati, où elle résidait alors avec Tidjani. Beydari n'était pas très favorable à ce projet en raison des difficultés et de la longueur du trajet — environ 750 kilomètres — surtout pour un jeune homme d'une quinzaine d'années qui n'avait encore jamais quitté sa ville natale. Mais Hammadoun insista tellement, son besoin de revoir notre mère était si fort qu'à la fin Beydari se laissa fléchir et donna son autorisation. Il n'était pas question, toutefois, de laisser mon frère accomplir seul un tel voyage. Justement, l'un de nos voisins, un griot nommé Madani Oumar S., avait l'intention de se rendre à Ségou par voie de terre. Beydari lui donna une certaine somme d'argent et lui confia mon frère, persuadé que celui-ci serait en bonnes mains pour son premier long voyage. Après Ségou, Hammadoun pourrait rejoindre Bamako en empruntant une pirogue sur le Niger. Les douze derniers kilomètres qui séparaient Kati de Bamako seraient une promenade...

Depuis que j'étais revenu à Bandiagara, c'était la première fois que mon frère et moi allions être séparés. Nous étions aussi proches que "deux fils de la même couverture"; je lui rendais avec plaisir tous les menus services qu'un petit frère doit normalement à son grand frère, et lui, en retour, m'entourait de son affection et de sa protection. Il était mon modèle et je l'admirais. Il allait me manquer beaucoup.

Mais la vie était là. Je fus bien vite repris par les mille et une occupations qui remplissaient mes journées: l'école française, les leçons de Tierno Bokar, les soirées avec Koullel et les anciens, les réunions avec mes camarades et nos charmantes Valentines...

Les grandes vacances arrivèrent vite. J'étais de nouveau livré à moi-même et à mes activités de chef de la puissante waaldé de cadets des quartiers sud de Bandiagara. Daouda Maïga et moi formions plus que jamais un duo inséparable. Je ne savais pas que je vivais mes dernières vacances heureuses à Bandiagara.

Un soir — c'était le mois d'août, je crois — alors que Daouda et moi rentrions à la maison après l'une de nos expéditions en brousse, nous trouvâmes toute la famille en train de pleurer. Les femmes poussaient des lamentations entrecoupées du long cri *Yooyooo... mi héli!* annonciateur de malheur. Beydari, la tête penchée, cachait ses yeux de sa main. Niélé, affalée, semblait à bout de force et de larmes. Dès qu'elle me vit, elle poussa un grand cri et se précipita sur moi. Me serrant fortement dans ses bras, elle m'apprit, entre deux sanglots, que mon frère Hammadoun était mort. Ma mère avait envoyé un télégramme annonçant qu'il était décédé peu après son arrivée à Kati. "Ne pleure pas, ne pleure pas!" me disait Niélé, son propre visage ruisselant de larmes. "Il ne faut pas pleurer les morts..." Elle me consolait comme elle le pouvait.

Je ne puis décrire le choc que j'ai éprouvé. On aurait dit que mon esprit ne pouvait enregistrer la réalité d'une telle nouvelle. Je restai immobile, sans larmes, sans paroles. Longtemps après, je ne pus que dire: "Alors je ne le verrai plus?... Et son association?"

Daouda était aussi choqué que moi. Ce n'est que quelques jours après, alors que nous étions seuls tous les deux, que les pleurs sont enfin venus. Nous sanglotions: "Nous n'avons plus de défenseur... Un tel a son grand frère... tel autre a son grand frère... nous, nous n'avons plus le nôtre... jamais plus nous ne le reverrons..."

Que s'était-il passé? Qu'est-ce qui avait pu conduire à la mort ce beau garçon dans la force de l'âge? Hammadoun, avant de mourir, avait tout raconté à notre mère.

Le griot Madani Oumar S., à qui Beydari avait confié Hammadoun, n'avait rien trouvé de mieux que de se servir de lui comme porteur à pied, alors que lui-même voyageait confortablement à cheval. Il avait enfermé tous ses bagages dans deux énormes sacs qu'il faisait porter à mon frère comme si celui-ci avait été son palefrenier. Malgré la longueur des étapes et les risques de rencontres dangereuses en ces temps où les fauves pullulaient, il partait à cheval en avant, laissant mon frère se débrouiller tout seul sur la route. C'était le début de la saison des pluies. Ployant sous le poids des bagages, les pieds pataugeant dans la boue, ses vêtements trempés sur son dos, Hammadoun marchait seul jusqu'au prochain village. Et là, avant de pouvoir se restaurer et se reposer, il lui fallait encore se renseigner partout pour savoir où Madani Oumar S. était descendu. Le lendemain matin, Madani repartait à cheval, sans s'occuper de lui. A la longue, les marches épuisantes sous la pluie, la solitude, l'angoisse eurent raison des forces de mon frère : il attrapa une mauvaise bronchite, sans doute aggravée de paludisme. Lorsqu'il arriva enfin à Ségou, il grelottait de fièvre et ses jambes le soutenaient à peine.

A Ségou, Madani confia mon frère à un laptot de ses amis, auquel il demanda d'organiser son voyage sur le fleuve jusqu'à Koulikoro. Hammadoun fit ce long trajet en pirogue découverte. La pluie, la fraîcheur et le manque de soins n'arrangèrent guère son état. A Koulikoro, il prit le chemin de fer pour franchir les cinquante derniers kilomètres qui le séparaient de Bamako. Là, il descendit chez Abdallah, un vieil ami de Tidjani et de Kadidja. Effrayé par sa faiblesse, Abdallah fit prévenir ma mère à Kati en toute hâte. Elle arriva le jour même pour chercher son fils mais, devant son état, elle décida de le laisser se reposer quelques jours encore à Bamako, où elle espérait pouvoir le faire soigner.

Un jour qu'il semblait moins fatigué, elle voulut le sortir et lui montrer un peu la ville. Malgré sa maladie, mon frère était encore d'une beauté saisissante — il était, je l'ai dit, l'un des plus beaux garçons du cercle de Bandiagara, et pourtant Dieu sait s'il y avait dans la région des jeunes Peuls de toute beauté ! Lorsqu'ils arrivèrent au grand marché où Kadidja était connue, une nuée de curieux les entourèrent. Des griots s'exclamaient : "Hee ! Voici un vrai Peul, et de la plus belle espèce ! *Wallaye!*

Par Dieu ! Il n'a pas été accouché à la hâte, on l'a fabriqué avec soin..." Très ennuyé d'être la cible de tous les regards, Hammadoun, qui n'en pouvait plus, demanda à Kadidja la permission de rentrer à la maison. Après quelques jours, son état ne s'améliorant pas, elle décida de le ramener chez elle à Kati. Ils firent le court voyage en train.

Dès son arrivée à Kati, mon frère s'alita. Et c'est là que, par bribes, il raconta son histoire à ma mère. Dans son délire, il revivait les souffrances de son voyage et gémissait : "Hé, Madani !... On m'a confié à toi, et tu me laisses tout seul, dans la brousse, au milieu des fauves !... Oh ! quelle distance !... Jamais je n'arriverai au village... Que vais-je manger ?... Madani, où es-tu ?... Comment vais-je te trouver ?... Oh ! je suis fatigué... je suis fatigué..."

Ma mère lui fit prodiguer tous les soins possibles, mais il était trop tard. Au bout de quelques semaines, il rendait son âme à Dieu. Son seul grand plaisir, en dehors du bonheur d'avoir retrouvé sa mère, fut de tenir dans ses bras et d'embrasser notre petite sœur Aminata qui était née à Kati. Il attacha un fil à sa petite main, et dit : "Je retiens ma sœur en mariage pour mon ami Maki Tall." Plus tard, Maki Tall ne donna pas suite à ce projet, sinon ni Aminata ni personne dans la famille n'aurait voulu pour elle quelqu'un d'autre que celui qui avait été désigné sur son lit de mort par mon grand frère Hammadoun.

A l'annonce de son décès, presque tout Bandiagara prit le deuil. Dans chaque famille, on pleura mon frère. Doué pour tout, extrêmement adroit de ses mains — ses petites sculptures et ses broderies étaient de vraies œuvres d'art —, c'était avant tout un garçon respectueux et aimable avec tout le monde, et totalement dénué de tout sentiment de supériorité. Quand ses camarades se baignaient dans la rivière, il restait souvent assis sur la rive pour garder leurs vêtements, se privant lui-même du plaisir de la baignade. Les enfants africains sont habitués à partager ce qu'ils possèdent, mais lui donnait tout. Et jamais il ne tolérait de voir un garçon plus fort s'attaquer à un plus faible; il prenait aussitôt sa défense.

Avec moi, je l'ai dit, il était très affectueux; mais cela ne l'empêchait pas d'être très exigeant sur certains points. Lorsqu'on me terrassait dans la lutte au corps à corps, où je n'étais pas très fort, il s'en vexait et me le reprochait; mais dès que l'on m'avait vaincu, je courais chercher un bâton et celui qui m'avait terrassé en avait pour une semaine à recevoir des volées de coups, au point que l'on disait: "Si Amkoullel te terrasse, tu as honte; mais si tu le terrasses, tu en as pour une semaine de bagarre; il vaut mieux ne pas se battre avec lui." Là, mon frère était très fier de moi.

Quand un camarade m'attaquait, il ne me défendait pas, il voulait que je me débrouille tout seul; mais il ne permettait pas qu'un plus âgé s'attaque à moi. D'ailleurs, de son vivant, personne ne l'a jamais osé.

L'école de Djenné: premier certificat d'études

Vers la fin des vacances, alors que nous commencions à peine à nous remettre de la disparition d'Hammadoun, M. Moulaye Haïdara me convoqua chez lui. Il m'apprit que j'avais obtenu le nombre de points nécessaire pour être envoyé à l'école régionale de Djenné où je pourrais préparer le certificat d'études indigène, et, si tout allait bien, le passer en deux ans. Je devais rejoindre l'école à la rentrée de septembre. Il en avisa ma famille.

Beydari en fut si affecté qu'il en tomba malade. Il réunit un conseil de famille pour annoncer la mauvaise nouvelle et envisager des dispositions. Djenné était distante d'environ deux cents kilomètres de Bandiagara, ce qui, à l'époque, représentait au moins trois ou quatre jours de voyage, à pied d'abord jusqu'à Mopti, puis en bateau. Or, nous n'avions à Djenné aucun parent à qui l'on pourrait me confier. Il fut donc décidé que Niélé m'accompagnerait pour s'occuper sur place de mes besoins et veiller sur moi.

Cette décision ne m'arrangeait guère. Je partais pour une vie nouvelle, j'étais un grand garçon et j'avais envie d'être libre; mais je savais bien que si Niélé vivait auprès de moi, je serais sous sa surveillance constante. Du haut de mes treize ans, je refusai donc fermement sa compagnie. "Je dois aller à Djenné exactement comme mes six autres camarades, leur expliquai-je. Aucun d'eux ne sera accompagné d'un parent; pourquoi voudriez-vous que moi je me fasse accompagner comme si j'apprenais à marcher? Je n'ai pas peur d'aller à l'étranger." On me supplia, Niélé pleura, mais je tins bon. Finalement, la mort dans l'âme, Beydari, Niélé et leurs compagnons plièrent devant ma volonté et acceptèrent de me laisser partir seul. Ils savaient qu'ils ne me reverraient qu'aux grandes vacances de l'été suivant.

Les six autres camarades désignés en même temps que moi étaient Maki Tall, l'ami d'Hammadoun, Tégué Ouologuem, Yagama Tembély, Moussa Koulibaly, Mintikono Samaké et Badji Ouologuem.

Trois jours avant notre départ de Bandiagara, le commandant de cercle nous convoqua. Il nous félicita d'avoir mérité par notre travail une promotion aussi enviable, première étape sur la route qui devait nous mener vers le pouvoir et la richesse, et pour marquer son contentement, il offrit à chacun d'entre nous deux tenues complètes, une couverture et la somme fort appréciable de sept francs. Ordre fut donné à Koniba Kondala de recruter un porteur pour chaque écolier car nous devions faire à pied les soixante-dix kilomètres qui nous séparaient de Mopti, ville où nous pourrions prendre le bateau pour rejoindre Djenné par le Niger.

A trois reprises, par pure malignité, je refusai le porteur que Koniba Kondala me présentait, lui trouvant chaque fois un défaut plus ou moins fantaisiste, uniquement pour bien faire sentir à Koniba Kondala que j'étais déjà devenu plus "chef" que lui. Je le fis courir toute une journée à la recherche du porteur idéal. A la fin, excédé, il alla trouver Beydari pour lui demander de me faire entendre raison.

"Si j'avais su, se lamenta-t'il, jamais je n'aurais envoyé ce petit morveux d'Amkoullel à l'école! Je m'en mords les doigts jusqu'à la deuxième phalange!"

Beydari était ravi. Il répliqua en citant l'adage: "*A trop vouloir jeter au loin une grenouille qui vous dégoûte, elle finit par tomber dans une bonne mare"* — autrement dit, à trop vouloir faire du mal à quelqu'un, il arrive qu'on finisse par provoquer les conditions qui feront son bonheur. "Ô Koniba Kondala, ajouta-t-il, il t'arrive avec Amkoullel ce qui arrive à un homme malintentionné qui se couche sur le dos et pisse en l'air pour essayer de salir le ciel. Non seulement son urine n'atteint jamais son but, mais finalement c'est sur son propre ventre qu'elle retombe."

J'avais pris ma première revanche sur Koniba Kondala. Satisfait, je condescendis à accepter le quatrième porteur. Beydari était tout heureux de voir qu'à peine mon orteil gauche engagé dans l'étrier du commandement, je pouvais inquiéter un fauve comme Koniba Kondala, la terreur de la ville. Du coup, il cessa de s'inquiéter pour mon départ. "Je crois que nous pouvons être tranquilles, dit-il à Niélé. Amadou sera en bonnes mains dans ses propres mains."

Je consacrai le temps qui me restait à aller saluer en ville mes oncles et tantes et les amis fidèles de mes parents, dont certains avaient joué, jusqu'à ce jour, un rôle si important dans ma vie. Ils m'avaient aimé, instruit, éduqué, guidé. Tous avaient été des pères pour moi : Balewel Diko, le compagnon inséparable de mon père Hampâté ; mon oncle maternel Hammadoun Pâté et mon "oncle" Wangrin ; Koullel, dont je portais le nom ; et surtout Tierno Bokar, qui m'avait fait sauter sur ses épaules quand j'étais petit et qui maintenant, patiemment, attendait que je devienne un homme. Il me bénit, me confia à Dieu, et cela suffit pour effacer toutes mes craintes. Je le quittai plein de confiance, gardant au cœur le souvenir de son bon sourire et de son front si brillant que l'on pouvait presque s'y mirer.

De son côté, Beydari avait décidé de se rendre un peu plus tard à Kati afin d'aller présenter ses condoléances à ma mère pour le deuil d'Hammadoun. Il avait l'intention de faire le voyage à pied jusqu'à Ségou en empruntant exactement le même chemin que mon frère, pour se rendre compte par lui-même de toutes les souffrances qu'il avait endurées.

Un beau matin, de très bonne heure, après les derniers adieux et les dernières larmes, mes six camarades et moi, amplement munis de provisions de route et de bénédictions de toutes sortes, nous nous engageons sur la route de Mopti, accompagnés de nos porteurs et de quelques gardes. C'est la quatrième fois que je voyage sur cette route. La première fois, âgé tout juste d'un mois et demi, je trônais tel un petit roi sur la tête de Niélé, bien installé dans une grande calebasse : ma mère me conduisait chez ma grand-mère pour me présenter à elle. La deuxième fois, Niélé me portait plus classiquement dans son dos ; nous retournions à Taykiri où ma grand-mère venait de mourir. La troisième fois, c'était le grand départ pour Bougouni ; âgé de quatre à cinq ans, accroché tantôt au dos de Nassouni, tantôt à celui de Batoma, je contemplais le paysage au rythme de leur pas. Aujourd'hui, j'ai treize ans. Je n'ai plus de frère, ma mère est au loin, je laisse derrière moi tous ceux qui ont veillé sur mon enfance et je ne sais pas ce qui m'attend, mais je marche d'un bon pas sur la route : je pars pour étudier, et pour devenir un chef.

A dix kilomètres de la ville, une brusque crue du Yaamé, dont les eaux ont emporté le léger pont de bois qui l'enjambait, nous bloque sur la rive ; une décrue tout aussi soudaine survient deux jours après, suffisante pour nous permettre de traverser la rivière à gué. C'est chose rare en cette saison, mais cette année-là le régime des pluies a été déficitaire et la population s'en inquiète pour la récolte à venir. Nous marchons deux jours encore, et c'est enfin Mopti. Chaque élève va loger chez un parent ou un ami de sa famille. Pour ma part, je me rends chez Tiébéssé, l'amie d'enfance de ma mère. On nous donne deux jours de congé, le temps nécessaire pour réunir les onze élèves de Mopti qui doivent grossir notre convoi pour Djenné. Je profite de ce congé pour découvrir un peu la ville en compagnie de quelques camarades.

Située au confluent du Niger arrivant de Guinée et du Bani arrivant de Côte d'Ivoire — respectivement appelés le "fleuve blanc" et le "fleuve noir" en raison de la coloration plus ou moins sombre de leurs eaux —, Mopti préside à la naissance du grand Niger, qui lance à partir de là un véritable réseau de bras et de canaux dans lesquels il enserre une multitude de mares et de lacs, amorçant la longue courbe qui va donner à toute la région son nom de "Boucle du Niger".

Ce n'est pas pour rien qu'on a surnommé Mopti "la Venise du Soudan" : toutes ses activités sont plus ou moins liées à la vie du fleuve et au rythme de ses crues. Les Bozos, qui sont les plus anciens occupants du lieu, fabriquent à la main ces longues et merveilleuses pirogues que l'on voit fendre silencieusement les eaux et dont certaines sont capables de transporter des tonnes de marchandises. Peuple de pêcheurs et de chasseurs, ils sont les "maîtres de l'eau" traditionnels de toute la région.

Dans cette zone de confluence des "eaux noires" et des "eaux blanches", on rencontre des ethnies de diverses origines, des plus claires aux plus sombres. Après les Bozos, les plus anciennes sont les Songhaïs et les Peuls ; les Bambaras et les Dogons n'y sont venus que plus tardivement.

Toute la région de la Boucle du Niger constituait autrefois, dans sa partie ouest, un véritable réservoir des richesses du pays en matière d'agriculture, d'élevage, de pêche et de chasse, sans parler des traditions religieuses et culturelles. L'homme y vivait à l'aise et l'artisanat traditionnel y était particulièrement développé. Le Macina, où les Peuls vinrent se fixer jadis en raison de la richesse de ses pâturages, est situé au cœur de cette région dont Mopti est l'un des fleurons.

Le matin du départ, les onze élèves de Mopti se joignirent à nous, portant notre effectif à dix-huit. Le commandant de cercle de Mopti avait fait mettre à notre disposition deux grandes pirogues, munies de toutes les provisions nécessaires. Elles nous attendaient au bord du fleuve, en face des établissements Simon. Chaque pirogue fut occupée par neuf garçons. Les élèves de Mopti, massés au bord du pont, pleuraient en faisant signe à leurs parents restés sur la rive.

Sur un signal, les laptots plongèrent leurs perches dans l'eau et imprimèrent à la pirogue un élan vigoureux. Poussant quelques camarades, j'avançai la tête pour regarder la foule attroupée sur la berge. Tout à coup, je fus pris d'une sorte de vertige : les gens semblaient s'écarter de nous en reculant mais sans marcher, comme s'ils dérivaient à la surface de l'eau. Je mis quelques instants à réaliser que c'était notre pirogue qui s'éloignait d'eux et non le contraire. De mon lointain voyage sur le fleuve avec ma mère, il ne me restait aucun souvenir : je découvrais tout pour la première fois.

Quand nos pirogues furent parvenues au milieu du courant, alors que nous nous dirigions vers le point où les eaux du Niger et du Bani se rencontrent, le chef laptot cria : "Ouvrez vos paquets et jetez dans l'eau un peu de chaque aliment que vous possédez !" C'était le tribut traditionnel à payer à la déesse des eaux Maïrama au moment où l'on quittait le "fleuve noir" (le Bani) pour pénétrer dans les eaux larges et majestueuses du "fleuve blanc" (le Niger). Chacun de nous prit dans sa main sa petite offrande et, le moment venu, la jeta le plus loin possible dans les eaux clapotantes.

Notre pirogue, qui jusque-là suivait sans effort le courant descendant du Bani, heurta tout à coup les vagues qui se formaient à la rencontre des eaux du Niger dont nous devions remonter le courant jusqu'à Kouakourou. Elle se cabra pour les surmonter. Toute la coque subit un soubresaut qui secoua passagers et bagages. Je crus un instant que Maïrama, la princesse des eaux, s'était fâchée contre nous pour quelque raison obscure et qu'elle donnait un grand coup de pied dans notre embarcation. Mais dès que les laptots eurent contourné le coude du fleuve et nous firent naviguer au large, tout rentra dans l'ordre. Le reste du voyage se déroula sans problème.

A Kouakourou, nous devions quitter le lit principal du

Niger pour emprunter les eaux d'un bras secondaire qui nous mènerait jusqu'à Djenné. Les eaux calmes de ce bras coulaient paresseusement dans une plaine immense, vaste dépression qui porte plusieurs noms selon les régions traversées et qui s'étend jusqu'à Tombouctou. Malgré le déficit des pluies en cette saison d'inondation, la plaine était encore largement submergée. De loin en loin, on apercevait des villages qui formaient à la surface des eaux comme des îlots d'argile ocreuse ou grise. Presque toujours surplombés par des bouquets de rôniers élancés aux touffes hirsutes et frisées comme des tignasses de folles, ils dominaient un océan de verdure, les eaux épanchées dans la plaine étant recouvertes d'un immense tapis d'herbes et de plantes aquatiques. Les zones épargnées par cette végétation exubérante reluisaient par endroits au soleil. On aurait dit de grandes clairières tapissées de plaques d'argent.

Le chef laptot cria :

"Dès que nous franchirons le prochain coude du marigot, vous verrez les grandes tourelles de la mosquée de Djenné."

Tous les élèves se ruèrent hors du rouf :

"Nous allons voir Djenné ! Nous allons voir Djenné !"

Ne disait-on pas que cette ville, la plus belle de toute la Boucle du Niger, était située juste au-dessous d'*Al-Djennat*, le jardin d'Allâh (le paradis) dont elle portait le nom ?

Effectivement, sitôt le tournant franchi, nous vîmes apparaître, au-dessus d'une masse de verdure qui nous cachait encore la ville et le corps de la mosquée, les flèches des trois tourelles pyramidales dont les flancs étaient hérissés de tiges de rônier artistiquement disposées, et dont le rôle était d'assurer la solidité du matériau de construction. D'une délicate teinte ocrée, ces flèches se détachaient sur un ciel dégagé qui semblait avoir été lavé et bleui par la main même de Dieu ; c'étaient les pinacles des trois grandes tourelles de la grande mosquée de Djenné, la plus belle, à l'époque, de toute l'Afrique noire, depuis Khartoum l'orientale jusqu'à Conakry l'occidentale.

Au fur et à mesure de notre approche, le rideau de verdure semblait s'écarter et se trouer tout exprès pour nous laisser découvrir les beautés de la ville. Bientôt surgit la majestueuse façade orientale de la mosquée, que tant d'illustrations et de photographies ont fait connaître à travers le monde ; puis apparurent les maisons à terrasse de la ville, caractérisées par leurs motifs décoratifs d'une beauté exceptionnelle et cernées de frondaisons verdoyantes.

Nos pirogues accostèrent à l'est de la ville, dans le petit port d'Al Gazba. Il était on ne peut plus animé. Des femmes se lavaient au bord de la rivière, d'autres y nettoyaient leur linge ou leur vaisselle, des enfants s'y baignaient. On y avait amené des animaux pour boire, si bien que les braiments des ânes se mêlaient aux hennissements des chevaux et aux bêlements des moutons. Partout on entendait fuser des éclats de rire. Chacun parlait fort et discutait sans trop s'occuper des enfants qui pleuraient. Sur la berge reposaient à sec de grandes pirogues en cours de construction ou de réparation, semblables à de grands crocodiles assoupis en train de prendre l'air.

Les laptots nous firent accoster non loin de la maison de Chékou Hassey, chef songhaï de la ville, qui était chargé d'héberger les élèves originaires de la région de Djenné. Quant à nous, enfants de Bandiagara, nous étions attendus par deux représentants d'Amadou Kisso Cissé, chef de la communauté peule, que le commandant avait chargé de nous loger. Les deux hommes nous conduisirent dans la concession du chef peul où des logements nous avaient été réservés. On nous répartit dans ces logements par groupes de cinq ou six élèves. Maki Tall, Yagama Tembély (un Dogon dont le père était ami de Beydari), Badji Ouologuem, Mintikono Samaké, Moussa Koulibaly et moi devions occuper la même chambrée et partager les mêmes repas.

L'après-midi même, le chef peul Amadou Kisso Cissé nous conduisit en personne à la résidence du commandant de cercle. L'interprète Mamadou Sall, dit "Papa Sall", un vétéran de la conquête du pays, nous introduisit dans le bureau du commandant, un administrateur des colonies nommé Max Brizeux. Celui-ci vivait maritalement avec Fanta Bougalo, une très belle femme forgeronne de Bandiagara qui faisait partie de l'association dirigée par ma mère. Quand elle entendit annoncer l'arrivée des enfants de Bandiagara, elle descendit de l'étage où elle avait son appartement pour voir s'il n'y en aurait pas quelques-uns de sa connaissance. Elle me reconnut. Sur-le-champ, elle me recommanda à Amadou Kisso Cissé en lui donnant des renseignements sur ma famille, recommandation qui me vaudrait plus tard un régime de faveur.

Le commandant fit venir M. Baba Keïta, l'instituteur indigène qui assurait les fonctions de directeur de l'école régionale. Diplômé de l'Ecole normale William-Ponty de Gorée, au Sénégal, il passait pour un homme très instruit. Il prit possession de ses dix-huit nouvelles recrues, nous fit mettre en rangs et nous conduisit à l'école régionale, l'un des plus beaux et des plus vastes monuments de la ville après la grande mosquée. Tout l'après-midi fut consacré à établir nos fiches et à nous répartir entre les quatre classes que comptait l'école.

M. Baba Keïta était assisté de deux moniteurs d'enseignement (seuls les diplômés de l'Ecole normale avaient droit au titre d'instituteurs) : c'étaient Tennga Tiemtoré, un Mossi aux dents taillées en forme de dents de scie, et le pittoresque Allassane Sall, fils du vieil interprète Papa Sall. Physiquement lourdaud et intellectuellement un peu simple, il n'avait fait que peu d'études à l'école primaire élémentaire indigène et devait sa nomination beaucoup plus à l'influence politique de son père qu'à ses aptitudes personnelles ; il était devenu le sempiternel moniteur des élèves débutants que l'on appelait les "abécédaires", auxquels il serinait les premiers rudiments de la langue française. Malheureusement, sa langue trop épaisse emplissait tellement sa bouche que les sons n'en sortaient que tronqués ou bizarrement déformés. Il affectionnait particulièrement de faire réciter à ses élèves la phrase : "Je mange du couscous, tu manges du couscous, tout le monde mange du couscous..." mais, de sa voix bizarre, il prononçait "koss-koss", ce que les élèves s'empressaient de répéter à cœur joie et qui lui avait valu le surnom de "Monsieur Koss-koss".

Le surveillant de l'école se nommait Fabarka. Homme de grande taille, teint très bronzé, visage renfrogné, il était extrêmement sévère avec les enfants et ne se gênait nullement pour les frapper avec un martinet à deux lianes qu'il portait constamment sur son épaule droite. Les élèves peuls l'avaient surnommé *Baa-dorrol:* "Papa-fouet".

Quant à notre directeur, M. Baba Keïta, c'était le modèle même du grand "Blanc-Noir". Constamment habillé à l'européenne, il avait épousé une métisse "père blanc-mère noire" à la peau claire et aux longs cheveux lisses. Ils sortaient très peu, vivaient enfermés chez eux à la manière des toubabs et se nourrissaient de mets européens qu'ils dégustaient assis devant une table, à l'aide de couverts de métal. M. Baba Keïta poussait le raffinement — pour nous du plus haut comique! — jusqu'à se moucher dans un morceau de toile dans lequel il enfermait soigneusement ses excrétions avant de les enfouir, sans doute pour ne pas les perdre, au plus profond de sa poche. Il tenait constamment en main un trousseau de clés qu'il faisait tinter de temps en temps pour se distraire. Peu bavard et de nature nonchalante, il avait la voix nasillarde, ce qui nuisait à l'agrément de sa conversation qui était toujours très instructive. Les écoliers de Bandiagara lui donnèrent vite le sobriquet de "Monsieur Nez bouché".

Deux mois après notre arrivée, M. Baba Keïta, malgré ses qualifications, fut remplacé par un instituteur blanc, M. François Primel. Sitôt en place, le premier souci de M. Primel fut de réorganiser l'école en y ajoutant une cinquième classe. Il se réserva les deux premières, confia la troisième à Tennga Tiemtoré et la quatrième à Allassane Sall; quant à la cinquième, uniquement composée des "abécédaires", il chargea les élèves de première et de deuxième d'aller y enseigner à tour de rôle des leçons préparées par lui-même, sous le contrôle de Tennga Tiemtoré.

Notre nouveau directeur créa une caisse scolaire qui

fut baptisée "cantine". Chaque boursier devait y verser un franc cinquante à titre de cotisation mensuelle. Notre bourse étant de sept francs par mois et la pension versée à nos logeurs de cinq francs, il restait donc à chaque élève cinquante centimes d'argent de poche pour trente jours, soit l'équivalent de seize cauris par jour et vingt et un le dimanche. A titre indicatif, un tirailleur touchait alors quinze francs par mois et un franc représentait à peu près mille cauris.

Personnellement, j'étais un grand privilégié, un véritable "fils à papa" — ou plutôt un "fils à maman" — car ma mère m'envoyait régulièrement quinze francs tous les deux mois. M. Primel me retenait dix francs pour gonfler mon pécule et je disposais des cinq francs restants comme bon me semblait. Cela portait mon crédit mensuel à près de trois mille cauris, soit environ cent cauris par jour, plus que ce dont disposaient bien des familles. Cette fortune me suscita des amis, mais aussi des jaloux, généralement plus forts que moi ; ils m'envahissaient de demandes de cauris, et si je refusais ils n'hésitaient pas à me rouer de coups. Je n'avais plus mon bâton pour me défendre, ni mes camarades de waaldé pour me protéger dans les corps à corps...

Dans notre chambrée, au milieu de mes cinq camarades de Bandiagara, ma situation n'était guère plus enviable. Notre chef de file Maki Tall, plus âgé et plus fort que nous tous et très despote avec ses cadets, disposait de nous comme il le voulait. Nous étions vraiment ses petits boys. Il obligeait chacun de nous à lui verser des cauris qui servaient à acheter du beurre dont il agrémentait son ordinaire. Quand le plat de riz, ou d'une autre céréale, arrivait, il le séparait en deux, se réservant la moitié contenant le beurre et toute la sauce grasse et nous abandonnant l'autre moitié sans sauce. En compensation, nous avions le droit de manger ses restes, s'il y en avait.

Un beau jour, il décida que désormais je serais seul à supporter les frais d'achat du beurre. Je m'exécutai pendant quelque temps mais à la longue, excédé, je me révoltai et refusai de payer. Ne pouvant me faire entendre raison, Maki Tall me livra au robuste Mintikono Samaké. Celui-ci me frappa de toutes ses forces et, comme on pouvait s'y attendre, finit par me terrasser. Comme je ne cédais toujours pas, il entreprit, tandis qu'il me maintenait solidement à terre, de boucher complètement mes oreilles avec de la poussière fine dont j'eus beaucoup de mal, par la suite, à me débarrasser.

Le soir même, bouillant d'indignation, je me rendis dans la cour où le chef peul Amadou Kisso tenait une assemblée. Les enfants n'ayant pas le droit de pénétrer dans cette cour, surtout quand les adultes y étaient réunis, tous les visages se tournèrent vers moi. Je saluai d'une voix forte :

"*As-salaam aleïkoum !* La paix sur vous, assemblée des anciens !"

Etonnés, les vieux répondirent automatiquement :

"*Aleïka es-salaam !* La paix sur toi. *Bissimillâhi !* Bienvenue ! Que veux-tu ?

— Je veux voir le chef Amadou Kisso.

— Pourquoi ?

— Je viens porter plainte pour avoir été maltraité par des compagnons de chambrée." Immédiatement, on me fit avancer auprès d'Amadou Kisso. Il suspendit la séance pour m'écouter. Je montrai mes oreilles et les traces des coups que j'avais reçus ; j'expliquai le régime auquel nous soumettaient les plus forts du groupe. "Je viens porter plainte, ajoutai-je d'un ton véhément, car moi je ne veux plus supporter tout cela."

Toute l'assemblée éclata de rire.

"En voilà un qui sait ce qu'il veut ! s'esclaffèrent certains vieux.

— De quelle ville viens-tu ? me demanda Amadou Kisso.

— De Bandiagara.

— Qui sont tes parents ?

— Mon père, qui est mort, s'appelait Hampâté. Il était un descendant des Bâ et des Hamsalah du Fakala. Ma mère s'appelle Kadidja Pâté, et elle est la fille de Pâté Poullo Diallo."

Dès que j'eus prononcé les noms des Hamsalah et de Pâté Poullo, un bruissement parcourut l'assemblée.

Amadou Kisso reconnut en moi le garçon dont Fanta Bougalo lui avait parlé chez le commandant de cercle.

"Comment! s'exclama-t-il. Voilà un descendant des Hamsalah et de Pâté Poullo qui vient dans notre ville, dans notre concession même, et que l'on maltraite? C'est une honte pour nous! Il se tourna vers moi: Désormais, tu logeras chez mon épouse et tu partageras mes repas."

Il envoya sur-le-champ chercher ma malle et mes effets de couchage et me transféra chez sa femme préférée, celle qui préparait sa nourriture. Par chance, cette femme, qui s'appelait Aïssata, portait le nom de l'une de mes grands-mères maternelles du Fakala; c'était l'une de nos parentes éloignées du côté de ma grand-mère Anta N'Diobdi.

Bien entendu, cette promotion inattendue augmenta encore le nombre de mes ennemis et aviva la colère de Maki Tall et de Mintikono Samaké contre moi. J'eus alors la bonne idée de me constituer, moyennant une vingtaine de cauris par jour et quelques friandises, une sorte de "garde du corps" en la personne de deux jeunes Bobos: Koroba Minkoro et Hansi Koulibaly. C'étaient deux garçons très forts et bien décidés à rendre la vie amère à quiconque oserait me toucher. De simples gardes du corps au début, ils devinrent rapidement mes amis et soutiens inconditionnels. Après que chacun d'eux eut triomphé personnellement de Mintikono la grande terreur, tout fut dit quant à ma tranquillité personnelle.

Dès le moment où je vécus dans la maison d'Amadou Kisso, ce fut pour moi le grand bonheur. Je mangeais à ses côtés, j'assistais chaque soir à toutes les conversations et réunions qui se tenaient dans sa cour, et parfois même dans la journée quand je n'avais pas école. C'était comme si je n'avais quitté la cour de mon père Tidjani que pour entrer dans la sienne. Là aussi se succédaient conteurs et traditionalistes évoquant, sur fond de musique, toute l'histoire du pays, la création de la ville de Djenné, ses traditions anciennes, ses chroniques amusantes, sa conquête par l'armée française... J'y appris aussi beaucoup de choses sur les Bozos, les Songhaïs, les Bambaras de la région de Saro (principauté qui a toujours tenu tête au roi bambara de Ségou) et sur les Peuls eux-mêmes. Cela me permit de compléter ou d'approfondir ce que je savais déjà.

Douze ethnies vivaient alors à Djenné en bonne intelligence dans les douze quartiers de la ville: les ethnies bozo, bobo, nono, songhaï, peule, *dîmadjo* (caste des captifs peuls), bambara, malinké, maure, arabe, mianka et samo, ces deux dernières races y étant les plus rares. La ville était administrée par un triumvirat bozo-songhaï-peul, secondé par deux collèges: un collège d'anciens et un collège de marabouts. La police était assurée par la classe des captifs, celle des artisans étant plus spécialisée dans la surveillance des mœurs. Les métiers traditionnels artisanaux (forgeron, tisserand, cordonnier, etc.) étaient organisés en corporations appelées *tennde* (ateliers) et dirigées par un comité que présidait un doyen d'âge.

La ville était parsemée de petits cimetières où étaient inhumés des saints dont on invoquait l'intercession, mais elle comptait aussi, tant dans ses murs qu'à l'extérieur, d'anciens lieux sacrés païens où certains continuaient d'aller sacrifier, tels le mur de la vierge Tapama ou le bois sacré de Toula-Heela, résidence du grand génie Tummelew, maître de la terre et protecteur des lieux.

Un jour de cette année 1913, l'inspecteur de l'enseignement Jean-Louis Monod (l'auteur des *Livrets de lecture* où j'avais appris mes premières leçons) vint effectuer une inspection à Djenné. Flanqué de notre directeur, il entra dans la classe et procéda à un petit interrogatoire pour tester nos connaissances et notre niveau. A un moment donné, il demanda:

"Quelle est la capitale de la France?"

De nombreux bras se levèrent. Notre camarade Aladji Nyaté, qui était le plus grand de la classe mais pas le plus vif en esprit, leva sa main qui dépassait celle de tous les autres et se mit à crier:

"Moi, monsieur! Moi, moi, monsieur!"

Il se démena tant que sa voix et sa taille finirent par attirer l'attention de l'inspecteur:

"A toi, là-bas, le grand."
Aladji Nyaté, tout heureux, entreprit d'abord de se déplier en deux temps pour extraire son grand corps de nos petites tables-bancs d'écoliers; une fois debout, il croisa ses bras et commença à chantonner:
"La capitale de la France... la capitale de la France... c'est Djenné!"
Il était si content qu'un grand sourire emplissait la moitié de son visage. Notre maître M. Primel se prit la tête entre les deux mains, comme s'il venait d'être saisi par une vive douleur.
"Assieds-toi, espèce de grand escogriffe de Djenné! cria l'inspecteur, au comble de l'indignation. Apprends que Djenné n'est pas la capitale de la France. La capitale de la France, c'est Paris: P-A-R-I-S, Paris!

La grande famine de 1914: une vision d'horreur

Au cours de l'été 1913, le ciel s'était montré avare en eau. Les pluies d'hivernage avaient été déficitaires dans presque toute la Boucle du Niger, aussi bien dans la zone inondée s'étendant de Diafarabé à Gao que dans la zone exondée allant de San à Douentza. Quand la saison est normale, les pluies d'hivernage commencent en juin, période où l'on procède aux semailles. Les pluies de la période de soudure reprennent en septembre, octobre et parfois même en novembre; c'est à ces époques que l'on récolte le maïs et le mil, qui ont déjà donné auparavant un peu de mil hâtif et de maïs hâtif. Mais, cette année-là, les pluies de la première période avaient été faibles et celles de la période de soudure inexistantes. Kammou, l'esprit gardien des eaux célestes, avait apparemment fermé ses écluses et était resté sourd aux incantations des féticheurs, lesquelles n'avaient pas eu plus d'effet que les supplications et les prières des marabouts musulmans. Les larmes des sources avaient refusé de quitter leurs cavités souterraines. Les eaux des rivières et des fleuves, qui avaient commencé à sortir timidement de leurs lits, étaient vite revenues s'y réfugier. Même dans les meilleures régions, les inondations n'avaient pas connu leur régime habituel.

En l'absence des pluies attendues, les rizières, les prairies, les champs de haute brousse virent leurs jeunes pousses griller et se recroqueviller sous un soleil torride qu'aucun nuage ne venait tempérer. Les pâturages subirent le sort des récoltes. Sans herbe à brouter, les vaches virent tarir leur lait, les petits veaux moururent, et le cheptel fut en partie décimé. Même les poissons furent touchés. Faute d'un niveau d'eau suffisant, les femelles ne purent franchir les rives des cours d'eau pour aller, comme elles le faisaient chaque année, émigrer dans les plaines inondées où se trouvaient leurs lieux naturels de ponte. Affolées, elles pondirent au hasard dans le lit des rivières, demeure de leurs époux. Leurs œufs, privés de protection, furent entraînés par le courant. La production saisonnière baissa de cinquante pour cent.

Pour se nourrir, les cultivateurs puisèrent dans leurs réserves, puis dans leurs semences. Bientôt, il n'y eut plus rien.

L'hivernage calamiteux de l'été 1913 fut ainsi le générateur d'une famine effroyable qui, en 1914, devait causer la mort de près d'un tiers des populations dans les pays de la Boucle du Niger. Les régions de l'ouest du territoire (de Sansanding et Ségou jusqu'à Bamako, Koutiala, Sikasso et Bougouni), suffisamment riches en vivres, n'avaient guère souffert, mais, à l'époque, il n'y avait ni véhicules ni routes carrossables pour transporter les excédents de vivres dans les régions frappées. Seuls le Bani et le Niger reliaient alors l'ouest et l'est du Haut-Sénégal-et-Niger ; or ces deux voies de transport naturelles étaient vite tombées à leur étiage, quand elles n'étaient pas barrées par des bancs de sable mobiles qui retardaient considérablement la navigation des pirogues, même de petit tonnage.

Durant ce temps, mes camarades et moi n'avions aucune idée réelle de la famine effroyable qui, ailleurs, s'abattait progressivement sur les populations. Nous savions qu'il y avait disette, mais nous n'en souffrions pas, Djenné étant en partie épargnée et nos logeurs bien approvisionnés, sans doute grâce à la présence dans la ville de la résidence du commandant de cercle.

En cours d'année, la situation ne cessant d'empirer, Beydari décida, que cela me plaise ou non, d'envoyer Niélé me rejoindre à Djenné afin qu'elle veille à ce que je ne manque de rien. En fait, je fus ravi de revoir ma bonne Niélé. Elle me serra longtemps dans ses bras en pleurant.

Niélé commença par chercher un bon logement, qu'elle trouva dans le quartier d'Al Gazba. Elle l'équipa pour nous deux. Quand tout fut prêt pour nous accueillir, elle alla, au nom de toute la famille, remercier le chef peul Amadou Kisso de m'avoir hébergé chez lui et traité comme un fils, mais elle me récupéra et m'installa dans notre nouveau logement. Elle se fit alors engager comme cuisinière chez le "grand interprète" Papa Sall pour y servir son épouse préférée. Celle-ci ne résidait pas chez son mari, mais un peu plus loin, dans une belle maison à étages qui comportait de nombreuses pièces spacieuses, aérées et bien éclairées. Cette maison était toujours fermée et surveillée par un portier armé. Personne, sinon les serviteurs et Papa Sall lui-même, ne pouvait y pénétrer. Exceptionnellement, grâce à Niélé, j'y avais mes entrées et mes sorties libres, et l'on m'y comblait de gâteries. Je ne regrettai donc pas trop la demeure d'Amadou Kisso, où je continuais de me rendre de temps en temps pour saluer mon bienfaiteur. Sur le plan matériel, j'étais en effet passé d'un paradis moyen à un paradis supérieur, car, tout chef peul qu'était Amadou Kisso, le train de vie de sa femme préférée ne pouvait en aucune manière être comparé à celui de la femme préférée de Papa Sall, "grand interprète du commandant", donc deuxième personnalité du cercle après le commandant lui-même, par qui tout le monde était obligé de passer pour présenter une requête ou défendre une cause, ce qui n'allait pas sans l'offrande discrète de la "chose nocturne", le cadeau que l'on faisait parvenir de nuit pour s'assurer "la bonne bouche" de l'interprète...

On me présenta à Papa Sall comme le "fils de Niélé". Il me toléra chez sa femme, mais jamais il ne m'adressa la parole.

Le 15 juin de chaque année, toutes les écoles de l'Afrique Occidentale française fermaient leurs portes pour trois mois. A l'approche de cette date, les activités redoublaient pour les maîtres comme pour les élèves en raison des examens de fin d'année et des préparatifs à régler avant le départ en vacances. Pour les élèves parvenus en fin de cycle, c'était la période de préparation du certificat d'études primaires indigène qui permettait aux lauréats soit d'être envoyés à l'Ecole professionnelle de Bamako, soit d'être directement affectés à des tâches de bureau subalternes dans l'administration coloniale.

M. Primel prépara notre voyage avec beaucoup de soin. Après avoir fait le décompte de nos économies, il acheta pour chaque élève, selon le montant de son avoir, des vêtements et quelques souvenirs. Mon pécule étant assez important, je lui demandai d'acheter également des vêtements pour Niélé. Je reçus, pour ma part, un riche trousseau composé de plusieurs ensembles de belle qualité, le tout rangé dans une belle malle en bois, fermée par un cadenas. Il me restait encore la somme de quinze francs ; c'est dire si mes économies avaient été bien gérées !

J'étais très fier de mes beaux habits, mais encore plus fier de ma mère Kadidja et de ma servante-mère Niélé, qui toutes deux avaient tant fait pour que je sois heureux. Et certes, je l'étais ! Avant de partir, je donnai un franc à chacun de mes gardes du corps, pour les remercier de leur soutien et les encourager à demeurer auprès de moi à la rentrée prochaine.

Le jour du départ, Niélé reçut l'autorisation de monter avec moi dans l'une des deux pirogues rapatriant les élèves de Mopti. Elle avait été bien inspirée, car à Mopti nous allions retrouver Beydari, de retour d'un long séjour à Kati où il était allé présenter ses condoléances à Kadidja pour la mort de mon frère Hammadoun.

Notre pirogue, dotée de grands roufs jumelés, était poussée par huit pêcheurs bozos que commandait l'ex-sergent d'infanterie Bouna Pama Dianopo, frère aîné de notre camarade Tiebary Dianopo, l'un des plus brillants élèves de notre promotion. Le lit du fleuve n'était plus qu'un grand filet d'eau serpentant entre les méandres des hautes berges et des bancs de sable jaune. L'eau en était si claire et si transparente qu'à part quelques grandes poches d'eau tapissées de vase que l'on rencontrait de loin en loin, partout on voyait le fond du fleuve. Les poissons semblaient y évoluer comme dans un aquarium.

Bouna Pama, qui était d'une adresse merveilleuse au harpon, nous criait de temps en temps: "Mes frères, quelle espèce de poisson désirez-vous manger aujourd'hui avec votre riz?" Et il harponnait de main de maître autant de poissons qu'il en fallait pour satisfaire tout le monde. Niélé faisait la cuisine, ce qui nous dispensait, elle et moi, de payer notre quote-part des dépenses alimentaires. Bien pourvus en vivres grâce à nos provisions de riz et aux poissons que pêchait Bouna Pama, nous n'avions pas besoin de nous arrêter avant d'atteindre Sofara. Les villages étaient d'ailleurs assez rares sur cette portion du Bani. Nous ignorions donc tout du drame que vivaient les habitants de cette région.

Enfin nous apercevons au loin, dans la plaine, les dômes de rôniers qui coiffent le gros bourg de Sofara. Les percheurs font accoster la pirogue. Heureux de nous dégourdir les jambes, nous nous élançons. C'est à qui arrivera le premier dans la ville, tant nous sommes pressés de voir le célèbre marché de Sofara, si bien fourni et si réputé que les gens viennent de Kong, et même d'In-Salah, pour s'y approvisionner et y faire des affaires.

Brusquement, comme nous franchissons une sorte de butte allongée qui nous cachait le paysage, nous débouchons sur une profonde excavation dont le spectacle nous fige sur place. C'est un horrible et incroyable charnier à ciel ouvert. Des morts et des mourants y sont entassés les uns sur les autres. Certains corps sont enflés au point d'éclater, d'autres se vident de leur contenu, entourés de membres et de chairs éparpillés que se disputent des vautours.

Terrassés par l'horreur, nous ne pouvons ni bouger ni parler. A notre approche, les charognards se sont envolés à lourds battements d'ailes, mais ils ne vont pas bien loin. Posés sur les rebords du renflement de terre qui entoure l'excavation, ils nous observent. Ils n'ont plus peur des hommes. Ne s'en repaissent-ils pas à longueur de journée ?

Au comble de l'épouvante, hébétés, suffoqués par une puanteur inqualifiable qui nous prend au nez et à la gorge, nous allons encore être témoins d'une scène que l'on a peine à croire. Nous voyons approcher deux hommes, chacun tirant par les pieds le corps d'un être humain. Or, si l'un est mort, l'autre n'est visiblement encore que mourant. Les deux fossoyeurs, endurcis, peut-être, par l'habitude, rient et parlent fort comme s'ils ne traînaient rien d'autre que de vulgaires branches d'arbres. Arrivés au bord de la fosse commune, ils y jettent les deux corps, puis tournent les talons et repartent en bavardant, comme s'ils venaient d'accomplir une besogne des plus banales.

Ce qui se passe alors sous nos yeux, nul d'entre nous ne pourra jamais l'oublier. L'agonisant, dans un dernier sursaut de son désir de vivre, pousse un gémissement enroué. Sa bouche s'entrouvre, ses yeux s'écarquillent comme s'il voyait venir vers lui quelque vision épouvantable. Ses doigts, convulsés, cherchent en vain à s'accrocher à quelque chose. Son corps tressaille, un liquide suinte de sa bouche. Tout à coup il se raidit comme du bois sec, puis, quelques secondes après, s'affaisse mollement. Ses yeux immobiles, presque blancs, restent braqués vers le ciel. Le malheureux vient d'expirer, déjà couché parmi les morts.

Poussant un grand cri, nous nous débandons vers Sofara, pleurant et appelant au secours. Tout en courant, je me souviens de la mort paisible de mon maître Tierno Kounta à Bougouni, et de mon père Tidjani lui fermant doucement les yeux. N'y a-t-il donc personne pour fermer les yeux de ces pauvres gens? Pourquoi meurent-ils si nombreux, et si horriblement ? Pourquoi leurs cadavres sont-ils abandonnés entre les mains de deux brutes qui les traitent comme des éboueurs charriant des ordures ?

Arrivés à Sofara, nous découvrons des rues presque vides. On ne rencontre çà et là que des passants squelettiques, des enfants décharnés au ventre gonflé, des vieux loqueteux et tremblants et des chiens faméliques. Certains, épuisés par la faim, n'ont même plus la force de marcher. Ils se couchent sur le sol, dans leur vestibule, à l'ombre d'un mur, n'importe où, et n'en bougent plus. Et partout, partout, des cadavres que les "croque-morts" viennent ramasser un à un.

L'administration, dépassée par l'ampleur de la catastrophe, ne peut rien faire pour aider les populations ; tout au plus réussit-elle à nourrir ceux qui travaillent pour elle. Personne n'ayant la force d'enlever les cadavres qui jonchent les vestibules ou les ruelles, les autorités ont été obligées de recruter et de nourrir des équipes de "ramasseurs de cadavres". Du matin au soir, ils débarrassent la ville de ses morts. Les deux hommes que nous avons vus à l'œuvre à la fosse commune étaient deux d'entre eux.

D'un pas presque automatique, nous nous dirigeons vers le marché, cœur vivant de la ville, dans l'espoir un peu fou qu'il aura été épargné et que nous allons y retrouver les bruits, les cris et les rires qui animent tous les marchés africains. Hélas, la place est vide. Parmi les étals désertés, seuls quelques rares vendeurs offrent de maigres feuilles bouillies, des fruits de rônier et quelques variétés de fruits sauvages. Certes, nous avions entendu parler d'une famine dans le pays, mais aucun de nous n'imaginait ce que cela signifiait vraiment. C'est là, à Sofara, que je l'ai touchée du doigt dans toute son horreur.

Complètement hébétés, ahuris, bouleversés par ce spectacle de mort, nous errons à travers la ville. Bouna Pama Dianopo, qui nous cherchait, finit par nous rejoindre. Responsable de notre pirogue, il nous intime l'ordre de fuir cet endroit et de revenir nous embarquer le plus vite possible. Par précaution, il fait préparer le dîner à l'intérieur du rouf, mais aucun de nous n'est capable d'avaler quoi que ce soit. Ils furent rares, cette nuit-là, ceux qui, dans leur sommeil, n'ont pas crié ni appelé leur mère, poursuivis par quelque effroyable vision.

A Mopti, je logeai avec Niélé chez Tiébéssé, l'amie d'enfance de ma mère. C'est là que je retrouvai Beydari, qui revenait de Kati. J'eus même la joie de découvrir auprès de lui mon compagnon d'enfance Daouda Maïga, que sa mère avait amené à Mopti dans l'espoir d'y trouver quelque nourriture. Beydari avait découvert Daouda errant dans la ville, comme beaucoup d'autres enfants abandonnés à eux-mêmes, tant les réfugiés y étaient nombreux. C'était une chose qu'il ne pouvait supporter : Daouda et moi étions nés presque ensemble, nous avions vécu côte à côte comme des frères, il se sentait également responsable de nous deux. Il prit Daouda et sa mère avec lui.

Comme Djenné, Mopti était à la fois un port et la résidence officielle d'un commandant de cercle. Cela lui valait un sort privilégié. Quelques pirogues y arrivaient. Des provisions de mil y étaient stockées, que l'administration ne pouvait envoyer dans les villages de l'intérieur des terres, faute de moyens de transport. En outre, le fleuve et les mares entourant la ville étaient très poissonneux. Les Bozos y faisaient chaque jour des pêches abondantes qui nourrissaient une partie de la population. Des réfugiés venant de tous les villages de la Boucle du Niger y affluaient en masse, en particulier les Dogons qui savaient pouvoir compter sur la solidarité ancestrale et sans réserve des Bozos à leur égard. Leurs deux ethnies étaient liées, en effet, par les liens sacrés d'alliance de la *sanankounya* (dont j'ai parlé précédemment), que des ethnologues appellent "parenté à plaisanterie" parce qu'elle permet de se plaisanter et de se mettre en boîte, voire de s'injurier, sans que cela puisse jamais tirer à conséquence. En fait, il s'agit de tout autre chose que d'une plaisanterie ; cette relation représente un lien très sérieux et profond qui, jadis, entraînait un devoir absolu d'assistance et d'entraide, puisant son origine dans une alliance extrêmement ancienne, nouée entre les membres ou les ancêtres de deux villages, deux ethnies, deux clans (par exemple entre les Sérères et les Peuls, les Dogons et les Bozos, les Toucouleurs et les Diawambés, les Peuls et les forgerons, les clans peuls Bâ et Diallo, etc.). Evoluant avec le temps, il n'est souvent resté de cette alliance que la tradition de mise en boîte réciproque, sauf entre les Dogons et les Bozos dont la *sanankounya* est sans conteste l'une des plus solides de l'Afrique de la savane, avec, peut-être, celle qui unit les Peuls et les forgerons.

Chassés de leurs montagnes par la famine, les Dogons se ruèrent sur Mopti où le premier Bozo rencontré n'hésitait pas à partager sa nourriture avec eux. Mais ils étaient si nombreux qu'ils durent se disperser tout le long du fleuve, dont les rives étaient l'habitat privilégié des pêcheurs bozos. Beaucoup essaimèrent jusqu'aux régions préservées de Ségou et de Bamako, et même jusqu'à Kati où ils se regroupèrent autour de mon père Tidjani, ce qui permit à ce dernier de fonder autour de sa concession le "quartier des Dogons".

Nous restâmes quelques jours à Mopti, le temps pour Beydari d'organiser notre retour en transportant, aussi discrètement que possible, des provisions de mil et de poisson séché. Il me ramena à Bandiagara avec Daouda et Niélé. La mère de Daouda, je ne sais plus pour quelle raison, était restée à Mopti.

A Bandiagara, la situation était, au moins dans certains quartiers, la même qu'à Sofara. Les pluies de juin avaient commencé à tomber, mais il faudrait attendre le mois d'août pour les premières récoltes de maïs hâtif; si tout allait bien, en septembre on récolterait le maïs normal et le premier mil hâtif. Les grandes récoltes de mil n'auraient lieu qu'en octobre. Du moins, grâce aux premières pluies, les animaux d'élevage avaient-ils commencé à retrouver un peu d'herbe pour se nourrir, et les poules quelque chose à picorer.

Notre quartier de Deendé Bôdi, peuplé en grande partie de bouchers, de bergers peuls et d'éleveurs — et où se trouvaient tous les membres de ma famille, aussi bien paternelle que maternelle —, avait moins souffert que les autres, d'autant que chaque famille qui avait quelque chose à manger envoyait toujours des plats aux parents et aux voisins. Je puis dire que c'est la solidarité africaine qui a permis au quartier de Deendé Bôdi de survivre sans trop de mal pendant cette grande famine, ce qui ne fut pas le cas dans d'autres quartiers, notamment ceux des Dogons et des ethnies à tatouages venues du Sud, qui ont vraiment beaucoup souffert.

Dans notre maison, ce n'était certes pas l'abondance, mais Beydari réussit toujours à nous nourrir. Je me souviens que nous mangions beaucoup d'abats. Je ne sais comment il se débrouillait, mais il lui arrivait même, parfois, de nous rapporter du riz ! Toutes les concessions voisines avaient quelque chose à manger grâce à lui. Il envoyait aussi de la nourriture à Tierno Bokar, dont l'école, grâce à lui et à quelques autres parents d'élèves, ne manqua de rien. Et comme Tierno élevait chez lui quelques bonnes poules pondeuses, sans parler de ce que les élèves parvenaient à grappiller dans ses petits champs, il réussit même, au prix de quelques sacrifices, à secourir de malheureux Haoussas et Dogons.

De son côté, Wangrin, qui était alors grand interprète du commandant, ne ménagea pas non plus son aide aux pauvres gens, soit directement, soit en leur faisant obtenir des secours auprès de l'administration. Beaucoup ne purent survivre que grâce à lui.

Pendant tout mon séjour à Bandiagara, je ne souffris pas de la faim, mais on m'interdisait plus ou moins de sortir de la maison. De temps en temps, Daouda et moi nous échappions pour aller nous laver à la rivière qui se trouvait à quelque trois cents mètres de là, mais on y rencontrait des gens si faméliques que, bientôt, cela nous découragea. De toute façon, il n'y avait plus d'activités de waaldé. J'avais appris qu'il ne restait plus, à Bandiagara, qu'à peu près le tiers de mes anciens camarades. Parmi les deux tiers manquants, beaucoup étaient morts, d'autres avaient fui la ville avec leur famille.

Un jour, alors que la situation était encore dramatique dans la ville, je me tenais assis dans le vestibule avec Niélé, la première épouse de Beydari et Biga, un vieux tanneur qui vivait chez nous. Un affamé qui ne pouvait plus se tenir debout entra dans notre vestibule et avança vers nous, se traînant à quatre pattes. Il était si maigre que l'on n'aurait su dire à quelle ethnie il appartenait. "Donnez-moi quelque chose à manger, dit-il d'une voix faible, sinon je vais mourir dans votre vestibule et l'enlèvement de mon corps vous posera des problèmes." Déjà Niélé s'était levée pour aller chercher quelque chose dans la maison. Elle en revint avec un plat de bouillie de mil qu'elle avait mis de côté pour le soir. Elle le tendit au pauvre homme, qui engouffra le tout avec une hâte effrayante. Quand il eut terminé, Niélé lui offrit une calebasse emplie d'eau fraîche. Il en but une grande goulée, poussa un rot, et nous remercia. Nous étions tous bien contents. Mais brusquement, son visage devint livide, il vacilla. "Je sens la mort venir, balbutia-t-il, il faut que je vous débarrasse de mon corps." Je ne sais comment il trouva la force de se remettre sur ses pieds. Il sortit en titubant, traversa la ruelle et alla tomber au pied du mur qui faisait face à notre maison. Niélé cria, appela au secours... "Inutile, ma bonne mère, lui dit le moribond, je viens de consommer la ration qui me restait à prendre sur cette terre." Et aussitôt, il entra en agonie. Quelques minutes après il expirait.

Comme il était décédé sur la voie publique, c'était à l'administration de s'occuper de son corps. Un fossoyeur portant un brassard vint à passer dans la rue. Il se saisit du pied du cadavre et le traîna comme il aurait fait de la carcasse d'un cabri. Nous le vîmes disparaître au coin de la ruelle. Sans doute était-il allé jeter le corps dans la fosse commune à ciel ouvert qui existait aussi à Bandiagara, à côté du cimetière, et que je me suis bien gardé de jamais aller voir.

Nous approchions du 14-Juillet. Les autres années, le *katran zoulié*, comme on disait dans le pays, donnait lieu à des fêtes fastueuses qui mettaient toute la population du pays à contribution. Chaque canton devait envoyer à Bandiagara un important contingent de chevaux, de danseurs, de musiciens et de participants. Dans les vingt-cinq jours qui précédaient la fête, c'était tout un "branle-bas de combat" à travers le pays. Vers le 12 juillet, la population de la ville commençait à augmenter. Les rois des environs et les chefs de canton arrivaient dans leur plus bel apparat, accompagnés d'orchestres traditionnels et de troupes de danseurs, suivis d'un cortège de chevaux superbement harnachés. Certaines années, on en dénombra jusqu'à deux mille cinq cents ! Bien entendu, les hommes requis pour participer à la fête ou pour la préparer devaient abandonner pour cela leurs activités habituelles.

Dans la nuit du 13 au 14 juillet, une gigantesque retraite aux flambeaux traversait la ville pour se rendre de l'autre côté du Yaamé, jusqu'au pied de la résidence du commandant. Chaque assistant, cavalier ou piéton, civil ou militaire, homme, femme ou enfant, était muni d'une torche allumée. On aurait dit un incendie en marche. Certains vieux se posaient des questions sur le sens de cette cérémonie rituelle : "Chaque année, il faut que les Blancs sacrifient au feu. Sûrement, c'est au feu qu'ils doivent le secret des armes meurtrières qui leur ont permis de conquérir le pays et de faire de nous leurs captifs et leur propriété." Pour les gamins, ce n'était qu'une occasion de jeux et de réjouissances.

La célèbre cantatrice Flateni, ancienne griote du roi Aguibou Tall, accompagnait généralement le cortège. De sa voix émouvante et puissante, qui dominait la foule, elle chantait les vieux péans de guerre où l'on célébrait les exploits des héros toucouleurs de l'armée d'El Hadj Omar aux batailles de Médine, Tyayewal ou autres. Ses chants tiraient des larmes aux plus endurcis. Mais il arrivait aussi qu'ils les fassent pleurer de rire car elle n'était pas tendre pour les toubabs, "peaux allumées" et "gobeurs d'œufs". Heureusement, les dignitaires coloniaux ne comprenaient pas le peul ! La population ne pouvait faire autrement que de subir la colonisation, mais chaque fois qu'elle le pouvait, elle se payait largement la tête des colonisateurs, à leur nez et à leur barbe !

Le lendemain matin avaient lieu le défilé militaire, les exhibitions des musiciens et des danseurs des différentes ethnies représentées, des jeux pour les jeunes (notamment autour d'un mât de cocagne), et enfin une course de chevaux qui, elle, suscitait un enthousiasme sans réserve et enflammait les passions.

Cette année-là, il n'y avait pas eu de célébration du 14-Juillet. Le commandant de cercle de Bandiagara avait convoqué tous les chefs de canton pour le 13 juillet, mais en raison de la famine, chaque chef ne devait être accompagné que de deux ou trois notables. En revanche, tous les anciens tirailleurs libérés avec un grade de sous-officier indigène (qui n'excédait jamais celui d'adjudant-chef, sauf pour les militaires indigènes de la "première période de conquête" et pour les citoyens des "quatre communes" de Dakar, Saint-Louis, Rufisque et Gorée) étaient également convoqués.

Certes, la famine sévissait encore, mais le véritable motif qui empêchait la célébration avec pompe de la prise de la Bastille était tout autre. Depuis le 28 juin 1914, date de l'assassinat de l'archiduc François-Ferdinand d'Autriche et de son épouse à Sarajevo, une menace de guerre planait dans le ciel de l'Europe, particulièrement sur la France, l'Allemagne et l'Angleterre. En Afrique, tous les représentants de l'autorité française vivaient dans l'inquiétude. Les chefs militaires s'agitaient. Les dignitaires de l'administration civile (le commandant de cercle et son adjoint) et ceux de l'administration militaire (le capitaine de bataillon et son adjoint) ne cessaient de se réunir et de palabrer entre eux, ce qui étonna tous les fonctionnaires indigènes car militaires et civils n'avaient pas précisément pour habitude de travailler ensemble ; la plupart du temps, ils vivaient plutôt comme chiens et chats.

Le matin du 14 juillet, il n'y eut qu'un modeste salut aux couleurs, accompagné d'une vaste distribution de vivres à tous ceux qui souffraient encore de la faim. Les chefs de canton, les notables et les anciens gradés indigènes du cercle se trouvaient alors à Bandiagara. Au cours de la nuit précédente, au moment où aurait dû avoir lieu la traditionnelle retraite aux flambeaux, le commandant de cercle et le capitaine les avaient réunis pour une communication confidentielle. Le commandant confia à son auditoire un "secret masculin", c'est-à-dire un secret très fort, un secret dont la divulgation attire inévitablement des ennuis graves. Il leur demanda de bien le garder dans leur tête.

Mais le secret a quelque chose de la nature de la fumée. Quelle que soit l'épaisseur du revêtement de chaume qui recouvre une case, la fumée le traversera pour aller se répandre dans l'espace et trahir la présence d'un feu. Le secret que le commandant de cercle et le capitaine commandant le bataillon n'avaient pu taire, ceux à qui ils le confièrent ne purent, eux non plus, le garder pour eux. Deux jours après, tout le monde savait qu'une tornade de feu se préparait à éclater sur la France et que ses colonies ne seraient sans doute pas épargnées.

Dans la famille, notre principal informateur était un Dogon, Baye Tabéma Tembély, père de mon camarade d'école Yagama Tembély. En tant que sous-officier indigène, il participait aux "secrets masculins" des autorités et venait ensuite se confier à son vieil ami Beydari. Comme je traînais toujours plus ou moins auprès d'eux, je surprenais parfois leurs propos.

Le lendemain de cette première réunion, il eut une longue conversation avec Beydari. "J'ai peur, lui dit-il. Je connais bien les Européens et tous les détours de leurs paroles, et ce que le commandant nous a dit hier ne m'inspire pas la paix. J'ai bien l'impression qu'avant longtemps la poudre parlera en France."

Dans la matinée du 15 juillet, il s'entretint avec son fils Yagama pour le préparer aux événements. "Il se pourrait, lui dit-il, que je fasse un long voyage qui m'emmènera non pas seulement au Sénégal, sur les rives du « grand fleuve salé » (l'Océan) mais au-delà même de ce grand fleuve, jusqu'au pays des « peaux allumées». Ils sont à la veille de faire parler la poudre. Or, c'est une palabre qui tue ou estropie ceux qui la tiennent. En tant que militaire français de réserve, il se pourrait que je sois appelé. Si cela arrive, sois courageux comme doit l'être tout fils de tirailleur. Mais en attendant, ne dis rien de tout cela à personne."

Très ému, Yagama vint aussitôt me rapporter les paroles de son père en me demandant de n'en souffler mot. Mais c'était un secret trop lourd à garder pour moi tout seul ; à peine Yagama était-il sorti, je courus chercher Daouda et lui racontai tout, en lui recommandant à mon tour, bien inutilement, de tout garder pour lui.

Un branlement sourd agitait la population, et pas seulement à Bandiagara. Chacun sentait que quelque chose n'allait pas au pays des Blancs. On redoutait le pire.

Dans la nuit du 3 au 4 août 1914, les clairons du bataillon se mirent à trompeter, émettant des notes de mauvais augure. Quelques instants après retentissait à son tour le grand tam-tam royal de guerre toucouleur, selon un rythme qui annonçait une grande calamité. Aussitôt, toutes les concessions retentirent de l'exclamation peule "*Djam! Djam!*" (paix ! paix !) qui est censée repousser le malheur. Chacun tendait l'oreille, attendant un nouveau message codé qui définirait la nature du malheur annoncé. On n'attendit pas longtemps. Après le dernier des sept grands coups de tam-tam donnés à quelques secondes d'intervalle, d'autres coups suivirent, plus saccadés et plus rapides, entrecoupés du tintement précipité des cylindres métalliques. C'était le signal sonore traditionnel annonçant l'entrée en guerre avec des étrangers. Aussitôt de toute la ville monta une clameur : "C'est la guerre ! C'est la guerre !"

Aux premières heures de la matinée, le commandant de cercle réunit tous les chefs et notables du pays et leur déclara : "L'Allemagne vient d'allumer les poudres en Europe. Son empereur, Guillaume II, veut dominer le monde. Mais il trouvera devant lui notre France éternelle, championne des libertés !" Les territoires français d'outre-mer étaient appelés à participer activement à l'effort déployé par la France pour gagner la guerre, en hommes et en matières premières. On annonça le recrutement des hommes et le lancement des réquisitions pour le mil, le riz, les matières grasses et les animaux de boucherie. Heureusement, les pluies abondantes du mois d'août et les premières récoltes de maïs et de mil hâtifs avaient fait reculer le spectre de la famine, et il fut généralement tenu compte des ressources propres à chaque région.

Un ancien chef de guerre de l'armée toucouleure, le vieux Youkoullé Diawarra, que la conquête française avait tellement appauvri qu'il en était réduit à mendier sa nourriture et ses noix de cola quotidiennes, apprit que la guerre était dans l'air. Tout heureux, il rentra chez lui à la hâte, sortit de ses vieux coffres son arsenal guerrier d'antan et se rendit chez Alfa Maki Tall pour se mettre à sa disposition.

Alfa Maki Tall lui expliqua qu'il ne s'agissait point d'une guerre africaine, mais d'une guerre purement européenne entre "peaux allumées". Le vieux Youkoullé Diawarra, qui avait espéré qu'une nouvelle occasion de guerroyer et de ramasser du butin s'offrait à lui pour le guérir de sa pauvreté, en fut extrêmement désappointé. Dans le passé, il n'avait vécu que grâce aux guerres qui lui avaient toujours rapporté quelque chose, mais depuis l'occupation française, il n'avait plus rien. Quand il arrivait sur le marché de Bandiagara, les mains et les poches vides, on l'entendait s'exclamer avec tristesse: "*Wallaye!* Par Dieu! La chose la plus triste pour moi, c'est la paix, car elle me prive même du moyen de me payer une noix de cola!"

Frustré de ses espoirs, furieux, il se mit à maudire tous les Européens de toutes races et leur "civilisation" avec eux. Au risque de se faire arrêter pour déclarations séditieuses, il déambulait à travers les rues, clamant sa fureur: "Que les «peaux allumées», ces maudits bouffeurs d'œufs, se fassent tous tuer jusqu'à ce qu'il n'en reste plus un seul sur la face de la terre!" Alors que chacun s'exclamait tristement: *"Wanaa djam! Allâh doom!"* (Ce n'est pas de la paix, que Dieu nous protège!), Youkoullé, lui, vociférait: "Ô Dieu! Tue toutes les «peaux allumées » ! Rends les entrailles de leurs femmes stériles et qu'elles ne portent plus jamais de fruits !" Il englobait dans sa rage la totalité des Européens qui, pour lui, avaient été la cause de sa décadence sociale et matérielle, et qui maintenant le frustraient d'une occasion de retrouver un peu de sa grandeur d'antan.

Pour le faire taire, il fallut rien de moins que l'autorité de Kaou Diêli, le grand griot-marabout du roi.

A Bandiagara, chacun y allait de sa petite explication. Dans ma famille vivait un vieux spahi retraité, Mamadou Daouda, qui avait participé aux campagnes de l'armée française contre l'Almamy Samory. "Ça ne gaze plus entre Français et Allemands, disait-il. Ça va barder ! J'ai vu comment les « peaux allumées » se battaient contre l'Almamy Samory, je les connais. Ils vont se casser mutuellement leurs villes et leurs villages. Croyez-moi, ça va être un bordel de feu et de sang ! Ils sont tellement savants qu'ils ont réussi à asservir la matière ; ils la font travailler à leur place. Regardez le fer : ils en ont fait leur captif sans âme, mais doué d'une telle force qu'il est capable de travailler plus vite et plus fort que l'homme.

— Et pourquoi de tels hommes se battraient-ils entre eux ? demanda Biga le vieux tanneur.

— Ô Biga ! Comme l'a dit l'ancêtre Aga Aldiou : « *Si on lave une culotte le soir alors qu'on l'a mise propre sur soi le matin, ce n'est sûrement pas pour rien...* » Il doit bien y avoir une raison, nous la connaîtrons un jour. Attendons..."

Avant quatorze heures, la nouvelle du conflit franco-allemand s'était répandue dans la population comme la fumée dans l'espace. A vingt heures, une grande réunion rassembla Peuls et Toucouleurs à Kérétel, la célèbre place de Bandiagara où nous avions connu, il n'y avait pas si longtemps, tant de soirées agréables. La place se trouvant tout près de notre maison, je m'y glissai pour écouter ce qui s'y dirait.

Les hommes, assis par groupes, discutaient entre eux. Ils se demandaient surtout pourquoi les Français et les

Allemands en étaient venus aux armes. Pour les uns, c'était sûrement à cause d'un litige portant sur la terre: une limite entre champs, entre terrains de chasse ou de cueillette, entre lieux de pêche ou de pâturage ou autre chose de ce genre; peut-être des troupeaux allemands avaient-ils pénétré sans autorisation dans les prairies françaises? Pour d'autres, il ne pouvait s'agir que d'une question de femmes. Les chefs des "peaux allumées", tout le monde le savait, étaient d'ardents lapins, leur membre viril conservait bien la chaleur et s'enthousiasmait dès qu'une belle femme venait balancer sous leurs yeux sa taille fine et ses hanches bien rondes. On ajoutait que les femmes étaient très rares en France (opinion fondée sur le fait que les coloniaux amenaient très rarement leurs épouses à la colonie et se cherchaient des compagnes dans la population indigène) et que, d'ailleurs, elles tenaient plutôt du tempérament de la vache paisible que de celui de la chatte — entendez par là qu'elles n'engendraient que peu d'enfants, comme la vache qui ne donne qu'un veau à la fois alors que la chatte met au monde des portées nombreuses. De plus, ne disait-on pas qu'elles donnaient naissance à trois fois plus de garçons que de filles? Dans un pays où il y avait une si grande pénurie de femmes, tout ce qui touchait à cette question ne pouvait manquer d'être un détonateur de guerre...

D'un autre groupe se leva le Diawando Guéla M'Bouré, qu'on appelait "le grand parleur". Il imposa silence à tout le monde, puis déclara d'une voix forte:

"Depuis un long moment, nous discutons en vue de comprendre pourquoi les Français nos maîtres, et les Allemands que nous ne connaissons pas, sont entrés en guerre. Pour les uns, c'est une question de femmes. Pour les autres, c'est une question de champs. Ô frères de ma mère, vous n'y êtes pas, la vérité est tout autre! La voici, sans méandres ni aspérités, unie et bien plate comme la plaine de la zone inondable: nous constituons, pour les «peaux allumées», un bien matériel très important. Aux uns ils ont enseigné leur langue, aux autres leur façon de cultiver, à d'autres encore le métier de la guerre, et ainsi de suite. Pourquoi tout cela? Ce ne sont pas des apôtres venus s'acquitter d'une mission charitable sans attendre de récompense immédiate ; ils ne travaillent que pour la vie d'ici-bas, ils n'attendent rien de l'autre monde. Il y en a même parmi eux qui ne croient ni en Dieu ni en la vie future. On dit que leur chefferie a coupé les ponts avec Dieu ; leurs marabouts n'ont aucune place dans leurs conseils, et ils ont fait une séparation nette entre leur mosquée (l'Eglise) et leur case à palabres (l'Etat, le Parlement).

"Pourquoi les toubabs sont-ils venus nous envahir, pourquoi nous ont-ils capturés et domestiqués ? Uniquement pour se servir de nous en cas de besoin, tout comme le chasseur se sert de son chien, le cavalier de son cheval et le maître de son captif : pour les aider à travailler ou à combattre leurs ennemis. Cela n'a rien d'étonnant. Nous aussi, jadis, avons fait des captifs par la guerre, avant de le devenir nous-mêmes.

"Et pourquoi les toubabs d'Europe se sont-ils déclaré la guerre ? Mes frères, je vais vous le dire : les Français sont entrés en guerre pour nous conserver, rien que pour nous conserver, et les Allemands pour nous avoir. Il ne faut pas chercher une autre explication. D'ailleurs, à quoi bon perdre notre temps à nous interroger sur les motifs de leur bagarre ? Il vaudrait mieux trouver un moyen de faire dérailler cette calamité, car quelle que soit la cause de cette guerre, nous en subirons le poids d'une manière ou d'une autre. Déjà Baye Tabéma Tembély, le sergent Kassoum, Tiassarama Coulibaly, Mamadou Aïssa sont rappelés sous les drapeaux. Hier, ils ont été habillés en militaires, et après-demain, avec tous leurs camarades anciens tirailleurs, ils partiront pour la ville militaire de Kati, et de là pour le *hee-hee-hedjala*, le terrible « on ne sait trop quoi ».

"Si l'incendie ne s'éteint pas très vite, alors demain, après-demain ou dans un an, les « peaux allumées » ramasseront tous nos fils et nos biens pour entretenir leur guerre, car nous sommes là pour ça. Aussi, mes frères, dès demain matin, demandons à notre chef Alfa Maki Tall d'organiser des prières publiques pour supplier Dieu de refermer les vannes de malheur qu'Il vient d'ouvrir. De l'avis du grand marabout Tierno Sidi, cette guerre risque d'inonder bien des pays blancs et noirs et d'y faire d'innombrables victimes[43]..."

A ce moment du discours de Guéla M'Bouré, je m'endormis.

Le lendemain, Alfa Maki Tall, vraisemblablement à la demande du commandant, convoqua les marabouts et notables de la ville. La réunion eut lieu en face de la mosquée. J'y accompagnai Tierno Bokar et mon oncle Bokari Thiam, frère cadet de mon père Tidjani.

Quand l'assemblée fut au complet, le commandant de cercle et le capitaine du bataillon, flanqués d'un côté par les brigadiers chefs de gardes Mamadou Bokary et Brahime Soumaré, de l'autre par le sergent Kassoum Kaba et l'adjudant Bia Djerma, arrivèrent sur la place. Le commandant prit la parole :

"Depuis hier, nous sommes en guerre avec l'Allemagne. La poudre a parlé cette nuit et elle parlera chaque jour davantage jusqu'à ce que l'ennemi soit battu et demande la paix. Or, l'homme a besoin de l'assistance de Dieu dans le malheur. C'est pourquoi le gouvernement français demande que des prières soient faites dans tous nos territoires afin que Dieu protège la France et lui donne la victoire."

Malgré la gravité de la situation, un vieux "captif de case", goguenard comme le sont beaucoup de *rimaïbé*, se pencha et murmura à l'oreille de Bokari Thiam : "*Le lézard dévergondé ne retrouve le chemin de son trou que pour se protéger de celui qui a commencé de lui couper la queue.*" (Autrement dit : "Quand certains incrédules reviennent à Dieu, c'est que le malheur les frappe.") La plaisanterie était amère.

Les notables choisirent soixante-six marabouts parmi les plus réputés du cercle ; ceux-ci à leur tour désignèrent six d'entre eux pour présider les prières. Ils organisèrent en l'honneur de la France une veillée coranique qui fut célébrée dans la nuit du 11 au 12 août 1914. A partir de vingt-trois heures, chacun des soixante-six marabouts devait, au cours de la nuit, réciter le Coran dans sa totalité.

L'administration mobilisa d'abord les réservistes, puis fit appel aux volontaires. Plus tard, on procéda à l'appel des jeunes gens par classe. A Bandiagara, cela ne souleva pas trop de difficultés; à la limite, les gens n'acceptaient pas trop mal le recrutement — du moins avant qu'il ne devienne excessif — car pour eux faire la guerre était un honneur, une occasion de montrer son courage et son dédain de la mort, et Dieu sait s'ils l'ont montré au cours des deux dernières guerres! A l'époque, les Toucouleurs de Bandiagara, peut-être en raison de l'ancienne alliance du roi Aguibou Tall avec les Français, furent assez peu recrutés, à la différence des Dogons. Ma famille, elle, ne comptait aucun garçon en âge de partir sous les drapeaux.

C'est la contribution obligatoire en vivres et en animaux de boucherie qui souleva, dans certaines régions, le plus de difficultés. A Bandiagara, le commandant avait d'abord envisagé de transmettre purement et simplement aux chefs de canton l'ordre d'avoir à livrer telle ou telle quantité de bétail ou d'aliments, à charge pour eux de répercuter cet ordre aux chefs de famille des villages de leur canton. Comme je l'appris plus tard, Wangrin était intervenu. "Mon commandant, avait-il dit en substance, c'est maladroit, ce n'est pas ainsi qu'il faut procéder. En envoyant un ordre sans explication, vous allez semer la panique. De peur de tout perdre, les gens vont fuir de l'autre côté de la frontière, en Gold Coast (actuel Ghana), en emportant tous leurs biens avec eux. Il peut aussi y avoir des révoltes. Ce qu'il faut, c'est convoquer les responsables, leur expliquer que la France a besoin d'eux et que chacun doit faire des efforts pour nourrir les troupes qui combattent au front, car, dans ces troupes, il y a des Africains, peut-être des parents."

Le commandant eut la sagesse d'écouter Wangrin. Bien préparés psychologiquement, les gens acceptèrent les réquisitions; ils apportaient même parfois spontanément leur contribution à l'effort de guerre. Au lieu de leur dire: "Réquisition!" on leur avait dit: "Nous avons besoin de vous", nuance capitale pour les vieux Africains. Et comme beaucoup d'entre eux avaient des fils soldats en France, dans leur esprit ils donnaient pour nourrir leurs enfants. Si le commandant n'avait pas procédé ainsi, il y aurait eu un exode en Gold Coast qui aurait vidé la région de sa substance, et peut-être même des révoltes suivies de répressions terribles, comme ce fut le cas dans d'autres régions.

Bientôt, ce fut le mois de septembre. Les vacances se terminaient, si tant est que l'on puisse appeler ainsi une période aussi chargée d'événements douloureux. Avec la famine, les horribles spectacles auxquels il m'avait été donné d'assister, puis la déclaration de guerre et son cortège d'angoisse et de contraintes, ce furent certainement les vacances les plus tristes de ma vie.

Le 8 septembre, le commandant de cercle convoqua tous les élèves de l'école régionale de Djenné pour organiser leur voyage de retour. Des vivres nous furent distribués et des porteurs mis à notre disposition. Nous devions faire à pied en deux jours les soixante-dix kilomètres qui nous séparaient de Mopti, escortés d'un garde de cercle chargé de nous protéger contre d'éventuels pillards, car malgré les premières récoltes, il y avait encore à travers le pays de nombreux affamés qui auraient pu être tentés par nos provisions. La famine ne devait vraiment prendre fin qu'avec les grandes récoltes de mil du mois d'octobre.

Une nouvelle fois je quittai mon ami Daouda Maïga et tous mes parents, sans me douter que je ne les reverrais pas avant plusieurs années. Le jour du départ, trois élèves venus de Sanga, une ville du pays dogon, se joignirent à nous. Cette fois-ci, Niélé ne m'accompagnait pas.

A Mopti, les camarades que nous avions laissés dans la ville, plus un contingent de nouveaux élèves venus du cercle de Niafounké, s'embarquèrent avec nous dans plusieurs pirogues. Quelques jours après, nous arrivions sans problème à Djenné, ayant peine à croire que nous l'avions quittée, joyeux et insouciants, à peine trois mois plus tôt...

Visiblement, la ville n'avait pas souffert. Les vivres y étaient abondants, la plaine inondable offrant beaucoup plus de possibilités de récolte et de cueillette que les zones montagneuses, surtout les falaises du pays dogon au-dessus de Bandiagara, où la population souffrit de la faim plus longtemps qu'ailleurs.

A Djenné aussi l'administration coloniale avait commencé à procéder aux réquisitions de céréales et de bestiaux pour "contribuer à l'effort de guerre", mais apparemment, du moins à ce que je pouvais en juger, cela n'avait pas entraîné de restrictions pour la population. Il est vrai que nous n'en étions qu'à la première année de guerre.

Je trouvai un logement chez des amis de ma famille. Et la vie monotone de l'école recommença pour nous, avec, cette fois-ci, la perspective angoissante des épreuves du certificat au terme de l'année scolaire.

Le seul fait vraiment nouveau était que chaque après-midi M. Primel, notre directeur, venait lire et commenter pour nous les communiqués de l'agence Havas qui donnaient des nouvelles sur l'évolution des opérations de guerre en Europe. Nous apprenions que, là-bas, des gens mouraient dans la boue et le froid des tranchées. Mais nous, enfants, n'en étions guère touchés; cela ne nous empêchait pas de continuer nos jeux. En revanche, nous étions vivement intéressés par le personnage de Guillaume II qu'on nous présentait comme un grand sorcier, un diable incarné en homme, un prince maudit qui voulait réduire toute l'humanité à sa merci. On nous le montrait, sur des illustrations, coiffé d'un casque terminé par une corne pointue évoquant la corne du rhinocéros. Sa poitrine était bardée de cordelettes: c'étaient là, à n'en pas douter, des gri-gris et ornements magiques que le diable avait tressés tout exprès pour lui et quelques-uns de ses chefs de guerre. Guillaume II, nous disait-on, voulait commander au monde entier, et pour cela il avait pactisé avec le diable, qui l'inspirait et l'assistait en toute chose.

Les vieux Peuls de Djenné n'étaient pas dupes. "Les chefs blancs, disaient-ils, présentent leurs ennemis à nos enfants, donc indirectement à nous-mêmes, comme s'ils étaient des sorciers et des diables; mais il est impensable que toute une race soit uniquement constituée de mauvaises gens. Les hommes sont comme les herbes et les plantes des champs: les espèces vénéneuses poussent à côté des espèces guérisseuses, et les plantes comestibles à côté de celles qui ne le sont pas. Chez tous les hommes, à part les sages ou les saints, on trouve un trait commun : chacun est porté à dénigrer son ennemi ou son adversaire et à le présenter comme un vaurien. Pourtant, bien peu se rendent compte qu'en diminuant la valeur de leur rival, ils ne font que minimiser leur propre valeur."

Quant aux vieux Bozos, Bambaras et Songhaïs de la ville, ils n'accordaient guère de crédit aux accusations de barbarie et de sorcellerie lancées contre les Allemands de Guillaume II et de son fils le Kronprinz. "Héhé ! faisaient-ils en hochant la tête. Doucement !... Tout ça, c'est des histoires de famille, c'est comme entre Toucouleurs et Peuls..."

Toujours est-il qu'à la longue notre maître d'école réussit à nous faire haïr si violemment les Allemands que nous ne les appelions plus que du nom injurieux de "boches". Notre haine pour eux était telle qu'à la seule vue d'un serpent ou d'un scorpion nous nous mettions à hurler : "Hé ! Voilà un sale boche ! Tuez-le, tuez-le avant qu'il ne s'échappe !" N'avions-nous pas vu nous-mêmes, sur le portrait de Guillaume II, les pointes de sa moustache se faire face comme deux scorpions prêts à piquer, les queues méchamment relevées ?

En cours d'année, un instituteur indigène diplômé de l'Ecole normale William-Ponty de Gorée, M. M'Bodje, fut affecté à Djenné en remplacement de Tennga Tiemtoré. Il se prit d'amitié pour moi, mais cela ne suffit pas à dissiper la nostalgie qui m'envahissait peu à peu. Je ne sais trop pourquoi, je n'aimais plus du tout l'école. Comme mon frère Hammadoun quelques années auparavant, je n'avais plus qu'un seul désir : revoir ma mère, non pas pour une simple visite, mais pour vivre avec elle à Kati. Je faisais mon travail avec facilité, mais mécaniquement, sans l'enthousiasme du début.

Fugue

A la fin de l'année j'obtins mon certificat d'études. Je savais que si je laissais les choses aller leur train, dès les premiers jours de vacances je serais aussitôt acheminé sur Bandiagara avant d'être envoyé à l'internat de l'Ecole professionnelle de Bamako, ou encore affecté immédiatement à un obscur poste administratif qui serait peut-être très éloigné de Kati. Je ne pouvais courir ce risque, il me fallait partir avant. Je fis prévenir ma mère par télégramme de mon intention de la rejoindre, en lui demandant d'avertir Beydari. Elle m'envoya quinze francs pour couvrir les frais de mon voyage. Normalement, j'aurais dû attendre de connaître le sort qui m'était réservé par l'administration, ou au moins solliciter, avant de partir, l'autorisation du directeur de l'école. Je n'en fis rien, ce qui équivalait à une fugue pure et simple.

Je découvris que M. M'Bodje se préparait à partir en compagnie de son neveu pour aller passer ses vacances au Sénégal. Etant donné nos bonnes relations, je lui demandai s'il accepterait de me prendre dans son convoi. M. M'Bodje, qui ignorait tout de ma situation et me croyait en règle, accepta en toute bonne foi que je me joigne à lui, mais sous certaines conditions. La première était que je devrais supporter seul les frais éventuels de mon transport, par bateau et par train. Pour ce qui était de la nourriture, il me la garantissait, sachant que nous la trouverions en chemin — et de fait, ce furent les chefs des villages traversés qui nous nourrirent ; il suffisait, en ce temps-là, de porter un costume ou une coiffure d'importation européenne pour être pris pour un agent de l'administration coloniale ayant le droit de manger, de boire et de se loger à merci chez l'habitant. Or, M. M'Bodje portait un superbe casque colonial ! Je lui montrai les quinze francs que m'avait envoyés ma mère, somme largement suffisante pour couvrir mes frais éventuels. Il fut rassuré.

Sa deuxième condition était que je devrais faire le voyage à pied. Il m'expliqua qu'il ne disposait que d'un seul cheval et qu'il devrait prendre son neveu en croupe, celui-ci étant trop jeune et trop malingre pour pouvoir marcher à pied comme moi. "Mais tu n'auras à marcher que jusqu'à Ségou, me dit-il pour me consoler. Après, tu pourras voyager en bateau jusqu'à Bamako." Cela représentait, à l'époque, un peu plus de trois cents kilomètres, mais le trajet ne me faisait pas peur. La seule idée d'aller retrouver ma mère décuplait mes forces. Je me sentais capable de faire toute la route de Djenné à Kati à pied s'il le fallait, d'autant que M. M'Bodje avait engagé une équipe de porteurs ; je n'avais donc pas à craindre de me retrouver chargé de lourds bagages comme, deux ans plus tôt, mon pauvre frère Hammadoun. Je lui dis que j'acceptais sa deuxième condition, et nous tombâmes d'accord. J'allai préparer ma malle.

Un matin de bonne heure, au début de la deuxième quinzaine du mois de juin 1915, notre petit convoi s'ébranle en direction de l'ouest. Il comprend huit porteurs, un chef porteur, un palefrenier, M. M'Bodje, son neveu Cheik M'Bodje et moi-même. Le soleil vient à peine de se lever. M. M'Bodje fait monter son neveu en croupe et prend les devants avec son cheval. La file des porteurs s'étire sur la route. Je trottine à pied derrière eux. Avant de partir, M. M'Bodje m'a particulièrement recommandé au chef porteur ; celui-ci s'est arrangé, moyennant quelques piécettes, pour faire porter ma malle par l'un de ses hommes. Nous comptons mettre environ dix jours pour couvrir les trois cents kilomètres qui nous séparent de Ségou.

Après quelques journées de marche, coupées par des étapes dans de petits villages, nous arrivons à proximité de Say (Soka en peul), un gros bourg bambara situé entre le Bani et le Niger. Comme toujours, M. M'Bodje est en avance sur nous grâce à son cheval. A deux kilomètres environ de Say, nous le trouvons qui nous attend, assis avec son neveu à l'ombre d'un grand arbre. Pour donner plus de solennité à son entrée dans la ville, il tient à ce que nous y arrivions tous ensemble. Say n'est pas, en effet, une cité ordinaire ; la force colossale du royaume de Ségou s'est toujours, dans le passé, brisé les dents contre elle. Non seulement elle n'a jamais été conquise, mais jamais elle n'a accepté ne serait-ce que de reconnaître la suzeraineté de Ségou. Un proverbe peul dit : "*Ségou a de la force, mais Ségou connaît la force de Soka (Say). Quand Soka tousse, Ségou est secouée.*" Il eût été vraiment malséant, pour un "Blanc-Noir" de la qualité de M. M'Bodje, habillé, chaussé et coiffé à la manière correcte des Blancs-Blancs eux-mêmes, de pénétrer quasi anonymement dans une cité qui a réussi à tenir tête à la couronne de Ségou. Chevauchant son pur-sang et précédé d'une file de huit porteurs conduite par un chef porteur armé d'un fouet, il fera certainement plus sensation qu'un cavalier isolé portant un gamin maigrichon en croupe, fût-il coiffé d'un casque colonial! Après quelques instants de repos, notre convoi s'ébranle en serpentant à travers les buissons. M. M'Bodje ferme la marche.

Say fait partie de ces rares cités bambaras qui sont gardées par une meute de chiens de guerre bien dressés. Sentinelles vigilantes que ni sommeil ni distraction ne peuvent surprendre, ils rôdent constamment autour des murs d'enceinte, prêts à déchirer à belles dents quiconque oserait passer à leur portée.

Comme nous nous approchons du village, les chiens, qui ont senti notre odeur, se mettent à aboyer comme jamais encore je n'ai entendu chiens le faire. C'est un chœur assourdissant et discordant où les grondements caverneux se mêlent aux cris nasillards et aux hurlements les plus stridents. Ces aboiements effroyables nous arrêtent net, le souffle coupé, le cœur pris dans un étau glacé. Notre chef porteur, qui connaît apparemment la coutume de ces chiens, nous crie: "N'ayez pas peur, continuez de marcher, et marchez fermement!" Au même instant, des jeunes gens habillés en chasseurs traditionnels sortent de la ville et courent au-devant de nous. Ils crient aux chiens: *"Kaba! Mah! Mah!"* Ces trois mots ont un véritable effet magique! Les chiens se taisent net, rabattent leurs oreilles, rentrent leur queue entre leurs pattes postérieures comme pour s'excuser d'avoir été si tonitruants, puis s'assoient tranquillement sur leur arrière-train, laissant pendre de leur gueule bavante une longue langue rose.

Un bel homme bien bâti, dont les cheveux sont tressés en petites nattes, sort du groupe de jeunes gens. Il s'avance vers M. M'Bodje, s'incline et dit en bambara:

"Je suis le fils du chef du village. Sois le bienvenu à

Say, ô honorable étranger. Considère-toi ici comme chez toi. C'est mon père qui te le dit par ma bouche."

M. M'Bodje, qui ne parle que le wolof (langue du Sénégal), le peul et le français, me demande de lui servir d'interprète. Du coup, je me sens monter en grade tant aux yeux des autres qu'à mes propres yeux. Par mon intermédiaire, il remercie le fils du chef et lui demande de nous conduire auprès de son père.

Guidés par notre escorte, nous pénétrons dans la cité. Ses ruelles sont si étroites et si tortueuses que deux hommes ne peuvent y circuler de front sans se gêner. Celle que nous suivons débouche tout à coup sur une place assez vaste, bordée de grands *doubalens*, arbres à feuillage touffu qui donnent de l'ombre toute l'année. La maison du chef se trouve juste en face. Le fils du chef nous fait pénétrer dans le vestibule, une salle de bonnes dimensions dont les murs sont tapissés de trophées de chasse et de fétiches qui pendent un peu partout.

On nous présente au chef du village. Celui-ci, chef de canton aux yeux de l'administration coloniale, est aussi doyen d'âge, "maître du couteau" sacrificiel et l'un des sept grands maîtres des fétiches du Pondori et du Djenneri — autant dire presque une idole vivante. Sous une couronne de cheveux blancs, son front est large, haut et brillant, ses yeux à la fois bienveillants et graves, et son nez si long et si droit qu'on l'a surnommé, bien que très révérencieusement, *foulalnoun*, "nez de Peul". De très grandes oreilles, réputées symboles de sagesse et de connaissance, achèvent de donner à ce patriarche bambara un aspect des plus vénérables.

Depuis des années, ayant perdu l'usage de ses jambes, il passe ses journées assis sur une peau de bœuf tannée, dans le vestibule de sa demeure qui est à la fois salle de séjour, salle à palabres, siège du tribunal populaire et sanctuaire des dieux ancestraux. Installé sur une sorte de petite estrade de terre, c'est de là qu'il dirige d'une main de maître les affaires de ses administrés, réglant tous les problèmes qui surgissent entre eux, ou avec les dieux et les ancêtres, ou encore avec ces autres "dieux de la brousse" que sont les Blancs-Blancs, conquérants et chefs suprêmes du pays.

Ce chef traditionnel bambara est si hostile à l'islam qu'il prend soin de ne jamais tourner son visage vers l'est, direction de La Mecque vers laquelle les musulmans se tournent pendant leurs prières. Bien que vaincu en son temps par Cheikou Amadou, fondateur de l'Empire peul islamique du Macina, le chef de Say n'a jamais eu peur que d'un seul homme : le colonel Archinard, chef des "peaux allumées". Ce grand sorcier blanc à "cinq ficelles" n'a-t-il pas réussi à pactiser avec le grand génie Tummelew qui lui a livré le secret du bosquet de tamariniers au sud de Djenné, seul endroit d'où l'on pouvait partir pour prendre sûrement la ville [44] ?

Un dialogue s'engage par mon intermédiaire entre le chef et M. M'Bodje.

"Quelle est la qualité de notre hôte blanc-noir *(toubaboufin)* si bien vêtu en Blanc-Blanc de France-blanche ? demande le chef.

— C'est un grand marabout de l'école où l'on apprend à écrire de gauche à droite, et non de droite à gauche comme dans les écoles coraniques. Il est né loin à l'ouest, au pays où le soleil se couche dans le grand fleuve salé.

— Dis au marabout de l'école que je suis très heureux qu'il écrive de gauche à droite et non dans l'autre sens comme les musulmans !"

M. M'Bodje rend la politesse au chef. Celui-ci reprend :

"Demande au marabout de l'école comment va le grand commandant moustachu.

— Il va bien et je vous remercie pour lui, me fait répondre M. M'Bodje.

— Et le petit commandant imberbe ?..."

Même réponse.

"Et le garde-l'argent ventripotent (le trésorier) ?..."

Chaque fois M. M'Bodje, dont je sens monter l'énervement, répond la même chose.

"Et Mamadou Sall le répond-bouche (Papa Sall l'interprète) ?... Et le porte-plume (le secrétaire) ?... Le garde-porte (le planton) ?... Le guérisseur (le médecin) ?... Le maître du fil à nouvelles (le postier) ?... Les grimpe-poteaux (les monteurs des P.T.T. et surveillants des lignes)?... Sans oublier le cuit-repas... le sert-repas... le lave-linge et le fait-le-lit... le lave-marmites, le donne-du-vent (le panka) et le ramasse-crottin (le palefrenier)?..."

M. M'Bodje, qui a coutume de sabrer d'un trait vengeur les répétitions et les longueurs chez ses élèves, est excédé. Il me glisse de temps en temps à l'oreille en français: "Va-t-il bientôt finir d'égrener son chapelet de noms!" Heureusement, il est homme à dominer son impatience et il répond chaque fois poliment ainsi que le veut l'usage. Il est tout de même resté suffisamment "noir" pour savoir que, chez nous, les litanies de salutation sont interminables et qu'il serait de la plus grande incorrection de s'y dérober.

Arrivé à la fin de son énumération, le vieux chef tire de sa poche une tabatière. Il prend entre ses doigts une pincée de poudre de tabac et l'aspire d'un coup bref par ses deux narines, ce qui le fait éternuer. Il bénit alors le ciel d'avoir permis à son père et à sa mère de l'engendrer sous une bonne étoile, puis il reprend d'une seule traite:

"Demande au marabout de l'école comment vont également tous ceux que j'ai omis de nommer, oui, comment vont-ils dans cette belle ville de Djenné dont les musulmans disent qu'elle est à la fois un paradis *(djenna)*, un bouclier *(djouna)* et la folie *(djinna)*. Pour moi, ce que je trouve de plus fou et qui m'agace le plus, ce sont ces cris que les marabouts lancent cinq fois par jour du haut des tourelles de leurs mosquées!"

Profitant d'un moment de silence, M. M'Bodje s'adresse à moi:

"Amadou, dis au vénérable et honorable grand chef que tout le monde à Djenné se porte bien, depuis le commandant jusqu'aux petits marmitons, et que tous me chargent de le saluer ainsi que ses courtisans, ses femmes et ses enfants, sans oublier personne. Dis au chef que nous sommes ses hôtes pour cet après-midi et cette nuit seulement. Dès que, demain matin, les premières lueurs de l'aube fendront les ténèbres du côté de l'orient, nous reprendrons la route pour Mounia, et de là jusqu'à Ségou."

Après m'avoir écouté, le chef s'écrie, avalant une partie de mon nom :

"Adou ! Dis au marabout de l'école des « peaux allumées » que son parler est comme un beau tronc de rônier droit et élancé et que je le remercie. Dis-lui aussi que demain à l'aube, il aura tout ce dont il a besoin pour continuer son chemin."

M. M'Bodje peut enfin prendre congé du vieux chef, qui nous fait servir le soir un excellent couscous au mouton préparé par l'une de ses épouses.

Sur les pas des chiens de guerre

La nuit fut excellente. Au petit matin, avant même que les coqs aient poussé leur premier cri, un cheval joliment harnaché, tenu par un garçon à peine plus âgé que moi, a été amené dans la cour du campement. Un homme y attend, entouré d'une meute de douze chiens semblables à ceux que nous avons vus la veille. M. M'Bodje, toujours très matinal, est le premier à sortir et à découvrir le spectacle. Il m'appelle d'une voix forte. Réveillé en sursaut, je bondis dans la cour où, à mon tour, je vois le joli cheval et le garde-chiens entouré de sa meute. L'homme porte un costume de chasse littéralement bardé d'amulettes en cuir et de plaques métalliques — ce qui, paraît-il, est le costume traditionnel des gardiens de meute. Il est coiffé d'un casque impressionnant : sur une coupelle de bois taillée à l'exacte mesure de son crâne, on a monté une tête de lion à l'abondante crinière, si bien que des poils fous auréolent sa tête et retombent de chaque côté de son visage, que prolonge une longue barbe postiche faite avec une crinière de cheval. Deux besaces portées en bandoulière s'entrecroisent sur sa poitrine. Une queue de bœuf munie de petits grelots pend à son poignet droit. Accroupi, il attend patiemment, entouré de ses douze chiens de combat bien dressés qu'apparemment le chef a mis à notre disposition. Ce sont des chiens gigantesques, trapus, à la tête énorme. Toutes leurs articulations sont entourées de cordelettes nouées. Leur tête est recouverte d'une pièce d'étoffe noire trouée pour les oreilles et maintenue par des ficelles colorées passant autour du museau et du cou. Un collier "gri-gri", garni de pointes acérées, entoure également leur cou. On ne saurait dire, des chiens ou de leur gardien, lequel est le plus effrayant — cette sorte de chiens, que l'on appelait "chiens de guerre" et qui n'étaient élevés que dans le pays de Say, a aujourd'hui complètement disparu.

M. M'Bodje, tel un policier, porte toujours sur lui le sifflet dont il se servait auparavant à l'école et dont il use maintenant pour appeler les porteurs. Il le porte à ses lèvres : "Frrr ! Frrr ! Fittt !" siffle M. M'Bodje. Aussitôt tous les porteurs sont à pied d'œuvre, chacun à côté de son baluchon.

M. M'Bodje va saluer l'homme aux chiens, puis il lui demande par mon intermédiaire :

"Pourquoi le vieux chef nous fait-il escorter par une meute ?"

L'homme répond :

"Depuis que le colonel Archinard a pactisé avec le génie Tummelew pour prendre Djenné, tous les mauvais esprits qui avaient été emprisonnés auparavant dans le bosquet sacré de Toula-Heela se sont évadés de leur prison. Ils se sont dispersés entre Say et Ségou où ils sévissent en attaquant les voyageurs sans protection. Ils les rendent fous ou malades. Or, ces génies rebelles n'ont peur que des chiens dressés de Say et des forces émanant des gri-gris dont ils sont porteurs. C'est pourquoi le chef a décidé de vous faire escorter par eux jusqu'à la sortie de son pays. C'est la tradition qui le veut ainsi."

Le jeune palefrenier s'avance à son tour et dit à M. M'Bodje :

"Le chef met ce cheval à votre disposition pour servir de monture à vos deux enfants" — c'est-à-dire au neveu de M. M'Bodje et à moi-même. C'est la seule portion du voyage que je ferai sur le dos d'un cheval.

"Monsieur Frrr-Frrr-Fittt !", comme l'ont surnommé les porteurs, donne le signal du départ avec son sifflet. Fort de quatorze hommes, de douze chiens et de deux chevaux, notre convoi quitte Say et prend la direction de Ségou. Le chemin est étroit. Comme la coulée d'un gros boa, il se tortille et se faufile à travers des buissons touffus légèrement bercés par la brise agréable du petit matin.

Bientôt la brousse tout entière est parcourue d'une sorte de frémissement. Elle semble s'étirer dans son lit pour secouer les dernières torpeurs de la nuit. A notre gauche, une tourterelle roucoule doucement, comme pour réveiller sa compagne paresseuse. Une autre lui répond sur la droite. Au loin retentissent les appels des coqs. C'est comme un signal. Les animaux diurnes, comprenant qu'ils peuvent se mouvoir et bruire sans danger, sortent de leurs abris. Les moineaux pépient à qui mieux mieux dans les branches, sautant de l'une à l'autre sans cesser de babiller. Tout se met à bouger et à vivre, et les peurs nées de l'ombre s'effilochent comme la brume sous les premiers rayons du soleil.

Tant que l'ombre règne dans la demi-obscurité de l'aube ou du crépuscule, chaque hallier d'épineux que l'on aperçoit au loin donne l'impression d'être un monstre trapu aux formes fantastiques, tapi sur ses talons, prêt à bondir sur quiconque s'avance vers lui. Les porteurs racontent tellement d'histoires d'esprits et de diables que je finis par en voir derrière chaque groupe d'arbres dès que la nuit tombe.

J'ai remarqué, au fil des jours, que l'ombre impose généralement le silence à nos porteurs, tandis que la lumière du jour les rend volubiles et même quelque peu tonitruants, du moins jusqu'à ce que l'extrême chaleur, la fatigue et la faim aient raison de leurs forces. Rien de tel que l'obscurité ou la faim pour clore la bouche d'un homme.

Quant à nos chiens de guerre, qui marchent en sentinelles avancées de notre convoi, eux seuls ne font aucun bruit, n'accordant leur attention qu'à tout ce qui frappe leur ouïe, leur vue ou leur odorat, en élèves bien dressés de l'école des chasseurs bambaras du Saro dont la devise est : *"Sentir, entendre, voir et se taire."*

Nous marchons en général sans déjeuner, attendant d'être arrivés à une étape pour nous reposer et nous restaurer. Dans chaque village, les réceptions sont identiques, à quelques petits détails près. Partout M. M'Bodje, "grand marabout de l'école des Blancs", est reçu et traité en véritable fondé de pouvoir des "peaux allumées". Couscous, plats de riz, bouillies de mil au lait, lait frais, miel limpide et fruits de saison, tout nous est offert en quantité, et à titre gracieux, cela va sans dire.

Le chef d'un village est même allé jusqu'à remercier humblement M. M'Bodje d'avoir, par condescendance, accepté de se reposer dans son village et d'avoir bien voulu manger sa nourriture que, par modestie, il qualifia de "mal préparée"; et pour effacer sans doute le mauvais arrière-goût que ses plats avaient pu nous laisser, ce chef offrit à M. M'Bodje cinq mille cauris (équivalant à la valeur de cent sous en 1915) pour nous acheter du mil au cours du voyage!

Tout ce respect et cette générosité, quelque ambigus qu'ils soient en raison du rapport supposé de M. M'Bodje avec la toute-puissante administration coloniale, reposent en fait sur une tradition ancestrale d'hospitalité envers tout voyageur de passage. Jadis, dans l'Afrique de la savane — la seule dont je puisse parler véritablement parce que je la connais bien — n'importe quel voyageur arrivant dans un village inconnu n'avait qu'à se présenter au seuil de la première maison rencontrée et dire: "Je suis l'hôte que Dieu vous envoie" pour qu'on le reçoive avec joie [45]. On lui réservait la meilleure chambre, le meilleur lit et les meilleurs morceaux. Souvent même, le chef de famille ou le fils aîné lui abandonnait sa propre chambre pour aller dormir sur une natte dans le vestibule ou dans la cour. En échange, l'étranger de passage venait enrichir les veillées en racontant les chroniques historiques de son pays ou en relatant les événements rencontrés au cours de ses pérégrinations. L'Africain de la savane voyageant beaucoup, à pied ou à cheval, il en résultait un échange permanent de connaissances de région à région. Cette coutume des "maisons ouvertes" permettait de circuler à travers tout le pays même sans moyens, comme je l'expérimenterai moi-même plus tard bien souvent.

Une dizaine de jours après notre départ de Djenné, un matin, vers dix heures, nous arrivons en vue de Ségou, sans avoir jamais fait aucune rencontre dangereuse. De peur, sans doute, de se faire déchirer à belles dents par notre meute, les mauvaises gens comme les méchants esprits auront préféré se tenir prudemment à l'écart de notre chemin.

Pour remercier le conducteur de la meute, M. M'Bodje lui offre une chéchia usagée et deux pièces de un franc. L'homme accepte la chéchia, mais refuse catégoriquement les deux pièces. Il repart à travers la brousse avec ses chiens et le joli cheval qui nous avait portés, le petit M'Bodje et moi.

Nous entrons dans Ségou par son côté est. Cette cité extraordinaire, qui fut tour à tour la capitale des rois bambaras et toucouleurs et dont l'importance est à la fois mythique, politique, sociale et commerciale, s'étire le long de la rive droite du Niger, à l'ombre d'acacias séculaires. En face de la ville, le fleuve s'étale majestueusement dans la plaine. En nul autre endroit de la Boucle du Niger il n'atteint, je crois, une largeur comparable.

M. M'Bodje espère prendre le bateau *Le Mage* (du nom du célèbre explorateur) dont le départ est prévu pour treize heures, mais il doit au préalable faire viser ses papiers à la Résidence du cercle. Pressé par le temps, il nous fait traverser rapidement la ville. A défaut de pouvoir la visiter, j'observe de tous mes yeux tout ce qui se présente. La grande artère que nous suivons, large, aérée, est bordée d'arbres magnifiques. Les maisons d'ocre rose rappellent celles de Djenné ou de Mopti. Les rayons du soleil jouent à travers les feuillages. A notre droite, le fleuve s'écoule paresseusement. Tout, dans cette ville, est paisible et beau. Une chose me frappe : les femmes de Ségou que nous croisons portent presque toutes un anneau d'or entre leurs deux narines. L'un de nos porteurs m'explique que c'est là une parure de coquettes et un signe de bonne fortune, exclusivement réservé aux femmes.

Nous arrivons enfin au palais de la Résidence, une élégante construction à étages dont toute la façade est garnie d'arcades et de murs agréablement ajourés.

Les trois couleurs de France

Une fois toutes les formalités remplies, notre petit convoi se dirige vers le port. Stupéfait, je vois une embarcation métallique gigantesque se balancer légèrement sur les flots. Par une sorte d'anus latéral, elle évacue régulièrement de longs jets d'eau à grands coups de *pch-pch-pchch!...* tandis que des volutes de fumée s'échappent de deux grosses cheminées inclinées. C'est la première fois que je vois un bateau à vapeur. A côté des longues pirogues bozos élégantes et silencieuses, on dirait une sorte de gros monstre fluvial cuirassé de fer et n'arrêtant pas de pisser et de fumer.

Sur les quais se déploie un véritable petit marché, chacun espérant vendre aux partants quelques provisions de route ou un souvenir de Ségou. On marchande ferme, des bagarres éclatent par-ci par-là. M. M'Bodje doit même user de toute son autorité de "marabout de l'école des Blancs", attestée par son costume et son pince-nez blanc-blanc, pour séparer deux combattants entêtés. Des porteurs et des laptots transportent des sacs et des valises sur le bateau. M. M'Bodje fait embarquer ses bagages par ses porteurs, puis les paie et leur donne congé.

Tout à coup, on voit dévaler sur la pente de la berge menant au quai un énorme personnage en costume officiel européen, si gros que sa tête sans cou semble directement plantée dans son buste de taureau et que ses bras ne peuvent même pas retomber le long de ses flancs; il les porte écartés à la manière d'un gros oiseau prêt à s'envoler. C'est M. Monnet, commissaire de bord du bateau *Le Mage*, suivi de porteurs chargés de provisions de bouche pour les passagers blancs. "Attention! Attention! crient les marchands en bambara. M. Ventripotent s'amène, entraîné par sa bedaine..." Chacun se range le mieux qu'il peut pour laisser passer cette énorme masse de chair que seule la mauvaise humeur semble propulser. Apparemment furieux de trouver le quai aussi encombré, le commissaire, tel un ouragan, bouscule tout ce qui lui fait obstacle, sans se soucier d'écraser au passage sous ses gros souliers les petites marchandises ou pacotilles étalées par terre et que les malheureux marchands n'ont pas toujours eu le temps de retirer. M. Monnet, ancien adjudant de l'armée d'Afrique, fait partie de ces coloniaux qui croient à l'efficacité de la brutalité pour affermir et pérenniser l'autorité française que les Borgnis-Desbordes, Archinard et autres chefs blancs aux manches ornées de ficelles d'or ont fondée en Afrique occidentale à coups de fusil et de canon.

A ce moment précis, sur la planche inclinée qui sert de passerelle, deux laptots sont en train de hisser un énorme tonneau. Voyant le commissaire dévaler la pente en agitant ses bras, le chef laptot leur crie : "Dépêchez-vous, ou vous finirez dans l'eau avec votre tonneau. Ventripotent fonce droit sur vous. S'il vous trouve sur son chemin, il barrira comme un éléphant veuf et vous jettera à l'eau comme des bêtes crevées !" Jamais prophétie ne se réalisa mieux et à l'instant. Lorsque M. Monnet arrive au bas de la passerelle, les laptots ont encore un mètre environ à franchir pour finir de hisser leur charge et débarrasser le chemin. La colère du commissaire éclate avec la violence de la première tornade tropicale de l'année. Il vomit une bordée d'injures : "Espèces de paresseux ! Sales nègres ! Fils de putains ! Cochons malades !..." — pour ne citer que les plus modérées parmi les expressions dont il gratifie les malheureux laptots. Tout en vociférant, il se propulse droit sur eux. Connaissant sa force et son caractère violent, les laptots se jettent à l'eau avec leur tonneau, préférant le faire d'eux-mêmes plutôt que d'y être expédiés *manu militari* par l'irascible commissaire. Celui-ci franchit la passerelle et s'engouffre dans le bateau.

"C'est injuste, c'est vraiment injuste !" maugrée M. M'Bodje. Mais à qui se plaindre ? C'était l'époque où le Blanc, qu'il ait tort ou raison, avait toujours raison, du moins en règle générale. Et pourtant je vais avoir l'occasion, peu après, de constater que même au fond d'une brute il peut y avoir une étincelle de bonté, et qu'il ne faut jamais désespérer de l'homme.

Nous embarquons avec bruit, nous bousculant les uns les autres. Il avait été bien entendu avec M. M'Bodje, avant notre départ de Djenné, qu'en matière de frais de transport je devrais me débrouiller tout seul. Nous nous séparons donc. Il se rend avec son neveu dans une cabine de troisième classe (le bateau comporte des cabines de première, deuxième et troisième classe), tandis que je reste sur le pont, place réservée aux nègres noirs-noirs et aux bestiaux. Chacun s'y installe comme il peut et cherche un endroit où étaler sa natte. Nous ne devrons payer nos places qu'une fois embarqués.

Un premier sifflement enrhumé déchire péniblement l'atmosphère ; j'entends un bruit de chaînes qui cognent contre les flancs du bateau ; des laptots affairés courent d'un bord à l'autre. Au deuxième sifflement, je sens le bateau remuer et se balancer. Les roues commencent à tourner et leurs aubes à baratter l'eau du fleuve qui retombe autour d'elles en longues gerbes crémeuses. Le bateau s'éloigne progressivement du quai et gagne les hautes eaux. Sa proue semble couper le fleuve en deux, soulevant de chaque côté une houle puissante qui se rue vers les berges et fait danser les pirogues bozos comme des poulains affolés. Quelques-unes cassent leurs amarres. Bientôt, nous perdons le port de vue.

Je me lève et vais consulter le tableau des tarifs. Quand je vois le prix des billets, l'angoisse me saisit : pour les voyageurs du pont, le transport jusqu'à Koulikoro — c'est-à-dire le lieu de débarquement final avant Bamako — coûte sept francs. Je sors en hâte de ma bourse tout l'argent dont je dispose. Hélas, à force de distribuer des petites sommes dans tous les villages traversés, sur les quinze francs que m'avait envoyés ma mère, il ne me reste plus que deux francs ! Je n'avais pas imaginé que le prix du transport serait si élevé, surtout sur le pont.

Pas question de faire appel à M. M'Bodje pour m'aider, les choses ont été clairement précisées entre nous. Et je ne peux même plus redescendre à terre pour finir le voyage à pied !...

Juste à cet instant, la cloche sonne pour inviter les voyageurs à venir payer leur place. Comme j'ai attrapé, au cours du voyage, une mauvaise ophtalmie due à une insolation, j'en prends prétexte pour me présenter le dernier. Quand mon tour arrive, clignant des paupières et sans presque réfléchir à ce que je fais, je tends ma bourse à l'homme qui me précède et lui demande d'en sortir le montant de mon billet. Pendant que l'homme fouille et refouille dans tous les recoins de mon gousset — où, bien entendu, il ne trouve que deux francs — mon cœur bat si fort que mes oreilles en bourdonnent ! Comment tout cela va-t-il finir ? Comment va réagir le terrible commissaire ?

L'homme, relevant la tête, déclare que ma bourse ne contient que deux misérables francs. Je pousse un cri et me jette à terre, pleurant et gémissant : "J'avais sept francs ! J'avais sept francs ! Je ne sais comment j'ai perdu mes cinq francs, c'était une grosse pièce d'argent. Yayeyaye !... Ô ma mère, j'ai perdu mon argent ! Ô ma mère !..." Plus ma conscience me gronde intérieurement de mentir si effrontément, et plus ma frayeur me pousse à gémir et à forcer mon rôle de misérable victime du sort. Bien entendu M. M'Bodje, qui se trouve dans sa cabine, ignore tout de ma situation.

Alerté par mes cris, le commissaire sort de son bureau. Il s'approche de moi et me demande pourquoi je me lamente comme un damné. Je lui conte alors ma fable avec un aplomb qui ne laisse place en son esprit à aucun doute.

"Où vas-tu ? me demande-t-il.

— Je vais à Kati rejoindre mes parents pour les vacances.

— Qui es-tu et que fais-tu tout seul, loin de tes parents ?

— Je suis un écolier peul de l'école régionale de Djenné.

— Ah ! C'est très bien cela ! Et qu'est-ce qu'on t'enseigne à l'école ?

— On m'y apprend à lire, à écrire, à parler le français, à chanter, et surtout à aimer la France et à la servir même au prix de ma vie ou de la vie des miens.

— Bien ! Bien ! Tu as appris des chansons françaises ?
— Oui monsieur.
— Lesquelles ?
— *La Marseillaise* et *Les Trois Couleurs.*
— Chante *Les Trois Couleurs* pour moi."

Je ne me fais point prier et entonne avec force et conviction :

Les connais-tu les trois couleu-eurs
Les trois couleurs de Fran-ance !
Celles qui font rêver les cœu-eurs
De gloire et d'espéran-ance.
Bleu céleste, couleur du jou-our
Rouge de sang, couleur d'amou-our
Blanc, franchise et vaillan-ance !
Blanc, franchise et vaillan-ance !

L'ancien adjudant, tout exalté par ces nobles paroles et emporté par le rythme, me saisit par les deux bras et m'entraîne dans une sorte de danse, me faisant tournoyer autour de lui, tandis qu'il m'accompagne de sa puissante voix :

Blanc, franchise et vaillan-ance !
Blanc, franchise et vaillan-ance !

Notre danse à deux n'est accompagnée ni de fifres ni de galoubets mais des battements de mains de la foule des passagers, toujours prêts à se réjouir et heureux de participer à un divertissement aussi inattendu. A la fin, tout essoufflé, le vieil adjudant s'arrête et me dit :

"Ah ! tu es vraiment un bon fils de la France ! Tu es ici sur un bateau qui appartient à la France éternelle[46] pour laquelle sont morts de grands savants, de grands soldats, et pour laquelle mourront bien d'autres héros encore. Cesse donc de pleurer, mon petit, tu voyageras sur ce bateau pour rien et tu mangeras à ma table.

— Merci mon bon Blanc, merci, merci beaucoup !" Je ne pensais pas m'en tirer à si bon compte, et je regrette aussitôt les mauvaises pensées que j'ai pu avoir à l'égard du gros commissaire.

Le bruit qui régnait sur le pont a fini par attirer l'attention des voyageurs des classes supérieures. Quelques-uns descendent pour voir ce qui se passe. Tout à coup, une très belle jeune femme peule se précipite sur moi :

"Amkoullel ! Amkoullel ! Fils de mon oncle ! D'où sors-tu et que fais-tu dans ce bateau ?"

J'écarquille les yeux : c'est Fanta Hamma, ma propre cousine du côté maternel, qui regagne Bamako en compagnie du fonctionnaire français dont elle est alors "l'épouse coloniale". Par un heureux hasard, le commissaire la connaît bien. Il lui conte ma mésaventure et lui dit comment il compte arranger les choses pour moi. Ma cousine, qui n'est nullement impressionnée par les Blancs, tape amicalement sur son gros ventre et lui sourit :

"Fais voyager mon cousin dans ma cabine en première classe, lui dit-elle. Nous ne sommes que deux et il y a de la place pour trois."

M. Monnet acquiesce. Du coup, me voilà promu à un rang plus élevé que celui de mon maître M. M'Bodje, qui, lui, voyage en troisième classe !

Quelque temps après, le commissaire ordonne de relever les bâches qui tapissent le pont, afin de laver celui-ci à grands seaux d'eau. Chacun prend ses nattes et ses paquets, on soulève les bâches et, ô miracle, on voit tout à coup briller, coincée contre le bord du pont, une belle pièce de cinq francs ! On fait annoncer la trouvaille, afin que le propriétaire éventuel de la pièce puisse se faire connaître. Personne ne l'ayant réclamée, tout le monde en conclut que c'est bien la pièce que j'ai déclaré avoir perdue, et on me la remet. Pour ne pas me trahir et à ma plus grande honte intérieure, je suis bien obligé de l'accepter. Je passe la nuit suivante à me reprocher mon mensonge, aggravé encore par le larcin que je viens de commettre malgré moi en acceptant une somme qui, je le sais bien, ne m'appartient pas. Ma tête est pleine de questions sans réponses : "Pourquoi Dieu a-t-Il aussi bien arrangé les choses pour moi ? Est-ce parce que j'ai distribué mes vrais cinq francs aux pauvres tout au long du voyage ? N'aurais-je pas dû plutôt être puni pour mon mensonge ?" Aucun raisonnement ne parvient à m'apaiser. Ma conscience me houspille sans cesse et m'inspire le mépris de moi-même. Tout au long de nos trois jours de navigation j'allais être ainsi partagé entre les délices d'un voyage extrêmement confortable et mes tourments intérieurs.

La pirogue métallique de terre

A Koulikoro, nous devons prendre le train pour Bamako. Ancienne capitale de Soumangourou Kanté, le roi forgeron qui vainquit l'empire du Ghana avant d'être vaincu lui-même par Soundiata Keïta, fondateur de l'empire du Mandé (Mali) au XIIIe siècle, Koulikoro est devenue, sous l'occupation française, une simple circonscription administrative. Un escadron de spahis et une école de cavalerie y tiennent garnison.

A la gare, la cohue est indescriptible. La foule, ignorant qu'il faut attendre l'heure du départ du train, se presse contre la grande porte donnant accès à la salle où l'on vend les billets. Quatre agents de police, travaillant pour le chef de gare, repoussent les malheureux à grands coups de nerfs de bœuf :

"Nous s'en fout ! Nous faire service ! Service c'est service ! Vous autes là, allez ! Foumalkan tous là-bas !"

Ne pouvant rien faire pour nos pauvres frères, nous attendons tranquillement l'ouverture des portes. Je retrouve là M. M'Bodje et son neveu, qui attendent eux aussi.

Avec un sifflement strident, le train de Bamako entre enfin en gare. Les voyageurs en jaillissent en désordre. Quelqu'un ouvre les portes du hall et Fanta Hamma va prendre nos billets.

A Ségou, j'avais découvert mon premier "bateau à fumée". A Koulikoro je découvre ma première "pirogue métallique de terre", ainsi que les gens appellent le chemin de fer. Une pirogue à fumée voguant sur l'eau, à la limite c'est concevable, car l'eau coule et vous porte ; mais qu'une longue et lourde pirogue métallique arrive à se déplacer toute seule sur de la terre ferme, cela, c'est à coup sûr de la haute magie, une sorcellerie de diable blanc à ahurir les plus grands magiciens de la haute brousse !

Les wagons dans lesquels nous nous entassons sont à ciel ouvert. Je vois s'étendre au loin les deux règles d'acier sur lesquelles le train (comme je l'ai appris dans le deuxième livret de Jean-Louis Monod et dans la brochure *A travers nos colonies*) va glisser tout à l'heure à une allure plus rapide que celle d'une gazelle du Sahel fuyant devant une panthère affamée. Je ne suis pas très rassuré. "Et si le train trébuche et que les wagons perdent leur équilibre sur les rails, que deviendront les voyageurs et leurs bagages ?" Je demande à ma cousine quelle prière il convient de réciter avant de nous embarquer dans une aventure si redoutable. Elle me rit au nez : "La prière la plus efficace, c'est de ne pas avoir peur. Sois peul et n'aie pas peur, et tout ira bien *in shâ Allâh* (s'il plaît à Dieu)."

Quand tous les voyageurs sont en place, le chef de gare siffle le départ, le chef de train souffle dans une corne, le mécanicien tire sur l'avertisseur, et la machine elle-même émet un long cri enroué. La locomotive se met à vomir un nuage de fumée qui jaillit par saccades de sa grande cheminée, avec des poussières et des brindilles de feu qui viennent de temps en temps nous cingler le visage. Puis des jets de vapeur d'eau s'échappent de ses flancs. Les freins se desserrent, les bielles et les roues motrices entrent en action, la machine se cabre, les wagons s'entrechoquent, le tout dans des grincements et un fracas épouvantables. Enfin le train s'ébranle ; prenant peu à peu de la vitesse, il commence à filer à travers le paysage. Et c'est alors le chant rythmé des *apss-apss ! gan-gan ! — apss-apss ! gan-gan ! — opss-opss ! gan-gan ! opss-opss ! — gan-gan !* suivis des rapides *tchou-kou-tchou-gan-gan-gan ! tchou-kou-tchou-gan-gan-gan !* entrecoupés de temps en temps d'un long sifflement joyeux. Hommes, arbres et animaux semblent se précipiter vers nous. Bientôt j'oublie mes craintes, ne pensant plus qu'à contempler le spectacle qui défile devant nos yeux.

Le train mit environ une heure et demie pour couvrir les cinquante kilomètres qui nous séparaient de Bamako. La nuit venait de tomber. Depuis 1908, Bamako était devenue la capitale du "Haut-Sénégal-et-Niger" et, comme telle, lieu de résidence du gouverneur du territoire. Eclairée à l'électricité, de loin elle avait un aspect féerique. Une grande écharpe de lumière semblait avoir été jetée en travers de la colline qui dominait la ville : c'était la route qui menait de Bamako à Koulouba, lieu de résidence du gouverneur. Comme nous approchions, les lampes qui l'illuminaient me firent penser à de grosses étoiles suspendues aux branches des arbres.

A Bamako, ma cousine et son mari m'emmenèrent chez eux. Ils me logèrent dans une pièce avec eau courante et éclairage électrique. J'étais émerveillé de pouvoir faire jaillir l'eau d'un mur de pierre, rien qu'en tournant un robinet, et de pouvoir créer l'obscurité ou la lumière en appuyant sur un bouton ! Le soir, avant d'aller me coucher, je confessai toute mon histoire à ma cousine. Elle me demanda si j'avais toujours la pièce de cinq francs sur moi. Je la lui tendis. Elle me la prit et le lendemain la monnaya en petites pièces qu'elle distribua devant moi aux mendiants qui passaient dans la rue. Alors seulement, le poids qui m'écrasait disparut.

Dans la matinée, ma cousine envoya quelqu'un à Kati pour prévenir mes parents de mon arrivée. Mon père Tidjani se déplaça lui-même pour venir me chercher. Ce geste, beaucoup plus que des démonstrations qui ne lui étaient pas habituelles, témoignait de son affection et j'en fus touché. Arrivé en fin d'après-midi, il décida de repartir le soir même avec moi pour Kati, où ma mère et mes autres parents m'attendaient avec impatience. Vers dix-huit heures, alors que le soleil jetait ses derniers feux au-dessus de l'horizon, il donna le signal du départ. Cela signifiait que nous devrions franchir de nuit la plus grande partie des douze kilomètres qui nous séparaient de Kati.

A cette époque, le pays était encore fortement boisé. La majeure partie du trajet traversait une épaisse forêt infestée d'hyènes et de panthères. A mi-route, il fallait longer sur notre gauche une grande et sombre excavation appelée Dounfing. Ce gouffre, peuplé d'une végétation impénétrable et réputé hanté par les plus méchants esprits, était la demeure traditionnelle de Diatroufing, la grande hyène mythique noire, aux pattes blanches et au front marqué d'une étoile, et dont la crinière, à la nuit tombée, étincelait de mille flammèches.

Pour la croyance populaire (habilement poussée en ce sens par les confréries religieuses que les allées et venues le long de la route empêchaient de célébrer leur culte), il était préférable de voir la mort en face plutôt que de risquer de rencontrer Diatroufing en train de prendre le frais après le coucher du soleil. A la nuit tombée, le lieu était constellé de lucioles et de vers luisants dont on disait qu'ils sortaient des poils mêmes de Diatroufing. Autant dire que voyager entre Bamako et Kati après le coucher du soleil, c'était aller se jeter tout droit dans la gueule de la grande hyène, maîtresse de ces lieux obscurs.

Fanta Hamma avait si peur pour nous qu'elle en pleurait à chaudes larmes, persuadée que nous allions tout droit vers la mort ou vers une folie provoquée par les diables. Nous risquions, il est vrai, d'être attaqués par l'un des fauves qui hantaient les cavernes de la colline, et même d'être dévalisés par les bandes de coupeurs de chemin qui pullulaient dans la forêt. Mais ni dieu ni diable n'auraient pu empêcher Tidjani de faire ce qu'il avait décidé. Il avait pour adage : "On ne peut ni mourir avant l'heure, ni ne pas mourir quand l'heure sonne. Alors pourquoi avoir peur ?..." "J'ai promis à ma femme de rentrer cette nuit avec notre fils, dit-il à ma cousine. Il ne saurait donc être question de passer la nuit à Bamako. Et puis, Amadou a maintenant quinze ans. Il est grand temps qu'il apprenne à affronter les ténèbres, les diables, les sorciers, les brigands et les fauves."

Il n'était tout de même pas venu sans armes : il portait

en bandoulière un grand sabre tranchant et tenait dans sa main droite une pertuisane, sorte de petite lance à lame triangulaire. Ainsi équipé, solide et musclé mais fin de ligne et de visage, je lui trouvais très fière allure. Il émanait de lui une impression de force et de tranquille assurance. Il me tendit un poignard maure et m'indiqua comment m'en servir le cas échéant.

Un griot de Bandiagara, qui était venu saluer Fanta Hamma ce jour-là, était présent. Prenant sa guitare, il se mit à chanter la devise des Thiam et à louer le courage et la générosité de Tidjani. Il improvisait :

Ô Tidjani Amadou Ali Thiam,
tu me donnes aujourd'hui un nouveau chapitre
à ajouter à la devise de gloire de ta famille !
Diables, sorciers, fauves et brigands,
garez-vous, le fils d'Amadou Ali arrive,
tenant son fils aîné par la main.
Vous ne pourrez l'arrêter,
il traversera votre domaine
comme une étoile filante...

Quand il eut terminé, pour honorer la devise des Thiam qu'il venait de chanter ma cousine lui donna cinq francs, comme il est de coutume avec les griots. Elle avait recruté un porteur qui se chargea de ma petite malle. Nous échangeâmes les derniers adieux et remerciements, et nous voilà partis !

Mon père marchait devant moi d'un bon pas. Le porteur nous suivait. Le soleil était bas sur l'horizon. Tous ceux que nous croisions sur la route et qui rentraient en ville s'exclamaient : "Hé, homme peul ! Tu entreprends si tard un voyage sur Kati, comme si Dounfing n'existait pas ? — *Allâhou akbar,* Dieu est le plus grand !" répondait mon père.

A quatre kilomètres environ de Bamako, il s'arrêta sous un grand figuier. Il arracha de l'arbre un certain nombre de feuilles, prononça sur chacune d'elles certains versets coraniques selon un nombre déterminé, puis les lança aux huit points de l'espace, cardinaux et collatéraux. Il en garda une sur lui. "Maintenant, dit-il, la bouche de la haute brousse est muselée. Nous serons, avec l'aide de Dieu, tranquilles jusqu'à Kati." Et il reprit la route d'un pas ferme, presque joyeux, chantant à pleine voix le grand poème composé par El Hadj Omar et appelé *Le Sabre*, car tel un sabre, dit-on, il tranche les maléfices et anéantit les œuvres des mauvais esprits...

La nuit était presque totale. Plus nous avancions, et plus nous nous enfoncions dans une obscurité que rendait plus épaisse encore la présence des arbres, particulièrement denses dans cette région hérissée de collines et de chaînons, dernières ramifications des monts mandingues. Le sous-bois retentissait de crissements, de cliquètements et de stridulations d'insectes, que ponctuaient de temps en temps les cris plus inquiétants des animaux nocturnes.

Malgré la fraîcheur de la nuit, je sentais la sueur couler sur mon front. J'avais peur, certes, et chaque recoin me paraissait être un guet-apens du diable ou un affût de brigands, mais j'avais la certitude que rien de fâcheux ne pourrait m'arriver, tant était grande ma confiance en mon père.

La route de terre rouge, damée à la main par des cohortes de manœuvres africains réquisitionnés d'office (car il importait que la garnison militaire de Kati soit reliée à Bamako par une route), tranchait sur les ténèbres. Tout à coup, se cabrant comme devant un danger, elle escalada péniblement un renflement de terre. Nous découvrîmes alors sur notre gauche un gouffre ténébreux, peuplé d'arbres géants autour desquels lianes et épineux s'entrelaçaient étroitement comme pour les revêtir d'une cuirasse végétale impénétrable. C'était l'entrée sud de Dounfing.

Une multitude de vers luisants scintillaient, striant l'espace de traits lumineux comme de petites étoiles tombées du ciel. Des profondeurs du gouffre montait un concert de bruits nocturnes, auquel une sorte d'écho donnait une ampleur inquiétante. Des coassements de grenouilles se mêlaient aux hululements des hiboux, qu'interrompaient parfois des miaulements de chats sauvages. On entendait le grondement d'une cascade dont les eaux, tombant de plusieurs dizaines de mètres de hauteur, s'écrasaient avec fracas dans l'abîme. Tout concourait à donner au lieu un caractère sombre et terrifiant. Nous étions bien au seuil de l'endroit maudit. Un frisson parcourut tout mon corps, mais c'était une réaction involontaire de mes nerfs; mon esprit demeurait tranquille.

La route étroite qui longeait et surplombait le gouffre dessinait autour de lui un arc de cercle d'environ deux kilomètres. Mon père me prit par la main. Environ une demi-heure après, comme nous franchissions le dernier obstacle, une panthère miaula nerveusement loin derrière nous, déçue, sans doute, d'avoir raté un bon dîner. Mon père poussa un soupir de soulagement et rendit louanges à Dieu. Finalement, ni diable, ni fauve, ni brigand n'avait eu l'idée de nous faire un mauvais parti. Nous avions franchi sans dommage, en pleine nuit, le domaine de Diatroufing, la terrible hyène noire semeuse de terreur dans les cœurs.

A partir de Dounfing, la route redevenait large et rassurante. Bientôt les lumières de Kati scintillèrent au loin. Nous arrivâmes enfin à la maison, où tous les membres de la famille, entourés de nos amis, nous attendaient.

Ma mère était là, souriante, toujours aussi droite, toujours aussi belle. Un simple ruban de velours noir entourant son cou suffisait à la parer. Elle m'embrassa, mais sans plus, la bienséance peule ne permettant pas aux mères de trop manifester leurs sentiments envers leurs propres enfants, surtout en public, et surtout s'il s'agissait d'un grand garçon de quinze ans! La tradition africaine de jadis — du moins dans mon milieu — évitait les grandes effusions; pour nous, les actes valaient plus que les paroles et le long périple que j'avais accompli uniquement pour venir retrouver ma mère, comme sa sollicitude ininterrompue pour moi durant nos années de séparation, parlaient d'eux-mêmes.

En revanche, je me précipitai sur mes deux nouvelles

petites sœurs : Aminata (celle qui avait été fiancée par mon frère Hammadoun avant sa mort) et Fanta, la dernière-née. Aminata était d'abord tout intimidée, mais quand je la fis sauter dans mes bras elle oublia bien vite ses craintes pour éclater de rire. Puis je pris la petite Fanta et l'attachai dans mon dos, comme l'aurait fait une grande sœur.

Après le repas, je fus assailli de questions. Chacun voulait savoir ce qui m'était arrivé au cours des années écoulées ; on m'interrogeait sur Bandiagara, sur Djenné, sur les pays que j'avais traversés, les gens que j'avais rencontrés, leurs coutumes, etc., comme l'on fait quand arrive un voyageur venu de loin. C'était mon premier auditoire pour mes aventures personnelles. Je ne manquais pas d'anecdotes à raconter, ni de paroles pour les dire... Ce fut une longue et heureuse veillée. Elle se prolongea tard dans la nuit.

KATI, LA VILLE MILITAIRE

Kati, vieux village bambara situé au nord de Bamako, à l'entrée du Bélédougou, est entouré de tous côtés par des collines gréseuses rouges, qui abritaient jadis, quand elles étaient bien boisées, des tribus de singes criards et des essaims d'oiseaux multicolores. Derniers contreforts des monts mandingues, ces collines dévalent vers un monticule central sur lequel est bâti le camp militaire actuel, configuration qui fait du plateau de Kati une véritable forteresse naturelle.

Jusqu'à l'occupation du pays par les Français, Kati n'était qu'un petit hameau réputé pour la fertilité de ses terres, bien arrosées par les eaux d'une rivière permanente qui serpente au creux de la vallée avant d'aller se jeter dans le Niger, à Bamako. Les Français en firent un poste militaire qui, par la suite, prit une importance croissante, au point de devenir le siège du 2e régiment de tirailleurs sénégalais [47], le 1er régiment étant stationné à Saint-Louis du Sénégal.

A l'époque dont je parle, du fait de la guerre et de l'intensité des recrutements, il y avait au moins deux mille tirailleurs en permanence dans la ville, soit en instance de départ pour le front, soit en stage de formation militaire. La plupart des soldats qui partaient en France laissaient leurs épouses à Kati. Elles percevaient une petite pension, mais pour améliorer leur ordinaire elles devenaient souvent marchandes, cuisinières de plein air, cabaretières, teinturières, couturières... Les femmes africaines sont courageuses et pleines de ressources et il est bien rare qu'en cas de nécessité elles ne trouvent pas un petit métier à exercer pour survivre, particulièrement dans les périodes difficiles.

En raison de la densité de la population, la ville était

devenue le rendez-vous des artisans et petits commerçants de toutes les races. On y trouvait aussi toute une pègre constituée d'arnaqueurs, de joueurs de cartes, de prostituées, d'escrocs et de voleurs de toutes envergures, et surtout une masse de charlatans, féticheurs, diseurs de bonne aventure et marabouts de fantaisie, qui vendaient à qui mieux mieux charmes et gris-gris protecteurs que les pauvres bougres qui partaient au front achetaient comme des petits pains.

Dans les rues bondées de la ville, où déambulaient des militaires et des gens vêtus des costumes les plus variés, on entendait parler à peu près toutes les langues soudanaises, saupoudrées de mots ou d'expressions français assaisonnés "façon locale" et que l'on appelait alors non pas "petit nègre" mais "moi ya dit toi ya dit". Tout ce monde s'entassait, travaillait et grouillait toute la journée ; le soir on buvait, on chantait et on dansait jusque tard dans la nuit.

Après Bandiagara et Djenné, cette ville surpeuplée, bigarrée, trépidante était un spectacle surprenant pour moi. Libre de mes mouvements, je me trouvai plongé d'un coup dans un monde où le bon exemple ne fleurissait pas précisément à chaque tournant de rue. Heureusement pour moi, il y avait la poigne et l'exemple de mes parents pour m'empêcher de m'y perdre.

En 1915, quand j'arrivai à Kati, la ville était divisée en trois grandes agglomérations : le camp militaire situé au sommet de la colline, une zone d'habitation appelée Sananfara située au bord de la rivière, et Katidougoukoro, le "vieux Kati". Mes parents habitaient dans la zone de Sananfara où mon père avait créé un nouveau quartier. Lorsqu'il était arrivé à Kati avec ma mère, il avait fait construire, sur une zone inoccupée proche du camp militaire, quelques maisons de terre pour abriter sa famille. Plus tard, lors de la grande famine de 1914, des Dogons qui avaient fui la région de Bandiagara étaient venus se réfugier à Kati, où ils offraient leurs bras à qui voulait les louer. Comme ils connaissaient Tidjani Thiam et sa qualité d'ancien chef de province, ils se regroupèrent tout naturellement autour de lui, bientôt rejoints par d'autres. C'est alors que mon père créa et organisa pour eux le quartier que l'on appela *Kadobougou* ou "village des Dogons", quartier qui s'appelle aujourd'hui *Kadokoulouni* (*kado* étant un autre nom donné aux Dogons). En cette terre d'exil, il devint pour eux une sorte de conseiller et de défenseur naturel.

L'importance du quartier finit par retenir l'attention des autorités militaires, notamment du colonel Molard, qui commandait la garnison de la ville, et du commandant Bouery. Ils proposèrent mon père pour la fonction de "chef de quartier". Par un curieux retournement du sort, il accéda à cette fonction avec l'appui d'un inspecteur des Affaires administratives du Haut-Sénégal-et-Niger qui n'était autre que l'administrateur Charles de la Bretèche, ancien commandant de cercle de Bandiagara, celui-là même qui, après les tristes événements de Toïni, n'avait pu faire autrement que de le condamner au bagne et à l'exil...

Comme partout où elle était passée, ma mère avait réussi à développer à Kati un commerce assez important de tissus et d'articles régionaux divers; elle était même devenue célèbre grâce à une activité entièrement nouvelle pour elle: celle de créatrice de mode. Un jour, le directeur de la C.F.A.O. (Compagnie française de l'Afrique occidentale), frappé par la beauté de son pagne, lui avait demandé qui en avait composé le motif. Elle répondit qu'elle l'avait créé elle-même, puis fait réaliser par ses tisserands. Le directeur lui demanda alors de lui fournir de petits échantillons de tous les modèles qu'elle créerait. S'ils lui plaisaient, il les enverrait en France pour les faire reproduire en grande quantité. De ce jour, ma mère réalisa de nombreux modèles qui furent tous acceptés par la C.F.A.O. et qu'elle baptisa des noms des femmes les plus belles ou les plus célèbres de la ville. Ces modèles restèrent en vogue pendant près de quinze ans.

Non seulement la C.F.A.O. lui versait cinq francs pour chaque nouveau modèle créé, mais en plus — chose extrêmement rare à l'époque pour les indigènes, surtout pour une femme — elle lui avait ouvert un crédit. Chaque début de mois ma mère prenait, sans les payer, une certaine quantité de marchandises qu'elle revendait ensuite en ville ; à la fin du mois, elle remboursait la somme due et emportait un nouveau stock. C'est peu de dire qu'elle vivait à l'aise.

Avec l'affluence des femmes de tirailleurs à Kati, les acheteuses ne manquaient pas. Nombre d'entre elles prirent l'habitude de venir bavarder avec ma mère pour lui exposer leurs difficultés, lui demander des conseils, au besoin lui emprunter de l'argent. Pour toutes ces femmes esseulées, coupées de leur milieu familial et souvent chargées d'enfants, Kadidja était devenue une sorte de maman. Quand l'une d'elles avait des malheurs, ses compagnes lui disaient : "Va voir *Flamousso* (« femme peule » en bambara)." Et si c'était un homme, on lui disait : "Va voir Tidjani."

Peu à peu, mon père, sans prosélytisme aucun et par la seule vertu de ses qualités et de son exemple, fut amené à convertir de nombreux Bambaras à l'islam. Il a été, je crois, l'un des premiers à le faire dans la région.

La petite boutique qu'il avait ouverte était située en face du camp militaire, ce qui lui valut de nouer des relations amicales avec de nombreux militaires tant africains que français. Il exerçait toujours son activité de tailleur-brodeur et réalisait toujours des boubous brodés de toute beauté, mais ce qui attirait surtout les gens autour de lui, c'était sa réputation morale et religieuse. Comme à Bougouni, les gens le considéraient un peu comme un marabout et venaient lui demander des conseils, voire des prières.

Il avait une spécialité très étrange — innée ou transmise, je ne sais — qui consistait à soigner les fous. Quand on lui amenait un dément, il le gardait à la maison jusqu'à ce que le malheureux pique une crise, se mette à crier et tombe sur le sol. Alors Tidjani ôtait sa sandale, récitait certains versets coraniques sur elle, puis s'en servait pour donner un grand coup sur l'oreille du malheureux. Par un phénomène curieux, celui-ci tombait immédiatement dans un profond sommeil qui pouvait durer toute une demi-journée. Parfois, une bave abondante coulait de sa bouche et la morve lui sortait du nez. Quand il se réveillait, mon père lui faisait prendre un bain, et tout était dit. Il rentrait chez lui guéri.

Un ami marabout lui dit un jour :

"Tidjani, attention ! Ta manière de soigner les fous va se retourner contre ta famille. Les mauvais esprits se vengent toujours quand on les déloge avec violence. Or, c'est ce que tu fais.

— Tant pis ! répondit mon père. Je préfère soigner le plus de fous possible, au risque de voir mes propres enfants devenir fous eux-mêmes, plutôt que de laisser ces malheureux dans leur état."

Hélas, la prédiction de ce marabout se confirma en grande partie. L'une des filles de Tidjani et de Kadidja, née à Kati, attrapa la folie et Tidjani ne put la guérir. Leur fils cadet, mon demi-frère, est lui aussi devenu fou ; mon père a tout fait pour le soigner, mais en vain. Les enfants nés du mariage de ma demi-sœur connurent tous également, à un moment ou à un autre de leur vie, des problèmes de ce type, heureusement parfois provisoires.

Bien entendu, jamais mon père ne faisait payer ses services ni son aide en matière religieuse. Cela aurait été contraire non seulement à sa nature, mais à l'injonction divine catégorique qui figure dans le Coran : *"Ne vendez pas mon nom pour un vil prix."* (II, 41.) Aujourd'hui, hélas, trop de "marabouts" ou soi-disant tels — il suffit parfois d'un simple vernis de connaissances islamiques pour se parer de ce titre — non seulement acceptent de l'argent pour "faire un travail" en faveur de quelqu'un — ou pis, pour nuire — mais bien souvent en fixent le prix eux-mêmes et en font un véritable métier. Un tel comportement, qui malheureusement est devenu courant dans la société africaine musulmane d'aujourd'hui, est formellement contraire à l'islam et n'a d'ailleurs jamais été observé ni chez un Alfa Ali, ni chez un Tierno Bokar, ni chez un Tierno Sidi, tous grands marabouts de Bandiagara, réputés pour leur savoir et leur élévation spirituelle.

Les jours suivant mon arrivée à Kati, je me trouvai quelque peu dépaysé et isolé. Heureusement, j'avais trouvé à la maison un jeune Dogon de Bandiagara plus âgé que moi de deux ans, Oumarou Tembély, qui était venu à Kati "dans les bagages", si l'on peut dire, du capitaine Minary. Ce dernier, chez qui il avait servi comme boy à Bandiagara, l'avait amené avec lui à Kati en 1914. Oumarou me pilota un peu à travers la ville; il m'emmena même dans la maison du capitaine. Mais, habitué à vivre depuis mon enfance entouré de garçons de mon âge, la vie en association de jeunes me manqua rapidement. J'entrepris de chercher des camarades.

C'est alors que j'entendis parler d'une association de jeunes Bambaras du quartier de Sananfara, dirigée par un nommé Bamoussa. Ce dernier était en même temps le "maître du couteau" (sacrificateur rituel) de la société initiatique bambara du N'Tomo, qui regroupait des jeunes gens non encore circoncis. C'était donc une personnalité puissante parmi les garçons. Je me rendis auprès de lui pour solliciter mon admission dans son association (que l'on appelle *ton* en bambara, l'équivalent de *waaldé*). On m'annonça qu'il se trouvait au bosquet sacré du N'Tomo. Je me fis indiquer l'endroit et partis pour le rejoindre. Mal m'en prit!

Je le trouvai en train d'immoler un poulet qu'il offrait en sacrifice au N'Tomo. A mon arrivée, il leva les yeux et reconnut à mon teint de Peul et à ma manière d'approcher les lieux que je n'étais pas un initié de sa *ton*. Pour s'assurer de ne pas commettre une erreur, il se leva et marcha vers moi. "Halte!" cria-t-il. Il me posa alors des questions rituelles en me mimant les signes conventionnels. N'y comprenant rien, et pour cause, je ne pus répondre à aucune question, ni identifier aucun signe. Il appela alors: "*Boussan-tigi!* Porteurs de fouets! Vous avez là quelqu'un qui est aveugle, sourd et muet. Soignez-le!" Aussitôt, deux jeunes gens armés de lianes flexibles se ruèrent sur moi. Sans crier gare, ils m'assenèrent une telle volée de coups que je dus prendre la fuite, non sans les insulter vigoureusement pour leur agression injustifiée. Je venais d'apprendre à mes dépens qu'en pays bambara n'importe qui ne pouvait pas aller n'importe où.

Je rentrai chez moi très mortifié. Durant toute une semaine, je ne fis que méditer une revanche ou chercher un moyen de me faire coopter par les jeunes gens de la *ton* de Bamoussa. Sur ces entrefaites, je fis la connaissance d'un garçon bambara de mon âge qui habitait notre quartier de Kadobougou. Il s'appelait Famory Keïta. Physiquement plus fort que Bamoussa, il était lui aussi sacrificateur du N'Tomo. Après que je lui eus raconté ma mésaventure, il m'offrit non seulement son amitié, mais aussi son alliance contre les garçons du quartier de Sananfara, commandés par Bamoussa. Les conditions étaient mûres pour fonder notre propre association. Avec les jeunes de notre quartier, plus les enfants des familles de tirailleurs qui fréquentaient mon père et ma mère, notre recrutement serait facile, pour peu que mes parents me donnent leur autorisation.

Je savais que Tidjani, ancien chef de province, serait toujours heureux de voir du monde chez lui et qu'il ne soulèverait pas de difficultés; mais il s'agissait de convaincre ma mère, qui n'était pas, c'est le moins que l'on puisse dire, malléable ni modelable comme de la terre à poterie... Je décidai d'attendre un moment favorable. Un jour, elle me demanda ce qui pourrait me faire plaisir. Saisissant l'occasion, je lui répondis:

"Ma mère — que Dieu allonge la trame de tes jours! — ce qui me ferait vraiment plaisir, ce serait que tu me permettes de créer ici une waaldé.

— Demande d'abord l'autorisation à ton père, me dit-elle. S'il est d'accord, je le serai également. Je te donnerai l'argent nécessaire pour couvrir tes frais."

J'allai aussitôt trouver mon père. Comme je m'y attendais, il accueillit très favorablement mon idée. Il me donna même des conseils:

"Organise une grande fête pour réunir le plus d'enfants du quartier possible, me dit-il, et profite de l'occasion pour leur annoncer ton projet. Je te donnerai un ou deux moutons pour faire un bon méchoui."

Ma mère, elle, me donna dix francs. Je lançai donc

une grande invitation aux jeunes gens et jeunes filles du quartier ainsi qu'aux enfants des familles de tirailleurs. Le jour venu, ma famille prépara un grand repas de fête. Vingt garçons et dix filles de diverses origines se réunirent dans notre cour. Après que tout le monde eut bien mangé et dansé toutes sortes de danses africaines, dans l'euphorie générale je pris la parole :

"Ô fils de ma mère ! Il m'est venu une idée. Elle m'est inspirée par la joie que nous avons tous éprouvée ce soir à nous trouver ensemble. Je propose de nous rassembler en une association officielle afin que nous puissions nous réunir régulièrement, organiser nos distractions et être suffisamment forts pour faire face aux garçons des autres quartiers. "Une ovation salua cette déclaration." Et puisque nous sommes en temps de guerre, dans une cité militaire, je propose que notre *ton* soit organisée à l'image de l'armée. Je m'inscris le premier, moi, Amadou Hampâté Bâ, dit Thiam. Qui veut être engagé volontaire ?

— Je m'inscris !" s'écria Oumarou Tembély, aussitôt suivi de Famory Keïta et de tous les autres. Famory Keïta, le plus âgé et aussi le plus fort de nous tous, prit à son tour la parole : "Je propose qu'Amadou Bâ-Thiam, parce qu'il connaît le papier et la plume et que l'idée est née dans sa tête, soit notre colonel Molard. Que chacun des engagés aille lui soulever la main droite et dise : « Tu es mon colonel Molard et je suis un soldat de ton régiment ! »"

Chacun de mes camarades garçons vint soulever ma main en prêtant cette sorte de serment d'allégeance d'un nouveau genre. A mon tour, monté sur un mortier renversé, je jurai d'assister mes amis et frères en toutes circonstances et de ne jamais les trahir. La première association de jeunes du quartier de Kadobougou était née.

Pour diriger notre *ton*, je choisis sept garçons, dont les fonctions correspondaient à des grades militaires. Etant moi-même colonel, mon second, qui ne pouvait être que Famory Keïta, reçut le grade de commandant de bataillon. Après lui venait Oumarou Tembély, capitaine d'intendance, puis un capitaine chef d'état-major, un lieutenant commandant la section "recrutement indigène", un sous-lieutenant, des adjudants, des sergents, des caporaux, etc.

Au mois d'août 1915, notre *ton* réunissait déjà près de cinquante garçons et trente filles de diverses ethnies, répartis dans différents quartiers. Chaque quartier constituait un "régiment", avec ses officiers et hommes de troupe. En guise de galons, nos officiers portaient des ganses fabriquées par nous, teintes en jaune au moyen de jus de cola et cousues sur un fond noir. On aurait juré des "ficelles" d'officiers français! Quant à nos médailles ou autres décorations, elles provenaient de boîtes de biscuits "Petit-Beurre" dans lesquelles on trouvait tous les insignes d'honneur de la République française, en carton assez solide et grandeur nature.

Nous organisions des "marches militaires" à travers la brousse, fusil de bois sur l'épaule, poussant parfois jusqu'au gouffre de Dounfing, histoire d'aller narguer la méchante Diatroufing à l'extrême bord de son repaire. Nous avions aussi des batailles rangées, pompeusement appelées "exercices de guerre". Nos parodies militaires amusaient fort les vrais militaires de Kati. Quant aux chefs de popote, ils se faisaient un plaisir de m'offrir autant de boîtes vides de "Petit-Beurre" qu'il en fallait pour décorer nos vaillants soldats.

Une fois nos troupes bien aguerries, je déclarai officiellement la guerre à Bamoussa et à son association. La rencontre, organisée selon les règles coutumières, eut lieu une nuit, par un beau clair de lune, sur la place Lingué-Koro de Kati. Bamoussa et ses jeunes gens furent battus et nous courûmes nous emparer de leur bosquet sacré. Il fallut rien de moins que l'intervention des anciens pour nous obliger à restituer les objets du culte, ceux-ci ne pouvant être aliénés par personne, même par un vainqueur!

Notre association vivra jusqu'en février 1918, date de l'arrivée au Soudan de Blaise Diagne, envoyé par Clemenceau à travers toute l'A.O.F. pour promouvoir un recrutement massif, notamment de jeunes. Toute la vie associative et traditionnelle des jeunes gens en sera perturbée. J'aurai l'occasion d'en reparler plus loin.

Quelque temps après ces événements, je fus admis dans la société bambara du N'Tomo, qui accueillait les jeunes gens non encore circoncis ; à Bougouni, je n'avais connu que la société Tiebleni, réservée aux très petits enfants. Comme je l'ai dit précédemment, il était alors d'usage, pour les musulmans minoritaires vivant au sein d'une société majoritairement bambara ou malinké, d'accepter, pour leurs enfants, une affiliation de pure forme aux sociétés d'initiation enfantines — qui se confondaient d'ailleurs, dans ce milieu, avec les associations d'âge. Sinon, aucune vie collective n'aurait été possible pour ces enfants. Bien entendu, nous ne participions ni aux cultes ni aux sacrifices, mais au moins nous n'étions pas obligés de nous cacher lors des sorties rituelles des grands masques, et la connaissance des signes conventionnels nous permettait d'approcher les bosquets sacrés sans risquer d'en être chassés à coups de fouet.

Il y avait alors à Kati trois sanctuaires : l'église chrétienne, avec son école et sa crèche ; la mosquée, avec sa medersa (école) et sa zaouïa (lieu de réunion et de prière des membres d'une confrérie *soufi*), enfin le *djetou*, bois sacré des Bambaras, où se célébraient généralement leurs cultes.

Mon père Tidjani, bien que musulman extrêmement rigoureux pour lui-même et sa famille, était très tolérant. Il avait fait sienne la parole du Coran : "*Point de contrainte en religion, la vérité se distingue elle-même de l'erreur.*" (II, 256.) J'avais un petit camarade chrétien prénommé Marcel et qui allait régulièrement à la messe le dimanche. Un jour, poussé par mon éternelle curiosité, je l'accompagnai pour voir ce qui se passait à l'intérieur. Dès mon retour à la maison, je fis part à mon père de cette expérience et lui décrivis en détail le cérémonial, les chants, les paroles et les attitudes du prêtre, que j'avais soigneusement observées. Je savais qu'il ne me blâmerait pas, car, comme Tierno Bokar, il ne s'opposait pas à ce qui pouvait contribuer à augmenter les connaissances, et surtout à ce qui pouvait permettre de juger d'une chose par soi-même et non par des on-dit. Il m'écouta calmement, et comme je lui demandais si je pouvais y retourner, il me répondit :

"Accompagne ton camarade si tu le désires. Ecoute tout ce que le prêtre dira, et accepte-le, sauf s'il dit qu'il y a trois dieux et que Dieu a un fils. Dieu est unique et Il n'a pas de fils. A part cela, prends et retiens dans ses paroles tout ce qu'il y a de bon, et laisse le reste."

Une circoncision à la sauvette

Quand vint la rentrée des classes en septembre 1915, il n'était pas question que je retourne à Djenné étant donné la façon dont je m'étais esquivé sans prévenir personne. A vrai dire, cela ne me préoccupait guère, et ce n'était pas pour déplaire à ma mère qui n'avait jamais vu d'un très bon œil mes études à "l'école des Blancs". Quant à mon père, il ne semblait pas avoir d'opinion particulière à ce sujet.

Un autre problème me préoccupait bien davantage : celui de ma circoncision. Selon la coutume peule aussi bien que toucouleure, j'aurais dû être circoncis à douze ans au plus tard, lorsque je vivais encore à Bandiagara, mais le fait d'avoir été requis pour l'école m'en avait empêché : la date de la circoncision tombait en effet toujours pendant la saison froide, alors que l'école fonctionnait à plein temps. Par la suite, à Djenné, cela me fut également impossible, si bien que lorsque j'arrivai à Kati en juillet 1915, malgré mon âge j'étais toujours un incirconcis, un *bilakoro* (littéralement un "laissez-mûrir"). Traditionnellement, j'étais classé parmi les "gamins aux mains sales", ceux qui n'ont encore aucun droit, uniquement des devoirs. N'importe quel garçon circoncis, fût-il âgé de huit ans seulement, avait le droit de m'envoyer faire des commissions pour lui, de m'insulter, voire de me frapper sans qu'il me soit permis de broncher. Et si je l'avais fait, les circoncis m'auraient amené de force dans un bosquet et m'auraient roué de coups pour avoir osé tenir tête à l'un des leurs.

Je harcelais constamment mes parents pour me faire

circoncire, mais mon père éludait la question. Quand arriva la saison froide, vers la fin de 1915, je savais que tous mes compagnons se préparaient à être circoncis. J'allais donc me trouver le dernier grand *bilakoro* au milieu d'eux tous. Obligé de leur céder la préséance en tout, non seulement je ne pourrais plus être leur chef, mais je ne pourrais même plus faire partie de leur association. Je suppliai mes parents de me faire circoncire en même temps que les Bamissa, Youba Sidibé et autres camarades. Mon père me répondit que la famille n'était pas prête à faire face à un tel événement. La circoncision d'un garçon de ma famille, je le compris plus tard, aurait en effet ameuté toutes les colonies toucouleures, peules et même dogons de Kati, de Bamako et de Bandiagara, sans parler des griots et courtisans de toutes sortes. Et tout ce monde, venu pour assister à la grande veillée de la circoncision, resterait sans doute à la maison pendant toute la durée de ma retraite pour assister également à la "fête de sortie". Cela coûterait une fortune.

Mon père me demanda d'attendre jusqu'à l'année suivante. Ulcéré, complètement découragé, je demandai à ma mère — sans lui confier mon intention secrète — la permission d'aller rendre visite à Bamako à ma cousine Fanta Hamma. Ma mère me donna le prix du billet de chemin de fer aller et retour Kati-Bamako, qui était de soixante centimes. J'achetai un aller simple, à trente-cinq centimes.

Arrivé chez ma cousine, je m'ouvris à elle de mon problème et lui demandai si elle pouvait me faire circoncire au dispensaire de Bamako. Nous enverrions ensuite quelqu'un prévenir mes parents que je m'étais fait circoncire et que je renonçais à toutes les cérémonies d'usage.

Ma cousine, qui avait beaucoup d'affection pour moi, fut émue à l'idée que si je restais *bilakoro* pendant un an encore j'allais perdre tout prestige auprès de mes camarades, et que je me trouverais même à la merci de leurs moqueries, de leurs sarcasmes, voire de leurs brutalités.

Elle se rendit chez une amie à elle, l'ancienne concubine d'un médecin devenue depuis infirmière et que l'on appelait *Fatouma Dogotoro* (Fatouma docteur). Elle lui exposa mon cas et l'assura qu'il n'y aurait aucune réaction fâcheuse de la part de mes parents. *Fatouma Dogotoro* en parla au docteur Griewand. Celui-ci chargea l'infirmier-major de me circoncire le lendemain à onze heures.

Le lendemain, j'étais exact au rendez-vous. Ma cousine m'avait fait coudre un boubou spécial et un bonnet en forme de gueule de caïman, tenue traditionnelle des circoncis. L'opération se passa sans problème, du moins dans l'immédiat. Un ami de notre famille, Abdallah (donc mon "père" selon la tradition), tint à se rendre lui-même à Kati pour apprendre à mes parents que je m'étais fait circoncire sans crier gare. Il paraît que lorsqu'il annonça la nouvelle à Tidjani, celui-ci le regarda fixement en hochant la tête. "Amadou est vraiment ton fils, lui dit-il, il est aussi têtu que toi !" Puis il éclata de rire. Ma mère, elle, entra dans tous ses états, tant elle se sentait frustrée de la perspective d'une fête grandiose. Je n'avais pas vraiment compris que si mes parents voulaient retarder l'événement d'un an, c'était pour avoir le temps de réunir les moyens d'organiser de très grandes réjouissances, à la fois dignes des Bâ, des Diallo (clan de ma mère) et des Thiam.

Après une opération en dispensaire, ma guérison aurait dû être acquise en quatre ou cinq jours. Malheureusement, en faisant le bandage, l'infirmier n'avait pas ménagé d'ouverture pour laisser passer l'urine, si bien que la plaie s'infecta. On me soigna correctement, mais je dus rester une quinzaine de jours à Bamako. Cela m'importait peu. L'essentiel, pour moi, était d'avoir été circoncis avant mes camarades qui, eux, devraient encore effectuer une retraite de trois mois comme l'exigeait la coutume bambara. Je serais le premier à revenir à Kati coiffé du bonnet traditionnel et investi de la qualité de *kamalenkoro* ("adulte" au sens traditionnel). Je conservais donc la préséance sur mes camarades et pouvais demeurer leur chef.

Lorsque je rentrai à la maison, mes parents ne me firent aucun reproche. Ils avaient fini par comprendre, eux aussi, le motif de mon indiscipline, et ils me pardonnèrent. Pour fêter ma circoncision, ils me comblèrent de cadeaux. Mon père acheta deux très beaux chevaux et entreprit de m'enseigner non seulement toutes les connaissances se rapportant au cheval (anatomie, maladies, noms et significations symboliques des robes et des marques, etc.), mais aussi l'art de l'équitation dans toutes ses finesses. Comme tout jeune Peul né à Bandiagara, je savais monter à cheval, mais je ne pouvais me considérer comme un vrai cavalier digne de ce nom. C'est à Kati que j'ai acquis mon savoir équestre, au prix douloureux, il est vrai, de plusieurs chutes graves et de nombreuses fractures qui me laissèrent une jambe gauche un peu déformée.

Mon père m'enseigna aussi à broder et à coudre afin que je puisse exercer un jour, comme lui-même et comme Tierno Bokar, le métier de tailleur-brodeur ; et il trouvait encore le temps d'approfondir mes connaissances religieuses.

Je ne manquais donc pas d'occupations, d'autant que notre association, en avançant en âge, devait de plus en plus faire face aux obligations traditionnelles d'entraide dévolues aux jeunes gens au sein de la communauté : aide au crépissage des maisons, aides diverses aux personnes âgées ou isolées, etc.

Tout cela ne m'empêchait pas de fréquenter assidûment mon jeune compatriote dogon Oumarou Tembély, qui servait alors comme boy chez le lieutenant Cottelier, lequel avait succédé au capitaine Minary. Lorsque ce dernier était parti combattre sur le front à sa propre demande, il avait légué à son successeur, selon la bonne tradition coloniale d'avant 1936, son vaisselier, son matériel de camping et sa batterie de cuisine, plus sa maisonnée domestique au grand complet : un tirailleur servant d'ordonnance, un cuisinier, un marmiton, deux boys (dont Oumarou), un petit porteur, un panka, un balayeur et deux petits aides bénévoles. J'accompagnais de temps à autre Oumarou à son travail ; je l'aidais à faire le lit et à dresser la table, je tirais le panka et faisais parfois la vaisselle. Bien entendu, mes parents ignoraient tout de ces activités domestiques bénévoles qui n'avaient d'autre rétribution, outre le fait de satisfaire ma curiosité sur la façon dont vivaient les Blancs, que la dégustation des restes des plats et de quelques croûtons de pain blanc. Quelle punition ne m'auraient pas infligée mon père et surtout ma mère, qui ne badinait pas avec l'honneur, s'ils avaient su que j'allais racler les fonds de casseroles des Blancs ! Ma mère aurait été capable de me couper le bout de la langue !

Pour n'être pas aussi brillantes qu'à Bandiagara, les veillées récréatives à la maison ne manquaient cependant pas, et je continuais à me nourrir de récits traditionnels.

A ces diverses activités, j'ajoutai bientôt celle d'écrivain public pour les femmes de tirailleurs qui souhaitaient correspondre avec leur mari. Je lisais leurs lettres, rédigeais et écrivais leurs réponses moyennant quelques piécettes. Auprès de ces femmes, qui pouvaient devenir veuves d'un jour à l'autre, je découvris ce qu'étaient l'angoisse et le malheur, mais aussi l'espoir et la joie, le courage ou l'insouciance, la chasteté ou le dévergondage, car les plus faibles étaient des proies toutes désignées pour les tentateurs de toutes sortes qui sévissaient à travers la ville.

Retour à l'école

Le temps passait... Un jour de l'année 1917, je crois, comme je me rendais à la gare de Kati pour assister à l'arrivée des voyageurs venus de l'ouest par le train express hebdomadaire reliant Kayes à Bamako (on l'appelait “le train K-B”), j'eus l'immense surprise de découvrir dans un wagon, revêtu de la superbe tenue des élèves normaliens de Gorée, mon ancien condisciple et rival de l'école de Bandiagara et de l'école régionale de Djenné : Yagama Tembély — dont le père, Baye Tabéma Tembély, nous avait avertis de la prochaine déclaration de guerre au cours du tragique été 1914.

Il arborait un complet de drap bleu marine orné d'écussons et de boutons dorés, et portait fièrement une casquette agrémentée d'un insigne en forme d'abeille dorée. Luxe rare, il était chaussé de souliers en vrai cuir, lacés jusqu'aux chevilles. "Comment! me dis-je en moi-même, ton ancien camarade de Bandiagara étudie à l'Ecole normale, il est habillé presque comme un sous-officier, et toi tu restes là, à perdre ton temps et à faire le petit boy des femmes de tirailleurs?" Ce fut comme un choc. Le désir de retourner à l'école m'envahit d'un seul coup.

Dès mon retour à la maison, je m'en ouvris à mon père. Sans faire de difficultés, il me conduisit chez le moniteur d'enseignement indigène qui dirigeait alors l'école primaire de Kati, M. Fatoma Traoré, et je me retrouvai peu après sur les bancs de l'école. Certes, c'était pour moi une régression que de retourner à l'école primaire alors que j'avais déjà fait une école régionale et obtenu le certificat d'études, mais, ne pouvant en fournir la preuve, il me fallait reprendre le cycle par la base. C'était le prix à payer pour ma fugue...

Compte tenu de mon niveau, M. Traoré m'admit en première classe, la plus élevée des classes existantes. Bien qu'arrivé presque en fin d'année scolaire, je n'eus aucune peine à me classer premier. L'image de Yagama me hantait. Je voulais devenir normalien comme lui et non tailleur-brodeur-cavalier, encore moins boy bénévole récureur d'assiettes ou écrivain public pour femmes de tirailleurs. J'étais décidé à bûcher avec ardeur et à mettre les bouchées doubles pour rattraper le temps perdu. Malheureusement, je n'acquis pas grand-chose de nouveau car notre moniteur d'enseignement n'en savait guère plus que moi-même; ce n'est que l'année suivante, avec l'arrivée de M. Molo Coulibaly, un véritable instituteur diplômé de l'Ecole normale (M. Traoré avait été mobilisé) que l'école de Kati prit son véritable essor et bénéficia d'un enseignement sérieux.

A peine avais-je repris mes études que le vaguemestre du 2e régiment, l'adjudant Fadiala Keïta, demanda qu'un écolier lettré lui soit affecté pour l'aider dans son travail. Le volume du courrier échangé entre les tirailleurs montés au front et leurs épouses restées à Kati augmentant sans cesse, il ne parvenait plus à assurer seul le tri et la distribution des lettres. On me désigna pour remplir cette fonction, et c'est ainsi que je devins “vaguemestre auxiliaire de l'armée à titre civil”. Une fois par semaine, j'allais aider l'adjudant Fadiala Keïta à trier les lettres et à les distribuer à leurs destinataires. Je servais aussi occasionnellement de deuxième témoin pour le paiement des mandats envoyés aux femmes de tirailleurs. Je continuais parallèlement mon activité d'écrivain public, qui devint même plus importante en raison de ce nouveau travail et qui m'assurait un revenu loin d'être négligeable. Il m'arrivait de gagner jusqu'à cinq à six francs par semaine, en un temps où un soldat africain était payé quinze francs par mois ! J'utilisais une partie de ce que je gagnais à m'acheter des vêtements (on disait de moi : “Il est habillé comme un épi de maïs”) et l'autre à entretenir les membres de mon association.

A cette époque, j'en vins à connaître tous les officiers et sous-officiers indigènes (comme on les appelait pour distinguer leur corps de celui des officiers et sous-officiers français) du 2e régiment de Kati. Inutile de dire que j'étais devenu — et suis resté — un expert en matière de sonneries militaires...

L'adjudant et le fils du roi

Mes libres entrées dans le camp, et en particulier mes relations avec l'adjudant Fadiala Keïta, me valurent d'être le témoin privilégié, en grande partie oculaire, d'une affaire dont les conséquences auraient pu être dramatiques, et qui, paraît-il, se raconte encore aujourd'hui à Kati. Elle eut pour acteurs l'adjudant Fadiala Keïta lui-même et Abdelkader Mademba Sy, fils de Mademba Sy, le roi de Sansanding (une ville située au bord du Niger, au nord-est de Ségou).

A vrai dire, Mademba Sy n'était pas un roi ordinaire. Né au Sénégal, il avait grandi à Saint-Louis, où il avait fait des études secondaires. Comme tous les natifs des quatre communes privilégiées : Saint-Louis, Rufisque, Dakar et Gorée, il bénéficiait du statut de “citoyen français”, titre royal et envié à l'époque, car il donnait à ses titulaires les mêmes droits qu'aux Français de la métropole et les mettait à l'abri des traitements arbitraires et humiliants qui pouvaient s'abattre sur tous les autres Africains, qui, eux, n'étaient que "sujets français" [48].

Fonctionnaire des P.T.T. de son état, il s'était lancé dans la politique. Grâce à sa qualité de citoyen français, il avait même été chef du Bureau politique du Soudan. Très proche du colonel Archinard, il avait, à ses côtés, aidé à la pénétration française dans le pays en installant des lignes télégraphiques au fur et à mesure des conquêtes. C'est lui, notamment, qui avait installé à la pointe du fusil, dans des conditions particulièrement difficiles et dangereuses à l'époque en raison des attaques fréquentes dont elle était l'objet, la ligne télégraphique reliant Kayes à Bamako.

Pour le récompenser de ses bons et loyaux services, le colonel Archinard lui avait fait don de l'Etat de Sansanding et, "au nom de la République française", l'avait nommé roi de cet Etat — tout comme il l'avait fait à Bandiagara pour son ami Aguibou Tall. C'est ainsi que, de simple postier qu'il était, Mademba Sy s'était retrouvé roi de l'Etat de Sansanding. Fort du soutien inconditionnel des Français, il exerça sur ses sujets un pouvoir si absolu qu'on le surnomma "le pharaon de la Boucle du Niger".

Quand la guerre éclata, Mademba Sy, pour manifester sa reconnaissance envers la France, envoya ses fils sous les drapeaux, comme le firent d'autres grandes familles soudanaises plus ou moins liées à la France.

L'un de ses fils, Abdelkader, avait, comme tous ses frères, fait ses études à Maison-Carrée, en Algérie. Il en était revenu avec une licence, puis s'était lancé dans des activités commerciales très fructueuses. Il possédait quatre comptoirs : l'un à Sansanding même, les autres à Ségou, Barmandougou et Djenné. Dès qu'il le put, il mit ses affaires en ordre et s'enrôla sous les drapeaux pour la durée de la guerre. Il contracta son engagement à Ségou, d'où il fut dirigé sur le 2e régiment à Kati, pour y accomplir sa formation militaire.

Si son père était citoyen français, lui-même, n'étant pas né dans l'une des quatre communes privilégiées du Sénégal, n'était, comme tous ses autres frères d'ailleurs, que "sujet français". C'est donc en qualité de simple tirailleur sénégalais qu'il arriva à Kati, à une date que je ne saurais préciser. On lui attribua deux tenues réglementaires de rechange, pourvues, comme il se devait, de la classique chéchia rouge à gland, emblème obligé du soldat indigène.

Au camp des tirailleurs, on l'installa dans une case ronde, couverte de chaume, qu'il partageait avec trois autres camarades. La ration journalière était alors de deux cent cinquante grammes de riz, cinq cents grammes de gros mil, petit mil ou maïs, une poignée de sel et de piment et un morceau de viande de bœuf. Abdelkader, prince de son état et grand commerçant fortuné, habitué à se nourrir de mets raffinés et à dormir dans un grand et bon lit, se retrouva du jour au lendemain privé de toute commodité, couchant sur une maigre natte posée à même le sol — très humide en cette saison des pluies — et se nourrissant le plus souvent de mil bouilli, assaisonné de sel et de piment. Il en fut si désemparé qu'il manqua en devenir fou. On le voyait marcher de long en large comme un automate ; il parlait tout seul, comme s'il interrogeait le vide. Lui qui avait espéré s'embarquer glorieusement pour aller combattre sur le front et au besoin y faire le sacrifice de sa vie, confia à certains camarades : "Comment ai-je pu m'embarquer volontairement dans une galère pareille ?"

Un jour, l'adjudant Fadiala Keïta se reposait sur une chaise longue, sous le hangar où mon père Tidjani étalait ses marchandises à l'intention des acheteurs, juste en face de la sortie du camp. Abdelkader vint à sortir. Tout à ses pensées, il passa devant l'adjudant sans le remarquer ; il ne le salua donc pas. Fadiala Keïta, offusqué de ce manquement, ordonna au sergent Mari Diarra, qui passait par là, de rappeler ce tirailleur et de le faire rappliquer au pas de gymnastique.

Le sergent courut après Abdelkader, qui était déjà à une centaine de mètres. Ne se souvenant plus de son nom, il le héla :

"Ohé, tirailleur !"

Tous les tirailleurs qui marchaient sur la route tournèrent la tête, sauf Abdelkader qui continuait d'avancer, perdu dans ses préoccupations intérieures. Arrivé à sa hauteur, le sergent Mari Diarra lui appliqua une grande tape sur l'épaule et cria :

"Halte-là !"

Brusquement tiré de sa rêverie, Abdelkader sursauta. Il se retourna, vit le sergent et le salua militairement.

"Oui ou non, es-tu tirailleur ? s'exclama en bambara Mari Diarra, tout essoufflé.

— Je le suis, mon sergent.

— Alors pourquoi ne réponds-tu pas quand on t'appelle tirailleur ?

— Je n'avais pas réalisé qu'il s'agissait de moi.

— Oui, bien sûr, ricana le sergent, le nom de tirailleur te sied mal... Allez, demi-tour en arrière et au pas de gymnastique ! L'adjudant Fadiala Keïta t'attend."

Abdelkader s'élança si rapidement que le sergent, pour rester à son niveau, fut obligé de courir lui aussi. L'adjudant Fadiala Keïta était resté couché sur sa chaise longue dans le hangar de mon père, lequel assistait à la scène. Quand Abdelkader fut devant lui, sans se lever, il le toisa sévèrement :

"Alors, tirailleur ! On passe devant son adjudant et on ne le salue pas, et quand il vous appelle on ne répond même pas ? Sans doute parce que l'adjudant est une quantité négligeable, sinon méprisable, n'est-ce pas ?

— Non, mon adjudant, répliqua Abdelkader. Mais je ne vous avais pas vu. Je m'en excuse et vous en demande pardon.

— Bien sûr, reprit l'adjudant, le prince de Sansanding, licencié de je ne sais quoi, ne saurait voir un minuscule adjudant d'infanterie coloniale, surtout quand cet adjudant n'est qu'un Malinké[49] croqueur d'arachides !... Eh bien, Abdelkader Mademba ! Apprends qu'ici il n'y a ni fils de Haïdara, ni fils de Tall, de Ouane ou de Sy, mais uniquement le fils de *ceci* (et de l'index de sa main droite il montra son galon d'adjudant sur sa manche gauche, en faisant du doigt le tour de son poignet). Pour t'apprendre à être plus attentif à l'avenir, ajouta-t-il, tu feras trois jours de salle de police !"

L'adjudant ordonna au sergent Mari Diarra de conduire le tirailleur Abdelkader Mademba Sy au poste de police, où il aurait à faire chaque jour plusieurs fois le tour d'un cercle de six mètres de rayon, en portant sur le dos son équipement complet : fusil, baïonnette, cartouchières et tout son "saint-frusquin" de campagne, plus une brique posée sur le tout.

Et voilà le pauvre Abdelkader conduit, comme un grand coupable, au poste de police où, stoïquement, il accomplit sa punition pendant trois jours. Dès qu'il fut libéré, il écrivit au roi son père pour lui conter son drame. Il lui rappela qu'il s'était engagé volontairement non pour faire des corvées de bois ou ramasser des ordures, mais pour aller se battre sur le front et servir la France. Etant donné, ajoutait-il, qu'il ne pouvait résilier son engagement avant la fin de la guerre et qu'il était hors de question pour lui de déserter, il avait décidé que si on ne l'envoyait pas au front dans les trois mois, il se suiciderait.

Certes, Abdelkader, en tant que simple "sujet français", n'avait droit à aucun traitement de faveur, mais le roi de l'Etat de Sansanding avait le bras long. Il écrivit à son ancien chef et bienfaiteur, l'ex-colonel Archinard, devenu depuis général et gouverneur militaire de la ville de Paris, et lui dépeignit le pétrin dans lequel se trouvait son fils Abdelkader, qu'il avait vu naître. Aussitôt, Archinard intervint de tout son poids, qui était grand. Il saisit de l'affaire le président du Conseil et ministre de la Guerre. La situation du tirailleur Abdelkader Mademba Sy, examinée toutes affaires cessantes, fut réglée en quinze jours : "Monsieur" Abdelkader Mademba Sy (et non plus "le nommé", comme les simples sujets français) fut naturalisé français d'office, ce qui lui donnait le droit de transmettre sa qualité à ses futurs descendants.

Un câblogramme, adressé au gouverneur général à Dakar et au général commandant supérieur des troupes du groupe, stipulait que l'ex-tirailleur de 2e classe Abdelkader Mademba Sy, en garnison au 2e régiment de tirailleurs sénégalais à Kati, était versé dans les cadres de l'armée française à titre de citoyen français, avec tous les droits et prérogatives afférents à cette qualité.

Le jour même, Abdelkader troqua son froc de simple tirailleur contre une belle tenue française. On lui attribua une chambrée confortable et on l'inscrivit sur la liste des soldats français avec qui, désormais, il devrait travailler, s'amuser, manger et dormir. Il avait fini d'être punissable ou corvéable à merci par les sous-officiers indigènes.

Mais le confort matériel n'était pas le souci essentiel d'Abdelkader. Ce qu'il voulait, c'était monter au front, et en première ligne de préférence. Il y allait de son honneur et de celui de sa lignée. Il n'attendit pas bien longtemps. Un bataillon en partance était en tête de liste. Une semaine après sa promotion dans les cadres français, il partait au combat.

Autant l'adjudant Fadiala Keïta s'était formalisé de n'avoir pas été salué, autant il sembla trouver normal le changement d'état d'Abdelkader. En tout cas, il ne réagit pas. Tout le monde connaissait la puissance du roi Mademba, sans parler des qualités intellectuelles de son fils. Sans doute s'attendait-on plus ou moins à quelque chose de ce genre. Puis le temps passa. L'adjudant semblait avoir oublié l'incident.

Un jour de l'été 1917, je crois, l'adjudant Fadiala Keïta alla au rapport. Je l'y accompagnai. Le capitaine Gastinelle lut le rapport, et c'est ainsi que l'on apprit la prochaine arrivée du "sous-lieutenant" Abdelkader Mademba Sy. Titulaire d'une permission de détente à passer à Sansanding, il devait être pris en subsistance par le 2e régiment de tirailleurs. Plus grosse tuile ne pouvait tomber sur la tête de l'adjudant ! Ainsi, la recrue qu'il avait si brutalement punie et malmenée à plaisir était devenue un sous-lieutenant, et dans les cadres français de surcroît, alors que lui, Fadiala Keïta, restait là à distribuer des lettres et des paquets aux femmes ! Et il n'était toujours qu'adjudant de tirailleurs, c'est-à-dire doublement inférieur à Abdelkader, et par le grade et par le corps.

Très contrarié, il quitta les lieux avant la fin du rapport et se dirigea tout droit vers la poste pour aller chercher le courrier. Je marchais derrière lui. Il était si nerveux que le receveur des postes me demanda en aparté si l'adjudant "n'était pas devenu subitement fou". De là, il se rendit sur la place de la ville où nous avions coutume, installés derrière une table, de procéder à la distribution du courrier. D'un geste bourru, l'adjudant me lança les paquets de lettres : "Appelle!..." Je commençai d'appeler à haute voix les noms libellés sur les enveloppes : "Aminata Traoré... Kadia Boré... Naa Diarra... Koumba So..." De plus en plus énervé, il frappa sur la table en vociférant : "Tu m'emm... avec ta voix de flûte qui me vrille le tympan..." Je baissai le ton de ma voix, en m'efforçant de la rendre aussi grave que possible : "Denin Koné... Aïssata Diallo... Koumba Coulibaly...

— Et maintenant, tu te fous de moi en prenant ce ton caverneux ! Allez, fous le camp ! Va-t'en au diable ! Je ne veux plus te voir ici avant la semaine prochaine !" A la plus grande surprise des femmes, il ramassa toutes les lettres, y compris celles qui avaient déjà été remises à leurs destinataires. "Je suspends la distribution du courrier jusqu'à la semaine prochaine, cria-t-il. Je suis l'adjudant, j'agis selon ma volonté !"

Les femmes, éberluées, se regardèrent. Hé ! Quelle mauvaise nouvelle avait pu piquer l'adjudant pour qu'il enrage ainsi contre tout le monde ? Ce devait être quelque chose de bien désagréable, pour changer à ce point l'humeur d'un homme habituellement si patient et si jovial avec elles !

Une semaine avant l'arrivée à Kati du sous-lieutenant Abdelkader Mademba, l'adjudant vint s'ouvrir de son souci à mon père, qu'il considérait comme un ami et un bon conseiller. Il appréhendait que le sous-lieutenant Abdelkader ne lui fasse subir des représailles en souvenir du traitement infligé jadis, car si tel était le cas, lui, Fadiala Keïta, ne pourrait rester sans réagir et il y aurait un drame.

Mon père l'emmena chez l'adjudant-chef Mara Diallo, responsable du camp, auquel il exposa le problème. Quand il eut fini de parler, Fadiala intervint :

"Mon adjudant-chef, je donne ma parole de Malinké, descendant de Soundiata Keïta, à l'homme peul que tu es, que si jamais Abdelkader Mademba veut me faire payer la punition que je lui ai infligée, je le tuerai d'abord, puis je me suiciderai. J'en fais le serment sur les mânes de mes ancêtres, l'empereur Soundiata en tête."

L'adjudant-chef Mara Diallo assura Fadiala qu'il allait réfléchir à la question, puis il le renvoya chez lui. Il resta longtemps à parler avec mon père. Finalement, celui-ci lui conseilla d'entreprendre une démarche en faveur de l'adjudant auprès de ses supérieurs, en leur exposant les dangers d'une confrontation entre les deux hommes. L'adjudant-chef saisit de l'affaire le capitaine de Lavalée, qui jugea bon d'en informer le colonel Molard lui-même. Pour éviter tout incident, ce dernier décida qu'au moment de l'arrivée du sous-lieutenant Abdelkader Mademba, l'adjudant Fadiala Keïta serait envoyé en mission de recrutement et de formation de jeunes recrues à Ouagadougou (actuel Burkina).

Dès que l'adjudant apprit la nouvelle, il recouvra sa bonne humeur et demanda pardon à tous ceux et celles qu'il avait injustement malmenés durant sa crise: "J'étais devenu un peu fou", disait-il pour s'excuser. Il partit pour Ouagadougou, via Bamako, par le train même d'où venait de descendre, venant de Dakar, le sous-lieutenant Abdelkader Mademba. Celui-ci séjourna une semaine à Kati, se rendit à Ségou pour y régler ses affaires, puis gagna Sansanding où il devait passer en famille le reste de son congé. L'adjudant Fadiala Keïta rentra à Kati avec son contingent de recrues, dont il assura la formation sur place.

La fin de cette période de formation coïncidant avec le retour de permission d'Abdelkader, cette fois-ci l'adjudant fut envoyé à Dori (actuel Burkina), pour une nouvelle mission de recrutement. Abdelkader revint donc à Kati en son absence. Trois jours plus tard, il partait rejoindre son régiment et montait au front, où la guerre faisait rage. La France était aux abois. Abdelkader, baroudeur invétéré, était volontaire pour toutes les missions d'où l'on risquait de ne pas revenir.

Une fois de plus, l'adjudant Fadiala Keïta ramena son contingent de nouvelles recrues à Kati et reprit tranquillement ses doubles fonctions d'instructeur et de vaguemestre, avec votre serviteur pour second. Tout le monde était soulagé. Le petit jeu de chassé-croisé avait fonctionné à merveille et rien ne semblait devoir réunir les deux hommes avant longtemps. Notre petit train-train continua.

Nous ne pouvions prévoir la tournure qu'allaient prendre les événements avec l'arrivée en Afrique, en février 1918, de Blaise Diagne, seul député noir du Parlement français (natif de Gorée, il était citoyen français de plein droit), qui avait été chargé par le gouvernement français de promouvoir, dans l'Ouest africain, une vaste levée de troupes noires, dont la France avait alors cruellement besoin.

Le gouvernement français avait d'abord demandé au gouverneur général de l'A.O.F. en titre, Joost Van Vollenhoven, de procéder à un nouveau recrutement intensif d'au moins soixante-quinze mille à cent mille hommes. Van Vollenhoven, arrivé à ce poste au mois de juin 1917, avait surtout, jusqu'alors, fait porter son action sur l'effort de ravitaillement en organisant une production intensifiée de certains produits. Pour plusieurs raisons, il manifesta des réticences à opérer ce vaste recrutement, dont il signala les inconvénients dans un rapport en date du 25 septembre 1917. L'Afrique noire française, contrairement aux colonies britanniques, avait déjà été douloureusement ponctionnée par les recrutements antérieurs, qui avaient d'ailleurs entraîné, en 1916, de violentes révoltes dans certaines régions.

Au début de janvier 1918, Van Vollenhoven se rendit en France pour s'en expliquer avec les responsables du gouvernement. Le jour même de son arrivée, le 11 janvier 1918, un décret était signé par le président de la République "portant organisation d'une mission chargée d'intensifier le recrutement en A.O.F. et en A.É.F. et stipulant: "M. Diagne, député du Sénégal, est placé à la tête d'une mission avec le titre de *haut-commissaire de la République* dans l'Ouest africain et *rang de gouverneur général.*"

Immédiatement, Van Vollenhoven fit savoir au ministre des Colonies que ce décret était totalement incompatible avec les termes du décret de 1904 instituant le gouvernement général en A.O.F. et faisant du gouverneur général le *seul dépositaire* des pouvoirs de la

République. "Les pouvoirs de la République ne peuvent se découper comme de la brioche, déclara-t-il, et aucun gouverneur général ne saurait accepter un tel partage" [50]. En conséquence, il demanda à être relevé de ses fonctions et à être mis à la disposition de l'armée, pour être envoyé immédiatement sur le front.

Une entrevue avec Clemenceau, président du Conseil et ministre de la Guerre, n'y changea rien. "Le Tigre", fidèle à son personnage, décida que les deux décrets coexisteraient parce que telle était sa volonté. "Je fais la guerre, comprenez-vous? J'ai besoin de tirailleurs, il m'en faut beaucoup pour f... le boche dehors, et je veux f... le boche dehors, vous m'entendez" [51]? Il demanda à Van Vollenhoven de revenir sur sa décision de démissionner, mais rien n'y fit. Réintégré dans les cadres de l'armée, le 26 janvier 1918, avec son grade de capitaine, Van Vollenhoven partait peu après sur le front, où il devait trouver une mort héroïque le 20 juillet suivant. Le gouverneur général Van Vollenhoven laissa aux Africains le souvenir d'un homme intègre, qui avait osé s'opposer à un recrutement excessif parce que, disait-on, il ne pouvait accepter que des hommes aillent se faire tuer sans avoir les mêmes droits que les autres et soient considérés comme des "demi-soldats" — la solde des soldats indigènes était en effet la moitié de celle de leurs homologues français, de même que les pensions affectées à la médaille militaire et autres distinctions.

Blaise Diagne débarqua donc à Dakar, entouré d'un brillant état-major composé de jeunes officiers tous noirs, galonnés d'or, gantés de blanc, bardés de médailles et de fourragères. Ils étaient tous de bonne extraction et chacun d'eux pouvait se vanter d'avoir une devise traditionnelle de famille, ce qui équivalait aux écussons et blasons des anciennes familles nobles d'Europe. Le haut-commissaire fut reçu avec une pompe sans précédent. On tira en son honneur plus de coups de canon qu'en un jour de bataille. Des administrateurs de tous grades, des officiers supérieurs, des officiers généraux des armées de terre et de mer se retrouvèrent au port de Dakar, en compagnie de commerçants européens, orientaux et asiatiques de toutes fortunes et d'une foule de nègres non fortunés. Le grand officiant de cette cérémonie était le nouveau gouverneur général de l'A.O.F., Angoulvant, qui avait succédé à Van Vollenhoven.

Blaise Diagne apparut, solennel, le visage énigmatique, aussi troublant et anachronique, dans son grand habit de parade, qu'une croix dans la niche d'une mosquée. A Dakar comme ailleurs, ce grand ténor nègre du Parlement parla français. On l'écouta religieusement. Ses accents vibrants réveillèrent les cœurs et enflammèrent les courages. Il sut faire appel au sens de l'honneur des Africains, en leur démontrant que la France, assaillie jusqu'en son cœur par des barbares, avait besoin d'eux — mot magique, et prononcé par l'un des leurs, que même les Blancs honoraient! On parla aussi d'octroi de la citoyenneté française. Il n'en fallait pas plus. Des masses de jeunes se libérèrent de tout pour s'engager sous les drapeaux. L'objectif pour lequel le député sénégalais avait été investi de cette mission était en bonne voie de réalisation: promouvoir un intense recrutement, tout en évitant les troubles et les révoltes antérieurs.

Blaise Diagne décida qu'après Dakar, le Soudan français (actuel Mali) serait le premier territoire de l'intérieur qu'il visiterait. Des instructions furent données afin que rien ne manque et que la réception soit grandiose. Tous les officiers et sous-officiers européens et indigènes des troupes du groupe devaient se trouver réunis à Kati.

Au rapport, le commandant Bouery vint en personne lire les instructions et expliquer le but de la mission. C'est alors seulement que fut connue la nouvelle: le "lieutenant" Abdelkader Mademba Sy, chevalier de la Légion d'honneur, croix de guerre avec palme et autres décorations, plusieurs fois cité à l'ordre de l'armée et titulaire d'une fourragère en conséquence, faisait partie de la mission en qualité d'*officier interprète du haut-commissaire de la République en Afrique noire*, M. Blaise Diagne lui-même!

Pour l'adjudant Fadiala Keïta, ce fut un véritable coup d'assommoir. L'émotion le fit tituber, au point qu'il dut aller s'appuyer contre la murette d'un bâtiment. Effondré, il rentra chez lui.

L'adjudant-chef Mara Diallo l'y rejoignit et lui donna l'assurance qu'il ne subirait aucune vengeance de la part d'Abdelkader Mademba. "Adjudant-chef, lui répondit Fadiala Keïta, j'en ai assez de fuir comme un lièvre des champs. Je vais attendre ici Abdelkader, et advienne que pourra !" Il aurait d'ailleurs été difficile, cette fois-ci, de l'envoyer ailleurs, car tous les sergents et adjudants du régiment, tant indigènes que français, devaient se trouver présents à la réception du haut-commissaire de la République, à Kati comme à Bamako.

Un jour de février 1918, le train du haut-commissaire, pavoisé comme jamais ne le fut aucun train officiel en Afrique noire, fit une petite halte à la gare de Kati, où il fut salué par vingt et un coups de canon. De là, il continua sur Bamako où chaque porte, chaque fenêtre, chaque branche d'arbre était ornée d'un drapeau tricolore ou d'une guirlande de fleurs.

A la gare de Bamako, le gouverneur du territoire, assisté de tous les administrateurs des colonies, commis des Affaires indigènes et officiers supérieurs du 2e régiment de tirailleurs sénégalais, attendait l'hôte illustre. Tous portaient leurs galons, leurs décorations et les insignes de leur grade. La ville entière était en fête. On chantait, on dansait dans les rues comme on ne l'avait encore jamais fait pour une fête traditionnelle. Quand le train s'arrêta, le haut-commissaire, salué comme il se devait, se rendit aussitôt à Koulouba, une colline proche de Bamako où se trouvait le palais du gouverneur. La visite officielle à Kati fut fixée au lendemain à quatorze heures.

Une route, appelée "route d'en haut", avait été créée de toutes pièces pour relier directement le palais du gouverneur à la résidence du colonel Molard à Kati. Sur les deux côtés, on avait posé tous les dix mètres un tirailleur en armes, et tous les cinquante mètres un canon prêt à tonner. Le lendemain, quand la voiture du haut-commissaire s'engagea sur cette route, au fur et à mesure de son avance les tirailleurs présentaient les armes, et les quatre cent quatre-vingts canons tonnèrent à tour de rôle ! Ce spectacle sans précédent donnait une idée de ce que pouvait être un bombardement intense. La voiture avançait lentement. Le trajet dura une demi-heure.

A Kati, le capitaine de Lavalée prononça le discours de bienvenue au nom de tous les officiers, sous-officiers et soldats du 2e régiment de tirailleurs sénégalais. En tant que "vaguemestre auxiliaire de l'armée", j'assistai d'un coin du camp à toute la cérémonie.

Le haut-commissaire répondit par une improvisation qui en imposa même aux Européens. Notre émotion était grande. C'était la première fois que nous voyions un Noir prononcer un discours en s'adressant aux Blancs, qui l'écoutaient sans mot dire. Le lieutenant Abdelkader Mademba Sy, en grande tenue, la poitrine bardée de médailles, traduisit ensuite en bambara le discours du haut-commissaire.

Quand la cérémonie officielle fut terminée, l'adjudant-chef Mara Diallo prit la parole. Il annonça que les officiers et sous-officiers indigènes du 2e régiment de Kati offraient le soir même un dîner de bienvenue aux officiers et sous-officiers africains de la mission du haut-commissaire. Le dîner serait servi sur la place publique du quartier de Kadobougou, qui était le plus proche du camp. Avec ce dîner, la rencontre entre l'adjudant Fadiala Keïta et le lieutenant Abdelkader était inévitable.

Le repas fut préparé par les meilleurs cuisiniers de Kati, tous recrutés pour cette occasion grandiose. Je faisais partie des jeunes gens choisis pour assurer le service. Une table longue de cinquante mètres avait été dressée. Les convives devaient être mêlés les uns aux autres. A côté de chaque membre de la mission fut placé un membre du 2e régiment, sans discrimination de grade. Le hasard voulut que le lieutenant Abdelkader Mademba Sy se trouvât placé, à un rang près, en face de l'adjudant Fadiala Keïta. Cette position était des plus inconfortables pour ce dernier. Pour éviter de rencontrer le regard du lieutenant, pendant tout le dîner il tint la tête baissée ou tournée vers le côté.

A la fin du repas, l'adjudant-chef Mara Diallo se leva

et prononça un grand discours en bambara pour souhaiter la bienvenue aux membres de la mission. Il mentionna nommément les lieutenants Galandou Diouf, Amadou Diguey Clédor, Dosso Ouologuem et Abdelkader Mademba Sy. Ce dernier se leva pour lui répondre :

"Frères militaires africains et du pays, mes camarades de la mission Diagne m'ont cédé la parole pour parler en leur nom. Je dois cette considération au seul fait que je suis soudanais et parle la langue du pays, car je n'ai aucune supériorité d'aucune sorte sur ceux qui m'ont désigné. Tous, ils furent de grands héros bien avant moi et m'ont précédé dans la gloire militaire. Je me dois de les remercier de m'avoir fait leur porte-parole, et je vous remercie vous aussi de me prêter votre attention. Mais avant eux et avant vous tous, qui êtes mes parents, il est un aîné envers qui je dois m'acquitter d'une dette de reconnaissance. C'est aujourd'hui, en cette circonstance solennelle qui nous réunit autour de cette table, que l'occasion m'est offerte de m'acquitter de ce grand devoir.

"Lorsque, jeune recrue engagée volontaire, je fus enrôlé au 2e régiment de tirailleurs, j'y arrivai avec un grand sentiment de supériorité que je tirais de ma naissance, de ma formation et de ma bonne fortune. Je m'attendais à être reçu ici par le colonel lui-même. N'étais-je pas l'un des fils du roi Mademba Sy, et descendant par ma mère du grand El Hadj Omar lui-même ? Qui, au 2e régiment, pouvait se targuer de tant de titres ? Aussi fus-je au comble de la déception quand, à ma descente du train, je fus reçu, en même temps que cinquante autres recrues, par un adjudant d'humeur bougonne, qui parlait un langage d'une verdeur toute « tirailleresque » ! Il commença par nous dire : « Allez mes cochons, sautez du wagon en vitesse ! Je botterai le derrière de celui qui descendra le dernier. Allez ! Allez !... Plus vite ! »

"Nous nous précipitâmes pour sauter, au risque de nous rompre le cou. L'adjudant nous conduisit au pas de gymnastique jusqu'au camp des tirailleurs. C'était un ensemble de cases rondes aux murs de torchis recouvertes de toits coniques en chaume. L'intérieur des cases était humide et les tirailleurs devaient dormir à même la terre, sur une natte en feuilles de palmier tressées. Notre ration alimentaire était constituée de ce qu'il y avait de plus misérable en matière de nourriture. Tout cela me fit regretter mon engagement et m'ôta même l'envie de vivre. Je ne voyais plus rien autour de moi. Je marchais sans faire attention à ce qui se passait ou se disait ; je n'étais centré que sur moi-même.

"C'est ainsi qu'un jour je passai à côté de ce supérieur et omis de le saluer. Il me rappela à l'ordre et m'infligea une punition de trois jours de salle de police. Je fus durement traité. Je perdis mes illusions de prince riche et cultivé pour découvrir en moi le troupier, c'est-à-dire l'esclave du devoir, soumis à une discipline de fer. Ces trois jours me métamorphosèrent de fond en comble et me permirent de devenir plus tard le soldat que je suis devenu aujourd'hui dans toute l'acception du terme. Or, ce supérieur à qui je dois mon éducation est ici, en face de moi : c'est l'adjudant Fadiala Keïta, héros de guerre au Maroc et à Madagascar, médaille militaire du Tonkin."

Dans un silence de mort, le lieutenant Abdelkader se figea au garde-à-vous, puis s'écria :

"Mon adjudant ! Mes deux galons en or et mes médailles sont les petits de votre honorable ficelle en argent. Relevez fièrement la tête, vous n'êtes pas ici en un lieu où vous perdez la face, mais en un lieu où votre œuvre expose son fruit. Soyez remercié chaleureusement de la part de votre recrue, que je me flatterai d'être jusqu'à la fin de ma vie."

Abdelkader Mademba détacha alors lentement de sa ceinture son sabre d'officier et le présenta des deux mains à l'adjudant.

"Adjudant Fadiala Keïta, dit-il, je serais heureux que vous me remettiez ce sabre vous-même à la manière traditionnelle de nos guerriers d'antan."

L'adjudant, qui pendant tout ce temps avait gardé la tête baissée (et qui, comme on l'apprit plus tard, avait dans sa poche un revolver chargé prêt à servir), se leva. Son visage était baigné de larmes.

Regardant droit dans les yeux Abdelkader, il reçut le

sabre que ce dernier lui tendait. Il le sortit de son fourreau, le posa lentement sur chaque épaule d'Abdelkader, puis le rengaina [52]. Il rendit alors le fourreau au lieutenant et dit :

"Puisses-tu, avec ce sabre, faire une carrière encore plus brillante !"

Se tournant vers les convives, il ajouta :

"Mes frères ! Le lieutenant Abdelkader Mademba Sy vient de me prouver sa noblesse. Il s'est montré digne de son ascendance, tant paternelle que maternelle. Eh bien, moi non plus je ne suis pas d'une lignée de basse classe ! Je descends de l'empereur Soundiata Keïta, le vainqueur de l'Empire sosso. Pour rendre à Abdelkader l'honneur qu'il vient de me faire, dès demain je me porterai volontaire pour monter au front, et je jure ici même de lui rapporter des galons de lieutenant, pour honorer ceux qu'il vient de me présenter cette nuit devant vous. J'ai parlé en Keïta, et ce sera fait en Keïta. Je vous salue tous. J'ai fini."

Tous se jetèrent dans les bras les uns des autres, et des larmes de joie coupèrent le bon vin qui avait été servi.

Dix jours après, l'adjudant Fadiala Keïta, premier volontaire, partait pour le front. Et, chose promise chose due, il en revint à la fin de la guerre avec le grade de lieutenant, chevalier de la Légion d'honneur, décoré de la médaille militaire et plusieurs fois cité à l'ordre de l'armée.

Quand ils atteindront chacun le terme de leur vie, l'un, Abdelkader Mademba Sy, mourra commandant de bataillon et l'autre, Fadiala Keïta, capitaine. Les deux héros s'étaient comportés à la manière de nos chevaliers africains d'antan, qui savaient se battre atrocement mais ne se déshonoraient jamais, car pour eux la dignité de leur ennemi était aussi précieuse que la leur.

Le passage de Blaise Diagne fut suivi d'un recrutement massif. Presque tous les jeunes gens âgés d'au moins dix-huit ans furent enrôlés. Il en résulta une perturbation profonde dans la vie associative des jeunes comme dans celle des adultes. Notre propre association, par exemple, ne fut plus en état de fonctionner, et la plupart des sociétés initiatiques virent partir leur classe de relève. L'un des effets majeurs, quoique peu connu, de la guerre de 1914 a été de provoquer *la première grande rupture dans la transmission orale des connaissances traditionnelles*, non seulement au sein des sociétés initiatiques, mais aussi dans les confréries de métiers et les corporations artisanales, dont les ateliers étaient jadis de véritables centres d'enseignement traditionnel. L'hémorragie de jeunes gens envoyés au front — d'où beaucoup ne devaient pas revenir —, le recrutement intensif pour les travaux forcés liés à l'effort de guerre et les vagues d'exode vers la Gold Coast (actuel Ghana) privèrent les vieux maîtres de la relève nécessaire et provoquèrent, de façon plus ou moins marquée selon les régions, la première grande éclipse dans la transmission orale de ce vaste patrimoine culturel, processus qui, au fil des décennies, irait en s'aggravant sous l'effet de nouveaux facteurs sociaux.

En ce qui me concerne, j'avais été exempté de recrutement pour "insuffisance de développement physique" et maintenu dans mes fonctions d'auxiliaire de l'armée à Kati. Les Peuls affichent souvent dans leur jeunesse une maigreur que d'aucuns prennent pour une faiblesse de constitution. Les Bambaras, qui nous appellent "Peuls maigrelets", ont coutume de dire : "Quand tu vois un Peul, tu crois qu'il est malade, mais ne t'y fie pas ; ce n'est que son état habituel." Et les tirailleurs d'ajouter, dans leur langage savoureux : "Hé, les Peuls !... toujou malades, jamé mourri !"

Fadiala Keïta ayant été remplacé par l'adjudant Mamadou Bâ, je continuai d'assurer auprès de ce dernier mes fonctions hebdomadaires de vaguemestre adjoint.

A la fin de l'année scolaire, en juin 1918, notre nouvel instituteur, M. Molo Coulibaly, eut la satisfaction de pouvoir désigner pour l'école régionale de Bamako ses cinq meilleurs élèves, qui avaient largement réuni le nombre de points nécessaire. J'en faisais partie. Je

BAMAKO, LES DERNIÈRES ÉTUDES

Le second certificat d'études

L'école régionale de Bamako, située place de la République, était dirigée par M. Séga Diallo, un instituteur diplômé de l'Ecole normale, dont la sévérité n'avait d'égal que sa compétence pédagogique hors pair qui faisait l'admiration de tous les instituteurs européens, en particulier de M. Frédéric Assomption, inspecteur de l'enseignement pour tout le territoire, dont j'aurai à reparler.

L'école comptait deux classes. A la rentrée de septembre 1918, on m'affecta à la deuxième classe, qui était assurée par M. Séga Diallo lui-même. Pour nous rendre à cette école, mes quatre camarades et moi devions parcourir à pied, matin et soir, les douze kilomètres qui séparaient Kati de Bamako. Chacun partait de son côté. Il arrivait que nous fassions la route ensemble, mais ce n'était pas la règle.

Je quittais la maison de mes parents vers quatre heures trente du matin, sans avoir rien mangé. La maisonnée dormait encore. La veille au soir, ma mère m'avait muni d'une somme de soixante-cinq centimes destinée à mes dépenses de la journée pour ma nourriture. A mi-chemin, il fallait longer le gouffre de Dounfing, mais depuis le temps que je le fréquentais il avait perdu pour moi une grande partie de son mystère, et les quelques hyènes qui ricanaient encore par-ci par-là n'avaient guère de chances de se faire passer pour la terrible Diatroufing.

Mon sac bourré de livres et de cahiers bien calé sur le dos, je marchais d'un bon pas, chantant à tue-tête des refrains ou des sonneries militaires que je connaissais par cœur. Les parois de Dounfing m'en renvoyaient l'écho :

Marchons... au pas... au-pas-des-mi-li-tai-aires !
Marchons... au pas... au-pas-des-pe-tits-sol-dats !

A cinq kilomètres de Bamako, au lieu-dit "L'Abreuvoir des ânes", j'achetais à un marchand ambulant pour cinq centimes de galettes de mil, que je grignotais en chemin. J'arrivais à l'école à sept heures, un quart d'heure avant la rentrée.

De onze à quatorze heures, nous étions libres. J'allais acheter au marché ou à la boutique Maurer une miche de pain pour dix centimes et une boîte de sardines pour cinquante centimes. C'était tout mon déjeuner. Jusqu'à aujourd'hui, j'en ai conservé un certain penchant pour les sardines en boîte... Faute d'un endroit où aller, mes camarades et moi revenions dans la cour de l'école. Nous y dévorions nos provisions à l'ombre d'un mur ou d'un arbre, non loin d'un robinet public. Une fois restaurés, nous apprenions nos leçons, ou bien nous allions nous baigner au bord du fleuve.

Le soir, à dix-sept heures, notre petit groupe s'égaillait aux premiers sons de cloche et nous reprenions la route de Kati, parcourant nos douze kilomètres en courant et en chantant. Selon mon allure, j'arrivais à la maison entre dix-neuf et vingt heures. Inutile de dire qu'un bon repas m'y attendait.

En cours d'année, mes parents quittèrent Kati pour se transférer à Bamako. Mon père s'était fait embaucher comme tailleur à l'hôpital du "Point G", situé au sommet de la colline du même nom, à Bamako. Toute la famille s'y transféra. Je n'avais plus douze kilomètres à parcourir matin et soir, mais il fallait tout de même escalader et descendre quatre fois par jour la colline, située à environ quatre kilomètres de l'école. J'apprenais toutes mes leçons entre la place de la République et le sommet du "Point G" et vice versa. Heureusement, mes parents acquirent par la suite une vaste concession à Bamako même, ce qui me parut le comble du confort !

Ma mère, elle, continuait de travailler avec la C.F.A.O.

de Bamako comme acheteuse de produits locaux et créatrice d'échantillons pour pagnes indigènes.

Je n'avais pas quitté Kati sans une certaine nostalgie. J'y laissais beaucoup de souvenirs, et surtout d'excellents camarades de jeunesse : Oumarou Tembély, Famory Keïta, Alassane Djité, Bamoussa et tant d'autres, ainsi que des "petits frères" de classes d'âge inférieures à la nôtre, mais dont nous étions très proches : Tiékoura Diawarra, futur père de Mohammed Diawarra, qui sera ministre du Plan en Côte d'Ivoire ; Soukalo Djibo, qui deviendra le député-maire de Bouaké, en Côte d'Ivoire ; mon ami Samba Diallo, qui se consacrera lui aussi à la récolte de nombreuses traditions orales, notamment de contes ; Paul Leblond, qui deviendra médecin ; Paul Taxile, etc.

En novembre 1918, l'Afrique, comme la métropole, fêta la fin de la grande guerre mondiale et la victoire de la France et de ses alliés sur les armées du Kaiser. Nous étions fiers de la part qu'avaient prise à cette victoire les soldats africains envoyés sur le front. Malgré des conditions de vie particulièrement dures pour eux en raison du froid, nous savions qu'ils s'y étaient illustrés par leur courage et leur mépris de la mort.

Quand les rescapés rentrèrent au foyer en 1918-1919, ils furent la cause d'un nouveau phénomène social qui ne fut pas sans conséquences sur l'évolution future des mentalités : je veux parler de *la chute du mythe de l'homme blanc* en tant qu'être invincible et sans défauts. Jusque-là, en effet, le Blanc avait été considéré comme un être à part : sa puissance était écrasante, imparable, sa richesse inépuisable, et de plus il semblait miraculeusement préservé par le sort de toute tare physique ou mentale. Jamais on n'avait vu d'administrateurs des colonies infirmes ou contrefaits. Ils étaient toujours bien habillés, riches, forts, assurés de leur autorité et parlant au nom d'une "mère patrie" où, d'après eux, tout était juste et bon. Ce que l'on ignorait alors, c'est qu'une sélection préalable éliminait autant que possible les infirmes, les contrefaits, les malades et les déséquilibrés ;

et quand un colonial tombait malade, on le rapatriait bien vite en métropole.

Mais, depuis, les soldats noirs avaient fait la guerre dans les tranchées aux côtés de leurs camarades blancs. Ils avaient vu des héros, des hommes courageux, mais ils en avaient vu aussi pleurer, crier, avoir peur. Ils avaient découvert des contrefaits et des tarés, et même, chose impensable, à peine croyable, ils avaient vu dans les villes des Blancs voleurs, des Blancs pauvres, et même des Blancs mendiants !

Quand ces tirailleurs rentrèrent au pays, ils racontèrent, au fil des veillées, tout ce qu'ils avaient vu. Non, l'homme blanc n'était pas un surhomme bénéficiant d'on ne savait quelle protection divine ou diabolique, c'était un homme comme eux, avec le même partage de qualités et de défauts, de force et de faiblesse. Et quand ils découvrirent que leurs médailles et leur titre d'ancien combattant leur valaient une pension inférieure de moitié à celle des camarades blancs dont ils avaient partagé les combats et les souffrances, certains d'entre eux osèrent revendiquer et parler d'égalité. C'est là, en 1919, que commença à souffler pour la première fois un esprit d'émancipation et de revendication qui devait finir, avec le temps, par se développer dans d'autres couches de la population.

En attendant, pour les élèves de l'école régionale, l'année scolaire se poursuivait, avec la perspective du certificat d'études au bout du chemin. Tout au long de l'année, notre maître M. Séga Diallo se donna tant à ses élèves qu'arrivé au mois de juin il en avait perdu sa voix ; mais il fut récompensé par la réussite des trente candidats qu'il avait présentés au certificat d'études primaires indigène pour la session 1918-1919, examen que je passai donc pour la seconde fois puisque je l'avais déjà obtenu à Djenné en 1915.

Je ne sais pourquoi, je fus pris durant les épreuves d'une telle émotion que le trac me paralysa. Je ne savais plus rien, mon cerveau était comme vidé de son contenu. Quelle horrible journée ! Je fus tout de même admis, mais avec le rang de quarantième sur quatre-vingt-dix ! M. Séga Diallo, qui avait escompté me voir figurer parmi les cinq premiers, en fut atterré. Quant à moi, je ne me remis jamais tout à fait de ce rang, que je considérais comme infamant.

Tous les élèves admis au certificat d'études étaient automatiquement transférés, en tant qu'internes, à l'Ecole professionnelle de Bamako où ils pourraient préparer, en un cycle de deux ans, le concours d'entrée pour les grandes écoles du gouvernement installées dans l'île de Gorée, au Sénégal.

Mais pour l'instant, c'étaient les vacances, et l'administration organisa le transport des élèves afin qu'ils aillent passer leur congé dans leur région d'origine. J'obtins mon transport pour Bandiagara. Après quelques jours passés auprès de mes parents, je rejoignis mes camarades et pris le train avec eux jusqu'à Koulikoro, où nous devions prendre le bateau pour Mopti. Je ne savais pas que, sur ce bateau, j'allais faire une rencontre dont les conséquences lointaines détermineraient toute mon attitude en face des honneurs de ce monde.

Vanité et poursuite du vent

Nous étions en tout une soixantaine d'élèves originaires de diverses régions de la Boucle du Niger. Mes camarades de Bandiagara et moi formions un groupe de sept élèves, dont j'avais la responsabilité en tant que doyen d'âge.

Après avoir obtenu auprès du bureau de la subdivision de Koulikoro les ordres de réquisition nécessaires pour pouvoir prendre le bateau, un garde de cercle hargneux nous conduisit au port. Le bateau à vapeur que nous devions prendre était *Le Mage*, celui-là même où j'avais voyagé sans billet quelques années plus tôt, et le commissaire de bord était toujours M. Monnet, mais je me gardai bien de me rappeler à son souvenir.

Après plusieurs heures d'attente sous un soleil accablant, on nous fit enfin embarquer vers seize heures. On nous entassa sur le pont avec les voyageurs indigènes comme un troupeau de moutons pour une vente à l'encan. Vers seize heures trente, une jolie voiture attelée, tirée par deux chevaux bien nourris et conduite par un garde de cercle, arriva au trot. C'était l'attelage du commandant Courtille — en fait un simple commis des Affaires indigènes chargé des fonctions de chef de la subdivision administrative de Koulikoro et qui, conformément à l'usage, se faisait appeler "commandant". A côté de lui se tenait, à notre grand étonnement, un jeune homme noir richement vêtu. La voiture s'arrêta à proximité de la passerelle d'embarquement. La foule, intriguée, s'attroupait. Le garde de cercle conducteur sauta de son siège. Il se précipita pour ouvrir la portière, se mit au garde-à-vous et salua militairement. Le commandant Courtille, tenant à la main la cravache dont il ne se séparait jamais, descendit le premier. Le garde de cercle aida ensuite le jeune homme noir à descendre, puis s'évertua à écarter la foule trop curieuse.

Le jeune homme, plus âgé que moi de quelques années, était assez corpulent. Son visage, noir comme de l'ébène, brillait comme du bois poli. Vêtu d'un fin costume marocain de drap pur, il fumait d'un air détaché, laissant tomber exprès les cendres de sa cigarette sur sa djellaba brodée, dont le drap ne brûlait pas. Ses chaussures luxueuses, de cuir fin "Robéro jaune London" comme le voulait la dernière mode, étaient craquantes à souhait. Une fine flèche dorée rayait ses chaussettes de soie noire. Pour couronner le tout, sa tête s'ornait d'un superbe fez garni de franges soyeuses, et ses cheveux bien taillés étaient soigneusement lissés et aplatis à l'aide d'une pommade brillante.

Tous les voyageurs indigènes, déjà embarqués ou encore en attente sur le quai, en étaient cois d'étonnement. C'était bien la première fois que l'on voyait le commandant Courtille, habituellement plus disposé à se servir de sa cravache qu'à faire des politesses, se montrer si courtois et si aimable avec un indigène qu'il lui cédait même le pas ! Qui était donc ce jeune homme ? Le mystère s'éclaircit quand nous entendîmes le commandant Courtille déclarer au commissaire de bord : "Voici *monsieur* Ben Daoud Mademba Sy, le fils du roi de Sansanding. Il arrive d'Algérie, où il fait ses études, pour passer ses vacances auprès de son père à Sansanding. Les plus hautes autorités m'ont donné l'ordre de le recevoir et de le recommander à votre plus chaleureuse attention. Il voyagera en première classe. Veillez sur lui avec le plus grand soin."

Tout s'expliquait. Ce garçon habillé "comme un épi de maïs" était l'un des jeunes fils du roi Mademba Sy — enfant chéri des autorités françaises de l'époque — et donc le petit frère du lieutenant Abdelkader Mademba Sy, dont j'ai conté précédemment l'histoire.

M. Monnet prit congé du commandant Courtille, puis il conduisit Ben Daoud vers l'escalier qui menait au premier étage où se trouvaient les cabines de première et deuxième classe, étage habituellement rigoureusement interdit aux indigènes, hormis les boys qui y travaillaient. Les voyageurs, qui s'étaient agglutinés pour regarder ce spécimen noir rarissime monter l'escalier interdit, regagnèrent leurs places. Vers dix-huit heures, l'embarquement terminé, M. Monnet donna l'ordre de départ d'une voix tonnante. Les laptots s'affairèrent. Les deux grandes roues du bateau se mirent lentement en mouvement. La coque vibra, puis l'avant du bâtiment se tourna doucement vers le milieu du fleuve. Avec une légère secousse, la poupe se détacha de la berge et le bateau s'élança vers les hautes eaux où bientôt, prenant de la vitesse, il entama sa marche régulière.

Quelque temps après, le jeune prince fit sa toilette du soir. Malgré le vent, tout l'arrière du navire en fut embaumé pendant plusieurs minutes. "Ah, quel arôme ! s'extasiaient les voyageurs. Ça, c'est vraiment du parfum !"

Vers vingt heures, la cloche tinta pour inviter les voyageurs de première, deuxième et troisième classe à venir prendre leur dîner dans les salles correspondant à leur catégorie. Quant aux passagers parqués sur le pont, on leur servit dans des cuvettes en émail un riz grossièrement préparé. Ce n'était pas tout à fait le *chacabati* des forçats (une sorte de rata), mais peu s'en fallait. Seuls le consommèrent ceux qui ne pouvaient faire autrement. Heureusement, mes camarades et moi disposions de quelques provisions de couscous de mil séché à l'arachide, que l'on délaie habituellement avec du lait.

Après son dîner, qu'il avait pris sur le pont supérieur avec les passagers de première classe, le fils de Mademba fit réunir les restes des plats dans une grande cuvette qu'il confia à un boy pour qu'il la descende aux jeunes élèves du pont inférieur. Lui-même suivit le boy et s'arrêta juste au-dessus de lui, sur l'avant-dernière marche de l'escalier. "Eh, vous ! cria-t-il. Venez à la distribution !" Les élèves se ruèrent vers lui. Le boy plongeait la main dans la cuvette et leur jetait des morceaux de viande, des pommes de terre, du pain ou d'autres aliments européens. Mes six camarades de Bandiagara se levèrent pour les rejoindre. Je les retins. "Revenez à vos places et restez assis ! leur dis-je. Si jamais vos parents de Bandiagara apprennent que nous nous sommes précipités pour manger les restes des assiettes des Blancs que Ben Daoud Mademba, fils de Mademba Sy, l'ancien postier devenu roi, nous distribue comme on jette du grain aux volailles, nous risquons d'être roués de coups de corde sur la grande place de la mosquée. Restons ici avec notre couscous sec. Nous le délaierons au besoin avec de l'eau du fleuve, mais jamais nous n'irons ramasser les restes de Ben Daoud !"

Ces paroles portèrent d'autant plus que mes camarades connaissaient, comme moi-même, la rivalité et l'hostilité latente qui existaient, depuis leurs créations respectives par les Français, entre le royaume de Sansanding offert à Mademba Sy et le royaume toucouleur de Bandiagara offert à Aguibou Tall, fils d'El Hadj Omar. Une certaine tension existait entre les gens de Sansanding et ceux de Bandiagara. Chacun de nous gardait ses distances.

Ben Daoud continuait à distribuer la nourriture, mais il n'avait d'yeux que pour notre groupe resté assis à l'écart. Quand la distribution fut terminée, il vint vers nous :

"De quelle région êtes-vous ?

— De Bandiagara, répondis-je.

— Pourquoi n'êtes-vous pas venus recevoir votre part ?

— Nous n'allons pas très loin, juste à Bandiagara, et nous avons assez de couscous pour le reste du voyage. Nous n'avons pas voulu empêcher les autres élèves de profiter de cette nourriture, surtout ceux qui vont très loin, jusqu'à Gao."

Il sourit :

"Ce n'est pas la vraie raison. C'est parce que vous êtes de Bandiagara."

Il avait compris. Il remonta au premier étage, et une heure plus tard il en redescendait, portant lui-même un plat rempli d'un excellent riz au gras garni de viande de mouton, qu'il avait fait préparer tout exprès par le cuisinier du bateau. Il vint déposer le plat devant nous.

"Fils de mon père originaires de Bandiagara, dit-il, voici un bon dîner que Sansanding vous offre par ma main !"

Et il s'éloigna. J'invitai mes compagnons à manger.

"Comment ! s'étonnèrent-ils. Tu veux que nous mangions la nourriture du fils de Mademba ? Tu as déjà oublié ce que tu nous as dit tout à l'heure ?

— Je n'ai rien oublié, répliquai-je, mais la situation n'est plus la même. La manière dont ce repas nous est offert nous oblige à l'accepter. Que nous le voulions ou non, et quelles que soient les origines de sa famille, Ben Daoud est le fils d'un roi, ce qui n'est le cas d'aucun d'entre nous. Et au lieu de nous faire jeter des restes par un boy, comme il l'a fait tout à l'heure, il prend la peine de nous apporter lui-même, de ses propres mains, un plat qu'il a fait préparer spécialement pour nous. Maintenant, c'est un honneur qu'il nous fait. Si nous refusons cet honneur et si nos parents l'apprennent, là aussi ils seront en droit de nous donner des coups de corde pour nous être conduits comme des enfants mal élevés." Rassurés, mes camarades mangèrent de bon appétit, partageant le plat avec les quelques voyageurs qui nous entouraient.

Ben Daoud, qui était resté en haut de l'escalier, avait tout entendu. Il revint vers moi. "Veux-tu être mon ami ?" me demanda-t-il — et il m'emmena avec lui dans sa cabine. C'est ainsi que j'entrai dans l'intimité du prince Ben Daoud Mademba Sy et que je fus, après lui, le deuxième nègre à monter sur le pont supérieur du bateau.

M. Monnet m'autorisa à visiter Ben Daoud dans sa cabine autant de fois que nous le souhaiterions. Nous prenions grand plaisir à bavarder ensemble. Les quelques jours que dura notre voyage furent merveilleux pour moi.

L'après-midi du troisième jour, nous étions en vue de Ségou. Avant de se rendre au port commercial, le bateau fit d'abord escale au port officiel, situé devant la résidence du commandant de cercle. Celui-ci, un Corse nommé Battesti, monta sur le bateau avec son adjoint et alla saluer au premier étage *monsieur* Ben Daoud Mademba Sy, auquel il apporta même quelques friandises. Puis il redescendit sur le pont. Je l'entendis dire au commissaire :

"Si vous arrivez à Sansanding avant le lever du jour, éteignez vos feux, faites pousser le bateau à la perche et veillez à ne faire aucun bruit, absolument aucun bruit, jusqu'à ce que le roi Mademba soit lui-même réveillé. Il y va de votre situation.

— C'est entendu, mon commandant, la consigne sera respectée."

C'est dire quels étaient alors le pouvoir et le prestige du roi Mademba.

Le commandant serra la main de M. Monnet, puis redescendit sur le quai. Quittant le port officiel, nous nous dirigeâmes sur le port commercial où l'on débarqua des voyageurs et des colis tandis que d'autres montaient à bord. Le soir, après le dîner, M. Monnet donna le signal du départ. Le bateau s'éloigna de Ségou et s'enfonça dans l'obscurité.

L'aube commençait à poindre lorsque nous arrivâmes en vue de Sansanding. M. Monnet fit éteindre les feux et stopper les machines. Les laptots, qui poussaient maintenant l'énorme bateau à la perche, réussirent à le faire accoster en silence. Le port se trouvait juste en face du palais royal. Entre le palais et la rive s'étendait une esplanade de sept à huit cents mètres. Tout y était propre et net. La place était tapissée de sable fin extrait du fleuve et soigneusement tamisé afin que, chaque matin et chaque soir, le roi puisse venir y prendre le frais. On ne balayait jamais cette place pour ne pas soulever de poussière. Les dizaines de manœuvres chargés de l'entretien du palais devaient ramasser à la main chaque brin d'herbe apporté par le vent — car qui, autre que le vent, aurait osé commettre un tel forfait ?

Ce matin-là, comme par hasard, Sa Majesté ne se réveilla pas de bonne heure. Toute la ville retenait son souffle. On n'entendait même pas les chiens aboyer ; tous ceux qui avaient de la voix avaient sans doute été enfermés la veille au soir au fin fond des greniers, car un aboiement intempestif coûtait cher : si jamais un chien se faisait entendre au cours de la nuit, les agents de police du roi allaient repérer les lieux et le lendemain, avant le repas de midi, le propriétaire du chien était convoqué au vestibule du roi et frappé d'une trentaine de coups de corde. Seuls quelques chants de coqs à la voix étouffée (peut-être étaient-ils, eux aussi, enfermés au fond des cases ?) parvenaient à percer le silence. Pour qui connaît les bruits joyeux qui animent les villages africains au lever du jour, c'était vraiment un spectacle des plus étranges.

Des théories de femmes portant des canaris vides avançaient en serpentant vers le fleuve. Drapées dans leurs grands pagnes blancs, elles glissaient en silence, telles des ombres fantomatiques, sans dire un mot, sans même se saluer de la tête, comme perdues dans un rêve intérieur. Arrivées au bord du fleuve, elles pénétraient lentement dans l'eau jusqu'aux genoux ; avec des gestes ralentis, elles y plongeaient leur récipient jusqu'à ce qu'il soit bien rempli. Alors, remontant sans bruit sur la rive, elles plaçaient d'un geste gracieux le canari sur leur tête et repartaient comme elles étaient venues, leurs pieds nus glissant sur le sable blanc.

Notre bateau lui-même semblait avoir été frappé de torpeur par quelque sort magique. Sur le pont, chacun attendait, immobile ; quelques-uns se parlaient bouche collée contre oreille. Qui aurait osé faire le moindre bruit quand les Blancs eux-mêmes se terraient peureusement au fond de leurs cabines ?

Le soleil s'était enfin levé, mais seuls les moineaux fêtaient son apparition. Toute vie était comme en suspens, dans l'attente du premier clignement de paupières du roi. Vers sept heures du matin, trois grands feux de salve déchirèrent le silence. Une clameur s'éleva de partout à la fois : "*Fama kounouna ! Fama kounouna !*" (Le roi est réveillé ! Le roi est réveillé !) D'un seul coup, tout le monde se mit à parler, les chiens à aboyer, les enfants à crier, les pilons à cogner dans les mortiers. On aurait dit que le bruit, enfermé jusque-là dans un canari bien clos dont les salves venaient de casser le couvercle, s'échappait avec violence de sa prison pour se répandre partout dans l'espace. La ville venait de ressusciter de sa mort momentanée imposée par le caprice d'un roi ; et d'un roi créé par un décret de la très laïque et démocratique République française qui, elle, avait coupé la tête à son dernier roi ! Allez y comprendre quelque chose !

Le palais, qui occupait un terrain carré d'une centaine de mètres de côté, était entouré d'un mur d'enceinte (un *tata*) si haut que l'on apercevait à peine la touffe d'un palmier rônier planté juste derrière. Ses alentours étaient si bien gardés qu'à partir de dix-sept heures tout homme s'avisant de passer à moins de cinq mètres du mur était entraîné par la garde et cruellement fouetté dans le vestibule, parfois à mort, pour avoir commis le crime d'être venu humer l'odeur de l'encens que les dames du harem royal avaient coutume de faire brûler à cette heure de la soirée...

Environ trois quarts d'heure après les salves, les lourds battants du vestibule s'écartèrent. Une trentaine d'hommes — les "spahis de Mademba", comme on les appelait — sortirent, revêtus de leur grande tenue : chéchia rouge, veste bleue, pantalons blancs bouffants, bandes molletières bleues et souliers. Chacun d'eux portait un long fusil indigène ciselé appelé *long'ngan*. Manœuvrant avec l'adresse de soldats chevronnés, ils se séparèrent en deux files pour former une haie d'honneur.

Un quart d'heure plus tard Mademba apparut, accompagné de son cortège habituel. Juste derrière lui venait sa griote, qui chantait à pleine voix ses louanges. Cette griote, nommée Diêli Yagaré, était d'une beauté fascinante. Douée d'une voix remarquable, à la fois douce et puissante, elle chantait les faits de guerre de Mademba pendant la pénétration française au Soudan. A l'en croire, c'était lui, Mademba, et non le colonel Archinard, qui avait tout fait; c'est tout juste s'il n'avait pas fondé lui-même Saint-Louis du Sénégal! Elle disait vraiment n'importe quoi, mais elle avait la voix si prenante, elle était si belle et si merveilleusement parée qu'à elle seule elle était tout un spectacle, vision enchanteresse pour les jeunes gens que nous étions.

Le roi, bercé par la voix de sa griote, traversait la place à pas lents, se dandinant d'un pied sur l'autre à la façon d'un canard. Ses spahis lui présentaient les armes. Sur son passage, chacun s'accroupissait sur le sol pour le saluer, criant l'un de ses surnoms honorifiques: "*Sy Savané! Sy Savané!*" Lui, répondait invariablement par la formule traditionnelle: "*Marhaba! Marhaba!*" Comme il arrivait sur le quai, où l'on avait étalé un tapis afin que ses chaussures ne se mouillent pas, je pus le contempler de plus près.

Son visage, déparé par un nez qui semblait vouloir en occuper toute la largeur, n'était pas des plus beaux, mais il était illuminé par de gros yeux qui en imposaient à quiconque croisait son regard. La laideur du roi était éclipsée par la majesté de sa tenue et l'éclat de ses parures. Il portait le burnous brodé d'or des chefs arabes. Le côté gauche, relevé sur l'épaule, laissait voir son boubou de basin, bardé de médailles et de décorations françaises, dont la croix d'officier de la Légion d'honneur — alors que les officiers supérieurs français n'étaient généralement que chevaliers!

De son pas majestueux, il franchit la passerelle et monta sur le bateau. Les voyageurs du pont s'écrièrent comme un seul homme: "*Sy Savané! Sy Savané!*" Tournant ses paumes ouvertes vers eux, le roi répondait: "*Marhaba! Marhaba!*" M. Monnet, qui depuis un moment gesticulait en tous sens comme une mouche affolée, accourut au-devant du roi. Celui-ci lui serra la main. M. Monnet répondit par une profonde courbette qui témoignait sans doute de sa reconnaissance pour un tel honneur, puis il le précéda afin de lui faire visiter le bateau.

Ben Daoud, revêtu de sa plus belle tenue, était descendu du premier étage. Les yeux baissés en signe de respect, il se tenait sur le pont à côté de ses bagages. Le roi, précédé du commissaire et suivi de son seul chambellan, passa devant son fils sans même lui jeter un regard. Personne ne s'en étonna, le fait de ne pas manifester publiquement ses sentiments envers ses enfants faisant partie des coutumes africaines que les Européens comprennent d'ailleurs assez mal. Chez nous, c'est aux oncles et aux tantes qu'il appartient de manifester extérieurement leur affection pour leurs neveux et nièces, qu'ils considèrent comme leurs propres enfants. Cette retenue traditionnelle est encore plus marquée chez les hauts personnages lorsqu'ils apparaissent en public.

La visite du bateau terminée, le roi signa le livre de bord où il écrivit quelques lignes, puis redescendit de la passerelle, toujours sans regarder son fils. Je vis alors accourir vers Ben Daoud six gaillards bien musclés. Deux se chargèrent de ses bagages tandis que les quatre autres formaient de leurs mains entrecroisées une sorte de siège où Ben Daoud prit place. Ils le soulevèrent avec aisance et l'emmenèrent vers le palais sur cette chaise à porteurs improvisée. En partant, Ben Daoud se retourna vers moi et me fit un petit signe de la main. Je lui répondis avec tristesse, persuadé que je ne le reverrais jamais.

Le cortège royal s'éloigna et le bateau se mit à siffler, pour honorer le roi ou pour signaler son départ, je ne sais ; puis, lentement, il s'écarta de la berge. Je contemplai une dernière fois Sansanding, célèbre ville marka commandée par les Cissé au temps de l'Empire peul du Macina, puis par les Kouma au temps de l'Empire toucouleur d'El Hadj Omar, avant de devenir le paradis personnel du "roi" Mademba Sy, le pharaon de la Boucle du Niger...

Vingt-huit ans plus tard, en 1947, je devais revenir sur ces rives en des circonstances que je vais rapporter dès maintenant, car ce sont elles qui donnent un sens à cette histoire.

Cette année-là, le professeur Théodore Monod, fondateur-directeur à Dakar de l'Institut français d'Afrique noire (IFAN), où j'avais été détaché sur sa demande et affecté à la section "Ethnologie", se rendit au lac Debo pour y étudier les poissons. Ce grand lac, situé dans le delta de la Boucle du Niger un peu avant Niafounké, était réputé non seulement pour ses poissons, mais aussi pour les innombrables oiseaux de différentes espèces qui, une fois l'an, venaient du monde entier pour s'y réunir et y caqueter à plaisir, en une sorte de grande Unesco volatile... Le professeur me désigna pour l'accompagner. Je devais profiter du voyage pour poursuivre, dans le pays, ma collecte des traditions orales.

Une fois la mission terminée, le professeur Monod revint sur Ségou en voiture, tandis que je devais ramener nos manœuvres et nos laptots dans la ville de Ké-Macina afin qu'ils y reçoivent leur salaire. Je décidai de rejoindre ensuite Ségou par pirogue et d'en profiter pour faire une brève escale à Sansanding, dans le secret espoir d'y rencontrer, peut-être, mon ancien ami Ben Daoud, que je n'avais pas oublié.

Il était environ dix-sept heures quand, un soir, la pirogue accosta devant Sansanding. Je sortis du rouf où je me reposais. Le spectacle qui s'offrit alors à ma vue me fit douter de mes laptots : "Sommes-nous bien à Sansanding ? — Oui, répondirent-ils. — Sansanding, la ville du roi Mademba ? — Sans aucun doute, c'est bien Sansanding." Je ne pouvais en croire mes yeux. Toute la rive était dégradée. Le palais en ruine semblait avoir été avalé par le sol. La belle place de sable fin, que l'on ne devait jadis nettoyer qu'à la main, n'était plus qu'un terrain à l'abandon où se tenait un misérable petit marché de village aux hangars boiteux, non entretenus, souvent à moitié renversés par le vent du nord.

Je revis en pensée la masse imposante du palais, les

femmes venant puiser de l'eau dans le silence feutré du matin, les spahis, les courtisans, la griote Diêli Yagaré dont la voix berçait les cœurs et charmait les oreilles ; je revis Mademba drapé de soie, de drap fin et de riche basin, la poitrine constellée de médailles, et son fils Ben Daoud transporté sur les bras de ses serviteurs... Puis tout ce beau tableau s'estompa comme un mirage de saison sèche et je retrouvai la vision d'une place lépreuse, où tout Sansanding venait déverser ses ordures et où déambulaient des ânes faméliques, des chiens, des chèvres et des porcs.

Je débarquai, donnai ordre à mes laptots de m'attendre et me dirigeai vers la ville. Arrivé à mi-chemin, je croisai un garçonnet d'une douzaine d'années et l'interrogeai :

"Connais-tu Ben Daoud Mademba, le fils de l'ancien roi Mademba ?

— Oui.

— Est-il à Sansanding en ce moment ?

— Oui.

— Peux-tu me conduire chez lui ?

— Bien sûr."

Il retourna sur ses pas et me fit signe de le suivre. Une fois en ville, j'aperçus un immeuble à étages de toute beauté, construit dans le style de la résidence du commandant de cercle de Ségou. Je m'arrêtai pour le contempler, persuadé que c'était la demeure de Ben Daoud. Le garçon se retourna :

"Etranger, me dit-il, cette maison n'est pas celle du fils de Mademba. Elle appartient à Madiansa."

J'ignorais qui était Madiansa. Mon petit guide reprenant sa marche, je ne dis mot et lui emboîtai le pas.

Il s'arrêta bientôt au fond d'une ruelle, devant une concession misérable dont la superficie totale ne dépassait pas quelques dizaines de mètres carrés. La murette clôturant la petite cour était si délabrée qu'elle révélait ses briques à nu, comme une vieille jument dont on peut compter les côtes en saison sèche. L'entrée n'avait d'autre fermeture que deux grosses branches placées en diagonale, sans doute pour empêcher les animaux de passer. Au fond de la cour, l'habitation elle-même consistait en une seule case minuscule, presque une cellule. Les murs, décrépits, étaient rongés par les intempéries. Une porte branlante, faite de quelques planches mal assemblées, laissait voir par ses interstices un homme assis à l'intérieur. Le garçonnet me le désigna du doigt.

J'enjambai les traverses de bois, pénétrai dans la cour et saluai à haute voix :

"Sy! Sy! Ben Daoud Mademba Sy! Je te souhaite le bonsoir. Je suis ton ancien ami du bateau *Le Mage*, Amadou Hampâté Bâ de Bandiagara. Je n'ai pas voulu passer à Sansanding sans venir te rendre visite."

Après un bref moment de silence, du fond de la case s'éleva la voix faible d'un homme mal nourri :

"Ô mon ami!... Sois le bienvenu! Sois le bienvenu!"

Ben Daoud — car c'était bien lui — poussa alors sa porte grinçante et sortit. Pour la deuxième fois depuis mon arrivée, je ne pus en croire mes yeux. Il était vêtu d'un vieux *forkiya*, sorte de longue blouse ample qui avait dû être blanche mais qui, pour l'heure, semblait avoir été trempée dans une teinture de boue rougeâtre. La large échancrure de son *forkiya* laissait à nu sa poitrine amaigrie. Son pantalon était fait de morceaux d'étoffes dépareillées. A ses pieds traînaient des sandales taillées dans de vieux pneus. Je ne pus m'empêcher de revoir en pensée ses belles chaussures "Robéro jaune London", qui faisaient *kian-kian à* chaque pas...

Son teint, que j'avais connu d'un noir d'ébène, était devenu grisâtre. Ses cheveux et les poils de sa barbe étaient précocement blanchis. Il tenait à la main une pipe pleine de tabac indigène d'où s'échappait l'odeur la plus désagréable qu'il m'ait été donné de respirer — là encore me revint en mémoire l'odeur délicieuse de son eau de Cologne qui avait parfumé tout l'arrière du bateau...

"Que lui est-il arrivé? me demandai-je. Quel est le sens de tout cela? Quelle leçon un homme sensé peut-il en tirer?..." Après les litanies de salutation d'usage, je trouvai l'audace de lui poser la question : "Ben Daoud, mon ami, après tout ce que tu as été, comment se fait-il que tu en sois réduit à cet état?"

Il me répondit d'une voix tranquille, sans amertume, parlant comme s'il ne s'agissait pas de lui :

"Il y a quelques années, pendant la Deuxième Guerre mondiale, j'étais instituteur à Tombouctou mais j'ai été taxé de « gaulliste » et, à ce titre, traduit devant un tribunal par les autorités coloniales du régime de Vichy. On m'a révoqué et condamné à résidence obligatoire à Sansanding. Tous mes biens ont été confisqués. Sans travail et sans fortune, il ne me reste plus rien pour vivre [53]. Mais, Dieu merci, je ne suis misérable que matériellement. Mon moral, ma dignité et ma fierté ne sont pas touchés. Il m'arrive même de sourire en pensant que c'était un Français qui avait fait nommer mon père roi, et que c'est encore un Français qui, de prince adulé et de fonctionnaire aisé que j'étais, a fait de moi un réprouvé de la société, un loqueteux mal logé, ne mangeant qu'une fois par jour et couchant sur une natte à même le sol. Certes, mon aspect est miséreux, mais je ne suis pas aussi malheureux que mon apparence pourrait le laisser croire. Je suis en accord avec moi-même car ma conscience ne me reproche rien. La preuve en est que je dors paisiblement. Quand je trouve de la nourriture, je mange avec appétit, et quand je n'en trouve pas, je supporte la faim. Je ne quémande pas. Je lis beaucoup, je médite et réfléchis."

Pas une fois Ben Daoud ne prononça une parole amère sur sa situation ni un mot critique à l'égard des anciens vassaux de son père, devenus des hommes riches et puissants. Il acceptait son sort avec sérénité. Dans son dénuement, il me parut infiniment plus grand que le prince de jadis.

J'osai lui demander :

"Qu'est devenu le palais de ton père ?"

Il éclata de rire.

"Le palais de mon père ? Il s'est effondré. C'est devenu un grand tertre sous lequel sont enfouies la gloire et la fortune de ma famille. Mon cher ami, ajouta-t-il, la vie fait et défait les choses. Jadis, elle a fait que ma famille, à Sansanding, était tout ; et puis elle a défait son œuvre et maintenant, à Sansanding, ma famille n'est rien.

Pourtant le fleuve continue à couler, le soleil à se lever et à se coucher...

— Pourrais-je visiter les ruines du palais ?

— Bien sûr ! Allons-y tout de suite, pendant qu'il fait encore jour."

Il me conduisit sur l'emplacement de l'ancienne concession royale. Tout était écroulé ; ce n'était plus qu'un amas de terre et d'herbes folles. La maison des femmes, au nom desquelles jadis on fouettait tous ceux qui s'approchaient à moins de cinq mètres du mur, était devenue un lieu d'aisances public où les gens des environs venaient faire leur petit dépôt. Au milieu de la chambre de la première épouse se dressait une grande termitière. Sur l'emplacement de l'immense salle des gardes se tenait régulièrement un marché aux bestiaux. Là même où s'élevait la demeure personnelle de Mademba, on ne voyait plus qu'un amoncellement d'éboulis.

Comme je contemplais silencieusement ce spectacle, un vieux bouc (dont j'apprendrais qu'il était le bouc fétiche du village) s'approcha d'un pas tranquille et entra dans la concession. Chaque soir, à la même heure, il venait s'installer au sommet du tertre pour y passer la nuit, la tête tournée vers l'est. Avec sa face barbichue et sa mâchoire toujours en train de ruminer, on aurait dit un vieux marabout en train de marmonner des prières. On avait essayé, paraît-il, de le chasser, mais il revenait inlassablement. Finalement, on l'avait laissé tranquille.

Pour terminer la visite, Ben Daoud me conduisit dans un angle de la concession qui, apparemment, était le seul bien entretenu au milieu de tout cet abandon. C'est là qu'étaient inhumés le roi Mademba Sy et son fils Abdelkader Mademba, le commandant de bataillon. L'administration assurait l'entretien de leurs tombes. Après un moment de recueillement, Ben Daoud me demanda congé et rentra chez lui. Je restai seul avec mes réflexions.

Je regardai le vieux bouc ruminer à l'endroit même où, jadis, siégeait Mademba dans toute sa gloire ; je vis les bestioles rampantes de la nuit sortir des anfractuosités et des crevasses de ce qui avait été autrefois une salle de réception emplie de courtisans et résonnant des chants de louange des griots ; et là, à mes pieds, se trouvaient les tombes modestes, presque oubliées, d'un monarque absolu et d'un héros de guerre. J'avais quarante-sept ans. Mon maître Tierno Bokar, le sage au cœur plein de tolérance et d'amour — "l'homme de Dieu", comme l'appelait Théodore Monod — était mort depuis sept ans déjà, dans de cruelles conditions d'isolement et de réclusion provoquées par la méchanceté — ou plutôt, comme il le disait lui-même, par l'ignorance des hommes. C'était donc cela, la vie ?

Je me penchai sur la tombe du roi : "Mademba Sy ?... *Sinsani Fama* (roi de Sansanding) ?... *Fa demba* (père) ?..." Silence...

Je me tournai vers la tombe de son fils : "Abdelkader Mademba ?... Commandant Abdelkader Mademba, l'homme des Dardanelles, de Verdun et de tant de grandes batailles ?..." Seule ma voix résonnait dans ce désert lugubre. "Alors vous êtes là, tous les deux, couchés dans votre tombe, alors que tout Sansanding traverse votre concession pour aller au marché, cette concession que, jadis, il fallait contourner avec crainte et respect ! Toute votre splendeur, toute votre gloire, tout cela a disparu, s'est évanoui comme un mirage passager ? Eh bien, si c'est cela la vie de ce monde, elle n'est vraiment, comme dit le Coran, qu'*une jouissance éphémère et trompeuse*, et l'Ecclésiaste de la Bible a bien raison quand il s'écrie : *Tout est vanité et poursuite du vent !*"

Ce jour-là, en cet instant, j'ai divorcé d'avec le monde et pris la ferme résolution de me conformer, tout le reste de ma vie, au conseil de mon maître : servir, servir toujours, mais ne jamais chercher ni les honneurs, ni le pouvoir, ni le commandement.

Je repris le chemin de la ville. Sur ma route, je croisai un griot à qui je demandai qui était Madiansa, le propriétaire du bel immeuble à étages que j'avais cru d'abord être celui de Ben Daoud. Il m'apprit que le père de Madiansa avait été le captif d'un captif du roi Mademba, et qu'il était si miséreux qu'à deux reprises il avait placé son fils Madiansa en gage comme serviteur. A force de porter des briques, du bois mort et de lourdes charges, le sommet de la tête du pauvre Madiansa avait été pelé et le resta toute sa vie. Le jour de la circoncision d'un groupe de cent enfants dont il faisait partie, on l'avait même oublié au fond d'une salle ; c'est dire s'il était peu de chose à Sansanding ! Et pourtant, c'est ce même Madiansa qui, plus tard, devint un grand commerçant, et qui à ce jour avait accumulé une telle fortune qu'il ne savait même pas qu'en faire, alors que le fils de l'ancien roi, vêtu de haillons et mourant presque de faim, croupissait au fond d'une case misérable.

"Ô homme peul, ajouta le griot, as-tu visité les ruines du palais de Mademba ?

— Oui.

— As-tu vu le chemin qui traverse de part en part les ruines du palais, dont jadis personne ne pouvait approcher à moins de cinq mètres après dix-sept heures, et qui mène au petit marché ?

— Je l'ai vu.

— Sais-tu comment les habitants de Sansanding ont dénommé ce chemin ?

— Non.

— Ils l'ont appelé *Allâh yé sé* : Dieu peut tout !"

Avant de regagner ma pirogue, je retournai chez mon ami Ben Daoud pour lui faire mes adieux. Nous nous quittâmes les larmes aux yeux. Depuis, nous ne nous sommes jamais revus.

Ben Daoud Mademba Sy demeure pour moi l'un des hommes dont la rencontre, lors de mes vacances de 1919 d'abord, puis en 1947, a le plus profondément marqué ma vie.

Internat à Bamako

A la rentrée scolaire, je m'installai à l'internat de l'Ecole professionnelle de Bamako. Cette école a une histoire. A l'origine, en 1854, elle fut créée par Faidherbe à Kayes (Mali), qui était alors le chef-lieu de la colonie du Haut-Sénégal-Moyen-Niger. Appelée très officiellement *Ecole des otages*, elle était alimentée par la réquisition d'office des fils de chefs ou de notables des régions récemment conquises, en vue de s'assurer de leur docilité. Certains de ces chefs, d'ailleurs, quand cela leur était possible, envoyaient des captifs à la place de leurs fils, ce qu'ils furent peut-être amenés à regretter amèrement par la suite... En 1908, lorsque le gouverneur Clozel transféra le chef-lieu de la colonie de Kayes à Bamako, l'école fut installée dans cette ville, où elle reçut le nom plus discret, mais toujours explicite, d'*Ecole des fils de chefs*. Avec le développement des activités administratives et techniques et le besoin accru de personnel indigène subalterne, elle devint l'*Ecole professionnelle de Bamako*. Plus tard, elle sera rebaptisée *Ecole primaire supérieure*, puis *Ecole Terrasson-de-Fougères*, avant de devenir aujourd'hui le *lycée Askia-Mohammad*.

Une entreprise de colonisation n'est jamais une entreprise philanthropique, sinon en paroles. L'un des buts de toute colonisation, sous quelques cieux et en quelque époque que ce soit, a toujours été de commencer par défricher le terrain conquis, car on ne sème bien ni dans un terrain planté ni dans la jachère. Il faut d'abord arracher des esprits, comme de mauvaises herbes, les valeurs, coutumes et cultures locales pour pouvoir y semer à leur place les valeurs, les coutumes et la culture du colonisateur, considérées comme supérieures et seules valables. Et quel meilleur moyen d'y parvenir que l'école ?

Mais, comme il est dit dans le conte Kaïdara, toute chose a nécessairement une face diurne et une face nocturne. Rien, en ce bas monde, n'est jamais mauvais de A jusqu'à Z et la colonisation eut aussi des aspects positifs, qui ne nous étaient peut-être pas destinés à l'origine mais dont nous avons hérité et qu'il nous appartient d'utiliser au mieux. Parmi eux, je citerai surtout l'héritage de la langue du colonisateur en tant qu'instrument précieux de communication entre ethnies qui ne parlaient pas la même langue et moyen d'ouverture sur le monde extérieur — à condition de ne pas laisser mourir les langues locales, qui sont le véhicule de notre culture et de notre identité.

L'Ecole professionnelle de Bamako (où, comme dans toutes les autres écoles, l'usage des langues maternelles était banni et sanctionné) préparait les élèves, en un cycle de deux ans, au concours d'entrée à l'une des grandes écoles du gouvernement général de l'A.O.F. situées à Gorée et d'où sortiraient des instituteurs indigènes, des auxiliaires indigènes de l'administration coloniale et des médecins auxiliaires. Ainsi, l'île de Gorée, qui avait servi, au temps de la traite des nègres, de port d'embarquement à des millions de malheureux pour l'autre rive du grand "lac salé", devint-elle, par un de ces retournements ironiques du sort, le creuset où l'on allait former, pour mieux servir les intérêts de la France dans ses colonies, des élites noires dont la plupart œuvreraient plus tard à la libération et à l'indépendance de leur pays.

En attendant, il s'agissait de former toute une armée d'auxiliaires compétents, loyaux et disciplinés, qui aideraient à la mise en valeur et à la gestion des colonies conquises en faisant tourner les rouages de base de la formidable machine administrative coloniale. Ceux qui ne franchissaient pas la porte royale de Gorée pouvaient tout de même, au sortir de l'Ecole professionnelle, accéder à des emplois du même type, mais à des grades inférieurs: "moniteurs de l'enseignement" au lieu d'instituteurs; "écrivains" au lieu de commis expéditionnaires, etc. Certains "écrivains" étaient même recrutés d'office dès l'obtention du certificat d'études.

L'Ecole professionnelle comprenait quatre classes, où les élèves étaient répartis selon leurs résultats au certificat d'études. La première classe préparait les "moniteurs de l'enseignement", la deuxième et la quatrième préparaient les futurs petits auxiliaires de l'administration, la troisième les ouvriers et techniciens. Il s'en fallut de peu, compte tenu de mon rang au certificat, que je ne fusse envoyé dans la classe des ouvriers. Finalement, on m'admit dans la quatrième classe, celle qui préparait les futurs auxiliaires de l'administration. Nous préparions parallèlement nos concours d'entrée.

En arrivant à l'Ecole professionnelle, j'avais retrouvé mon groupement naturel, c'est-à-dire celui des élèves de Bandiagara dont, étant donné mon âge, je devins automatiquement le doyen. Parmi eux, j'eus la joie de retrouver mon vieux camarade Daouda Maïga, qui avait parcouru sans problème son cycle scolaire (il était en deuxième année) et qui deviendrait plus tard instituteur. Il y avait aussi Madani Tall, que son père Alfa Maki Tall avait jadis envoyé à l'école à la place de mon frère, et qui deviendrait imprimeur; mon cousin Oumar Bâ, qui ferait la carrière que l'on sait en tant qu'écrivain, ethnologue et chercheur, et tant d'autres...

Pendant ma première année, j'eus pour maître Mamadou Konaté, qui sera plus tard le deuxième député du Soudan et l'un des grands leaders du parti R.D.A. avant que des rivalités politiques n'entraînent sa fin tragique, dans des circonstances que je préfère ne pas évoquer ici. Mamadou Konaté n'avait que deux ou trois ans de plus que moi, mais je le respectais beaucoup. Nous devînmes amis et le sommes restés jusqu'à sa mort.

D'une façon générale, j'entretenais de bonnes relations avec mes maîtres et mes camarades. En raison de mes connaissances islamiques on m'appelait "l'élève marabout" mais des occupations plus terre à terre m'avaient valu un autre surnom. Je ne me souviens plus pour quelle raison j'avais été exempté des grosses corvées domestiques, mais on me confia la garde des balais de paille. Je devais veiller à ce que chaque équipe de travail les rapporte au complet et en bon état, sous peine de sanctions graduées appliquées par les surveillants. Les élèves du clan Diallo, qui sont les *sanankoun* (ou "parents à plaisanterie") des Bâ, m'avaient donné le sobriquet d'"Amadou-balais".

Les surveillants, qui étaient au nombre de trois, tenaient une grande place dans notre vie d'internes. Ils étaient chargés, à tour de rôle, de nous réveiller le matin à six heures, et chacun le faisait à sa manière. Avec le surveillant général Fama, c'était le réveil en douceur; avec son adjoint Bala le manchot, un ancien tirailleur aux yeux de feu, c'était la méthode brutale; mais la méthode la plus pittoresque était sans conteste celle du surveillant auxiliaire Mamadou Sissoko, lui aussi ancien tirailleur, que nous avions surnommé "Don Quichotte" parce qu'il était aussi long et maigre que Fama était petit et trapu, ce qui avait d'ailleurs automatiquement valu à ce dernier le surnom de "Sancho Pança".

Lorsque le surveillant général Fama-Sancho Pança entrait le matin dans le dortoir, il nous appelait d'une voix grave, lente et douce :

"Debout-debout ! Hors du lit-hors du lit ! C'est le matin-c'est le matin ! Que les bons élèves se mettent verticalement sur leurs pieds ! Qu'ils aillent aux toilettes, qu'ils se lavent en pensant aux devoirs non achevés et aux leçons non maîtrisées !

"Allons Bagaro Dagana ! Qu'attends-tu pour te lever, faire ton lit et plier ta couverture ? Et toi Bokari Nibié, si tu veux garder ta place de premier, il ne faut pas t'éterniser dans le lit à l'heure où le cerveau est le mieux disposé pour enregistrer et pour travailler.

"Hé ! Mamadou Traoré, haut comme un champignon, tu n'as pas su ta leçon hier. Et toi, Dantoumé Kamissoko, tu as faussé ton problème parce que tu révises mal tes leçons. Et tous les deux vous restez là, étendus sur vos lits comme deux complices ? Allons-allons ! Debout-debout ! C'est le matin-c'est le matin !..."

Pour chacun des cent trente élèves que nous étions, le surveillant général Fama avait un mot, une épithète, une appréciation, une petite boutade spécifique. A la fin de la semaine, tout le monde y avait eu droit. Fama, qui avait été surveillant de l'Ecole des otages depuis sa création et qui se tenait toute la journée assis sous la véranda, était au courant de tout ce qui se passait dans les classes ; et à force d'entendre les élèves conjuguer et réciter à haute voix leurs leçons, il avait appris à parler un français aussi correct que celui de n'importe quel élève.

Quant à Bala le manchot (il avait perdu le bras droit

au combat), en vieux tirailleur qui se respecte, il entrait dans le dortoir en coup de vent et vociférait :

"Debout tout le monde ! Si vous content pas, coup de pied dans le derrière !" De sa main gauche restée valide et puissante, il soulevait la tête d'un lit par-ci, le pied d'un lit par-là, sans se soucier de renverser à terre son occupant. "Allez, debout ! Debout une fois, debout deux fois, y aura pas troisième fois ! Gare aux « tardataires », bandes de fainéants, vauriens imbéciles, cochons malades ! Debout tout le monde !" De la bouche tordue de ce grand blessé de la guerre de 1914-1918, rien ne sortait que menaces et injures. Et pourtant, Bala le manchot était moins méchant qu'il n'y paraissait ! Si un élève était puni de privation de repas, il s'arrangeait toujours pour lui garder quelque chose, ce que ne faisait pas le surveillant général Fama à la voix agréable.

Quant au surveillant auxiliaire Mamadou Sissoko, autrement dit "Don Quichotte", avec lui le pittoresque était total. Il ne parlait que le *forofifon naspa* ou "français des tirailleurs", langage coloré et piquant où la cuisse se dit "gigot" et la bouche "le grand trou de la tête". Quand il entrait dans le dortoir, il commençait par se présenter :

"Ici moi je Don Quichotte ! Allez, dévout-dévout ! Ch'est le matin-ch'est le matin ! Dévout-dévout ! Soleil y va ouvri son zoy ! Dévout-dévout ! Fait-le-lit-fait-le-lit ! Problème attend, dictée attend, Don Quichotte aussi atténd. Dernier levé du lit y sera dernier son classe. Dévout-dévout ! Je soulter pas (je n'insulte pas), je frapper pas, mais clairon y sonner dans l'armée : « Cochon lève-toi, cochon lève-toi, cochon lè-è-ve. » Vous même chose cochons. Alors vous lève-toi, lève-toi vite vite sinon directeur fâcher et vous gueule y casser !"

Une nuit, vers deux heures du matin, Don Quichotte fit un cauchemar. Il commença à gémir doucement : "*Hin... hin... hin...*", puis sur un ton de plus en plus élevé, pour finir par clamer à pleine voix : "*Ouïmba... ouïmba... ouiiïmbaaa !*" L'inspecteur Assomption, qui était couché sur la terrasse en raison de la chaleur, se réveilla en sursaut : "Est-ce que tu vas te taire, toi là-bas !" Tiré brusquement de son rêve, Don Quichotte s'écria : "*Otéméné* monsieur (il ne s'agit pas de cela), cé quéquechose qui m'a pris mon guiorje (c'est quelque chose qui a saisi ma gorge)." Le mot fit le tour de l'école. Et depuis il suffisait que l'on se regarde : l'un disait "quéquechose...", l'autre continuait "qui m'a pris mon guiorje !" et tout le monde pouffait !

Ma première année à l'École professionnelle s'écoula sans problème. Mes maîtres estimaient que je travaillais sérieusement. C'est à cette époque qu'un incendie détruisit la concession de mes parents à Bamako. Heureusement il n'y eut aucun blessé, mais ils perdirent tout ce qu'ils possédaient : maison, meubles, argent, bijoux, stocks de marchandises... Ils étaient ruinés. Il ne resta à ma mère qu'un seul bijou, le gros anneau d'or qu'elle portait sur elle depuis que la sainte femme de Bandiagara, consultée quinze ans auparavant, lui avait annoncé "qu'après un jour de grand embarras" il ne lui resterait plus que ce bijou. Ma mère le revendit un bon prix, et c'est ce qui lui permit de redémarrer. L'essentiel était que tout le monde soit indemne ; quant à la fortune, comme dit l'adage, *elle ne vaut guère plus qu'un saignement de nez : comme lui elle apparaît sans raison et comme lui elle disparaît de même...*

Puis ce fut la deuxième et dernière année. De cette année-là, je n'ai gardé le souvenir que d'un travail acharné ; les examens étaient au bout, dont l'issue déciderait de notre avenir. Mon vœu le plus cher était de réussir mon concours d'entrée, mais mes idées sur l'avenir qui m'attendait étaient encore assez floues. L'idée m'était venue de devenir médecin, mais mon père Tidjani, je ne sais trop pourquoi, y était opposé. Quoi qu'il en soit, j'étais loin de me douter du sort inattendu qu'encore une fois, par un de ses retournements habituels, me réservait le destin.

Au cours de cette deuxième année, j'eus pour maître M. Bouyagui Fadiga, qui, par la suite, devint célèbre au Soudan (Mali). D'une intelligence très vive, il avait un bagage intellectuel que les Européens de l'époque, qui aimaient lire ses écrits, qualifiaient eux-mêmes d'étonnant. A la tête de l'école veillait toujours M. Frédéric Assomption, cet ancien instituteur devenu inspecteur de l'enseignement primaire et qui fut, on peut le dire, le père culturel de presque tous les vieux fonctionnaires indigènes originaires du Soudan. C'est sans doute le maître français qui laissa dans notre pays les traces les plus profondes.

M. Assomption était particulièrement fier de Bouyagui Fadiga, qu'il appelait "un pur produit intellectuel de la culture française". Et c'était bien là, effectivement, ce qu'avec les meilleures intentions du monde on voulait faire de nous : nous vider de nous-mêmes pour nous emplir des manières d'être, d'agir et de penser du colonisateur. On ne peut dire que, dans notre cas, cette politique ait toujours échoué. A une certaine époque, la dépersonnalisation du "sujet français" dûment scolarisé et instruit était telle, en effet, qu'il ne demandait plus qu'une chose : devenir la copie conforme du colonisateur au point d'adopter son costume, sa cuisine, souvent sa religion et parfois même ses tics !

Peu de temps avant les vacances, alors que nous ne connaissions pas encore les résultats de notre concours d'entrée, le receveur de l'Enregistrement et des Domaines de Bamako, un Guadeloupéen nommé M. Bourgeois, demanda à M. Assomption de détacher dans ses services pour quelque temps six ou sept élèves sérieux afin d'aider à trier les paquets contenant les effets ou objets personnels des tirailleurs morts sur le front au cours de la guerre de 1914-1918. M. Assomption désigna un groupe de six ou sept élèves, dont je faisais partie.

Quelque temps auparavant, le territoire du Haut-Sénégal-et-Niger avait été scindé en deux : la partie appelée "pays mossi" avait été érigée en colonie autonome sous le nom de Haute-Volta, le reste reprenant son ancien nom de Soudan français. M. Jean Sylvandre, d'origine antillaise (et qui sera plus tard député à l'Assemblée constituante à Paris), avait été nommé receveur de l'Enregistrement et des Domaines de la nouvelle colonie de la Haute-Volta. Il était venu à Bamako pour organiser avec M. Bourgeois le transfert des documents d'archives concernant les circonscriptions de Haute-Volta. Le triage et l'expédition des paquetages contenant la succession des tirailleurs d'origine voltaïque en faisaient partie.

Mes camarades et moi avions à trier plusieurs tonnes de paquets. La plupart, empilés depuis des années dans un magasin obscur et humide du service de la curatelle, étaient dans un état de moisissure avancé. Il fallait les ouvrir, identifier le défunt et ses héritiers grâce au bordereau récapitulatif qui y était joint, puis refaire soigneusement le paquet et y inscrire la nouvelle adresse.

La succession de ces héros "morts pour la France" était généralement bien maigre : quelques effets personnels, de menus objets, quelques photographies de famille, de camarades de guerre ou d'un couple de bienfaiteurs blancs appelés "Papa et Maman blancs", éventuellement la photographie d'une amie blanche, parfois baptisée "Mme Monbéguin"... Mais parmi ce modeste et touchant héritage, il pouvait y avoir aussi des bagues, des montres ou des portefeuilles contenant de l'argent, ce qui rendait notre travail délicat.

Nous procédions au tri dans une grande salle, sous la direction et la surveillance de Madani Bamantia Tall, un écrivain-expéditionnaire originaire de Bandiagara. Au bout d'un certain temps, M. Bourgeois ordonna à Madani B. Tall de m'initier au travail propre à ses services afin de suppléer à l'absence de l'un de ses agents, parti pour un congé de longue durée. Trouvant en moi un compatriote moins âgé que lui, Madani B. Tall aurait pu, selon les droits que lui donnait la tradition et toute question de hiérarchie administrative mise à part, disposer de moi comme bon lui semblait. Mais c'était un bon aîné. Il mit beaucoup de bonne volonté à m'enseigner le travail dans ses moindres détails et à m'expliquer le fonctionnement des diverses sections du service : l'enregistrement, les domaines, la conservation foncière, la curatelle aux biens vacants, les timbres, l'administration des biens des fonctionnaires décédés sans parent sur place... J'étais plus particulièrement chargé de l'enregistrement des actes sous seing privé et de la vente des timbres fiscaux, ce qui m'amenait à de fréquents contacts avec le tribunal français et le service du Trésor.

Dans l'attente des résultats de mes examens, je travaillai ainsi, à titre d'élève bénévole, pendant toute la période des vacances. M. Sylvandre, qui n'avait pas encore regagné Ouagadougou, venait souvent dans le service pour nous voir travailler. Je lui fus présenté, ainsi que tous mes autres camarades. Je ne pouvais soupçonner le rôle qu'il allait jouer peu après dans mon existence.

Conséquence d'un refus : exil à Ouagadougou

Vers la fin des vacances, les résultats des concours furent annoncés : j'étais admis ! Toute la promotion des élèves reçus devait partir en groupe pour l'île de Gorée, via Kayes et Dakar.

Partir pour le Sénégal, et pour plusieurs années d'études supplémentaires ? Ma mère s'y opposa catégoriquement. "Tu as bien assez étudié le français comme cela, me dit-elle, il est temps pour toi d'apprendre à devenir un vrai Peul." Mon maître Tierno Bokar n'étant plus là pour infléchir sa volonté, je ne pus que m'incliner. Cela ne me pesa pas trop, d'ailleurs, car à cette époque il était absolument impensable de désobéir à un ordre de sa mère. On pouvait à la rigueur désobéir à son père, mais jamais à sa mère. Tout ce qui venait d'elle était considéré comme sacré et source de bénédiction. Contrevenir à la volonté de ma mère ne me serait donc même pas venu à l'esprit. Puisque telle était sa décision, telle était donc la volonté de Dieu à mon égard, et tel serait mon destin.

Le plus difficile pour moi fut d'aller expliquer à M. Assomption que je ne rejoindrais pas le groupe de mes camarades en partance pour Gorée, parce que ma mère ne le voulait pas. Désolé de me voir prendre cette position, il fit tout pour me faire changer d'avis, mais connaissant un peu mon caractère, il savait bien qu'il n'y réussirait pas. Aussi décida-t-il de m'emmener au cabinet du gouverneur, dans l'espoir que l'intimidation me ferait fléchir.

Arrivé à la Résidence, il me présenta au chef de cabinet, qui s'appelait M. Mandagoux.

"Voilà un très bon élève qui refuse d'aller à Gorée", lui dit-il.

Pendant qu'ils discutaient tous deux de cette affaire, le gouverneur fit son apparition dans le bureau. Il était très lié avec M. Assomption.

"Alors, Frédéric, fit-il, qu'est-ce qu'il y a de neuf ?

— Voilà un bon élève qui a réussi ses examens, mais qui refuse de partir pour Gorée sous prétexte que sa mère s'y oppose.

— Il n'est pas question de refuser, me dit sévèrement le gouverneur. Tu dois suivre tes camarades ; et si tes parents s'y opposent, je mettrai ton père et ta mère en prison."

Sans réfléchir, je répliquai sur-le-champ :

"Ma mère peut-être, monsieur le gouverneur, mais mon père, non !

— Comment ! s'exclama-t-il. Je ne peux pas mettre ton père en prison ?

— Non, monsieur le gouverneur.

— Et pourquoi ?

— Parce qu'il est mort."

Le gouverneur eut un petit sourire qu'il réprima bien vite, puis il se tourna vers son chef de cabinet :

"Mandagoux, ce n'est pas à Gorée qu'il faut envoyer ce garçon-là, mais au diable, avec tous les mauvais esprits en germe comme lui."

Or, à cette époque, "le diable", c'étaient les postes le plus éloignés possible de Bamako, autrement dit Ouagadougou ou Fada-N'Gourma, en pays mossi devenu Haute-Volta.

M. Assomption, catastrophé par la tournure qu'avaient prise les événements, regagna son école, et moi je repris le chemin du bureau de l'Enregistrement et des Domaines, où j'informai M. Bourgeois de ce qui s'était passé.

Dès qu'il apprit que je n'avais plus l'intention d'aller à Gorée, M. Bourgeois envoya une lettre officielle au gouverneur pour lui demander de me nommer dans le cadre des "écrivains auxiliaires" et de m'affecter dans ses services, où je travaillais déjà. Le gouverneur refusa tout net. Il fit savoir qu'étant donné mon attitude, je serais expédié hors du Soudan, dans la nouvelle colonie de Haute-Volta. Comme il ne pouvait m'y envoyer d'office, ce territoire ne dépendant plus de son autorité directe mais de celle du nouveau gouverneur, M. Fousset, il ordonna à M. Mandagoux de me faire signer une demande de candidature à titre d'*écrivain temporaire à titre essentiellement précaire et révocable* (on ne pouvait vraiment rien trouver de plus bas dans l'échelle administrative), demande qui serait adressée au nouveau gouverneur de la Haute-Volta. Je fus bien obligé d'obtempérer.

A une époque où le simple fait d'avoir omis de saluer le commandant ou le drapeau était un motif d'internement administratif, il était hors de question, pour un "sujet français", de désobéir à un ordre émanant du moindre détenteur d'une parcelle de l'autorité coloniale, à plus forte raison émanant du gouverneur lui-même. Le fait de refuser m'aurait fait expédier automatiquement en prison pour refus d'obtempérer, sans autre explication ni forme de procès. Je signai donc la lettre et en informai M. Bourgeois.

Fort mécontent que l'on m'envoie "en brousse" alors que lui-même avait besoin de moi, M. Bourgeois me dit:

"Puisque je n'ai pas pu t'avoir, je vais au moins essayer de te placer en bonnes mains." Il écrivit immédiatement à son ami Jean Sylvandre, qui avait regagné Ouagadougou, pour lui signaler ma "candidature", lui rappeler qui j'étais et lui conseiller de me prendre dans ses services.

En attendant, j'allai faire mes adieux à mes anciens maîtres, pour les remercier de leur aide et leur expliquer les motifs de ma décision. Je me souviens encore des paroles de M. Bouyagui Fadiga:

"Ne regrette rien. Il faudra toujours continuer à apprendre et à te perfectionner, et ce n'est pas à l'école que tu pourras le faire. L'école donne des diplômes, mais c'est dans la vie qu'on se forme."

Sage conseil que je mettrai effectivement en pratique, notamment en matière de culture française où je deviendrai un pur autodidacte et un grand dévoreur de livres, non pas tellement dans le domaine littéraire, d'ailleurs, où je resterai fidèle aux grands classiques que l'on nous avait enseignés à l'école, mais surtout pour tout ce qui concerne l'histoire, la pensée religieuse et les disciplines anthropologiques. Aujourd'hui encore, je me considère comme un éternel élève, toujours avide d'apprendre et de m'enrichir au contact des autres.

Pour l'heure, le seul fait d'avoir été admis au concours me suffisait, car mes amis normaliens ne pourraient plus me narguer ni se vanter auprès de nos Valentines à mes dépens. Quant à la position de ma mère, elle était conforme à celle de toutes les bonnes familles musulmanes de cette époque. Tout compte fait, je ne pense pas avoir perdu en lui obéissant, et je ne regrette rien.

Peu à peu, nous étions arrivés au mois de novembre 1921. En attendant la suite des événements, je continuais de travailler régulièrement au bureau de l'Enregistrement et des Domaines. J'occupais, sans titre, la place d'un fonctionnaire des cadres indigènes, mais je n'étais pas payé pour autant. Le gouverneur ayant refusé que je sois nommé dans ce service, il n'était pas question de me verser un salaire. Je ressemblais à l'imbécile de la fable peule, une excellente cuisinière à laquelle jadis, dans la ville mythique de Héli, chacun faisait appel à l'occasion des grands banquets. Chaque fois qu'elle avait fini de tout préparer et que les plats étaient cuits à point, la maîtresse de maison trempait sa propre main dans la sauce, puis s'approchait d'elle et lui en badigeonnait les lèvres. "Ah ! disait-elle, tu es vraiment la reine des cuisinières ! Au revoir et à la prochaine fois !" Et la pauvrette s'en allait, les lèvres maculées de sauce et l'estomac vide. Tous ceux qui la croisaient en chemin la croyaient repue, alors qu'elle avait simplement oublié de se rincer la bouche...

Ainsi en allait-il de moi, car durant tous ces mois de travail on me gava surtout de bonnes paroles et de félicitations. M. Bourgeois, gêné de la situation, me glissait parfois une petite gratification, mais heureusement je n'en avais pas réellement besoin; j'habitais chez mes parents, et je ne manquais de rien.

Avec le temps, je m'étais habitué à l'idée que, peut-être, je pourrais rester à Bamako, où d'ailleurs on m'avait fait de bonnes offres d'emploi dans le secteur privé. Mais les démarches conjointes de M. Bourgeois et de M. Sylvandre avaient porté leurs fruits. Le 25 novembre 1921, j'étais convoqué par le délégué de la Haute-Volta à Bamako, un commis des Affaires indigènes, d'origine corse, appelé Sinibaldi. Il avait reçu la veille de Haute-Volta le télégramme suivant, dont il me donna lecture :

PRIÈRE AVISER AMADOU BÂ, PRÉCÉDEMMENT EN SERVICE BUREAU DOMAINES BAMAKO, QU'IL PEUT ÊTRE AGRÉÉ COMME ÉCRIVAIN TEMPORAIRE SALAIRE MENSUEL 125 FRANCS — STOP — CAS ACCEPTATION PRIÈRE METTRE EN ROUTE OUAGADOUGOU COMPTE BUDGET VOLTA. SIGNÉ : FOUSSET.

Certes, les mots "à titre essentiellement précaire et révocable" ne figuraient pas dans le télégramme, mais ils étaient implicites puisque je n'étais toujours qu'un simple écrivain "temporaire" du cadre local, alors qu'avec mon niveau d'études et ma réussite aux examens j'aurais dû être embauché dans le cadre secondaire avec un statut fixe. Curieusement, d'ailleurs, le salaire qui m'était attribué était exceptionnellement élevé. Tout était ambigu, et je nourrissais les plus grandes craintes sur le sort qui pourrait être le mien en Haute-Volta, loin de mon pays et de ma famille, si par malheur je ne plaisais pas à mes chefs.

"Eh bé, jeune homme, fit M. Sinibaldi, tu dois être content, on t'a donné une bonne place, n'est-ce pas?"

Ce fut plus fort que moi; encore une fois je répondis trop vite, exposant franchement ma pensée, ce qui était bien la dernière des choses que l'on attendait de moi! J'expliquai que ma place me paraissait plutôt instable, que Ouagadougou était trop loin pour que j'y aille dans des conditions qualifiées de "temporaires" et que, tout compte fait, je préférais rester à Bamako où une grosse maison de commerce, la C.F.A.O., m'offrait un emploi. M. Sinibaldi me regarda d'un air narquois :

"Mon garçon, tu es plus culotté qu'un roi nègre ! Tu t'imagines que l'administration française t'a instruit pour que tu ailles servir ailleurs ? Je vais soumettre ton cas à M. le gouverneur du Soudan. Il statuera et je te dirai ensuite à quelle sauce tu seras mangé."

Je rentrai chez moi une grande angoisse dans le cœur. Les plus noires pensées m'envahirent à l'endroit de M. Sinibaldi, ce Corse à la tête chauve et aux dents de lapin, si avancées qu'elles recouvraient presque sa lèvre inférieure. Redoutable et redouté même de ses supérieurs, il ne badinait avec personne, ni Blanc ni Noir. Pour ces derniers, il gardait même, accrochée dans son bureau, une chicotte dont il n'hésitait pas à se servir lorsqu'il était sous l'empire de la colère, laquelle, hélas, était si fréquente que les Africains de son entourage disaient ne pas pouvoir la différencier d'avec sa respiration : "Est-ce qu'il respire, ou est-ce qu'il est en colère ?"

Quelques jours après, un agent de police vint me chercher. Il m'emmena à Koulouba, au cabinet du gouverneur. On me fit d'abord attendre dans le bureau de M. Daba Keïta, futur père de Modibo Keïta, qui allait devenir le premier président du gouvernement de la République du Mali. M. Keïta, qui me connaissait, me conseilla de ne pas refuser d'aller à Ouagadougou, sinon je risquais d'y être conduit de force et dans des conditions très désagréables pour moi.

Un planton vint me chercher et m'introduisit auprès du chef de cabinet, M. Mandagoux. Je restai debout devant lui, les bras croisés sur la poitrine, vieille habitude scolaire de respect dont je n'étais pas encore débarrassé. M. Mandagoux sortit nonchalamment la lettre que M. Sinibaldi lui avait écrite à mon sujet :

"Eh bien, jeune homme ! Après avoir refusé de continuer tes études, voilà qu'aujourd'hui tu refuses d'aller servir la France à Ouagadougou, sous prétexte que ton emploi n'a pas la solidité du roc ?"

Sur ces entrefaites, le gouverneur entra dans le bureau pour entretenir son chef de cabinet d'une affaire urgente. Comme il s'en retournait sans avoir remarqué ma présence, M. Mandagoux le rappela :

"Monsieur le gouverneur, vous avez devant vous ce jeune capricieux d'Amadou Bâ, qui fait aujourd'hui des difficultés pour rejoindre son poste à Ouagadougou."

Le gouverneur, gardant la porte entrebâillée, se retourna et me regarda. D'émotion, je sentis tout mon sang refluer vers ma tête. N'importe quoi pouvait m'arriver.

"Assez de fantaisies comme cela, fit-il sévèrement. Mandagoux, expédiez ce jeune homme à Ouagadougou à pied, accompagné d'un garde de cercle pour le surveiller."

Puis il sortit.

M. Mandagoux leva ses grands bras en l'air :

"Voilà ce qu'il t'en coûte de vouloir faire l'esprit fort ! Eh bien, tu partiras donc pour Ouagadougou, escorté par un garde à cheval. On te convoquera. Espèce de petite canaille, allez, fous le camp d'ici !"

Effondré, je redescendis lentement la colline. Je me souvenais des dernières paroles de M. Sinibaldi, qui résonnaient encore dans ma tête : "Je te dirai à quelle sauce tu seras mangé."

Qu'est-ce qui m'attendait à Ouagadougou ?

Ma mère, me voyant rentrer à pas lents et la mine attristée, me demanda ce que le gouverneur m'avait dit. Je lui rapportai la scène. Elle en fut d'autant plus affectée qu'elle pensait sans doute être en partie responsable de la situation. Lorsqu'elle m'avait interdit de partir pour Gorée, elle était loin de prévoir que la conséquence de cette interdiction serait mon envoi dans un pays beaucoup plus lointain, sans espoir de vacances avant des années, et dans des conditions professionnelles déplorables. "Dieu est le plus grand ! dit-elle en soupirant. Il te protégera." Elle cita le verset coranique : "Le bonheur est proche du malheur." (Ou : "A côté de la difficulté est la facilité.") "Qui sait, ajouta-t-elle, peut-être ta chance est-elle là-bas ?" Elle essayait de me donner du courage, mais je savais bien qu'elle était triste.

Le soir, avant d'aller me coucher, je ne sais quelle folle idée me prit. J'avais entendu dire qu'un brusque changement de température pouvait provoquer, surtout chez les paludéens chroniques que nous étions tous, de forts accès de fièvre. Je pris donc un bain très chaud, immédiatement suivi d'un bain d'eau froide. Le résultat ne se fit pas attendre. Dans la nuit même, ma température monta en flèche et je tombai dans un état si alarmant que ma mère me fit transporter au dispensaire. On m'hospitalisa d'urgence à l'hôpital du "Point G". Je tombai dans une sorte de coma dont je sortis deux jours après, mais je ne parlais pas et ne reconnaissais personne. Ma mère, qui ne me quittait pas, m'alimenta je ne sais comment. Après une dizaine ou une quinzaine de jours, je retrouvai mes esprits. Je revenais de loin ! A une crise extrêmement grave de fièvre paludéenne s'était ajoutée une pleurésie pulmonaire qui me laisserait d'ailleurs, par la suite, quelques séquelles respiratoires. Ma mère fut si heureuse de me voir revenu à moi-même que ce jour-là, pour remercier Dieu, elle distribua aux pauvres une grande quantité de vivres, de vêtements et d'argent.

J'étais cependant encore très faible. Ma mère, inquiète, alla consulter un marabout réputé pour ses étonnantes voyances et que l'on avait surnommé *Mawdo molebol gotel*, "le vieux qui n'a qu'un poil", ce qui signifiait "le vieux (ou le maître) qui n'a qu'une seule parole", et aussi "qui est unique en son genre". Après avoir dressé un thème probablement de nature géomantique ou numérale, il déclara :

"Ô Kadidja, sois heureuse, car dès que ton fils quittera la ville, sa santé évadée lui reviendra totalement. Son séjour à l'étranger est inévitable et il y restera assez longtemps avant de te revenir, mais il n'y sera pas malheureux. Il s'y fera un nom et il y fondera une famille. Il y vivra à l'aise, mais sans amasser de fortune. Il aura beaucoup d'amis blancs et noirs. Il faut le laisser partir." En guise de conclusion, il ajouta : "Dans sa vie, ton fils jouira des bonnes grâces des grands. Un jour même, il bâtira une maison à étages. Quand ce jour-là viendra, et si je suis encore en vie, dit-il en souriant, je viendrai lui demander de construire pour moi une petite paillote au pied de sa maison." Dans cette plaisanterie amicale, il y avait, à la manière détournée qui était celle de nos vieux sages, une leçon indirecte incitant à la reconnaissance et à l'humilité. Cette "maison à étages" existe aujourd'hui à Abidjan, et l'un de mes grands regrets est que le vieil homme n'ait pu venir m'y rejoindre : c'est avec joie que je lui aurais aménagé un logement dans ma concession...

Toutes les craintes de ma mère s'envolèrent. Le cœur léger, elle s'empressa de distribuer aux pauvres les sacrifices que lui avait prescrits le marabout.

Pendant ce temps, M. Sylvandre, ne me voyant pas arriver, s'impatientait. Il avait fait envoyer par le gouverneur de la Haute-Volta trois télégrammes pour s'informer des raisons de mon retard et souligner l'urgence de ma mise en route. Un message — émanant je crois de M. Mandagoux, mais je n'en suis pas sûr — fut envoyé au médecin-chef de l'hôpital, le docteur Lairac, pour lui dire de me faire sortir le plus vite possible, et surtout de ne m'accorder aucune période de convalescence, laissant entendre que j'étais plus ou moins "tire-au-flanc". Le docteur Lairac, qui était médecin-colonel et dont le bras s'ornait de cinq ficelles dorées, se formalisa de cette démarche. Il décida que je ne sortirais de son service qu'une fois entièrement remis. Quant à M. Sinibaldi, excédé par cette situation, il avait, paraît-il, décidé que, mort ou vif, je quitterais Bamako à destination de Ouagadougou le 31 décembre dernier délai. Heureusement, à partir du 20 je me sentis revivre et commençai à recouvrer des forces. Le 25, j'avais encore des séquelles, mais je me sentais en état de voyager. Je rentrai à la maison le 28 ou le 29, juste à temps pour préparer mon départ à la date prévue.

Dès ma sortie de l'hôpital, M. Sinibaldi avait télégraphié à Ouagadougou que je serais mis en route le 31 décembre sans faute. Le garde de cercle de 1re classe Mamadou Koné fut désigné pour m'escorter jusqu'à Mopti, où un autre garde me prendrait en charge. Je devais descendre sur Ouagadougou en passant par Bandiagara. Le trajet total Bamako-Ouagadougou représentait un peu plus de mille kilomètres. Finalement — grâce à la bienveillante connivence du garde ou à une autorisation de dernière heure due à mon état de santé, je ne m'en souviens plus — je fis les cinquante kilomètres qui séparaient Bamako de Koulikoro en train, et le trajet Koulikoro-Mopti en pirogue. Il ne restait, de Mopti à Ouagadougou, qu'environ quatre cent cinquante kilomètres à faire à pied. C'était tout de même mieux que les mille kilomètres prévus !

Avant le départ, ma mère m'offrit une "tenue coloniale" complète, ainsi qu'il seyait à un jeune employé "blanc-noir" de l'administration : un complet en gabardine, un complet en toile "drill" blanche, trois chemises, une paire de souliers noirs, trois paires de chaussettes, un casque colonial — indispensable à mon prestige ! — et, pour finir, les symboles mêmes de mon statut : une canne européenne, une paire de lunettes noires, et même un pince-nez ! Elle y avait tout de même ajouté un trousseau complet de vêtements africains, dont un superbe boubou brodé par mon père Tidjani. Pour le confort de mes étapes, elle avait également prévu une chaise longue, une table et une chaise pliantes, une casserole, une poêle, des couverts, un bidon de deux litres, une lampe-tempête et un très beau poignard ciselé offert par mon père, ce qui me rappela notre première traversée nocturne du gouffre de Dounfing...

Je portais également, accrochée à ma poitrine, une très belle montre en argent, dite "savonnette", offerte par M. Bourgeois. Elle faisait partie des paquetages de tirailleurs dont on n'avait pu identifier les ayants droit. Chacun de mes camarades de travail avait également reçu une montre en souvenir de son passage dans le service. La mienne, de marque allemande, avait probablement été trouvée par mon tirailleur inconnu sur un officier allemand mort... C'était en tout cas l'opinion de M. Bourgeois, qui me donna en plus, avant mon départ, une longue-vue dont j'étais très fier.

Ma mère avait décidé de rester à mes côtés jusqu'à Koulikoro. Le 31 décembre 1921, après les derniers adieux aux parents et amis venus nous accompagner à la gare, bardé de bons conseils et de bénédictions, je montai dans le train, où je m'installai entre ma mère et le garde de cercle. Un porteur avait monté nos bagages.

Durant tout le trajet, personne ne dit mot. En regardant défiler le paysage, je me remémorai les heureux moments de mon enfance. Je revis aussi en pensée les maîtres d'école qui m'avaient le plus marqué : mon premier maître, le brutal mais efficace M. Moulaye Haïdara, qui nous enseignait le français à la pointe de sa badine, laquelle ne chômait guère ; M. Primel, notre maître français de Djenné, qui mettait tant d'ardeur à faire de nous de bons et loyaux sujets français, animés d'un amour pour la "mère patrie" qui n'avait d'égal que notre haine pour Guillaume II et sa moustache en pointe. Au moins ce très bon maître, entièrement dévoué à son métier, nous avait-il donné une solide et riche formation de base, qui me serait bien précieuse par la suite. Je revis aussi les très bons maîtres africains que j'avais eus à Bamako : Séga Diallo, qui se donnait tant à ses cours qu'il en perdit la voix ; le regretté Mamadou Konaté ; Namoussa Doumbia, Namakan Coulibaly, Bouyagui Fadiga, tous hommes remarquables tant par leur dévouement que par leur culture et leur compétence ; sans oublier, bien sûr, le "père" de tous, M. Frédéric Assomption, qui avait cru bien faire en m'emmenant chez le gouverneur, et qui n'avait réussi qu'à me faire expédier "au diable"...

A Koulikoro, pendant que le garde de cercle chargé de la sécurité de la ville organisait avec mon garde-surveillant notre voyage en pirogue jusqu'à Mopti, ma mère descendit chez un chef laptot dont l'épouse était l'une de ses camarades d'association de Bandiagara. Nous y passâmes quelques jours. Par chance, notre logeur tenait chaque soir chez lui de grandes veillées de contes, comme les laptots avaient coutume de le faire quand ils étaient chez eux entre deux voyages. Des amis et des griots venaient s'y produire au son des guitares. C'est là que, pour la première fois, j'ai commencé à noter par écrit tout ce que j'entendais, en totalité quand je le pouvais, sinon dans les grandes lignes. J'avais emporté avec moi une provision de gros cahiers-registres. J'en pris un qui devint mon premier "journal". A Koulikoro, et par la suite durant tout mon voyage, j'y noterai les principaux événements de la journée, et surtout tout ce que je verrai ou entendrai d'intéressant se rapportant à nos traditions orales. Une fois l'habitude prise, je ne cesserai plus de le faire ma vie durant.

Trois jours après notre arrivée, j'étais si bien rétabli que je me sentais de force à soulever des pierres. Ma mère en fut si heureuse qu'une fois de plus elle distribua aux pauvres argent, vivres et vêtements.

Le commandant de Koulikoro avait fait réquisitionner pour mon voyage une grande pirogue confortablement aménagée, menée par six percheurs. Notre départ fut fixé pour le 5 janvier à dix heures du matin. Les laptots avaient chargé la veille toutes les provisions de bouche nécessaires. Quant au garde de cercle Mamadou Koné, chargé par les autorités de Bamako de me garder à l'œil de peur que je ne m'échappe, il avait vite troqué son rôle de gardien contre celui d'assistant dévoué et d'agréable compagnon de voyage. Aucune instruction administrative ne pouvait prévaloir sur la coutume africaine quand nous étions entre nous — et que, de plus, circulaient les petits cadeaux d'usage.

Adieu au bord du fleuve

Le matin du départ, ma mère m'accompagna au bord du fleuve. Juste avant la rive, il fallait franchir une petite dune de sable. Nous marchions en nous tenant par la main. Tandis que nous redescendions, tournés vers le sud, le vent du nord plaquait nos vêtements dans notre dos. Ma mère tint à monter dans la pirogue pour vérifier de ses propres yeux que rien ne manquait à l'intérieur des roufs. Rassurée, elle distribua quelques derniers cadeaux et revint sur la berge. Me prenant par la main, elle m'attira un peu plus loin. Là, elle me remit cinquante francs pour mes frais de voyage, puis, prenant mes deux mains dans les siennes, elle me dit :

“Regarde-moi bien dans les yeux.”

Je plongeai mon regard dans le sien, et pendant un instant, comme on dit en peul, “nos yeux devinrent quatre”. Toute l'énergie de cette femme indomptable semblait couler d'elle à moi à travers son regard. Alors elle retourna mes mains, et dans un geste de grande bénédiction maternelle, à la façon des mamans africaines, elle passa le bout de sa langue sur mes paumes [54]. Puis elle dit :

"Mon fils, je vais te donner quelques conseils qui te seront utiles pour toute ta vie d'homme. Retiens-les bien — elle marquait chacun de ses conseils en touchant le bout d'un de ses doigts :

"N'ouvre jamais ta malle en présence de qui que ce soit. La force d'un homme vient de sa réserve ; il ne faut étaler ni sa misère ni sa fortune. Fortune exhibée appelle jaloux, quémandeurs et voleurs.

"N'envie jamais rien ni personne. Accepte ton sort avec fermeté, sois patient dans l'adversité et mesuré dans le bonheur. Ne te juge pas par rapport à ceux qui sont au-dessus de toi, mais par rapport à ceux qui sont moins favorisés que toi.

"Ne sois pas avare. Fais l'aumône autant que tu le pourras, mais fais-la aux malheureux plutôt qu'aux petits marabouts ambulants.

"Rends le plus de services que tu pourras et demandes-en le moins possible. Fais-le sans orgueil et ne sois jamais ingrat ni envers Dieu ni envers les hommes.

"Sois fidèle dans tes amitiés et fais tout pour ne pas blesser tes amis.

"Ne te bats jamais avec un homme plus jeune ou plus faible que toi.

"Si tu partages un plat avec des amis ou des inconnus, ne prends jamais un gros morceau, ne remplis pas trop ta bouche d'aliments, et surtout ne regarde pas les gens pendant que vous mangez, car rien n'est plus vilain que la mastication. Et ne sois jamais le dernier à te lever ; s'attarder autour d'un plat est le propre des gourmands, et la gourmandise est honteuse.

"Respecte les personnes âgées. Chaque fois que tu rencontreras un vieillard, aborde-le avec respect et fais-lui un cadeau, si minime soit-il. Demande-lui des conseils et questionne-le avec discrétion.

"Méfie-toi des flatteurs, des femmes de mauvaise vie, des jeux de hasard et de l'alcool.

"Respecte tes chefs, mais ne les mets pas à la place de Dieu.

"Fais régulièrement tes prières. Confie ton sort à Dieu chaque matin au lever, et remercie-Le chaque soir avant de te coucher.

"Tu as bien compris ?

— Oui, Dadda.

— Enfin, n'oublie pas, au cours de ton voyage, d'aller saluer nos parents à Diafarabé, Moura, Saredina et Mopti. Et dès que tu arriveras à Bandiagara, réserve ta première visite à Tierno Bokar. Quand tu le verras, dis-lui ceci : « Ma mère, ta petite sœur, me commande de venir me remettre entre les mains de Dieu par ton entremise. » Tu as bien tout retenu ?

— Oui Dadda, sois tranquille. Je garderai chacune de tes paroles devant moi toute ma vie."

En revenant vers la pirogue, nos pieds s'enfonçaient dans le sable fin. Avant que je ne m'embarque, ma mère récita la *fatiha* et me bénit : "Que la paix de Dieu t'accompagne ! Va en paix, que ton séjour se passe dans la paix, et reviens-nous ensuite avec la paix !" Comme je disais : "*Amîne!*" elle pivota sur elle-même et reprit le chemin de la dune, marchant toute droite, sans se retourner une seule fois. J'avais l'impression qu'elle pleurait, mais sans doute cette femme si fière, que presque personne n'avait jamais vue pleurer et qui était peu habituée aux effusions, surtout avec son grand fils, ne voulait-elle pas que je voie ses larmes.

Je montai dans la pirogue où le garde Mamadou Koné, son mousqueton en bandoulière, avait déjà pris place. Les six percheurs, trois à l'avant et trois à l'arrière, attendaient debout l'ordre du départ. "Monsieur Patron, s'écria le garde, laptots ya complètement prêts, attend seulement parole de ton bouche." C'était la première fois que je m'entendais appeler "Patron". Cela me remua bizarrement. Au lieu de répondre immédiatement, je me tournai instinctivement pour regarder encore une fois ma mère. Je la vis qui atteignait le sommet de la dune. Le vent faisait flotter autour d'elle les pans de son boubou et soulevait son léger voile de tête. On aurait dit une libellule prête à s'envoler. Peu à peu sa silhouette élégante disparut derrière la dune, comme avalée par le sable. Avec elle disparaissait Amkoullel, et toute mon enfance.

La voix du garde réitérant sa demande me tira de ma rêverie. Je n'étais plus un petit garçon couvé et protégé par sa mère, mais un "Monsieur Patron" dont un garde de cercle armé d'un mousqueton à baïonnette et six laptots gaillards attendaient les ordres. Je ne sais comment me vint automatiquement aux lèvres une formule que j'avais entendue bien des fois dans la bouche des officiers à Kati et que je prononçai d'un air sérieux, la soulignant d'un geste énergique :

"Eh bien, si tout le monde est prêt, en avant, marche !" Le plus grave est que, tout à coup, je me sentis bêtement fier de moi-même. Coiffé de mon casque colonial, oubliant pour un instant mon statut d'*écrivain temporaire à titre essentiellement précaire et révocable*, je me prenais pour un grand chef...

"*Aïwa !* s'écria Mamadou Koné. Allons-y !"

Les laptots, avec un ensemble admirable, soulevèrent leurs perches et, d'un ample mouvement, les plongèrent dans l'eau. Pesant sur elles de tout leur poids, ils réussirent à nous dégager des boues de la rive. La pirogue se cabra comme un cheval piqué par des éperons, puis elle s'éloigna lentement de la berge, laissant derrière elle des remous jaunâtres.

Parvenue dans une zone où le courant descendant nous était favorable, elle prit une allure de plus en plus rapide, tanguant doucement de droite à gauche sous les coups rythmés des percheurs. La dune sableuse de Koulikoro s'effaçait peu à peu dans les lointains.

Je me tournai vers l'avant. La proue de l'embarcation fendait en deux les eaux soyeuses et limpides du vieux fleuve dont le courant nous portait, comme pour m'entraîner plus vite vers le monde inconnu qui m'attendait, vers la grande aventure de ma vie d'homme.

NOTES

1. Cf. *Koumen*, p. 94-95, et les publications d'Henri Lhote.

2. L'hypothèse, reprise par Maurice Delafosse, selon laquelle les Peuls, en arrivant au Fouta Toro, auraient adopté une langue locale qui serait devenue la langue peule ne résiste pas à l'analyse pour quiconque connaît le monde et la tradition peuls de l'intérieur.

3. Ne pas confondre avec *saltigui* ou *saltiki* (chef).

4. *Tidjaniya:* l'une des principales confréries musulmanes d'Afrique noire et d'Afrique du Nord. Les confréries (litt. *tourouq*, "voies", sing. *tarika*) ne sont pas des sectes, puisque non extérieures à l'islam, mais des sortes de familles spirituelles internes, un peu comme les différents ordres (franciscain, dominicain, etc.) à l'intérieur de la catholicité. L'Afrique subsaharienne fut islamisée essentiellement par les confréries, qui y jouent un très grand rôle sur le plan religieux comme sur le plan social, voire politique. (Cf. *Vie et enseignement de Tierno Bokar*, annexe "Soufisme et confréries en Islam".)

5. Dans la tradition africaine, l'oncle paternel est considéré comme un père et est directement responsable de l'enfant.

6. La *servante-mère*, souvent une très jeune fille, seconde la mère et s'occupe de l'enfant depuis sa naissance ou son jeune âge.

7. *Diawando* (pl. *diawambé*): ethnie foulaphone vivant aux côtés des Peuls depuis la plus lointaine antiquité.

8. *Captifs:* à l'origine, les captifs étaient des gens razziés ou faits prisonniers lors des guerres. Ils étaient vendables et corvéables à merci. Leur descendance a fini par former, au sein de la société africaine de la savane, une classe spéciale, celle des *rimaïbé* (sing. *dîmadjo* en peul; en bambara *wolosso*, "né dans la maison"). Ce sont généralement des familles de serviteurs, affranchis ou non, restés attachés depuis des générations à une maison "noble" dont ils partagent le sort et dont ils portent souvent le nom. On devenait *dîmadjo* dès la première ou la deuxième génération née dans la maison. Les *rimaïbé* étaient

inaliénables, et leurs patrons leur devaient gîte, entretien et protection ainsi qu'à toute leur famille. Les patrons aisés leur confiaient souvent la gestion de leurs biens et presque toujours l'éducation de leurs enfants. Il existait aussi des villages de *rimaïbé* agriculteurs. Les captifs achetés et secourus par mon père (voir p. 45) n'étaient pas encore *rimaïbé*, puisqu'ils pouvaient être vendus. Ils le sont devenus chez lui.

9. *Cauris*: petits coquillages servant de monnaie.

10. *Noble*: le mot peul *dîmo* (*horon* en bb.), traduit approximativement par "noble", signifie en fait "homme libre". Est noble qui n'est ni "captif" (voir note 8), ni membre d'une caste artisanale (voir note 28). Tout Peul, par exemple, s'estime noble par le fait même d'être peul. Avec le temps, les fonctions de commandement ont généré une sorte d'aristocratie du pouvoir, mais un simple berger peul s'estimait aussi noble qu'un roi, toute question de puissance mise à part.

11. *Oreilles rouges*: expression désignant les Peuls de pure race, souvent encore liés à la vie pastorale traditionnelle.

12. *Griots*: caste comprenant des musiciens, des chanteurs et aussi des savants généalogistes, itinérants ou attachés à certaines familles dont ils chantent et célèbrent l'histoire. Ils peuvent aussi être de simples courtisans (voir note 28).

13. *"Je te divorce"*: traduction littérale de l'expression africaine, qui est passée telle quelle dans le "français africain".

14. La *traîne humiliante*, instituée à Bandiagara pour les prisonniers de guerre exécutés, consistait à livrer le cadavre aux gamins qui lui attachaient les pieds et le traînaient pour aller le jeter dans la fosse commune.

15. Je tiens ce récit de Beydari lui-même (il sera surtout connu plus tard sous son nouveau nom de Zeydi).

16. Cf. *Vie et enseignement de Tierno Bokar* (voir "du même auteur").

17. Expression de menace pour annoncer la mort de quelqu'un.

18. Pratique magico-religieuse consistant à laver un nourrisson (ou un adulte) avec la décoction de certaines plantes, accompagnée ou non de fumigations et de paroles consacrées.

19. Littéralement: "ton *tiinde*", c'est-à-dire "le destin attaché à ton front". On dit que quelqu'un a un bon ou un mauvais *tiinde*.

20. Le nombre 33 est un symbole majeur aussi bien en islam

que dans les traditions africaines, de même que dans les traditions occidentales et orientales.

21. *Naaba:* "roi" en langue mossi, parlée dans la province de Louta. Surnom familier donné à Tidjani par sa famille et ses amis.

22. *Mariage colonial:* de nombreux officiers et administrateurs coloniaux vivaient sur place avec des jeunes femmes indigènes qui étaient soit réquisitionnées d'office, soit épousées à travers la parodie du "mariage colonial coutumier", lequel s'éteignait de lui-même après le départ du "mari". Les enfants nés de ces unions étaient rarement reconnus (il y eut cependant quelques exceptions, d'autant plus méritoires). Une fois le père rentré en France, les enfants étaient placés d'office par l'administration dans des "orphelinats de métis" pour y faire leurs études.

23. *Poullo:* peule, au sens de "noble". Autre surnom familier de Kadidja, adopté par Tidjani.

24. *Akbar* étant le superlatif de *kabir* (grand), la traduction exacte est "Allâh est *le plus* grand", au sens de "au-delà de tout". Quoi que l'homme puisse concevoir ou imaginer, Dieu est toujours au-delà. La formule exprime aussi l'idée de toute-puissance.

25. *Bissimillâhi:* forme africaine de la formule *Bismillâh* (Au nom de Dieu) qui figure en tête de chaque sourate du Coran. En Afrique, cette formule est utilisée comme salutation de bienvenue.

26. *Toubab* ("docteur" en arabe, sing. *toubib*): le mot est utilisé en Afrique pour désigner les Européens, au singulier comme au pluriel.

27. *Dioulas:* groupe ethnique aux activités surtout commerçantes et itinérantes.

28. *Castes:* corporations héréditaires de métiers, qui ont toujours joué un rôle social, voire religieux, très important dans la société traditionnelle de la savane. On distingue d'un côté les artisans (forgerons, tisserands, cordonniers, etc.) et de l'autre les "animateurs publics" (*diêli* en bambara, appelés *griots* en français; voir note 12). Les membres des "castes" (mot inapproprié en raison du sens qu'on lui donne en Occident) s'appellent *nyamakala* en bambara, c'est-à-dire "antidotes du *nyama*", force occulte incluse en toute chose. Considérés comme détenteurs de pouvoirs occultes, ils étaient jadis beaucoup plus redoutés et ménagés que méprisés. Ils ne peuvent en aucun cas être réduits en captivité, et les nobles leur doivent cadeaux, ménagements et subsistance.

Jadis, chaque fonction artisanale correspondait à une voie initiatique spécifique. Pour conserver les connaissances secrètes au sein du lignage et ne pas mélanger des "forces occultes" différentes, voire incompatibles, les branches de *nyamakala* pratiquèrent l'endogamie par interdits sexuels et constituèrent des groupes héréditaires fermés. Il n'y a ici aucune notion d'"intouchabilité" comme en Inde, ni d'infériorité. Le sentiment de supériorité manifesté par certains à l'égard des classes de *nyamakala* repose sur l'ignorance des réalités sociologiques anciennes, où "non-mélange" ne signifiait pas mépris.

29. *Dadda :* surnom donné à Kadidja par mon frère Hammadoun et adopté par tous les autres enfants.

30. Formule composée en partie d'onomatopées et représentant une sorte d'invocation aux ancêtres.

31. Ce fut en effet la première forme de relations entre les Noirs des forêts bordant la côte et les premiers navigateurs européens.

32. *Komo :* l'une des plus importantes sociétés initiatiques bambaras du Mali, réservée aux adultes circoncis. Avant la circoncision, l'enfant commence à faire partie des sociétés enfantines Tiebleni, puis N'Tomo. Quand il est initié au Komo, il reçoit de ses maîtres un enseignement de base qui sera ensuite approfondi sa vie durant.
Le mot *Komo* désigne à la fois la confrérie elle-même, le savoir qui lui est propre, son dieu (ou plutôt l'une des forces sacrées à l'œuvre dans l'univers) et le masque sacré qui en est le support. L'initiation du Komo regroupe les principales ethnies de l'ancien Mali : Bambaras, Malinkés, Sénoufos, etc. (Chez les Sénoufos de Côte d'Ivoire, *komo* est devenu *poro*.)

33. Dans la formule *lâ ilâha ill'Allâh* (Il n'y a de dieu que Dieu), les deux mots arabes *ilâha* (dieu, divinité) et *Al-lâh* (litt. "Le Dieu") sont de même racine, mais évoquent des dimensions différentes. La traduction la plus concise et la plus exacte serait : "Pas de dieu, sauf *Le* Dieu" (et non, comme on le lit parfois : "Il n'y a de Dieu qu'Allâh", l'introduction de deux mots de langues différentes opposés l'un à l'autre ne laissant la place qu'à une interprétation exclusive et très limitative).

34. *Traditionaliste :* ce mot ayant pris de nos jours un sens péjoratif particulier, pour éviter toute confusion, lorsqu'il s'agit de savants en connaissances traditionnelles, certains préfèrent dire "traditionnistes".

35. Toutes les religions africaines que je connais se réfèrent à un dieu suprême unique, source de l'existence. Chez les Bamba-

ras, c'est *Maa n'gala*, "maître de tout", "maître incréé et infini", "celui qui peut tout", "la grande profondeur insondable", "l'unique chose inconnaissable" (pour ne citer que quelques-uns de ses 266 noms...). Chez les Peuls, c'est *Guéno*, "l'Eternel", sans commencement ni fin ; c'est le *Amma* des Dogons, le *Wounnam* des Mossis, l'*Oloroun* des Yoroubas, etc. Mais les hommes considèrent cet Etre suprême comme trop éloigné pour lui adresser leurs demandes. Ils préfèrent passer par des intermédiaires : les dieux (qui ne sont que des aspects ou des manifestations spécifiques de la grande force divine primordiale, la *Sé* des Bambaras) et surtout les ancêtres, considérés comme très efficaces. Sur ces sujets, cf. mon article "La Tradition vivante" (*Histoire générale de l'Afrique*, Unesco, 1980), ma communication au Colloque *Les Religions africaines comme sources de valeurs de civilisation* (Présence Africaine, 1972), *Aspects de la civilisation africaine* (Présence Africaine, 1972) et le début de "Njeddo dewal" dans *Contes initiatiques peuls* (Ed. Stock, 1994).

36. De nos jours, on n'entend plus vraiment cette incantation que dans la Boucle du Niger, et les grandes lamentations poétiques improvisées de jadis ont quasiment disparu.

37. *Samedi de répétition :* la tradition veut qu'une chose qui arrive un samedi se renouvelle généralement.

38. *Collier de taille :* collier de petites perles *(galli)* que les femmes portent autour de la taille.

39. L'*animal tutélaire* (*dassiri* en bambara) témoigne d'une lointaine alliance sacrée nouée entre l'ancêtre fondateur d'un village et l'animal premier habitant du lieu, ou le génie du lieu incarné en cet animal. Ici, le caïman sacré est appelé ancêtre non au sens de filiation (ce n'est pas un "totem") mais parce qu'il est le plus vieil habitant du lieu.

40. La classe des "captifs de case" (*rimaïbé*, sing. *dîmadjo*) bénéficie traditionnellement d'une totale liberté de parole, de gestes et de comportement. De plus, du fait de son âge, Koniba Kondala s'assimile ici à la classe des "grands-pères", qui ont le droit de plaisanter librement avec leurs petits-enfants.

41. Ce texte se trouve dans le premier *Livret de lecture du français pour les écoliers noirs*, de Jean-Louis Monod.

42. Certains spécialistes littéraires ayant vu dans *L'Etrange destin de Wangrin*, en dépit des déclarations de l'auteur dans son avertissement liminaire, une œuvre fondée en partie sur la fiction et l'imaginaire (on a même parlé parfois d'un "récit autobiographique" !), Amadou Hampâté Bâ s'en est défendu dans une postface qui aurait dû être insérée dans le tirage du

livre intervenu en 1989, mais qui ne l'a été que dans celui de 1992 (Note de Ho Heckmann, légataire littéraire de l'auteur).

43. Cf. *L'Etrange destin...* (p. 71).

44. Le colonel Archinard, avant de prendre Djenné, avait camouflé ses troupes et ses canons dans un bosquet de tamariniers situé au sud de la ville et consacré au génie Tummelew, d'où la légende selon laquelle il avait pactisé avec l'esprit protecteur des lieux.

45. A condition toutefois de connaître et de respecter les périodes annuelles d'interdit qui frappaient certains villages animistes.

46. A l'époque, ces propos n'avaient rien d'excessif. Pour la moindre des choses on célébrait la France éternelle et on criait : "Vive la France."

47. *Tirailleurs sénégalais :* nom d'origine du corps, lequel comprenait en fait des soldats en provenance de toutes les colonies du territoire : Sénégalais, Soudanais (Maliens), Voltaïques, etc.

48. Ce n'est qu'après la 2ème Guerre mondiale, le 1er juin 1946, qu'à l'initiative de Lamine Gueye, député du Sénégal, une loi mit fin au statut de "sujet français" et donna aux ressortissants de tous les territoires d'outre-mer la qualité de citoyens français.

49. *Malinké* (ou *manitan,* ou *mandingue,* c'est-à-dire "du Mandé" [Mali]) : l'un des peuples principaux du groupe mandingue, héritier de l'empire fondé au XIIIe siècle par Soundiata Keïta. On surnommait les Malinkés "croqueurs d'arachides" en raison de leur amour immodéré pour ce fruit.

50. Cf. *Joost Van Vollenhoven,* par A. Prévaudeau (éd. Larose, Paris, 1953), p. 51, 53-54.

51. Cf. *La Vie ardente de Van Vollenhoven,* du général Mangeot (Bibliothèque de l'Institut maritime et colonial, éd. Sorlot, Paris, 1943).

52. *Rite du sabre :* le geste rituel accompli par l'adjudant Fadiala Keïta, et qui fait curieusement penser à la cérémonie d'adoubement des chevaliers au Moyen Age, faisait effectivement partie (d'après Youssouf Tata Cissé) d'un rituel mandingue ancien. Lorsque le jeune *sofa* (litt. "le père du cheval") devenait guerrier-cavalier après un long apprentissage, son sabre lui était remis rituellement en touchant chacune de ses épaules, car en l'épaule réside la force du bras.

53. D'après un membre de la famille du roi Mademba Sy, la première épouse du roi, née à Saint-Louis du Sénégal, donc citoyenne française, a été la seule dont le mariage fut légalement enregistré. A la mort du roi, le fils aîné né de cette union, considéré comme le seul fils légitime, aurait hérité de l'ensemble des biens et tous les enfants nés des autres épouses auraient été dépossédés. D'où l'extrême dénuement de Ben Daoud Mademba.

54. La salive, en Afrique traditionnelle comme en Islam, est considérée comme chargée de la puissance spirituelle des paroles prononcées. Elle accompagne donc souvent les gestes de bénédiction ou les rites de guérison.

TABLE